GO! 매쓰

Start

교과서 개념

수학 5-2

구성과 특징

1 교과서 개념 잡기

교과서 개념을 익힌 다음 개념 Check 또는 개념 Play로 개념을 확인하고 개념 확인 문제를 풀어 보세요.

개념 Check 또는 개념 Play로 개념을 재미있게 확인할 수 있습니다.

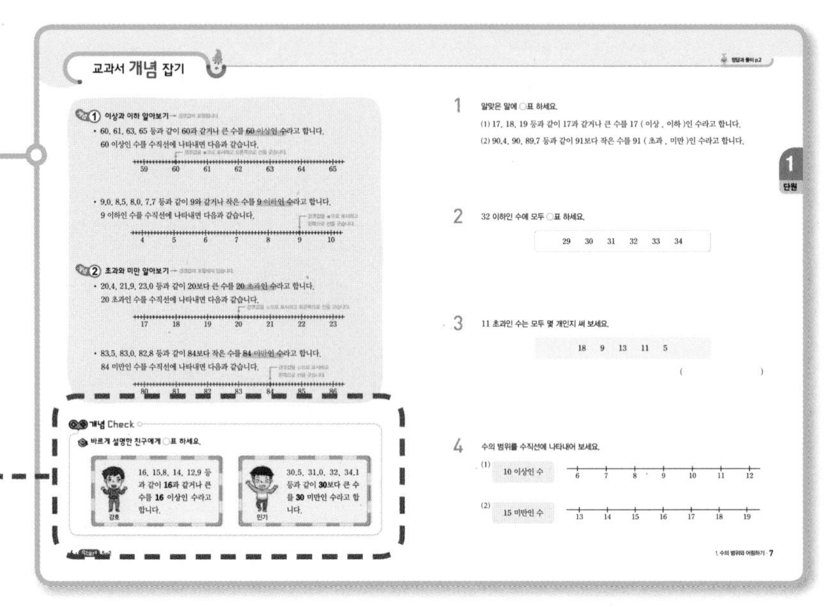

2 교과서 개념 play

개념을 게임으로 학습하면서 집중력을 높여 개념을 익히고 기본을 탄탄하게 만들어요.

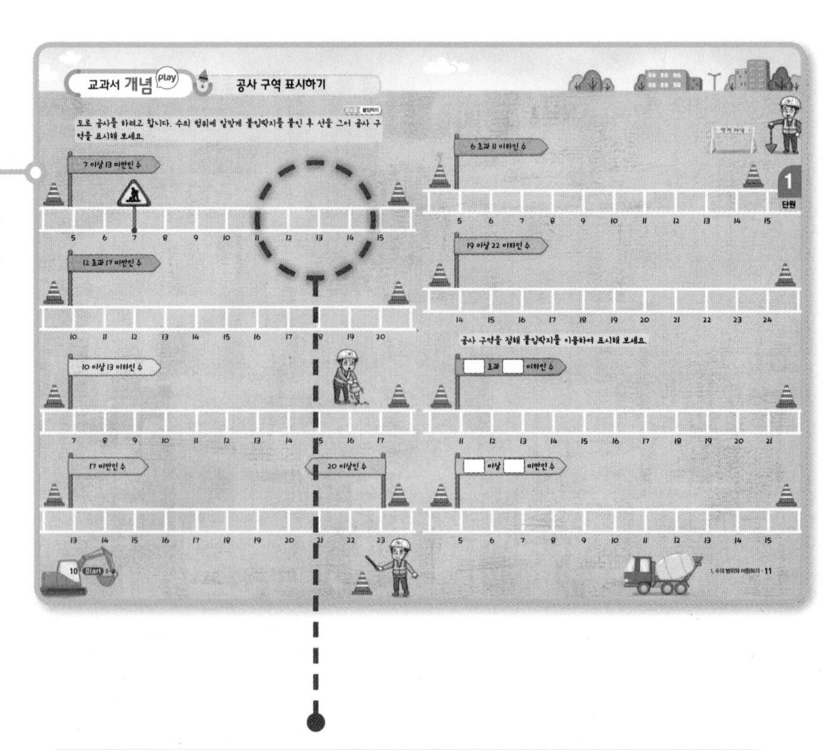

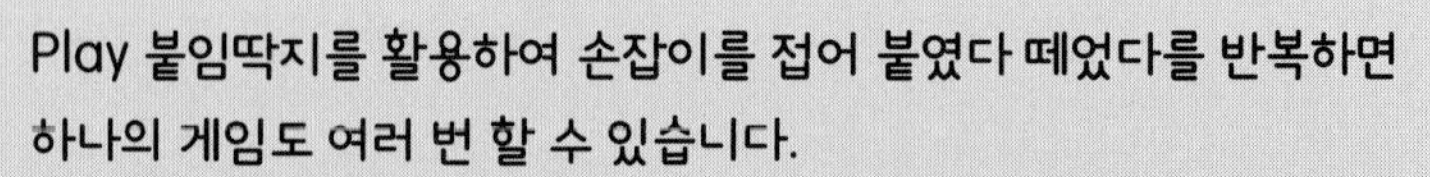
Play 붙임딱지를 활용하여 손잡이를 접어 붙였다 떼었다를 반복하면 하나의 게임도 여러 번 할 수 있습니다.

집중! 드릴 문제

각 단원에 꼭 필요한 기초 문제를 반복하여 풀어 보면 기초력을 향상시킬 수 있어요.

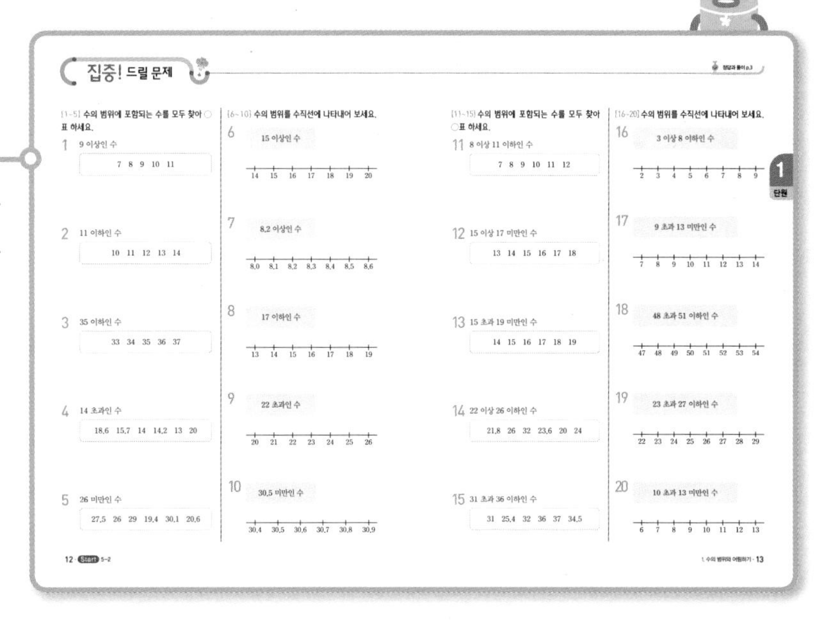

집중! 드릴 문제

[1~5] 수의 범위에 포함되는 수를 모두 찾아 ○표 하세요.

1 9 이상인 수 — 7 8 9 10 11

2 11 이하인 수 — 10 11 12 13 14

3 35 이하인 수 — 33 34 35 36 37

4 14 초과인 수 — 18.6 15.7 14 14.2 13 20

5 26 미만인 수 — 27.5 26 29 19.4 30.1 20.6

[6~10] 수의 범위를 수직선에 나타내어 보세요.

6 15 이상인 수

7 8.2 이상인 수

8 17 이하인 수

9 22 초과인 수

10 30.5 미만인 수

[11~15] 수의 범위에 포함되는 수를 모두 찾아 ○표 하세요.

11 8 이상 11 이하인 수 — 7 8 9 10 11 12

12 15 이상 17 미만인 수 — 13 14 15 16 17 18

13 15 초과 19 미만인 수 — 14 15 16 17 18 19

14 22 이상 26 이하인 수 — 21.8 26 32 23.6 20 24

15 31 초과 36 이하인 수 — 31 25.4 32 36 37 34.5

[16~20] 수의 범위를 수직선에 나타내어 보세요.

16 3 이상 8 이하인 수

17 9 초과 13 미만인 수

18 48 초과 51 이하인 수

19 23 초과 27 이하인 수

20 10 초과 13 미만인 수

교과서 개념 확인 문제

교과서와 익힘책의 다양한 유형의 문제를 풀어 볼 수 있어요.

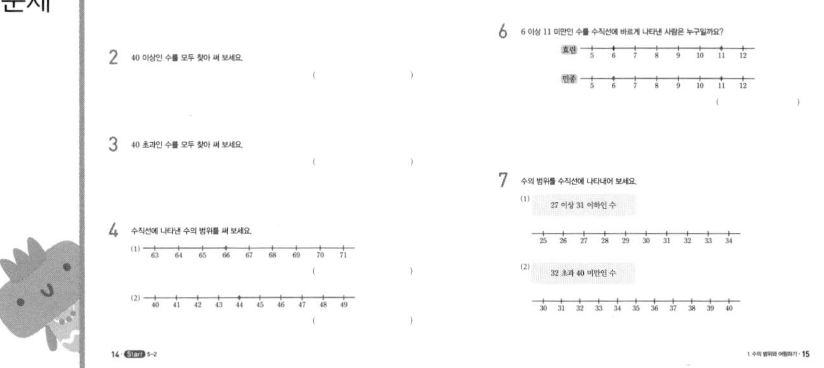

교과서 개념 확인 문제

[1~3] 수를 보고 물음에 답하세요.

12	17	21	40	15	23
75	19	42	25	32	22

1 19 이하인 수를 모두 찾아 써 보세요.

2 40 이상인 수를 모두 찾아 써 보세요.

3 40 초과인 수를 모두 찾아 써 보세요.

4 수직선에 나타낸 수의 범위를 써 보세요.

5 □ 안에 알맞은 말을 써넣으세요.

(1) 10과 같거나 크고 15와 같거나 작은 수를 10 □ 15 □인 수라고 합니다.

(2) 22보다 크고 30보다 작은 수를 22 □ 30 □인 수라고 합니다.

6 6 이상 11 미만인 수를 수직선에 바르게 나타낸 사람은 누구일까요?

7 수의 범위를 수직선에 나타내어 보세요.

(1) 27 이상 31 이하인 수

(2) 32 초과 40 미만인 수

개념 확인평가

각 단원의 개념을 잘 이해하였는지 평가하여 배운 내용을 정리할 수 있어요.

개념 확인평가 1. 수의 범위와 어림하기

1 수를 보고 물음에 답하세요.

14 15 16 17 18 19 20

(1) 18 이상인 수를 모두 찾아 써 보세요.

(2) 17 미만인 수를 모두 찾아 써 보세요.

2 □ 안에 알맞은 수를 써넣으세요.

(1) 928을 올림하여 십의 자리까지 나타내면 □입니다.

(2) 571을 반올림하여 백의 자리까지 나타내면 □입니다.

3 바르게 설명한 것에 ○표, 잘못 설명한 것에 ×표 하세요.

(1) 7은 7 이상인 수에 포함됩니다.

(2) 5, 6, 7, 8 중에서 6 이하인 수는 5뿐입니다.

4 30 초과 40 이하인 수를 모두 찾아 써 보세요.

26	30	19	38
33	21	45	40

[5~6] 정국이네 모둠 학생들이 1분 동안 뒷줄 말아 올리기를 한 횟수와 등급별 횟수의 범위를 나타낸 표입니다. 물음에 답하세요.

이름	횟수(회)
정국	30
민지	23
정석	20
석호	17

등급	횟수(회)
가	30 이상
나	25 이상 30 미만
다	20 이상 25 미만
라	20 미만

5 다 등급에 속하는 학생의 이름을 모두 써 보세요.

6 가 등급의 횟수의 범위를 수직선에 나타내어 보세요.

7 주어진 수를 올림, 버림, 반올림하여 백의 자리까지 나타내어 보세요.

수	올림	버림	반올림
5366			

8 수직선에 나타낸 수의 범위를 써 보세요.

차례

1 수의 범위와 어림하기

학습 계획표

내용	쪽수	날짜	확인
교과서 개념 잡기	6~9쪽	월 일	
교과서 개념 play / 집중! 드릴 문제	10~13쪽	월 일	
교과서 개념 확인 문제	14~17쪽	월 일	
교과서 개념 잡기	18~21쪽	월 일	
교과서 개념 play / 집중! 드릴 문제	22~25쪽	월 일	
교과서 개념 확인 문제	26~29쪽	월 일	
개념 확인평가	30~32쪽	월 일	

교과서 개념 잡기

개념 1 이상과 이하 알아보기 → 경곗값이 포함됩니다.

• 60, 61, 63, 65 등과 같이 60과 같거나 큰 수를 60 이상인 수라고 합니다.
60 이상인 수를 수직선에 나타내면 다음과 같습니다.

• 9.0, 8.5, 8.0, 7.7 등과 같이 9와 같거나 작은 수를 9 이하인 수라고 합니다.
9 이하인 수를 수직선에 나타내면 다음과 같습니다.

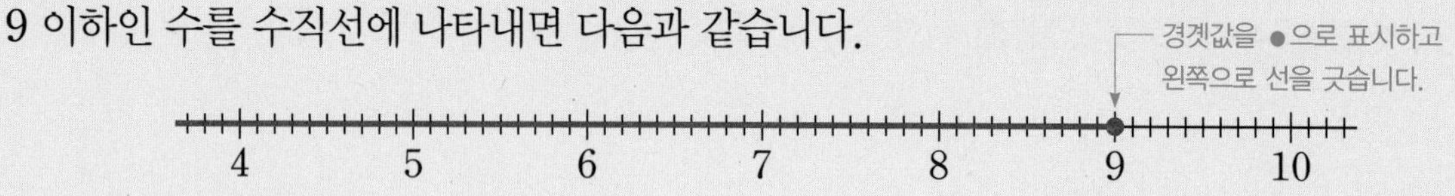

경곗값을 ●으로 표시하고 왼쪽으로 선을 긋습니다.
4
5
6
7
8
9
10

개념 2 초과와 미만 알아보기 → 경곗값이 포함되지 않습니다.

• 20.4, 21.9, 23.0 등과 같이 20보다 큰 수를 20 초과인 수라고 합니다.
20 초과인 수를 수직선에 나타내면 다음과 같습니다.

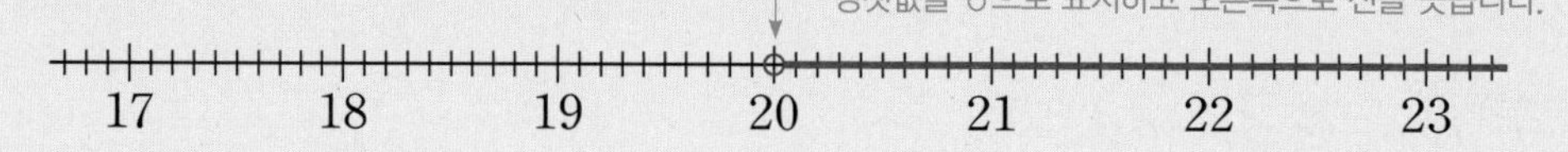

• 83.5, 83.0, 82.8 등과 같이 84보다 작은 수를 84 미만인 수라고 합니다.
84 미만인 수를 수직선에 나타내면 다음과 같습니다.

개념 Check

바르게 설명한 친구에게 ○표 하세요.

1 알맞은 말에 ○표 하세요.

(1) 17, 18, 19 등과 같이 17과 같거나 큰 수를 17 (이상 , 이하)인 수라고 합니다.

(2) 90.4, 90, 89.7 등과 같이 91보다 작은 수를 91 (초과 , 미만)인 수라고 합니다.

2 32 이하인 수에 모두 ○표 하세요.

29 30 31 32 33 34

3 11 초과인 수는 모두 몇 개인지 써 보세요.

18 9 13 11 5

( )

4 수의 범위를 수직선에 나타내어 보세요.

(1) 10 이상인 수

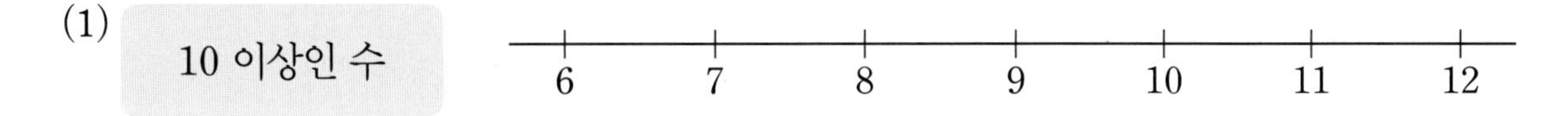

(2) 15 미만인 수

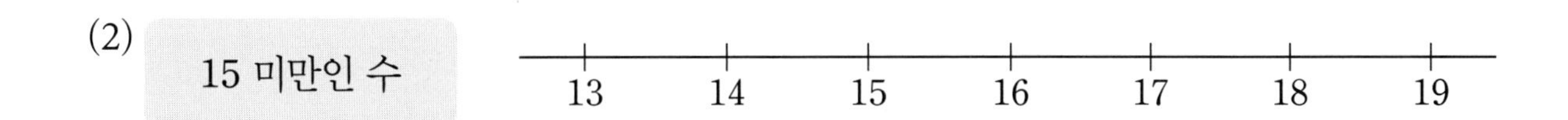

개념 3 수의 범위를 활용하여 문제 해결하기

수의 범위를 이상, 이하, 초과, 미만을 이용하여 수직선에 나타내면 다음과 같습니다.

- 4 이상 9 이하인 수
  ➡ 4와 같거나 크고 9와 같거나 작은 수

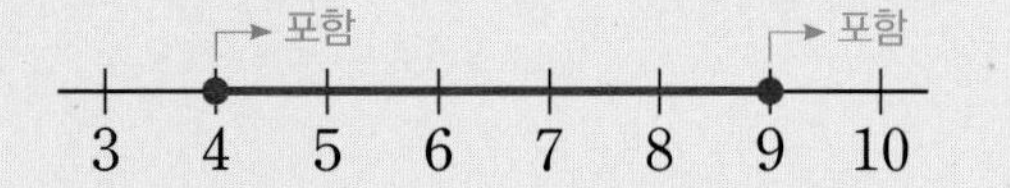

4와 9에 ●으로 표시하고 4와 9 사이에 선을 긋습니다.

- 4 이상 9 미만인 수
  ➡ 4와 같거나 크고 9보다 작은 수

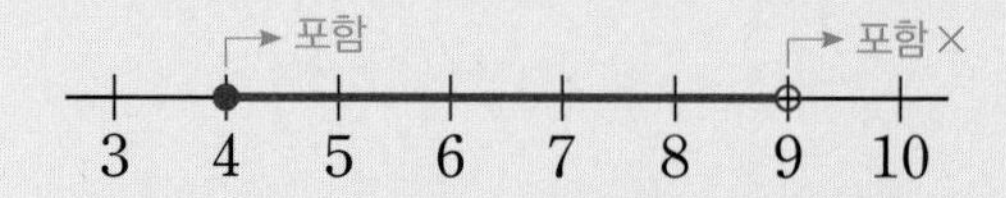

4에 ●, 9에 ○으로 표시하고 4와 9 사이에 선을 긋습니다.

- 4 초과 9 이하인 수
  ➡ 4보다 크고 9와 같거나 작은 수

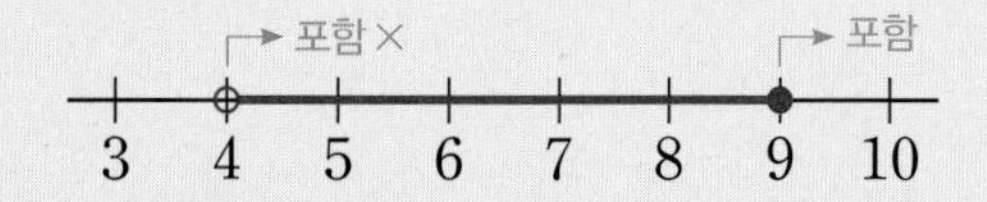

4에 ○, 9에 ●으로 표시하고 4와 9 사이에 선을 긋습니다.

- 4 초과 9 미만인 수
  ➡ 4보다 크고 9보다 작은 수

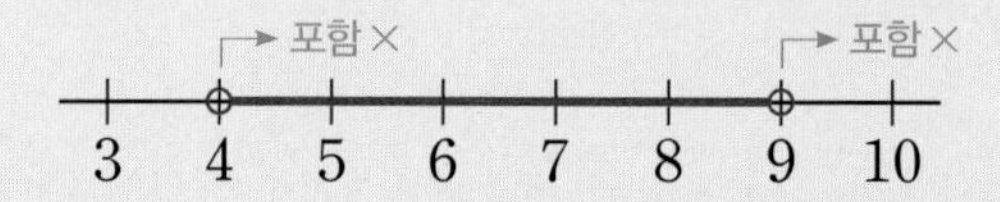

4와 9에 ○으로 표시하고 4와 9 사이에 선을 긋습니다.

이상과 이하는 경곗값이 포함되고
초과와 미만은 경곗값이 포함되지 않습니다.

개념 Play

준비물 붙임딱지

수의 범위를 바르게 나타낸 수직선을 찾아 붙임딱지를 붙여 보세요.

5 초과 8 이하인 수	5 이상 8 이하인 수

1 3 이상 7 이하인 자연수를 모두 써 보세요.

(　　　　　　　　　　)

2 10 초과 14 이하인 수의 범위를 수직선에 바르게 나타낸 것을 찾아 기호를 써 보세요.

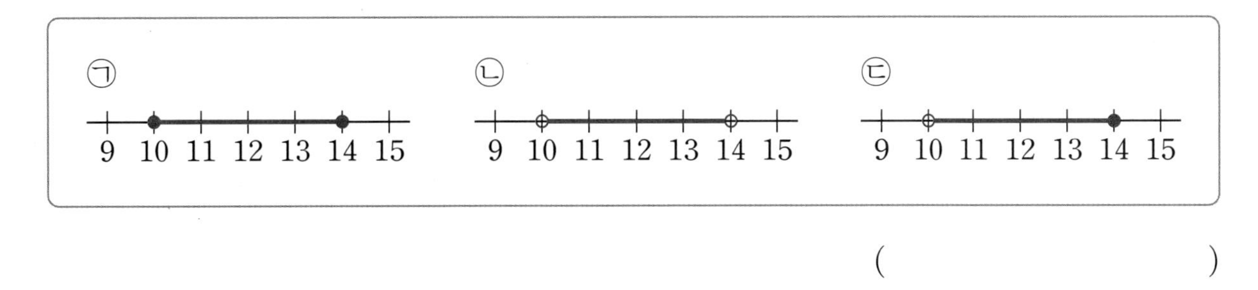

(　　　　　　　　　　)

3 9 이상 20 미만인 수를 모두 찾아 써 보세요.

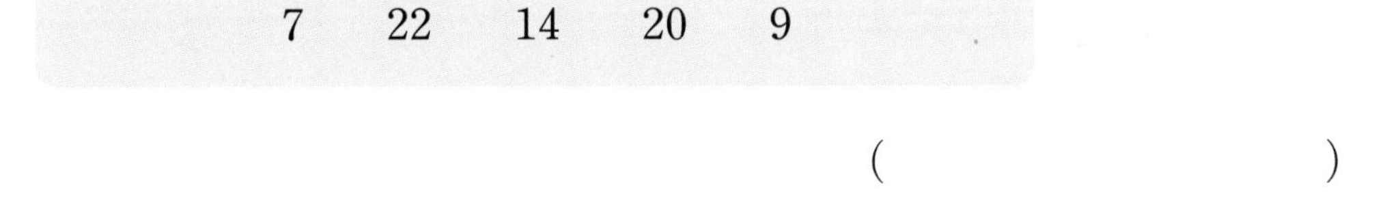

(　　　　　　　　　　)

4 수의 범위를 수직선에 나타내어 보세요.

(1) 2 초과 6 미만인 수

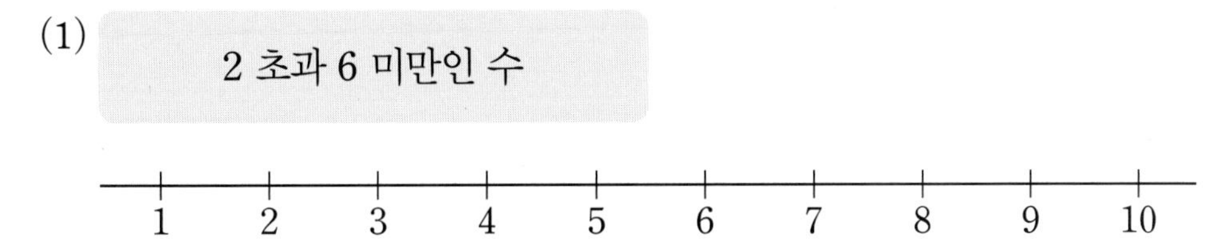

(2) 15 이상 21 미만인 수

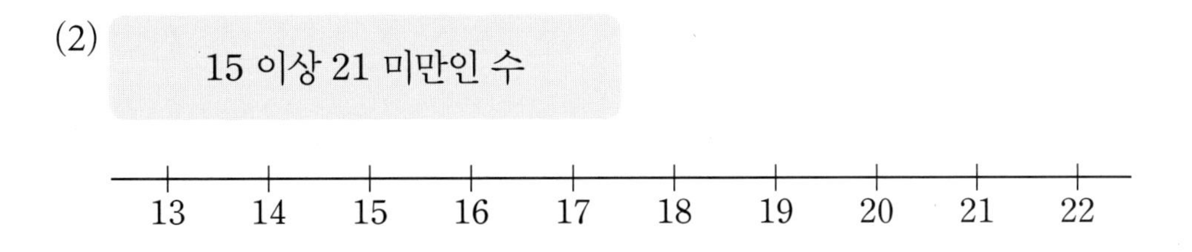

교과서 개념 play

공사 구역 표시하기

준비물 붙임딱지

도로 공사를 하려고 합니다. 수의 범위에 알맞게 붙임딱지를 붙인 후 선을 그어 공사 구역을 표시해 보세요.

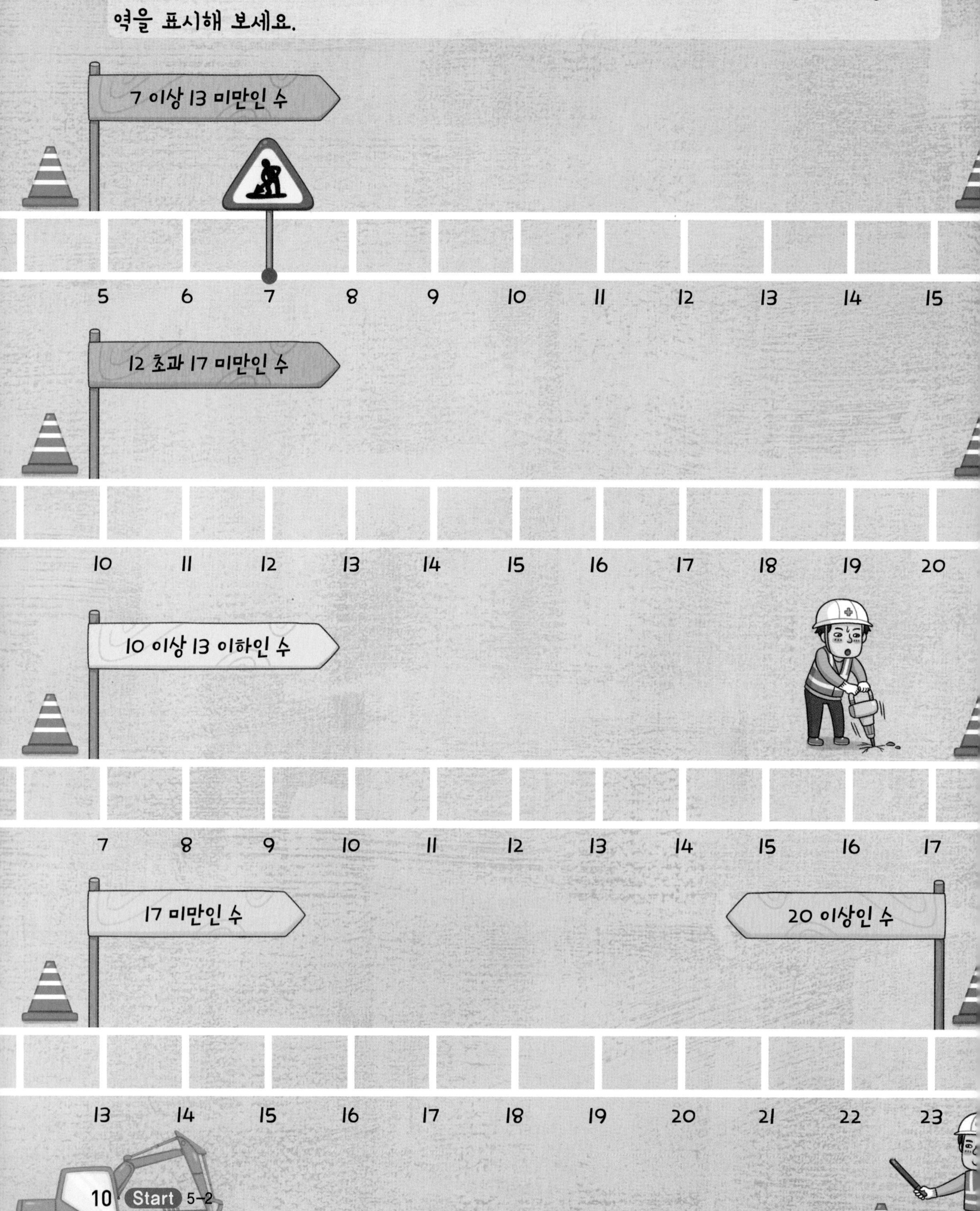

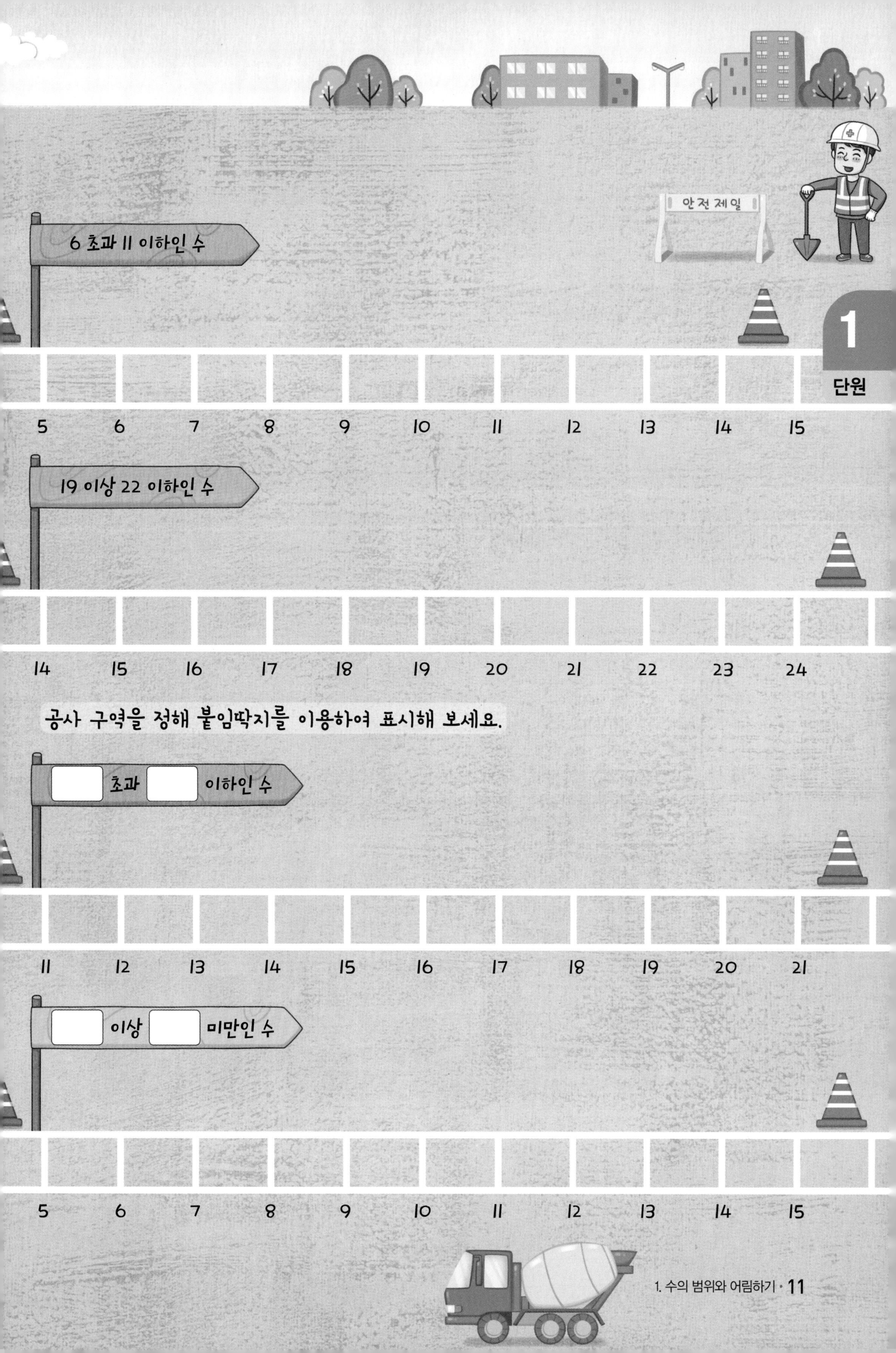

1 단원

공사 구역을 정해 붙임딱지를 이용하여 표시해 보세요.

집중! 드릴 문제

[1~5] 수의 범위에 포함되는 수를 모두 찾아 ○표 하세요.

1 9 이상인 수

7 8 9 10 11

2 11 이하인 수

10 11 12 13 14

3 35 이하인 수

33 34 35 36 37

4 14 초과인 수

18.6 15.7 14 14.2 13 20

5 26 미만인 수

27.5 26 29 19.4 30.1 20.6

[6~10] 수의 범위를 수직선에 나타내어 보세요.

6 15 이상인 수

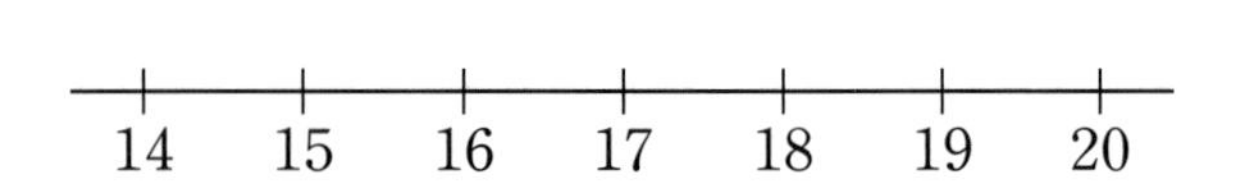

7 8.2 이상인 수

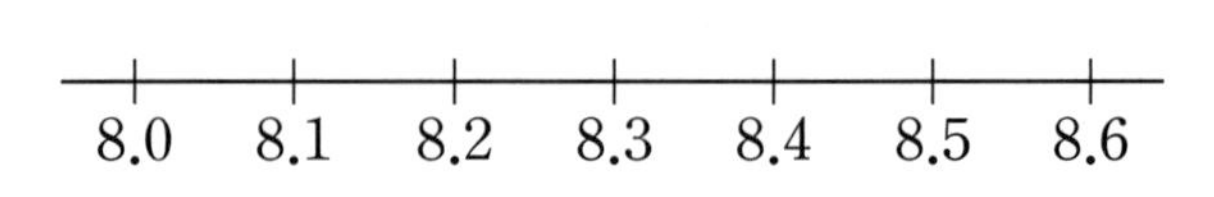

8 17 이하인 수

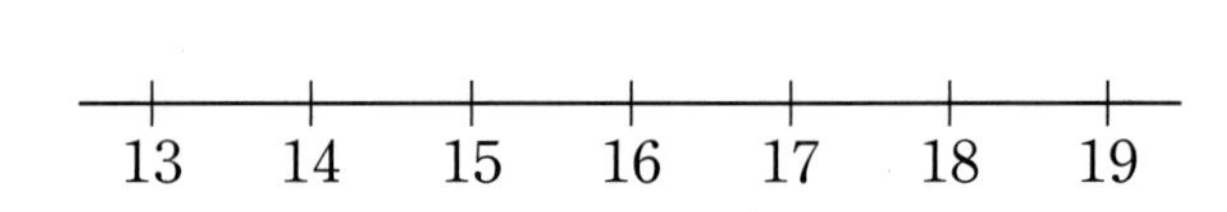

9 22 초과인 수

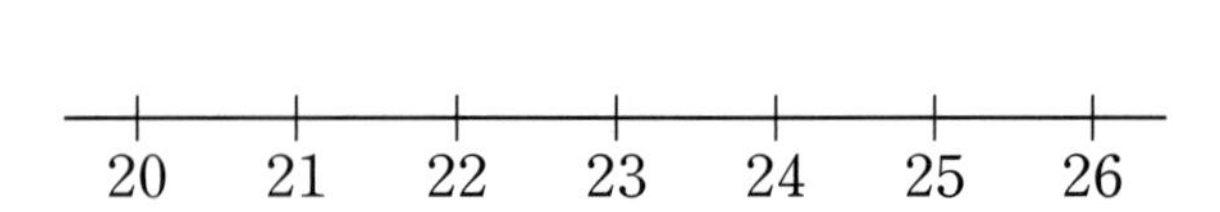

10 30.5 미만인 수

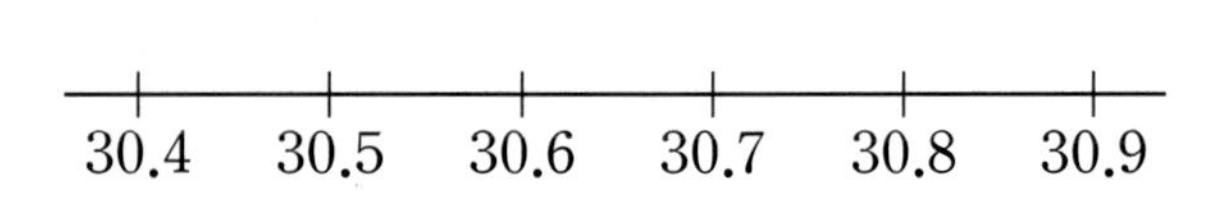

[11~15] 수의 범위에 포함되는 수를 모두 찾아 ○표 하세요.

11 8 이상 11 이하인 수

7 8 9 10 11 12

12 15 이상 17 미만인 수

13 14 15 16 17 18

13 15 초과 19 미만인 수

14 15 16 17 18 19

14 22 이상 26 이하인 수

21.8 26 32 23.6 20 24

15 31 초과 36 이하인 수

31 25.4 32 36 37 34.5

[16~20] 수의 범위를 수직선에 나타내어 보세요.

16 3 이상 8 이하인 수

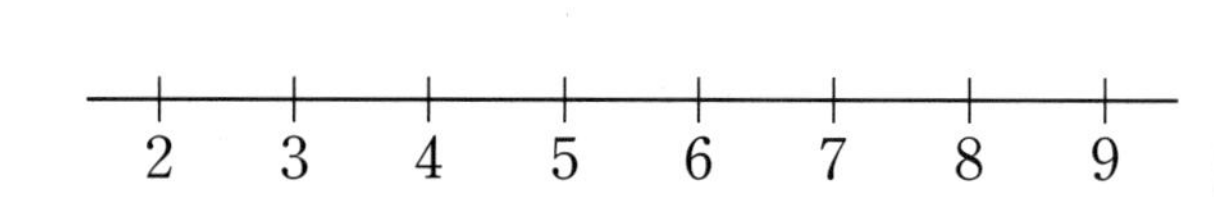

17 9 초과 13 미만인 수

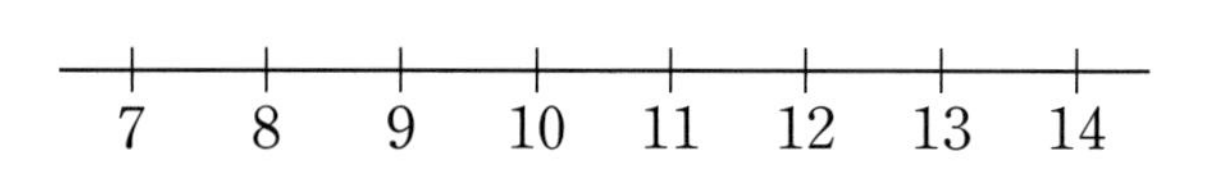

18 48 초과 51 이하인 수

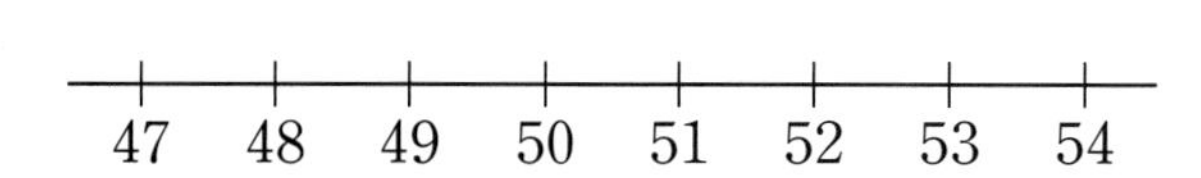

19 23 초과 27 이하인 수

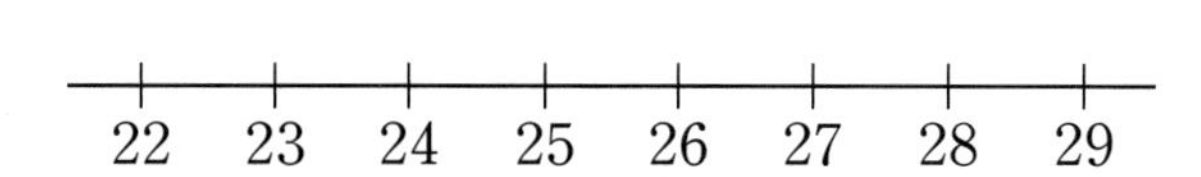

20 10 초과 13 미만인 수

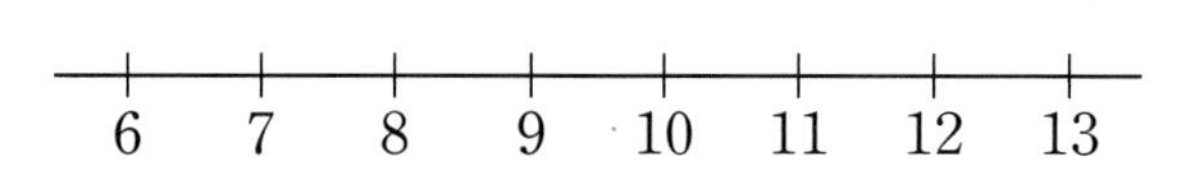

1 단원

교과서 개념 확인 문제

[1~3] 수를 보고 물음에 답하세요.

12	17	21	40	15	23
75	19	42	25	32	22

1 19 이하인 수를 모두 찾아 써 보세요.

(　　　　　　　　　　　　　　)

2 40 이상인 수를 모두 찾아 써 보세요.

(　　　　　　　　　　　　　　)

3 40 초과인 수를 모두 찾아 써 보세요.

(　　　　　　　　　　　　　　)

4 수직선에 나타낸 수의 범위를 써 보세요.

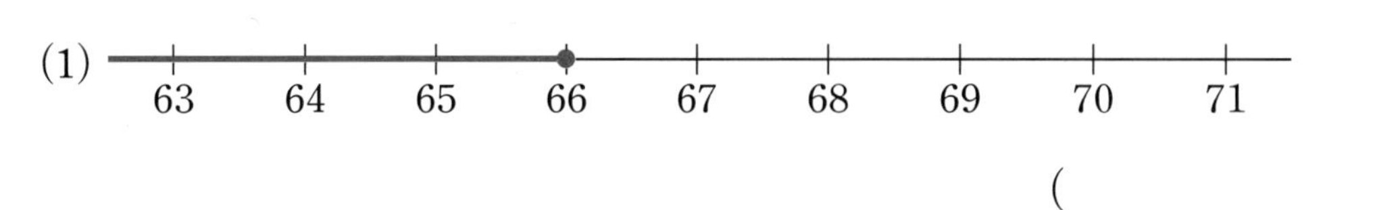

(　　　　　　　　　　　　　　)

(2)

40 41 42 43 44 45 46 47 48 49

(　　　　　　　　　　　　　　)

5

☐ 안에 알맞은 말을 써넣으세요.

(1) 10과 같거나 크고 15와 같거나 작은 수를 10 ☐ 15 ☐인 수라고 합니다.

(2) 22보다 크고 30보다 작은 수를 22 ☐ 30 ☐인 수라고 합니다.

6

6 이상 11 미만인 수를 수직선에 바르게 나타낸 사람은 누구일까요?

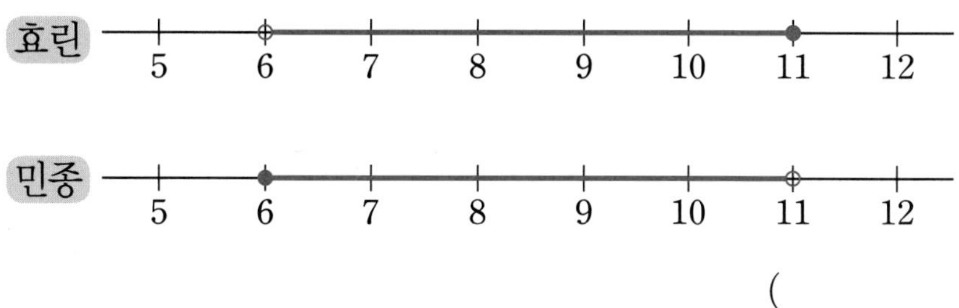

(　　　　　　　　)

7

수의 범위를 수직선에 나타내어 보세요.

(1) 27 이상 31 이하인 수

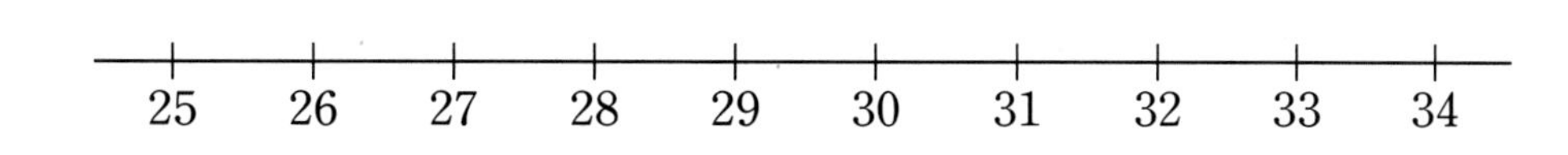

(2) 32 초과 40 미만인 수

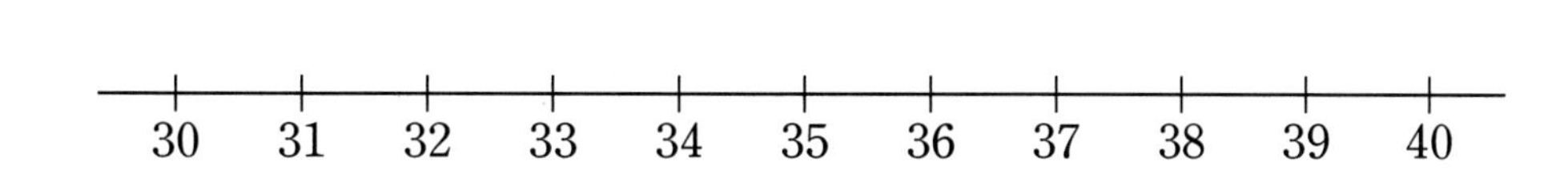

8 23 초과 26 미만인 수를 모두 찾아 써 보세요.

22.7 25.0 28.4 23.0 24.9

( )

9 경호네 모둠 학생들의 100 m 달리기 기록을 조사하여 나타낸 표입니다. 기록이 17초 미만인 학생은 누구누구일까요?

경호네 모둠 학생들의 100 m 달리기 기록

이름	기록(초)	이름	기록(초)
경호	16.8	동혁	17.2
민재	20.8	혜미	17.0
가은	18.5	유진	15.7

( )

10 25 이상인 수에 모두 ○표 하고, 20 미만인 수에 모두 △표 하세요.

16	20	29	38	17
23	33	25	12	48

11 ☆ 이상인 자연수를 가장 작은 수부터 차례로 쓴 것입니다. ☆에 알맞은 자연수를 구해 보세요.

33, 34, 35, 36, 37……

( )

12 48을 포함하는 수의 범위를 모두 찾아 기호를 써 보세요.

㉠ 48 미만인 수　　㉡ 47 이상인 수
㉢ 48 이하인 수　　㉣ 49 초과인 수

( )

13 수직선에 나타낸 수의 범위에 포함되는 자연수는 모두 몇 개인지 구해 보세요.

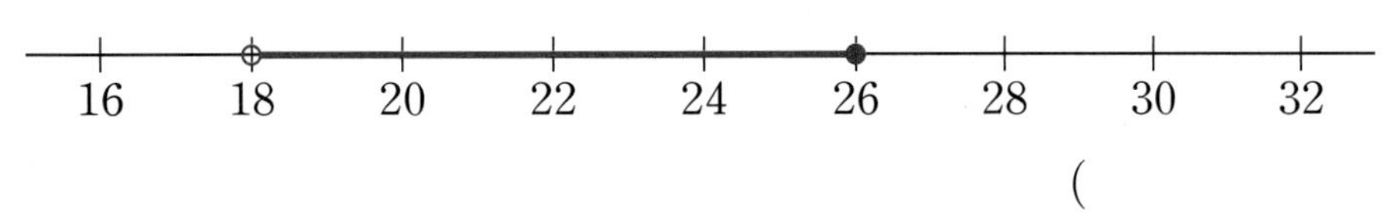

( )

14 □ 안에 이상, 이하, 초과, 미만 중에서 알맞은 말을 각각 써넣으세요.

25 □ 31 □인 모든 자연수 → 26, 27, 28, 29, 30, 31

교과서 개념 잡기

개념 4 올림 알아보기

• 103을 십의 자리까지 나타내기 위하여 십의 자리 아래 수인 3을 10으로 보고 110으로 나타낼 수 있습니다. 이와 같이 구하려는 자리의 아래 수를 올려서 나타내는 방법을 올림이라고 합니다.

올림하여 십의 자리까지 나타내면 103 → 110	올림하여 백의 자리까지 나타내면 103 → 200
십의 자리의 아래 수인 3을 10으로 보고 올림하면 110이 됩니다.	백의 자리의 아래 수인 3을 100으로 보고 올림하면 200이 됩니다.

개념 5 버림 알아보기

• 382를 십의 자리까지 나타내기 위하여 십의 자리 아래 수인 2를 0으로 보고 380으로 나타낼 수 있습니다. 이와 같이 구하려는 자리의 아래 수를 버려서 나타내는 방법을 버림이라고 합니다.

버림하여 십의 자리까지 나타내면 382 → 380	버림하여 백의 자리까지 나타내면 382 → 300
십의 자리의 아래 수인 2를 0으로 보고 버림하면 380이 됩니다.	백의 자리의 아래 수인 82를 0으로 보고 버림하면 300이 됩니다.

개념 Check

바르게 설명한 친구에게 ○표 하세요.

민기

구하려는 자리의 아래 수를 올려서 나타내는 방법을 버림이라고 합니다.

서희

구하려는 자리의 아래 수를 올려서 나타내는 방법을 올림이라고 합니다.

1 알맞은 수에 ○표 하세요.

(1) 79를 올림하여 십의 자리까지 나타내면 (70 , 80)입니다.

(2) 115를 버림하여 백의 자리까지 나타내면 (100 , 200)입니다.

2 □ 안에 알맞은 수를 써넣으세요.

(1) 314를 올림하여 백의 자리까지 나타내면 □입니다.

(2) 1108을 버림하여 천의 자리까지 나타내면 □입니다.

3 보기 와 같이 8.66을 버림하여 소수 첫째 자리까지 나타내어 보세요.

보기

9.23을 버림하여 소수 첫째 자리까지 나타내면 9.2입니다.

( )

소수 첫째 자리까지
나타내려면
소수 첫째 자리
아래 수를 버려야 해.

4 올림하여 천의 자리까지 나타내면 5000이 되는 수에 모두 ○표 하세요.

4000 3099 5001 4806 5000

개념 6 반올림 알아보기

- 구하려는 자리 바로 아래 자리의 숫자가 0, 1, 2, 3, 4이면 버리고, 5, 6, 7, 8, 9이면 올려서 나타내는 방법을 반올림이라고 합니다.

반올림하여 십의 자리까지 나타내면 3191 → 3190	반올림하여 백의 자리까지 나타내면 3191 → 3200
일의 자리 숫자가 1이므로 버림하여 3190으로 나타낼 수 있습니다.	십의 자리 숫자가 9이므로 올림하여 3200으로 나타낼 수 있습니다.

개념 7 올림, 버림, 반올림을 활용하여 문제 해결하기

- 구하려는 자리의 아래 수까지 포함해야 하는 경우에 올림을 활용합니다.
  - 예 끈 402 cm가 필요한데 1 m씩 판매할 경우
    402 cm를 올림하여 백의 자리까지 나타내면 500 cm → 5 m를 사야 합니다.

- 구하려는 자리의 아래 수는 필요하지 않은 경우에 버림을 활용합니다.
  - 예 공 273개를 100개씩 상자에 넣어서 팔 경우
    273개를 버림하여 백의 자리까지 나타내면 200개 → 2상자까지 팔 수 있습니다.

- 인구, 관객 수, 길이, 무게 등을 어림하여 나타내는 경우에 반올림을 활용합니다.
  - 예 인구 8607명을 약 몇천 명으로 어림하여 나타낼 경우
    8607명을 반올림하여 천의 자리까지 나타내면 9000명입니다.

개념 Check

 바르게 설명한 친구에게 ○표 하세요.

2750원짜리 물건을 사려면 천 원짜리 지폐 2장이 필요합니다.
예지

2750원짜리 물건을 사려면 천 원짜리 지폐 3장이 필요합니다.
준우

1 반올림하여 주어진 자리까지 나타내어 보세요.

수	십의 자리	백의 자리	천의 자리
8163			

2 3.074를 반올림하여 소수 첫째 자리까지 나타내면 얼마일까요?

( )

3 구슬 1238개를 상자에 모두 담으려고 합니다. 상자 한 개에 100개씩 담을 수 있을 때 물음에 답하세요.

(1) 상자가 최소 몇 개 필요한지 알아보려고 할 때 알맞은 어림 방법에 ◯표 하세요.

(올림 , 버림 , 반올림)

(2) 상자는 최소 몇 개 필요할까요?

( )

4 공장에서 빵을 891봉지 만들었습니다. 한 상자에 10봉지씩 담아서 판다면 빵은 최대 몇 상자까지 팔 수 있을까요?

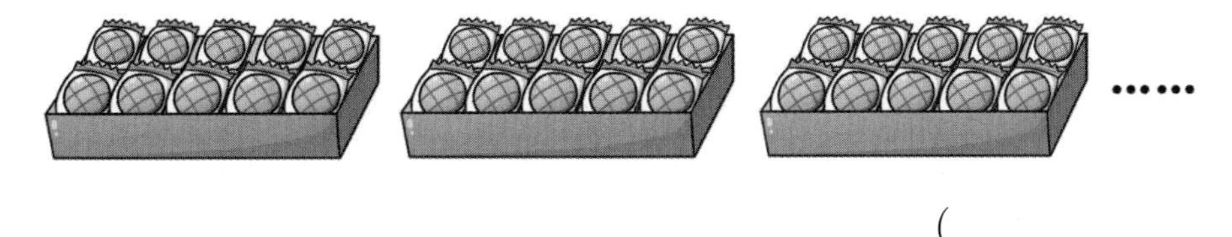

( )

달고나 만들기

준비물 붙임딱지

달고나 모양에 따라 트리( ) 모양은 올림, 별( ) 모양은 버림, 하트( ) 모양은 반올림하여 주어진 자리까지 나타내려고 합니다. 달고나를 완성해 보세요.

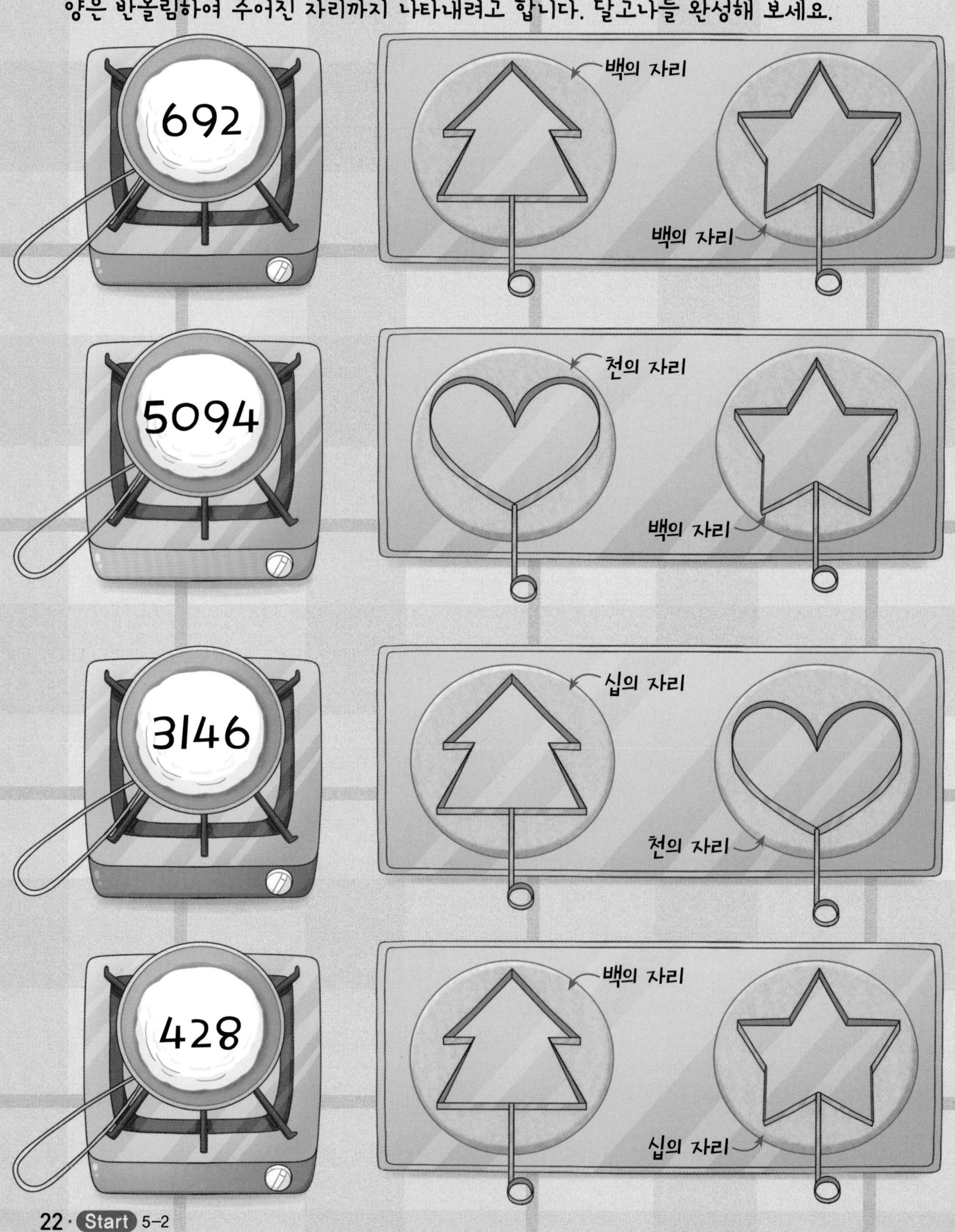

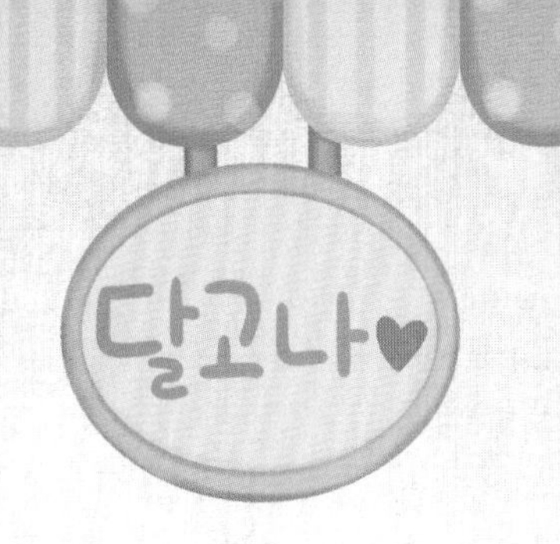
달고나♥

별 ☆ 모양
하트 ♡ 모양
트리 모양

1
단원

557

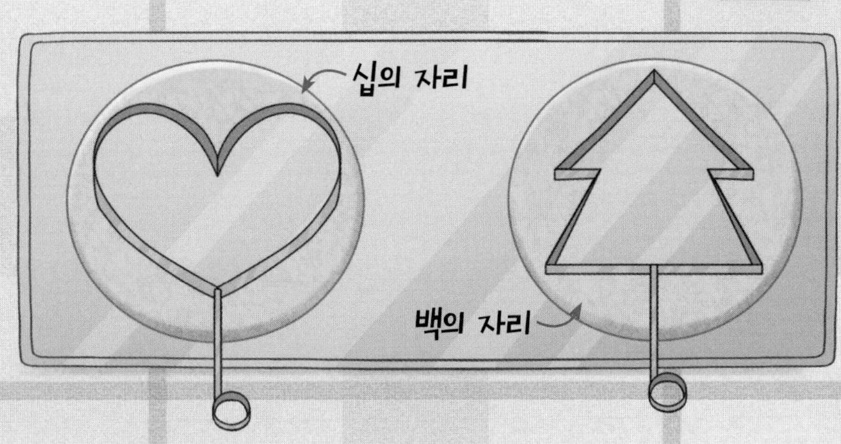
십의 자리
백의 자리

1065

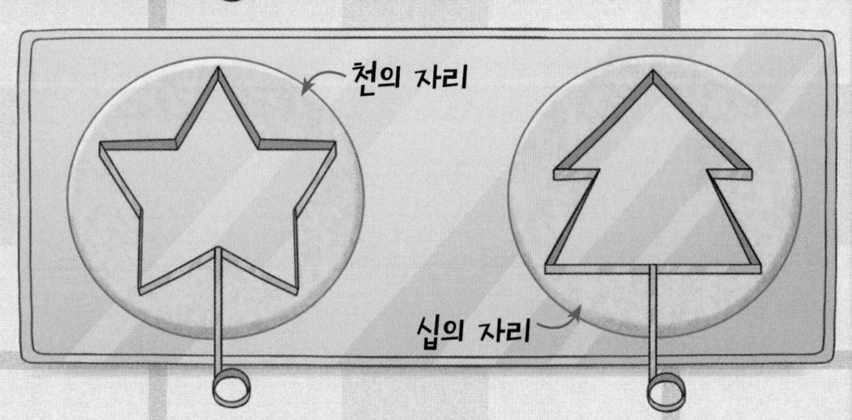
천의 자리
십의 자리

350

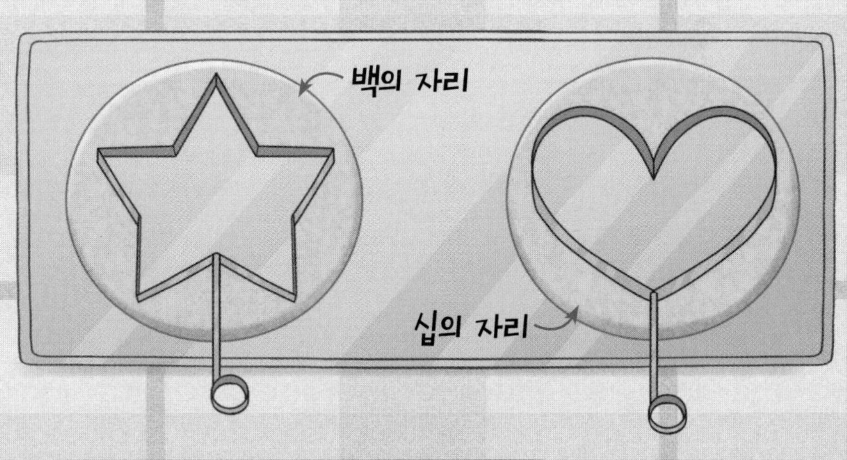
백의 자리
십의 자리

3967
소다

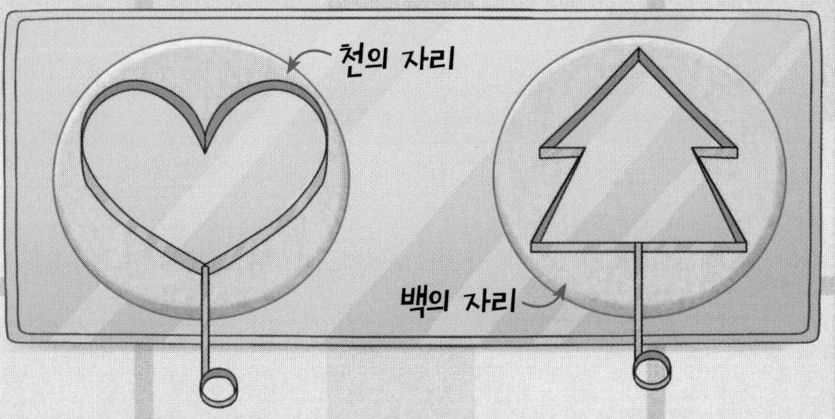
천의 자리
백의 자리

집중! 드릴 문제

[1~10] □ 안에 알맞은 수를 써넣으세요.

1 906을 올림하여 십의 자리까지 나타내면 □입니다.

2 2283을 버림하여 백의 자리까지 나타내면 □입니다.

3 544를 반올림하여 백의 자리까지 나타내면 □입니다.

4 4095를 올림하여 천의 자리까지 나타내면 □입니다.

5 7725를 버림하여 십의 자리까지 나타내면 □입니다.

6 4.371을 버림하여 소수 첫째 자리까지 나타내면 □입니다.

7 5.619를 반올림하여 소수 둘째 자리까지 나타내면 □입니다.

8 3.144를 올림하여 소수 둘째 자리까지 나타내면 □입니다.

9 1.652를 올림하여 소수 첫째 자리까지 나타내면 □입니다.

10 0.185를 반올림하여 소수 첫째 자리까지 나타내면 □입니다.

[11~18] 주어진 문장을 읽고 답을 구해 보세요.

11 인형 3472개를 한 상자에 100개씩 담아서 팔려고 합니다. 팔 수 있는 인형은 최대 몇 상자일까요?

( )

12 빵 734개를 모두 상자에 담으려고 합니다. 한 상자에 빵을 100개씩 담을 수 있다면 상자는 최소 몇 상자 필요할까요?

( )

13 25960원을 모두 1000원짜리 지폐로 바꾸려고 합니다. 최대 얼마까지 바꿀 수 있을까요?

( )

14 어떤 지역의 인구가 3032명입니다. 이 지역의 인구를 반올림하여 천의 자리까지 나타내면 몇천 명일까요?

( )

15 무게가 15.9 kg인 물건을 눈금이 1 kg마다 표시된 저울로 재었습니다. 저울의 바늘이 가리키는 곳과 가까운 쪽의 눈금을 읽으면 몇 kg일까요?

( )

16 지민이는 과자 5640원어치를 샀습니다. 1000원짜리 지폐로만 물건값을 낸다면 최소 얼마를 내야 할까요?

( )

17 선물 1개를 포장하는 데 리본이 1 m 필요합니다. 리본 610 cm로 선물을 최대 몇 개까지 포장할 수 있을까요?

( )

18 145명의 관광객이 버스에 모두 타려고 합니다. 버스 한 대에 10명까지 탈 수 있다면 버스는 최소 몇 대 필요할까요?

( )

교과서 개념 확인 문제

1 수를 올림하여 주어진 자리까지 나타내어 보세요.

수	십의 자리	백의 자리
327		

2 보기 와 같이 소수를 올림하여 □ 안에 알맞은 수를 써넣으세요.

보기
1.082를 올림하여 소수 둘째 자리까지 나타내면 1.09입니다.

3.514를 올림하여 소수 둘째 자리까지 나타내면 □입니다.

3 5.386을 올림, 버림, 반올림하여 소수 첫째 자리까지 나타내어 보세요.

수	올림	버림	반올림
5.386			

4 설명이 맞으면 ○표, 틀리면 ×표 하세요.

(1) 4309를 버림하여 십의 자리까지 나타내면 4310입니다. ( )

(2) 7283을 반올림하여 천의 자리까지 나타내면 7000입니다. ( )

5 연필의 길이는 몇 cm인지 반올림하여 일의 자리까지 나타내어 보세요.

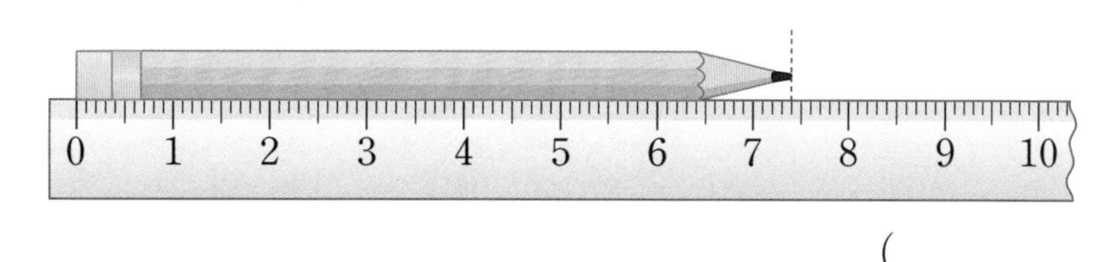

( )

6 버림하여 주어진 자리까지 나타내어 보세요.

수	십의 자리	백의 자리
1249		
35102		

7 나타내는 수가 다른 하나를 찾아 기호를 써 보세요.

㉠ 2901을 올림하여 백의 자리까지 나타낸 수
㉡ 2901을 올림하여 천의 자리까지 나타낸 수
㉢ 2901을 올림하여 십의 자리까지 나타낸 수

( )

8 버림하여 백의 자리까지 나타내면 2500이 되는 수에 모두 ○표 하세요.

2490 2563 2501 2433

9 귤 756상자를 트럭에 모두 실으려고 합니다. 트럭 한 대에 100상자씩 실을 수 있을 때 트럭은 최소 몇 대 필요한지 구하려고 합니다. 어떤 방법으로 어림해야 할까요?

(올림 , 버림 , 반올림)

10 어림한 수의 크기를 비교하여 더 큰 것의 기호를 써 보세요.

㉠ 516을 올림하여 십의 자리까지 나타낸 수	㉡ 503을 올림하여 백의 자리까지 나타낸 수

( )

11 오늘 하루 영화관에 입장한 관람객 수는 12085명입니다. 관람객 수를 올림, 버림, 반올림하여 백의 자리까지 나타내어 보세요.

올림	버림	반올림

12 동전을 모은 저금통을 열어서 세어 보니 모두 27350원이었습니다. 이것을 1000원짜리 지폐로 바꾸면 최대 얼마까지 바꿀 수 있는지 구해 보세요.

( )

13 수 카드 4장을 한 번씩만 사용하여 가장 큰 네 자리 수를 만들고 만든 네 자리 수를 반올림하여 백의 자리까지 나타내어 보세요.

2 6 3 9

( )

14 문구점에서 보람이는 끈을 최소 몇 cm 사야 할까요?

끈 327 cm
주세요.
끈은 100 cm
단위로만 팔아요.

( )

15 버림하여 십의 자리까지 나타내면 120이 되는 자연수 중에서 가장 큰 수를 써 보세요.

( )

개념 확인평가

맞은 개수

1 수를 보고 물음에 답하세요.

14	15	16	17	18	19	20

(1) 18 이상인 수를 모두 찾아 써 보세요. (　　　　　　　　)

(2) 17 미만인 수를 모두 찾아 써 보세요. (　　　　　　　　)

2 □ 안에 알맞은 수를 써넣으세요.

(1) 928을 올림하여 십의 자리까지 나타내면 □입니다.

(2) 571을 반올림하여 백의 자리까지 나타내면 □입니다.

3 바르게 설명한 것에 ○표, 잘못 설명한 것에 ×표 하세요.

(1) 7은 7 이상인 수에 포함됩니다. (　　)

(2) 5, 6, 7, 8 중에서 6 이하인 수는 5뿐입니다. (　　)

4 30 초과 40 이하인 수를 모두 찾아 써 보세요.

26	30	19	38
33	21	45	40

(　　　　　　　　)

[5~6] 정국이네 모둠 학생들이 1분 동안 윗몸 말아 올리기를 한 횟수와 등급별 윗몸 말아 올리기 횟수의 범위를 나타낸 표입니다. 물음에 답하세요.

윗몸 말아 올리기 기록

이름	횟수(회)
정국	30
민지	23
진석	20
석호	17

등급별 횟수

등급	횟수(회)
가	30 이상
나	25 이상 30 미만
다	20 이상 25 미만
라	20 미만

5 다 등급에 속하는 학생의 이름을 모두 써 보세요.

( )

6 가 등급의 횟수의 범위를 수직선에 나타내어 보세요.

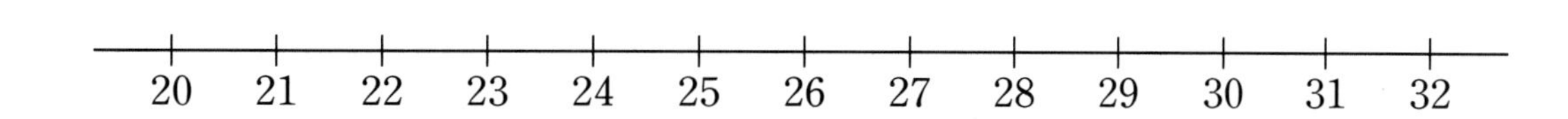

7 주어진 수를 올림, 버림, 반올림하여 백의 자리까지 나타내어 보세요.

수	올림	버림	반올림
5366			

8 수직선에 나타낸 수의 범위를 써 보세요.

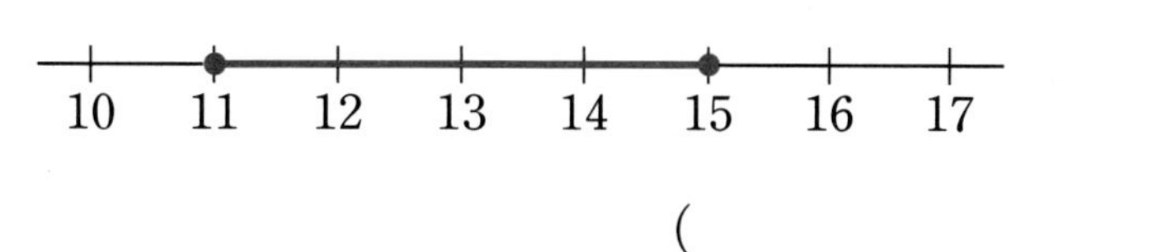

( )

9 '미만'을 넣어 문장을 만들어 보세요.

문장 ______________________________

____

10 어림하는 방법이 다른 한 친구를 찾아 이름을 써 보세요.

쿠폰 10장을 모으면 치킨 1마리로 바꿀 수 있어. 쿠폰 22장이 있으니까 치킨 2마리로 바꿀 수 있어.
예지
귤 43개를 10개씩 한 망에 넣어 팔면 모두 40개를 팔 수 있어.
민기
비커에 물이 1.35 L 있는데 1 L 단위로 가까운 쪽의 눈금을 읽으면 1 L야.
준우

(　　　　　　　　)

11 준남이는 4760원짜리 필통을 한 개 사려고 합니다. 1000원짜리 지폐로만 필통값을 내려면 최소 얼마를 내야 할까요?

(　　　　　　　　)

2 분수의 곱셈

학습 계획표

내용	쪽수	날짜	확인
교과서 개념 잡기	34~37쪽	월 일	
교과서 개념 play / 집중! 드릴 문제	38~41쪽	월 일	
교과서 개념 확인 문제	42~45쪽	월 일	
교과서 개념 잡기	46~49쪽	월 일	
교과서 개념 play / 집중! 드릴 문제	50~53쪽	월 일	
교과서 개념 확인 문제	54~57쪽	월 일	
개념 확인평가	58~60쪽	월 일	

교과서 개념 잡기

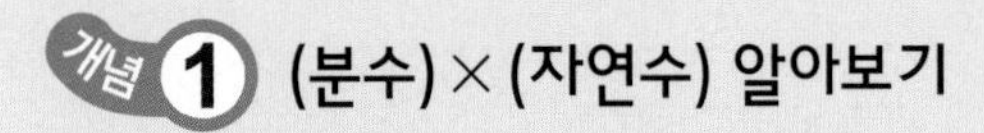

개념 1 (분수)×(자연수) 알아보기

• (진분수)×(자연수)

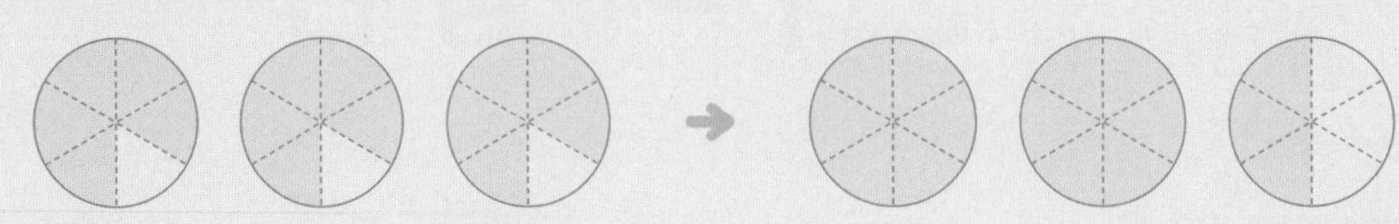

$$\frac{5}{6}\times3=\frac{5}{6}+\frac{5}{6}+\frac{5}{6}=\frac{5\times3}{6}=\frac{15}{6}=2\frac{3}{6}=2\frac{1}{2}$$ ← $\frac{5}{6}\times3$은 $\frac{5}{6}$를 3번 더한 것과 같습니다.

방법1 분자와 자연수를 곱한 후, 분모와 분자를 약분하여 계산하기

$$\frac{5}{6}\times3=\frac{5\times3}{6}=\frac{\overset{5}{\cancel{15}}}{\underset{2}{\cancel{6}}}=\frac{5}{2}=2\frac{1}{2}$$

(진분수)×(자연수)는 분자와 자연수를 곱하여 계산할 수 있어요.

방법2 분자와 자연수를 곱하기 전, 분모와 분자를 약분하여 계산하기

$$\frac{5}{6}\times3=\frac{5\times\overset{1}{\cancel{3}}}{\underset{2}{\cancel{6}}}=\frac{5}{2}=2\frac{1}{2}$$

방법3 (분수)×(자연수)의 식에서 분모와 자연수를 약분하여 계산하기

$$\frac{5}{\underset{2}{\cancel{6}}}\times\overset{1}{\cancel{3}}=\frac{5}{2}=2\frac{1}{2}$$ ← 계산 과정이 가장 간단합니다.

• (대분수)×(자연수)

방법1 대분수를 가분수로 나타내어 계산하기

$$1\frac{5}{8}\times2=\frac{13}{\underset{4}{\cancel{8}}}\times\overset{1}{\cancel{2}}=\frac{13}{4}=3\frac{1}{4}$$

방법2 대분수를 자연수와 진분수의 합으로 바꾸어 계산하기

$$1\frac{5}{8}\times2=\left(1+\frac{5}{8}\right)\times2=(1\times2)+\left(\frac{5}{\underset{4}{\cancel{8}}}\times\overset{1}{\cancel{2}}\right)=2+\frac{5}{4}=2+1\frac{1}{4}=3\frac{1}{4}$$

개념 Check

$\frac{3}{7}\times2$를 바르게 계산한 친구에게 ○표 하세요.

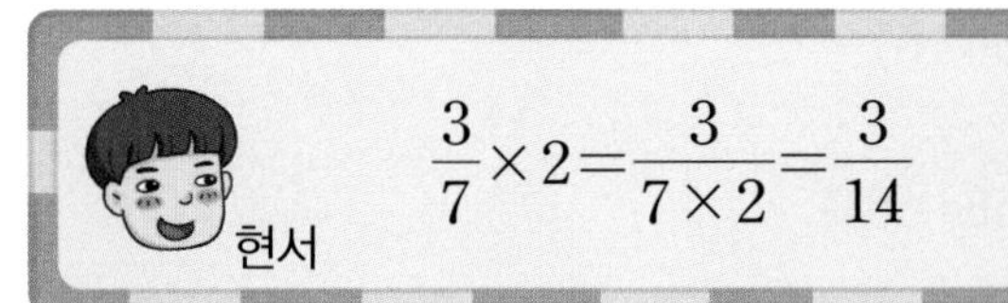

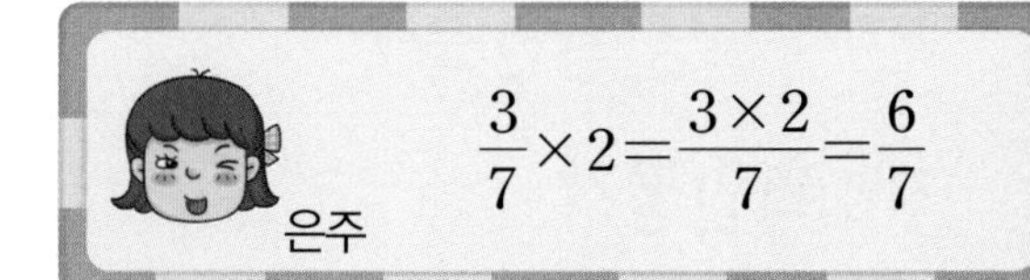

1

그림을 보고 □ 안에 알맞은 수를 써넣으세요.

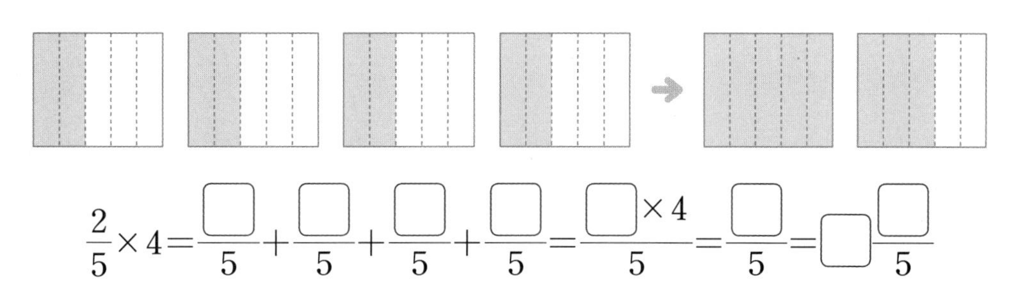

$\frac{2}{5}\times 4=\frac{\square}{5}+\frac{\square}{5}+\frac{\square}{5}+\frac{\square}{5}=\frac{\square\times 4}{5}=\frac{\square}{5}=\square\frac{\square}{5}$

2

$\frac{7}{8}\times 2$를 여러 가지 방법으로 계산한 것입니다. □ 안에 알맞은 수를 써넣으세요.

(1) $\frac{7}{8}\times 2=\frac{7\times 2}{8}=\frac{\overset{\square}{\cancel{14}}}{\underset{\square}{\cancel{8}}}=\frac{\square}{\square}=\square\frac{\square}{\square}$

(2) $\frac{7}{8}\times 2=\frac{7\times \overset{\square}{\cancel{2}}}{\underset{\square}{\cancel{8}}}=\frac{\square}{\square}=\square\frac{\square}{\square}$

(3) $\frac{7}{\underset{\square}{\cancel{8}}}\times \overset{\square}{\cancel{2}}=\frac{\square}{\square}=\square\frac{\square}{\square}$

3

□ 안에 알맞은 수를 써넣으세요.

(1) $2\frac{1}{7}\times 4=\frac{\square}{7}\times 4=\frac{\square\times 4}{7}=\frac{\square}{7}=\square\frac{\square}{7}$

(2) $2\frac{1}{7}\times 4=(2\times 4)+\left(\frac{\square}{\square}\times 4\right)=\square+\frac{4}{\square}=\square\frac{\square}{\square}$

4

계산해 보세요.

(1) $\frac{2}{9}\times 6$

(2) $2\frac{1}{4}\times 3$

개념 2 (자연수)×(분수) 알아보기

• (자연수)×(진분수)

➜ $10\times\frac{2}{5}=4$

방법1 자연수와 분자를 곱한 후, 분모와 분자를 약분하여 계산하기

$$10\times\frac{2}{5}=\frac{10\times2}{5}=\frac{\overset{4}{\cancel{20}}}{\underset{1}{\cancel{5}}}=4$$

(자연수)×(진분수)는 자연수와 분자를 곱하여 계산할 수 있어요.

방법2 자연수와 분자를 곱하기 전, 분모와 분자를 약분하여 계산하기

$$10\times\frac{2}{5}=\frac{\overset{2}{\cancel{10}}\times2}{\underset{1}{\cancel{5}}}=4$$

방법3 (자연수)×(분수)의 식에서 자연수와 분모를 약분하여 계산하기

$$\overset{2}{\cancel{10}}\times\frac{2}{\underset{1}{\cancel{5}}}=4$$ ← 계산 과정이 가장 간단합니다.

• (자연수)×(대분수)

방법1 대분수를 가분수로 나타내어 계산하기

$$2\times1\frac{3}{4}=\overset{1}{\cancel{2}}\times\frac{7}{\underset{2}{\cancel{4}}}=\frac{7}{2}=3\frac{1}{2}$$

대분수 상태에서 약분하지 않도록 주의해요.

방법2 대분수를 자연수와 진분수의 합으로 바꾸어 계산하기

$$2\times1\frac{3}{4}=2\times\left(1+\frac{3}{4}\right)=(2\times1)+\left(\overset{1}{\cancel{2}}\times\frac{3}{\underset{2}{\cancel{4}}}\right)=2+\frac{3}{2}=2+1\frac{1}{2}=3\frac{1}{2}$$

개념 Check

$6\times2\frac{1}{3}$을 바르게 계산한 친구에게 ○표 하세요.

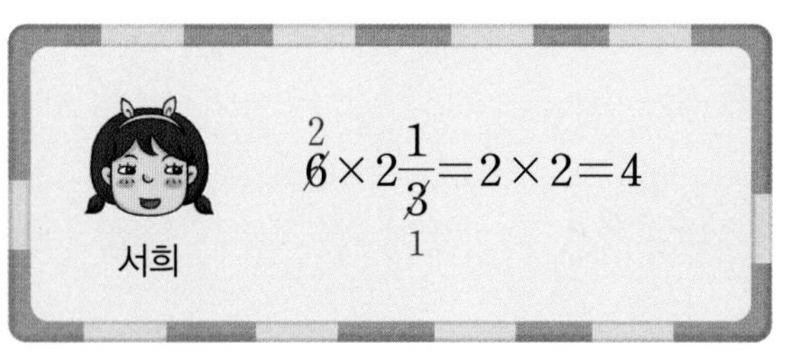

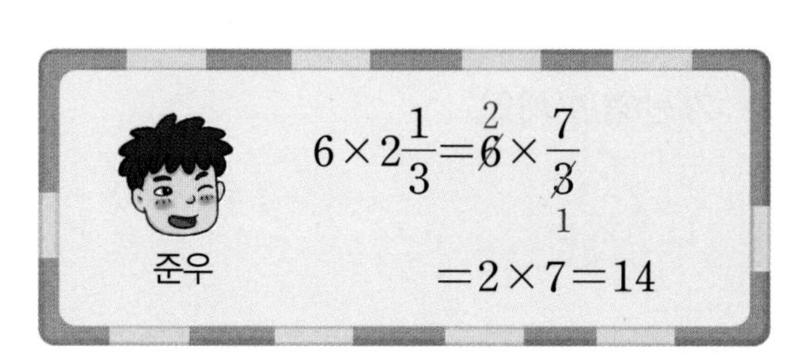

1 그림을 보고 □ 안에 알맞은 수를 써넣으세요.

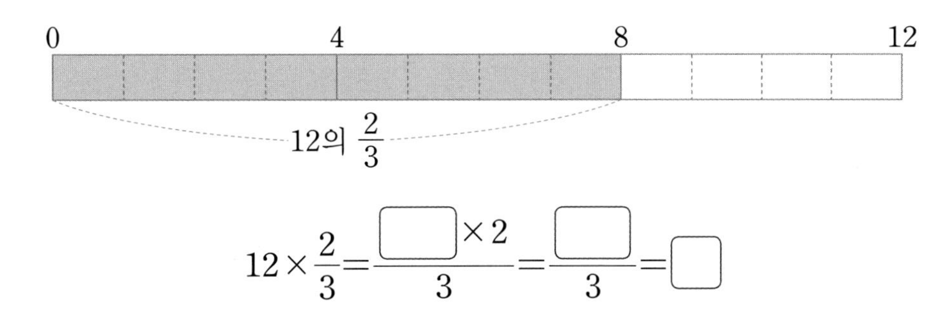

$$12\times\frac{2}{3}=\frac{\square\times 2}{3}=\frac{\square}{3}=\square$$

2 $6\times\frac{5}{9}$를 여러 가지 방법으로 계산한 것입니다. □ 안에 알맞은 수를 써넣으세요.

(1) $6\times\frac{5}{9}=\frac{6\times 5}{9}=\frac{\cancel{30}^{\square}}{\cancel{9}_{\square}}=\frac{\square}{\square}=\square\frac{\square}{\square}$

(2) $6\times\frac{5}{9}=\frac{\cancel{6}^{\square}\times 5}{\cancel{9}_{\square}}=\frac{\square}{\square}=\square\frac{\square}{\square}$

(3) $\cancel{6}^{\square}\times\frac{5}{\cancel{9}_{\square}}=\frac{\square}{\square}=\square\frac{\square}{\square}$

3 □ 안에 알맞은 수를 써넣으세요.

(1) $5\times 1\frac{3}{8}=5\times\frac{\square}{8}=\frac{5\times\square}{8}=\frac{\square}{8}=\square\frac{\square}{8}$

(2) $5\times 1\frac{3}{8}=(5\times 1)+\left(5\times\frac{\square}{\square}\right)=\square+\frac{\square}{\square}=\square+\square\frac{\square}{\square}=\square\frac{\square}{\square}$

4 계산해 보세요.

(1) $8\times\frac{5}{12}$

(2) $3\times 2\frac{1}{2}$

교과서 개념 play 도넛 완성하기

준비물 붙임딱지

빵 가게에서 다양한 모양의 도넛을 굽고 있습니다. 알맞은 계산 결과가 적힌 붙임딱지를 붙여 도넛을 완성해 보세요.

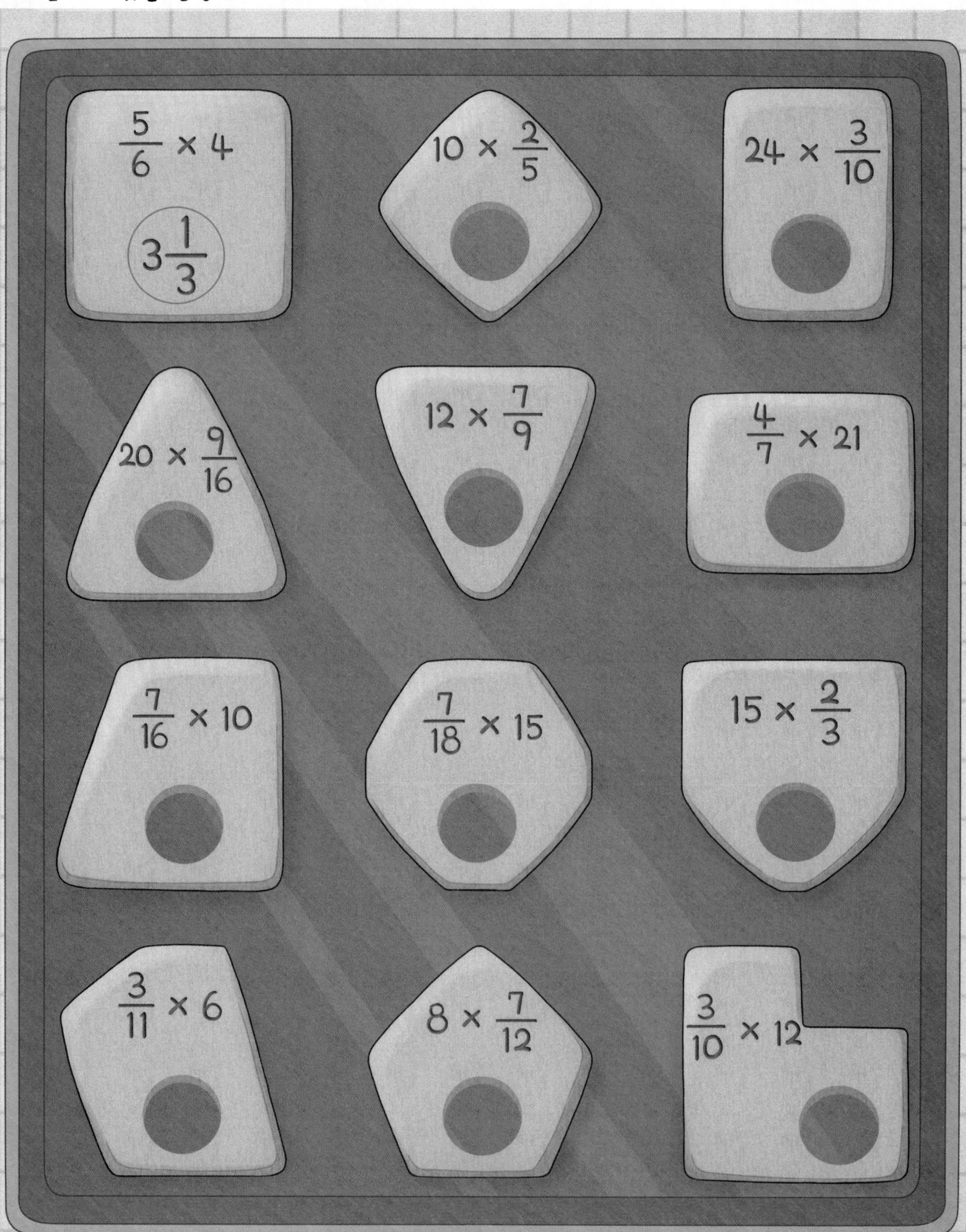

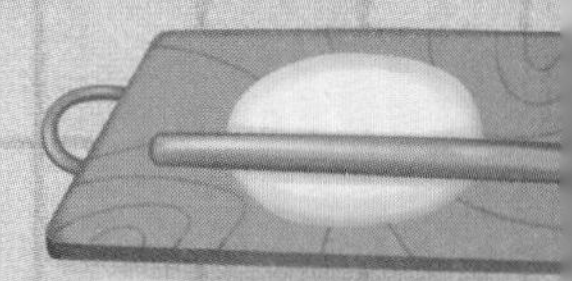

도넛

버터

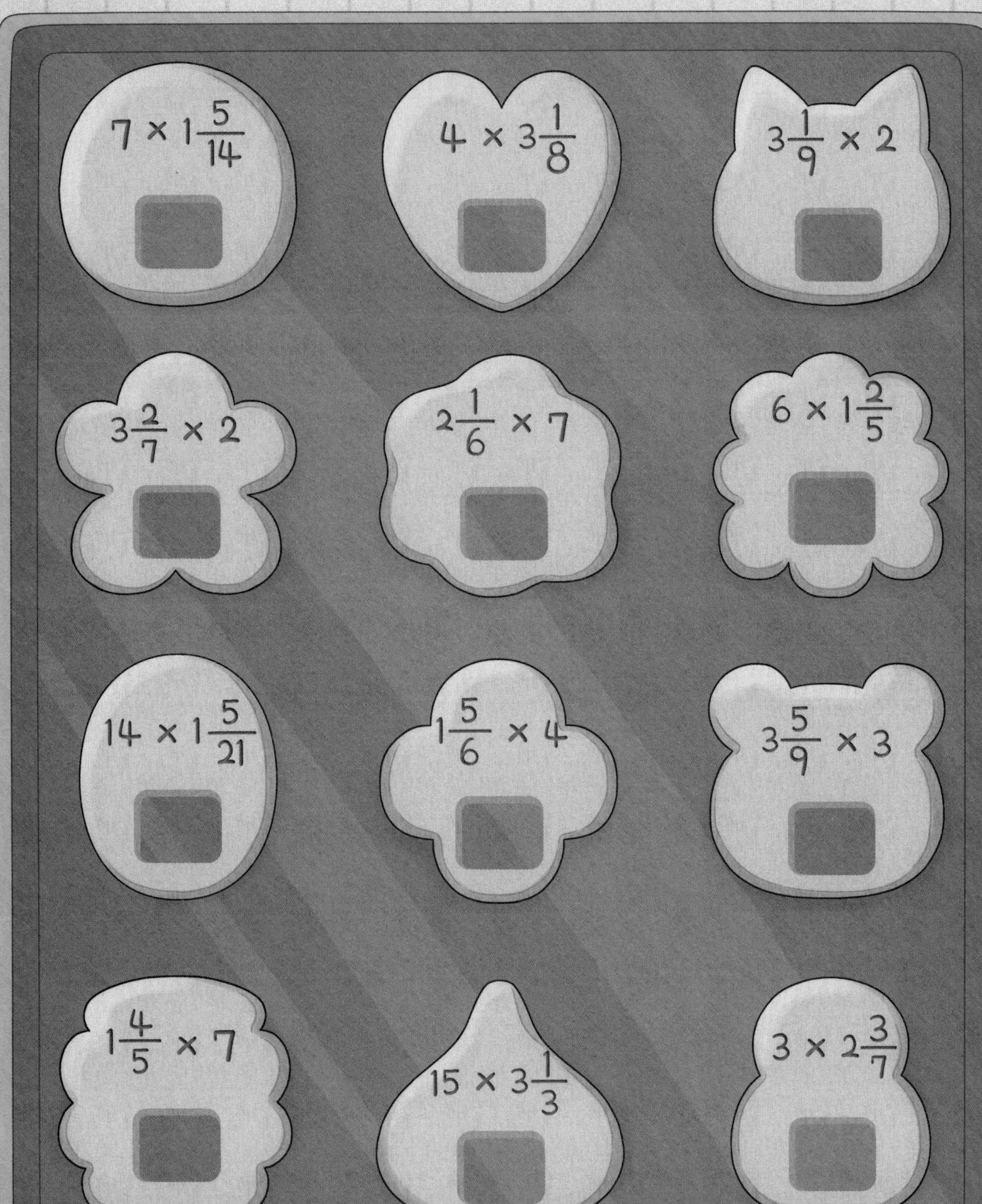
$7 \times 1\frac{5}{14}$
$4 \times 3\frac{1}{8}$
$3\frac{1}{9} \times 2$
$3\frac{2}{7} \times 2$
$2\frac{1}{6} \times 7$
$6 \times 1\frac{2}{5}$
$14 \times 1\frac{5}{21}$
$1\frac{5}{6} \times 4$
$3\frac{5}{9} \times 3$
$1\frac{4}{5} \times 7$
$15 \times 3\frac{1}{3}$
$3 \times 2\frac{3}{7}$

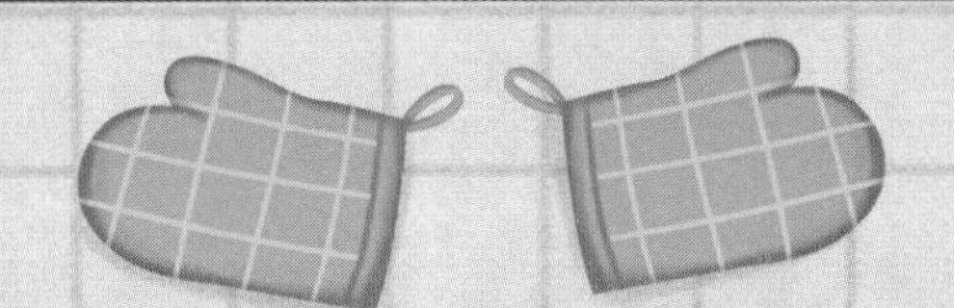

집중! 드릴 문제

[1~5] 계산해 보세요.

1 $\frac{9}{16}\times 8$ (　　　　　　)

2 $\frac{5}{6}\times 12$ (　　　　　　)

3 $\frac{3}{8}\times 5$ (　　　　　　)

4 $\frac{2}{11}\times 22$ (　　　　　　)

5 $\frac{7}{12}\times 8$ (　　　　　　)

[6~10] 계산해 보세요.

6 $3\frac{2}{5}\times 10$ (　　　　　　)

7 $2\frac{2}{9}\times 2$ (　　　　　　)

8 $2\frac{1}{6}\times 2$ (　　　　　　)

9 $1\frac{3}{10}\times 4$ (　　　　　　)

10 $3\frac{1}{8}\times 6$ (　　　　　　)

[11~15] 계산해 보세요.

11 $2\times\frac{4}{5}$ (　　　　　)

12 $5\times\frac{8}{9}$ (　　　　　)

13 $6\times\frac{11}{12}$ (　　　　　)

14 $20\times\frac{4}{15}$ (　　　　　)

15 $3\times\frac{7}{18}$ (　　　　　)

[16~20] 계산해 보세요.

16 $4\times1\frac{2}{3}$ (　　　　　)

17 $3\times4\frac{1}{2}$ (　　　　　)

18 $6\times1\frac{3}{4}$ (　　　　　)

19 $8\times1\frac{1}{10}$ (　　　　　)

20 $26\times1\frac{2}{13}$ (　　　　　)

교과서 개념 확인 문제

1 그림을 보고 □ 안에 알맞은 수를 써넣으세요.

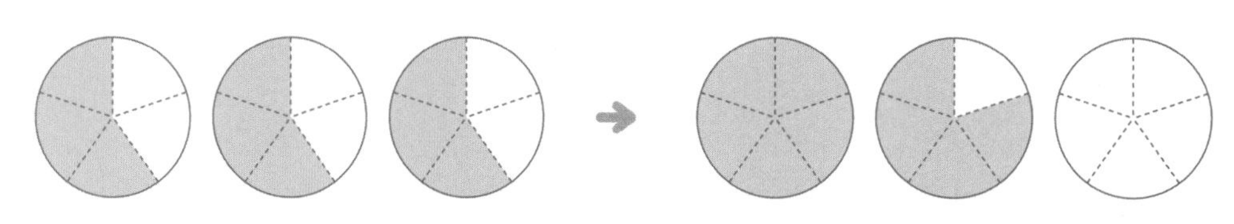

$$\frac{3}{5}\times 3=\frac{3}{5}+\frac{3}{5}+\frac{3}{5}=\frac{3\times\square}{5}=\frac{\square}{5}=\square\frac{\square}{\square}$$

2 보기 와 같이 계산해 보세요.

보기

$$\frac{5}{\cancel{8}_{4}}\times\cancel{6}^{3}=\frac{5\times 3}{4}=\frac{15}{4}=3\frac{3}{4}$$

(1) $\frac{9}{20}\times 8$

(2) $\frac{3}{10}\times 14$

3 계산해 보세요.

(1) $\frac{7}{9}\times 3$

(2) $\frac{8}{11}\times 2$

(3) $1\frac{3}{5}\times 6$

(4) $1\frac{7}{12}\times 4$

4 빈칸에 알맞은 수를 써넣으세요.

(1)

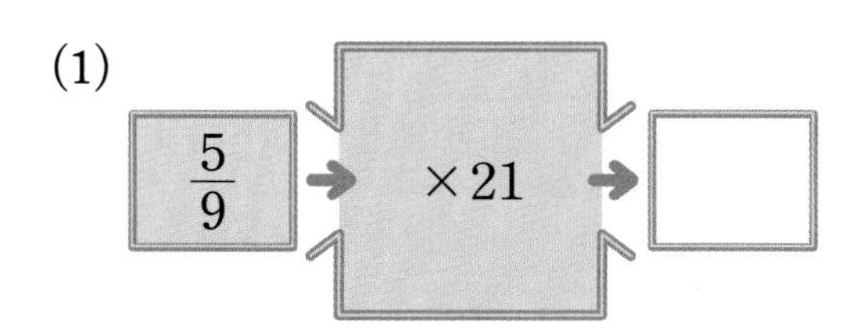

(2)

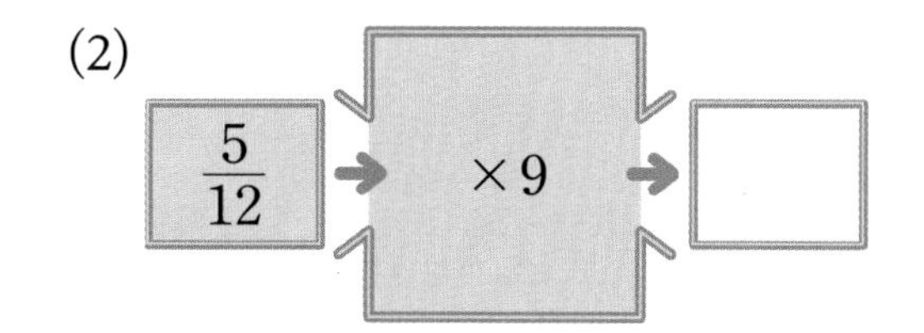

5 계산 결과를 찾아 이어 보세요.

$5 \times 2\frac{3}{10}$ •	• $6\frac{6}{7}$
$24 \times \frac{7}{32}$ •	• $5\frac{1}{4}$
$3 \times 2\frac{2}{7}$ •	• $11\frac{1}{2}$

6 빈칸에 알맞은 수를 써넣으세요.

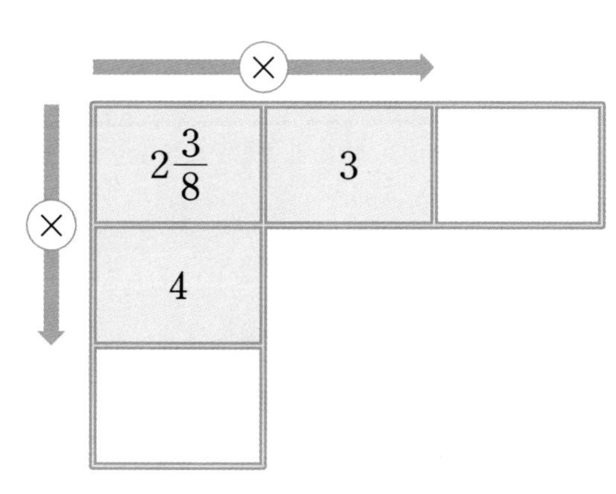

7 빈칸에 두 분수의 곱을 써넣으세요.

(1)

15	$\frac{9}{10}$

(2)

9	$2\frac{2}{9}$

8 다음 계산에서 잘못된 부분을 찾아 바르게 계산해 보세요.

$$7\times1\frac{8}{9}=(7\times1)+\left(7\times\frac{8}{9}\right)=7+7\frac{8}{9}=14\frac{8}{9}$$

→ $7\times1\frac{8}{9}$ ______________________

9 계산 결과가 4보다 큰 식에 ○표, 4보다 작은 식에 △표 하세요.

$4\times\frac{2}{3}$	4×1	$4\times1\frac{2}{5}$
$4\times3\frac{4}{7}$	$4\times\frac{7}{8}$	$4\times\frac{1}{10}$

10 계산 결과를 비교하여 ○ 안에 >, =, <를 알맞게 써넣으세요.

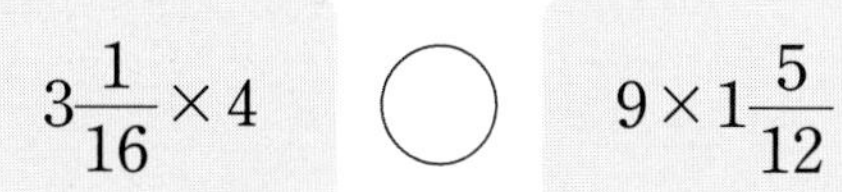

$3\frac{1}{16}\times4$ ○ $9\times1\frac{5}{12}$

11 빈 곳에 알맞은 수를 써넣으세요.

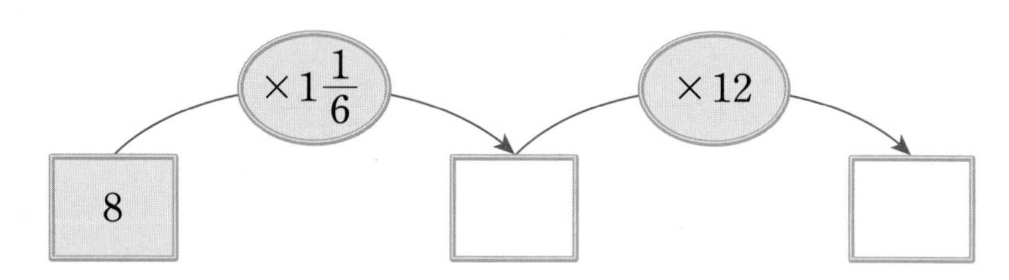

12 사과 한 상자의 무게는 $7\frac{1}{2}$ kg입니다. 사과 8상자의 무게는 몇 kg인지 식을 쓰고 답을 구해 보세요.

식 ______________________

답 ______________

13 그림과 같이 가로가 10 m이고, 세로가 $2\frac{4}{15}$ m인 직사각형 모양의 텃밭이 있습니다. 이 텃밭의 넓이는 몇 m^2일까요?

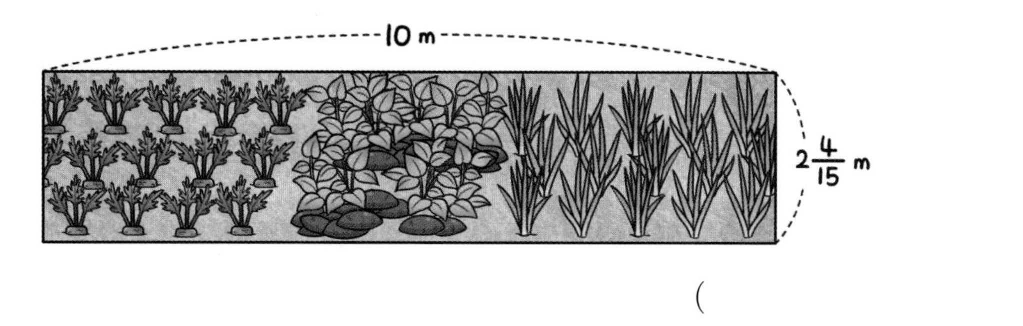

(   )

교과서 개념 잡기

개념 3 진분수의 곱셈 알아보기

• (단위분수)×(단위분수)

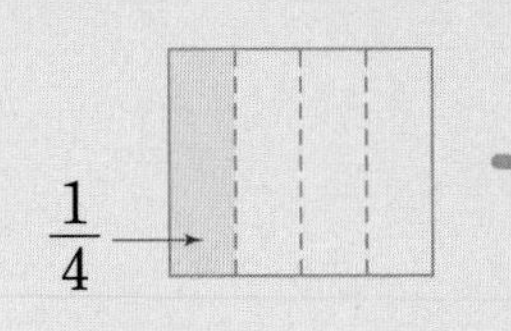

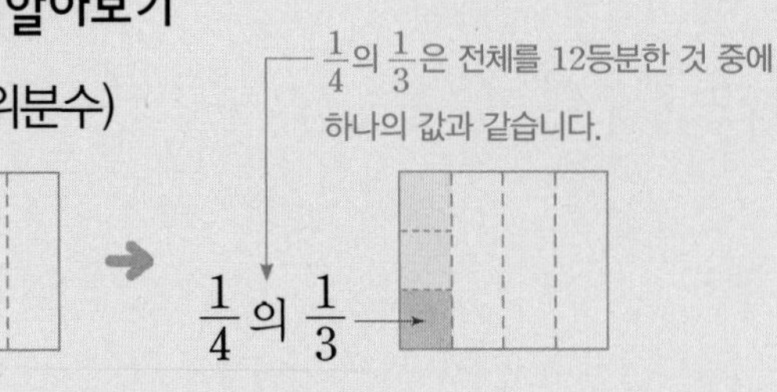

$\frac{1}{4}$의 $\frac{1}{3}$은 전체를 12등분한 것 중에 하나의 값과 같습니다.
$\frac{1}{4}$ 의 $\frac{1}{3}$

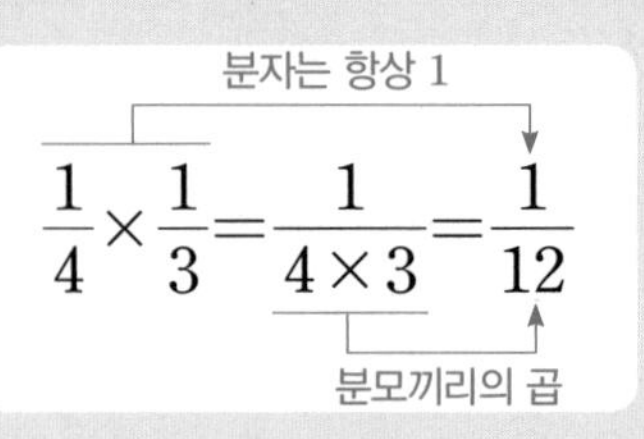

분자는 항상 1
$\frac{1}{4}\times\frac{1}{3}=\frac{1}{4\times3}=\frac{1}{12}$
분모끼리의 곱

➜ (단위분수)×(단위분수)는 분자는 항상 1이고 분모끼리 곱합니다.

• (진분수)×(단위분수)

$\frac{2}{5}$ → $\frac{2}{5}$ 의 $\frac{1}{3}$

분자는 그대로

$$\frac{2}{5}\times\frac{1}{3}=\frac{2}{5\times3}=\frac{2}{15}$$

분모끼리의 곱

➜ (진분수)×(단위분수)는 진분수의 분자는 그대로 두고 분모끼리 곱합니다.

• (진분수)×(진분수)

$$\frac{4}{7}\times\frac{5}{6}=\frac{4\times5}{7\times6}=\frac{\overset{10}{\cancel{20}}}{\underset{21}{\cancel{42}}}=\frac{10}{21}$$

• 세 분수의 곱셈

$$\frac{2}{5}\times\frac{3}{4}\times\frac{1}{2}=\frac{2\times3\times1}{5\times4\times2}=\frac{\overset{3}{\cancel{6}}}{\underset{20}{\cancel{40}}}=\frac{3}{20}$$

➜ (진분수)×(진분수), 세 분수의 곱셈은 분자는 분자끼리, 분모는 분모끼리 곱합니다.

참고 어떤 수에 1보다 작은 수를 곱하면 처음 수보다 값이 더 작아집니다.

$\frac{1}{4}\times\frac{1}{3}=\frac{1}{12}$ < $\frac{1}{4}$ $\frac{2}{5}\times\frac{1}{3}=\frac{2}{15}$ < $\frac{2}{5}$ $\frac{\overset{2}{\cancel{4}}}{7}\times\frac{5}{\underset{3}{\cancel{6}}}=\frac{10}{21}$ < $\frac{4}{7}$

개념 Check

$\frac{4}{7}\times\frac{2}{3}$를 바르게 계산한 친구에게 ○표 하세요.

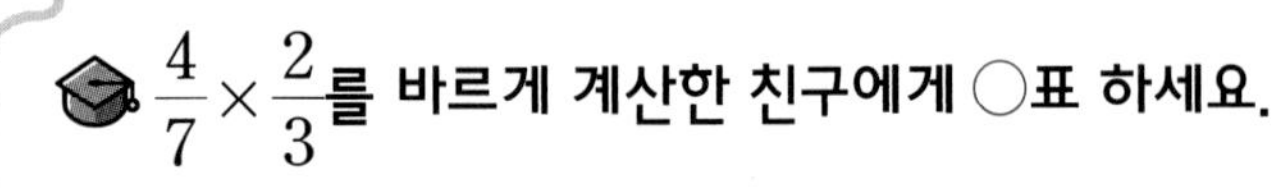

$\frac{4}{7}\times\frac{2}{3}=\frac{4\times2}{7\times3}=\frac{8}{21}$

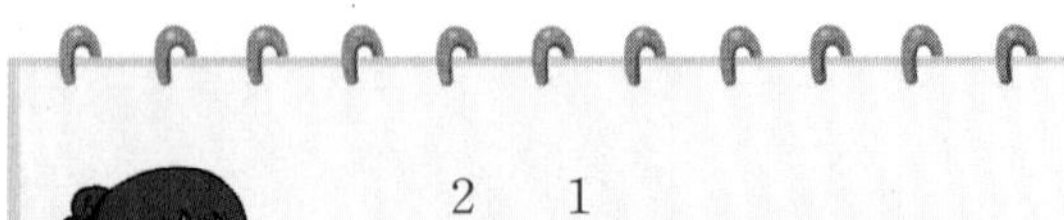

$\frac{\overset{2}{\cancel{4}}}{7}\times\frac{\overset{1}{\cancel{2}}}{3}=\frac{2\times1}{7\times3}=\frac{2}{21}$

1 그림을 보고 □ 안에 알맞은 수를 써넣으세요.

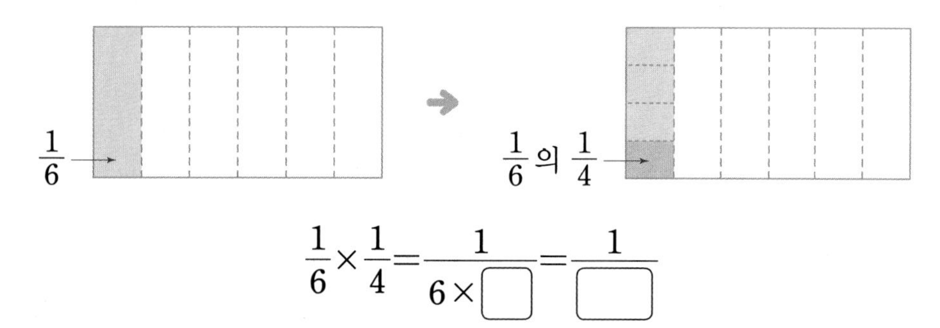

$$\frac{1}{6}\times\frac{1}{4}=\frac{1}{6\times\square}=\frac{1}{\square}$$

2 □ 안에 알맞은 수를 써넣으세요.

(1) $\frac{2}{3}\times\frac{6}{7}=\frac{\square\times\overset{2}{\cancel{6}}}{\underset{1}{\cancel{3}}\times\square}=\frac{\square}{\square}$

(2) $\frac{3}{8}\times\frac{1}{2}\times\frac{2}{5}=\frac{\square\times1\times\overset{1}{\cancel{2}}}{8\times\underset{1}{\cancel{2}}\times\square}=\frac{\square}{\square}$

3 계산해 보세요.

(1) $\frac{3}{4}\times\frac{2}{9}$

(2) $\frac{4}{5}\times\frac{2}{3}\times\frac{5}{6}$

4 더 큰 쪽에 ○표 하세요.

(1) $\frac{1}{2}\times\frac{1}{10}$ ( ) $\frac{1}{2}$ ( )

(2) $\frac{3}{7}\times\frac{1}{5}$ ( ) $\frac{3}{7}$ ( )

개념 4 여러 가지 분수의 곱셈 알아보기

• (대분수)×(대분수)

방법1 대분수를 가분수로 나타내어 계산하기

$$2\frac{1}{4}\times1\frac{2}{3}=\frac{\overset{3}{\cancel{9}}}{4}\times\frac{5}{\underset{1}{\cancel{3}}}=\frac{15}{4}=3\frac{3}{4}$$

방법2 대분수를 자연수와 진분수의 합으로 바꾸어 계산하기

$$2\frac{1}{4}\times1\frac{2}{3}=\left(2\frac{1}{4}\times1\right)+\left(2\frac{1}{4}\times\frac{2}{3}\right)=2\frac{1}{4}+\left(\frac{\overset{3}{\cancel{9}}}{\underset{2}{\cancel{4}}}\times\frac{\overset{1}{\cancel{2}}}{\underset{1}{\cancel{3}}}\right)$$

$$=2\frac{1}{4}+\frac{3}{2}=2\frac{1}{4}+1\frac{2}{4}=3\frac{3}{4}$$

• 여러 가지 분수의 곱셈

$6\times\frac{4}{7}=\frac{6}{1}\times\frac{4}{7}=\frac{6\times4}{1\times7}=\frac{24}{7}=3\frac{3}{7}$ ← 자연수 6을 가분수 $\frac{6}{1}$으로 나타내어 계산합니다.

$\frac{3}{8}\times5=\frac{3}{8}\times\frac{5}{1}=\frac{3\times5}{8\times1}=\frac{15}{8}=1\frac{7}{8}$ ← 자연수 5를 가분수 $\frac{5}{1}$로 나타내어 계산합니다.

$2\frac{1}{2}\times1\frac{2}{7}=\frac{5}{2}\times\frac{9}{7}=\frac{5\times9}{2\times7}=\frac{45}{14}=3\frac{3}{14}$ ← 대분수를 가분수로 나타내어 계산합니다.

자연수나 대분수는 모두 가분수 형태로 나타낼 수 있습니다.
따라서 분수가 들어간 모든 곱셈은 진분수나 가분수 형태로 나타낸 후, 분자는 분자끼리 분모는 분모끼리 곱하여 계산할 수 있습니다.

개념 Check

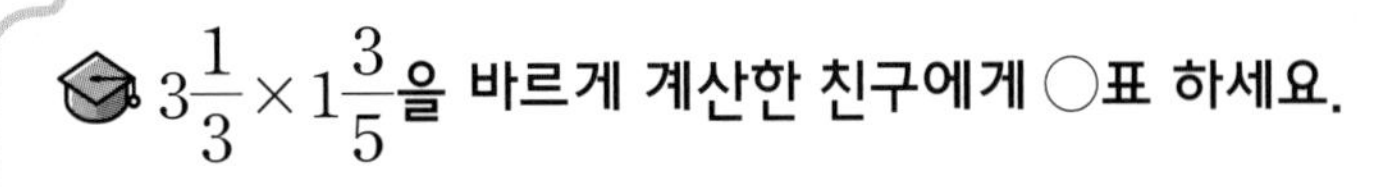

$3\frac{1}{3}\times1\frac{3}{5}$을 바르게 계산한 친구에게 ○표 하세요.

$$3\frac{1}{3}\times1\frac{3}{5}=\frac{\overset{2}{\cancel{10}}}{3}\times\frac{8}{\underset{1}{\cancel{5}}}=\frac{16}{3}=5\frac{1}{3}$$

$$3\frac{1}{\underset{1}{\cancel{3}}}\times1\frac{\overset{1}{\cancel{3}}}{5}=3\times\frac{6}{5}=\frac{18}{5}=3\frac{3}{5}$$

1 그림을 보고 □ 안에 알맞은 수를 써넣으세요.

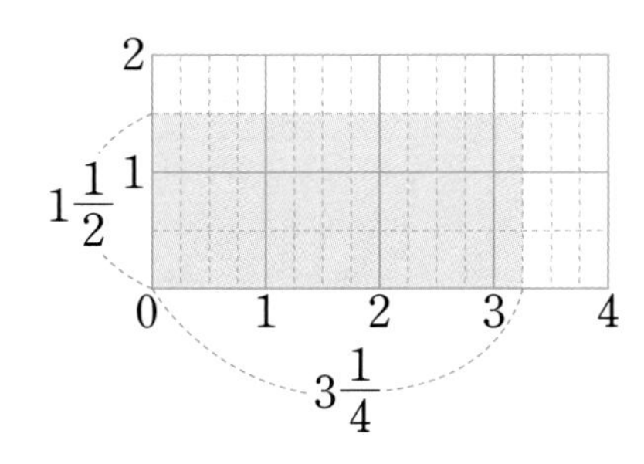

$$3\frac{1}{4}\times1\frac{1}{2}=\frac{\square}{4}\times\frac{\square}{2}=\frac{\square}{8}=\square\frac{\square}{\square}$$

2 □ 안에 알맞은 수를 써넣으세요.

(1) $9\times\frac{3}{4}=\frac{\square}{1}\times\frac{3}{4}=\frac{\square\times3}{1\times4}=\frac{\square}{4}=\square\frac{\square}{\square}$

(2) $\frac{5}{6}\times7=\frac{5}{6}\times\frac{\square}{1}=\frac{5\times\square}{6\times1}=\frac{\square}{6}=\square\frac{\square}{\square}$

3 계산해 보세요.

(1) $4\frac{1}{2}\times1\frac{2}{9}$

(2) $3\frac{1}{5}\times1\frac{7}{8}$

4 빈 곳에 알맞은 수를 써넣으세요.

(1)

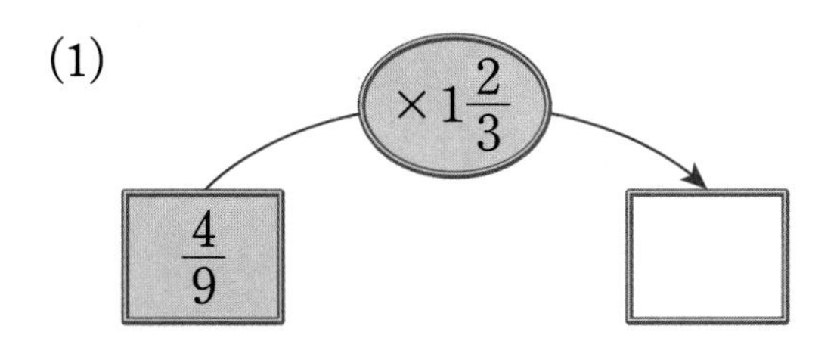

(2)

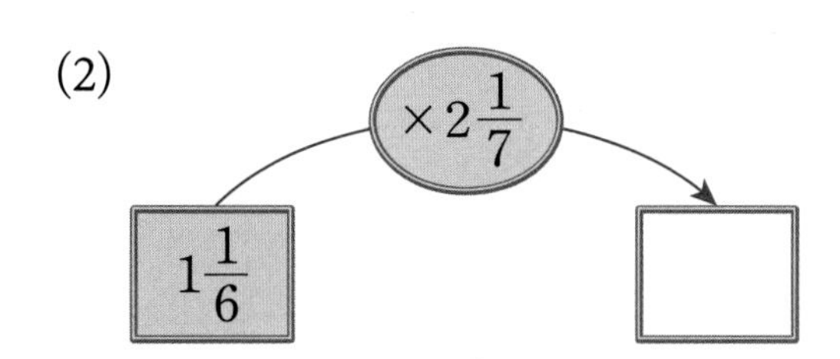

교과서 개념 play

시럽으로 도넛 꾸미기

준비물 붙임딱지

구워진 도넛 위에 초코 시럽과 딸기 시럽으로 도넛을 꾸미려고 합니다. 알맞은 계산 결과가 적힌 시럽 붙임딱지를 붙여 도넛을 꾸며 보세요.

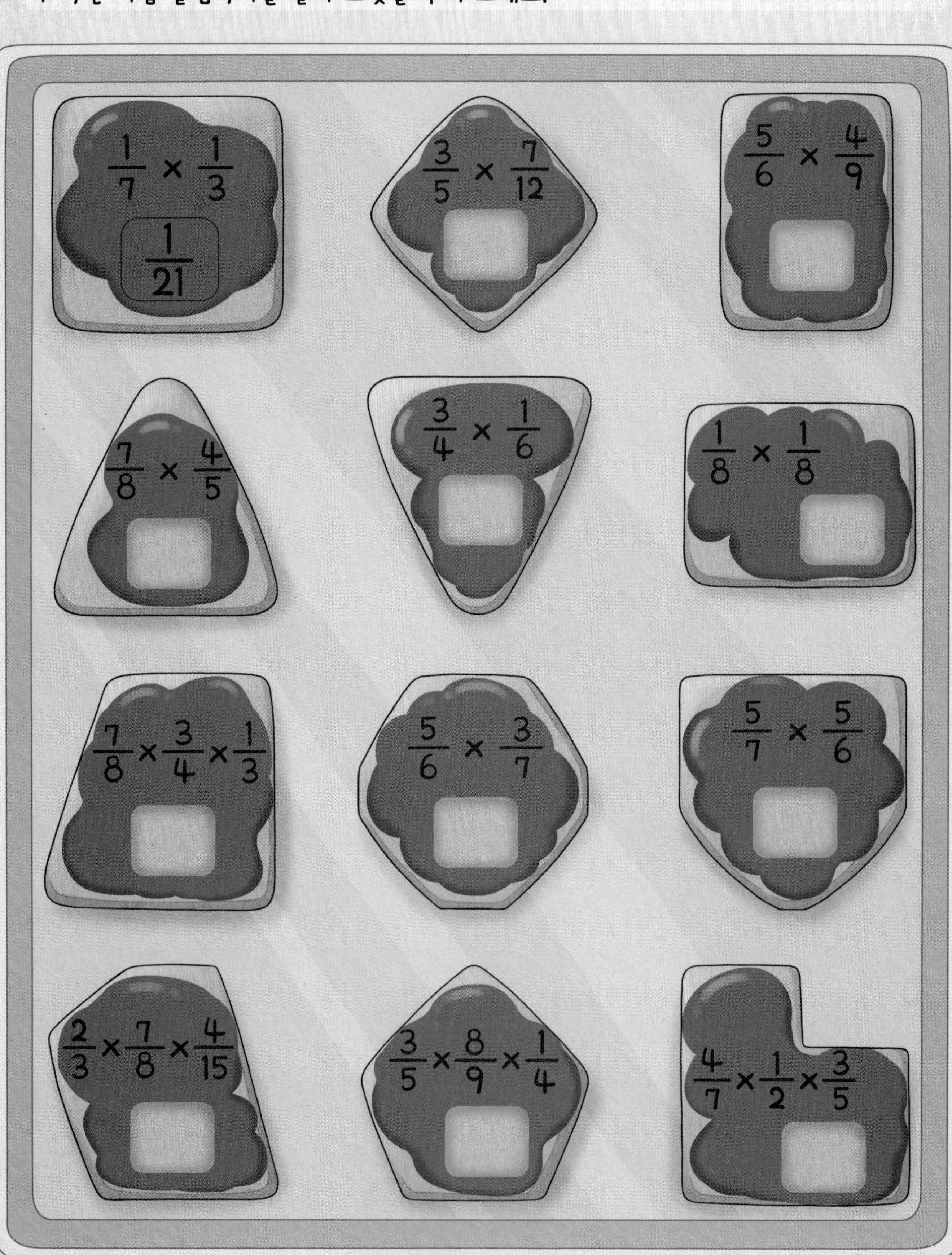

$\frac{1}{7} \times \frac{1}{3}$
$\frac{1}{21}$
$\frac{3}{5} \times \frac{7}{12}$
$\frac{5}{6} \times \frac{4}{9}$
$\frac{7}{8} \times \frac{4}{5}$
$\frac{3}{4} \times \frac{1}{6}$
$\frac{1}{8} \times \frac{1}{8}$
$\frac{7}{8} \times \frac{3}{4} \times \frac{1}{3}$
$\frac{5}{6} \times \frac{3}{7}$
$\frac{5}{7} \times \frac{5}{6}$
$\frac{2}{3} \times \frac{7}{8} \times \frac{4}{15}$
$\frac{3}{5} \times \frac{8}{9} \times \frac{1}{4}$
$\frac{4}{7} \times \frac{1}{2} \times \frac{3}{5}$

2
단원

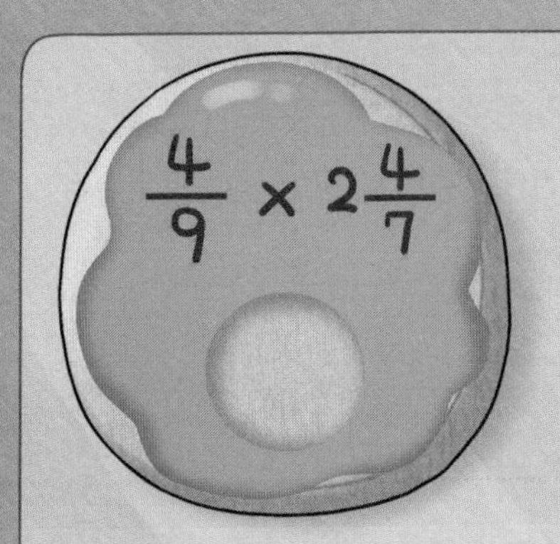
$\frac{4}{9} \times 2\frac{4}{7}$

$1\frac{5}{6} \times 2\frac{2}{9}$
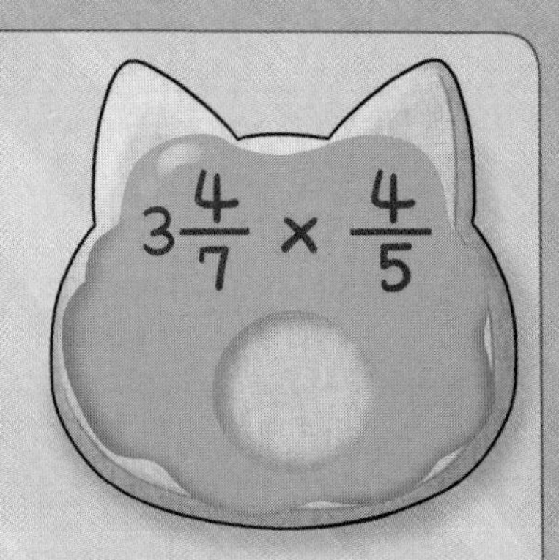
$3\frac{4}{7} \times \frac{4}{5}$

$8\frac{1}{2} \times 1\frac{3}{7}$

$4\frac{1}{6} \times 1\frac{1}{5}$

$2\frac{2}{9} \times 1\frac{1}{4}$
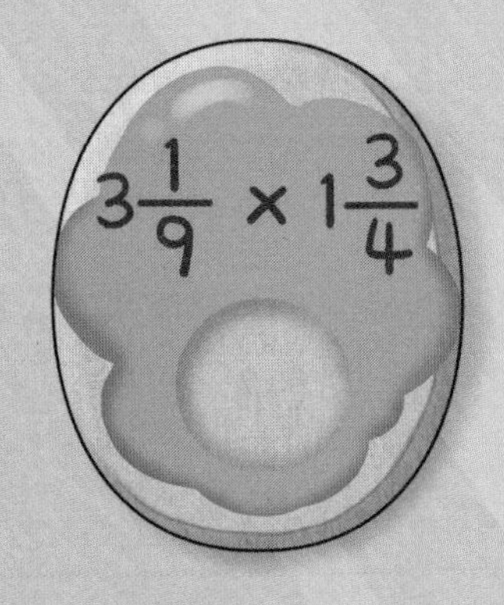
$3\frac{1}{9} \times 1\frac{3}{4}$

$2\frac{2}{5} \times 2\frac{1}{4}$

$\frac{5}{6} \times 1\frac{1}{7}$

$1\frac{1}{4} \times \frac{3}{4}$
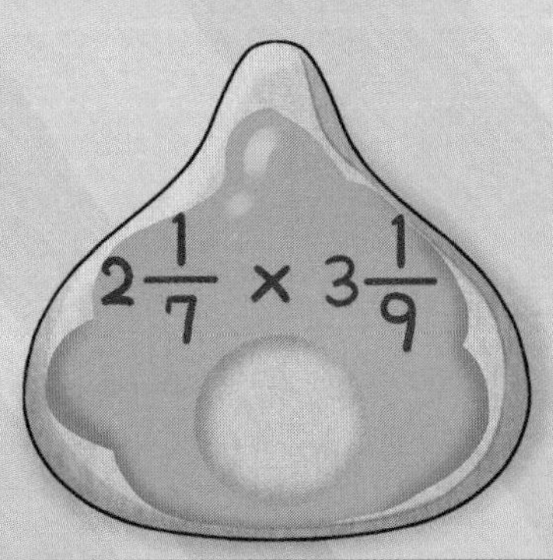
$2\frac{1}{7} \times 3\frac{1}{9}$

$3\frac{3}{5} \times \frac{5}{12}$

집중! 드릴 문제

[1~5] 계산해 보세요.

1 $\frac{1}{12}\times\frac{1}{3}$ (　　　　)

2 $\frac{1}{5}\times\frac{1}{11}$ (　　　　)

3 $\frac{4}{7}\times\frac{1}{9}$ (　　　　)

4 $\frac{8}{11}\times\frac{1}{6}$ (　　　　)

5 $\frac{1}{9}\times\frac{2}{5}$ (　　　　)

[6~10] 계산해 보세요.

6 $\frac{8}{9}\times\frac{3}{8}$ (　　　　)

7 $\frac{4}{21}\times\frac{3}{16}$ (　　　　)

8 $\frac{5}{7}\times\frac{14}{25}$ (　　　　)

9 $\frac{4}{15}\times\frac{1}{2}\times\frac{3}{7}$ (　　　　)

10 $\frac{4}{9}\times\frac{3}{8}\times\frac{2}{5}$ (　　　　)

[11~15] 계산해 보세요.

11 $\frac{1}{4} \times 1\frac{5}{6}$ (　　　　　)

12 $\frac{5}{8} \times 2\frac{2}{3}$ (　　　　　)

13 $\frac{7}{13} \times 6\frac{1}{2}$ (　　　　　)

14 $4\frac{1}{2} \times \frac{3}{4}$ (　　　　　)

15 $3\frac{2}{3} \times \frac{8}{11}$ (　　　　　)

[16~20] 계산해 보세요.

16 $4\frac{1}{2} \times 1\frac{2}{3}$ (　　　　　)

17 $1\frac{2}{7} \times 3\frac{1}{2}$ (　　　　　)

18 $1\frac{2}{9} \times 2\frac{1}{4}$ (　　　　　)

19 $3\frac{1}{5} \times 1\frac{7}{8}$ (　　　　　)

20 $1\frac{5}{6} \times 2\frac{4}{7}$ (　　　　　)

교과서 개념 확인 문제

1 그림을 보고 □ 안에 알맞은 수를 써넣으세요.

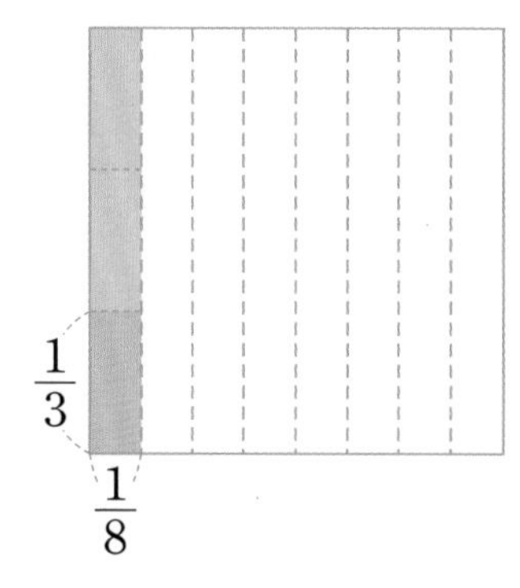

$$\frac{1}{8}\times\frac{1}{3}=\frac{1}{\square\times\square}=\frac{1}{\square}$$

2 계산해 보세요.

(1) $\frac{1}{7}\times\frac{1}{4}$

(2) $\frac{7}{20}\times\frac{2}{3}$

3 두 분수의 곱을 구해 보세요.

(1) $\frac{1}{6}$ $\frac{1}{3}$

( )

(2) $\frac{10}{11}$ $\frac{1}{8}$

( )

(3) $\frac{4}{7}$ $\frac{3}{10}$

( )

(4) $\frac{11}{15}$ $\frac{3}{5}$

( )

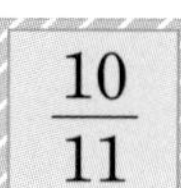

4 계산 결과를 찾아 이어 보세요.

$\frac{2}{7}\times\frac{3}{4}$ •	• $\frac{2}{15}$
$\frac{4}{5}\times\frac{1}{8}$ •	• $\frac{3}{14}$
$\frac{2}{9}\times\frac{3}{5}$ •	• $\frac{1}{10}$

5 계산해 보세요.

(1) $\frac{5}{9}\times\frac{6}{7}\times\frac{1}{3}$

(2) $2\frac{1}{8}\times\frac{4}{5}$

6 보기 와 같이 계산해 보세요.

보기

$$4\frac{2}{5}\times4\frac{3}{8}=\frac{\overset{11}{\cancel{22}}}{\underset{1}{\cancel{5}}}\times\frac{\overset{7}{\cancel{35}}}{\underset{4}{\cancel{8}}}=\frac{77}{4}=19\frac{1}{4}$$

(1) $1\frac{1}{5}\times2\frac{2}{9}$ __________

(2) $5\frac{1}{2}\times1\frac{3}{7}$ __________

7 다음 수 카드 중 두 장을 사용하여 분수의 곱셈식을 만들려고 합니다. 계산 결과가 가장 작은 식을 만들어 보세요.

식 $\frac{1}{\square}\times\frac{1}{\square}$

8 계산 결과를 비교하여 ○ 안에 >, =, <를 알맞게 써넣으세요.

$\frac{4}{9}\times\frac{2}{5}$ ○ $\frac{3}{10}\times\frac{4}{9}$

9 계산 결과가 큰 것부터 차례로 기호를 써 보세요.

㉠ $\frac{1}{6}\times\frac{1}{7}$ ㉡ $\frac{1}{5}\times\frac{1}{4}$ ㉢ $\frac{1}{3}\times\frac{1}{8}$ ㉣ $\frac{1}{2}\times\frac{1}{13}$

( )

10 □ 안에 들어갈 수 있는 자연수에 모두 ○표 하세요.

$2\frac{1}{6}\times1\frac{11}{13}>\square$

(1 , 2 , 3 , 4 , 5 , 6)

11 가장 큰 수와 가장 작은 수의 곱을 구해 보세요.

$2\frac{1}{4}$	5	$3\frac{1}{7}$	$5\frac{2}{3}$	$4\frac{5}{8}$

( )

12 직사각형의 넓이는 몇 cm^2인지 식을 쓰고 답을 구해 보세요.

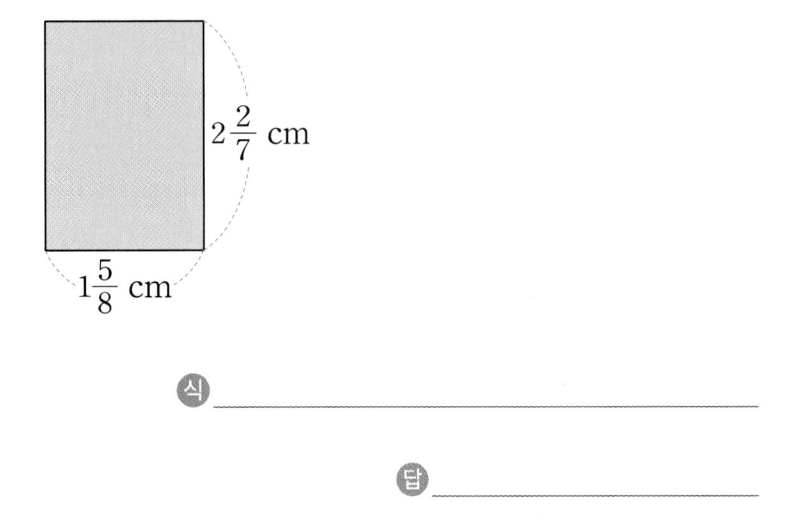

13 진주네 반 학급 문고 전체의 $\frac{6}{11}$은 동화책이고 그중 $\frac{1}{3}$은 창작 동화입니다. 창작 동화는 진주네 반 전체 학급 문고의 얼마인지 식을 쓰고 답을 구해 보세요.

식 ______

답 ______

개념 확인평가

2. 분수의 곱셈

맞은 개수

1 그림을 보고 □ 안에 알맞은 수를 써넣으세요.

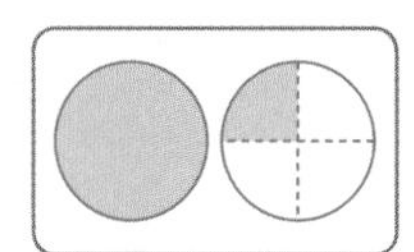
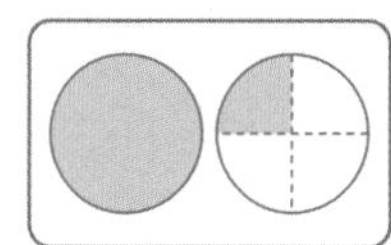
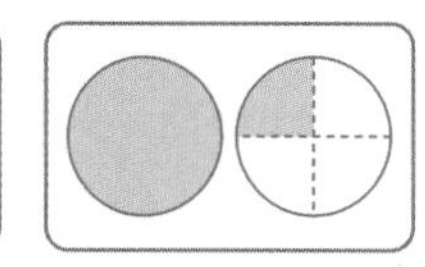
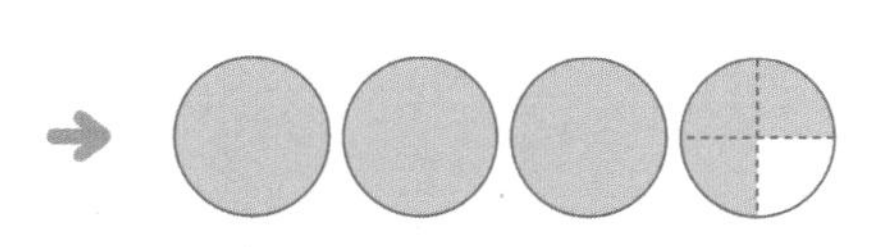

$$1\frac{1}{4}\times 3=\frac{\square}{4}\times 3=\frac{\square}{4}=\square\frac{\square}{4}$$

2 그림에서 색칠한 부분을 식으로 바르게 나타낸 것을 찾아 ○표 하세요.

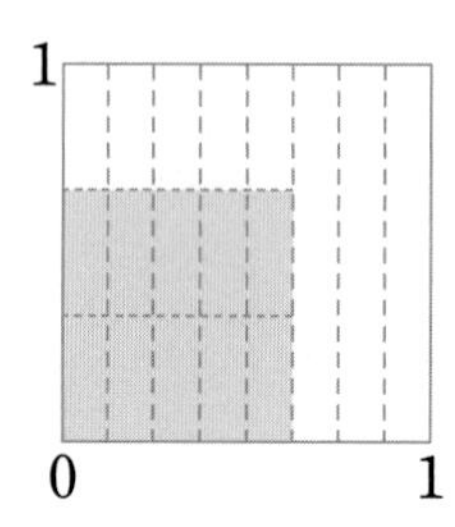

$\frac{1}{3}\times\frac{1}{8}$	$\frac{1}{8}\times\frac{2}{3}$	$\frac{5}{8}\times\frac{1}{3}$	$\frac{5}{8}\times\frac{2}{3}$

3 계산해 보세요.

(1) $3\times 1\frac{5}{12}$

(2) $\frac{5}{9}\times\frac{3}{4}$

4 두 분수의 곱을 구해 보세요.

(1) $\frac{7}{10}$ $\frac{1}{2}$

(　　　　　　　　)

(2) $\frac{2}{3}$ $1\frac{2}{7}$

(　　　　　　　　)

5 빈칸에 알맞은 수를 써넣으세요.

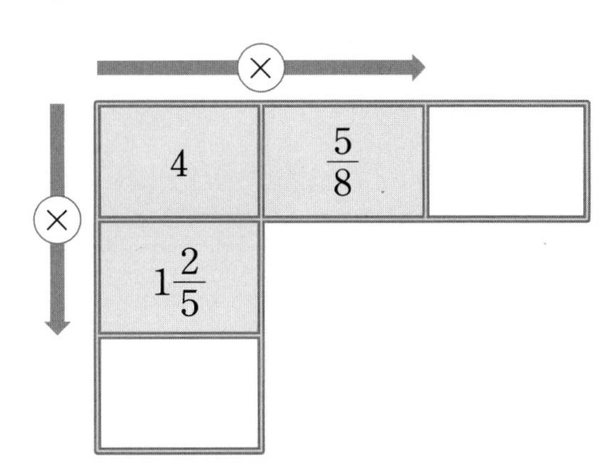

6 ㉠과 ㉡의 계산 결과의 합을 구해 보세요.

㉠ $4\times\frac{7}{12}$　　㉡ $\frac{2}{5}\times 20$

(　　　　　　　　)

7 계산 결과를 비교하여 ○ 안에 >, =, <를 알맞게 써넣으세요.

$\frac{5}{6}\times\frac{1}{4}$ 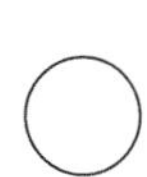 $\frac{5}{8}\times\frac{7}{15}$

8 계산 결과가 큰 것부터 차례로 기호를 써 보세요.

㉠ $12\times\frac{3}{8}$　　㉡ $4\frac{1}{6}\times\frac{4}{5}$　　㉢ $1\frac{2}{3}\times 2\frac{1}{7}$

(　　　　　　　　)

9 □ 안에 들어갈 수 있는 자연수를 모두 구해 보세요.

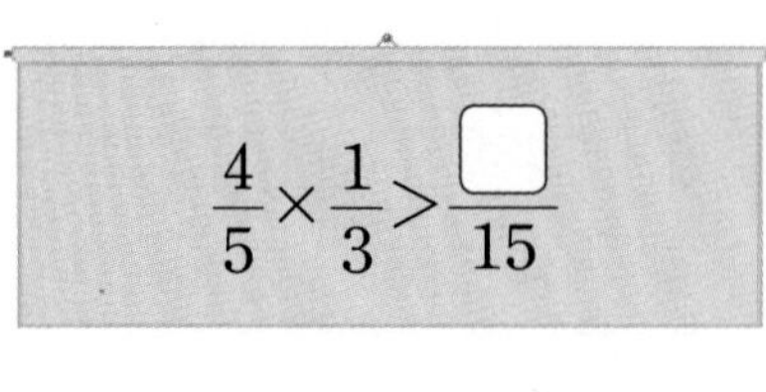

(　　　　　　　　　　)

10 현우는 사탕 28개 중에서 $\frac{4}{7}$를 친구들에게 나누어 주고 남은 사탕의 $\frac{1}{3}$을 먹었습니다. 현우가 먹은 사탕은 몇 개일까요?

(　　　　　　　　　　)

11 직사각형 가와 정사각형 나가 있습니다. 가와 나 중 어느 것이 더 넓을까요?

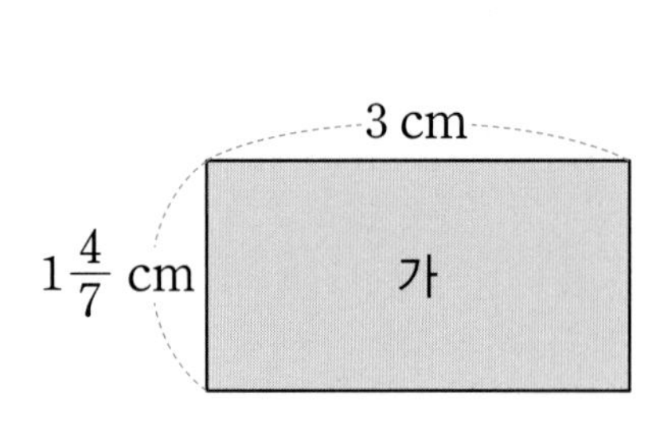

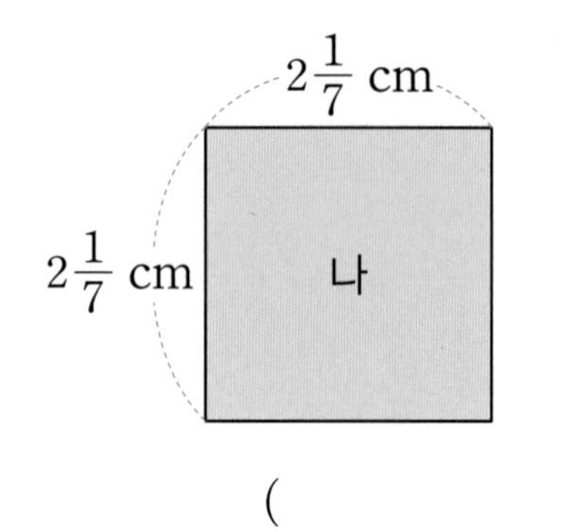

(　　　　　　　　　　)

3 합동과 대칭

학습 계획표

내용	쪽수	날짜	확인
교과서 개념 잡기	62~65쪽	월 일	
교과서 개념 play / 집중! 드릴 문제	66~69쪽	월 일	
교과서 개념 확인 문제	70~73쪽	월 일	
교과서 개념 잡기	74~77쪽	월 일	
교과서 개념 play / 집중! 드릴 문제	78~81쪽	월 일	
교과서 개념 확인 문제	82~85쪽	월 일	
개념 확인평가	86~88쪽	월 일	

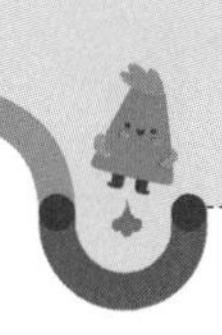

교과서 개념 잡기

개념 1 도형의 합동 알아보기

모양과 크기가 같아서 포개었을 때 완전히 겹치는 두 도형을 서로 합동이라고 합니다.

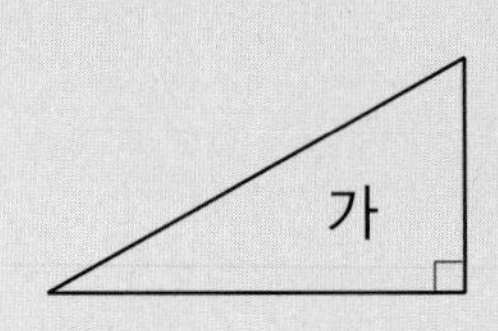

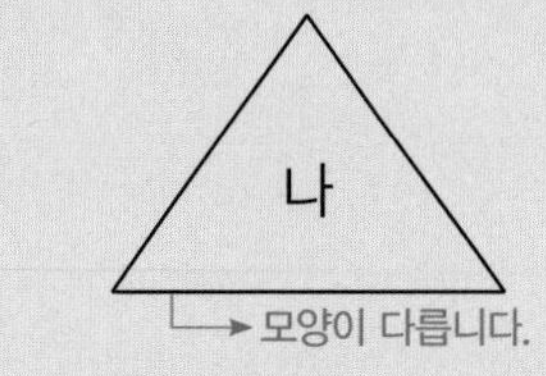

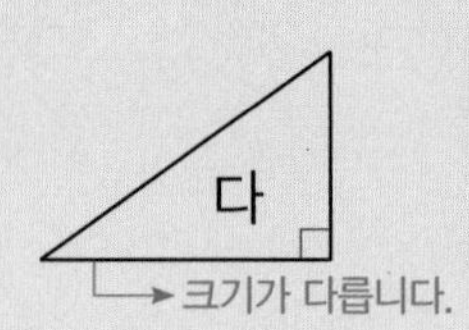

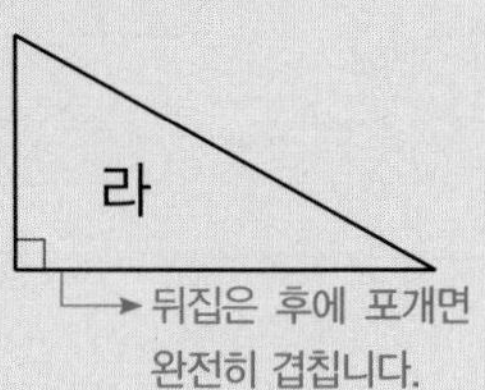

➜ 도형 가와 서로 합동인 도형은 도형 라입니다.

• 서로 합동인 도형 만들기

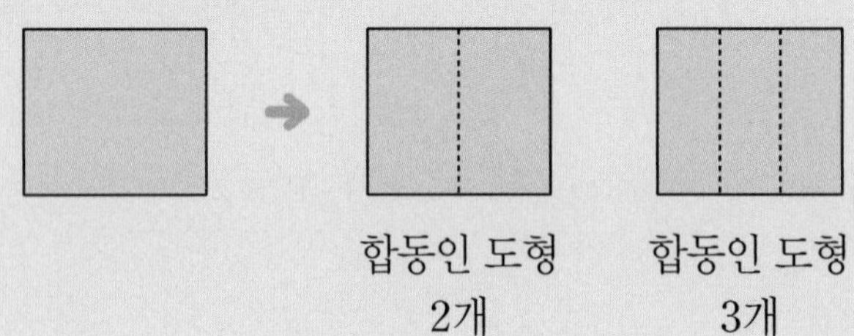

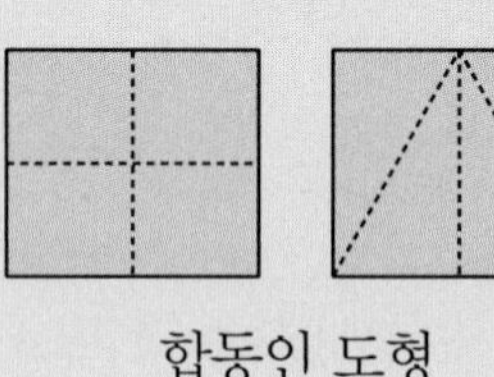

합동인 도형 2개 / 합동인 도형 3개 / 합동인 도형 4개

• 주어진 도형과 서로 합동인 도형 그리기

① 모눈종이의 눈금의 칸 수를 세어 주어진 도형의 꼭짓점과 같은 위치에 점을 찍습니다.

② 점들을 이어 서로 합동인 도형을 그립니다.

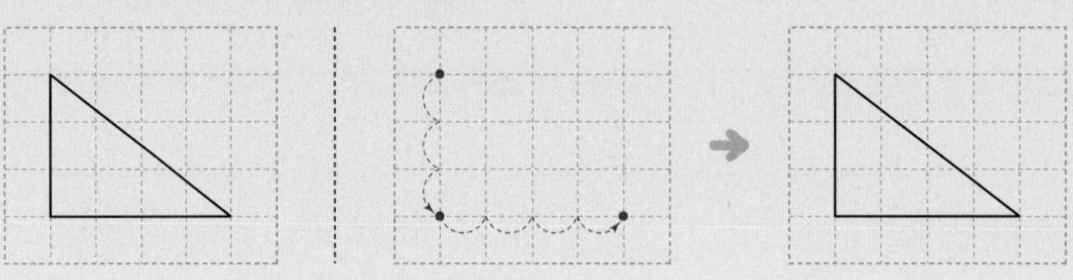

개념 Play

준비물 붙임딱지

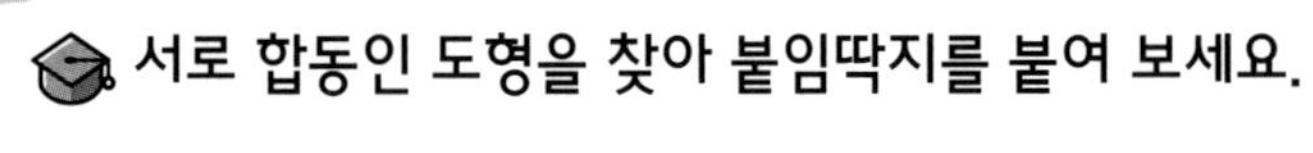

서로 합동인 도형을 찾아 붙임딱지를 붙여 보세요.

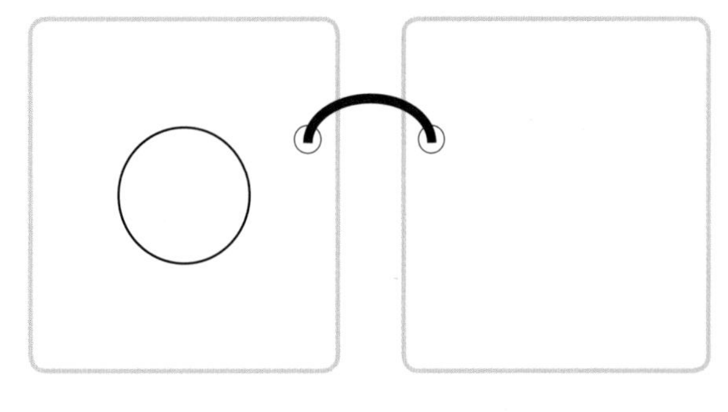

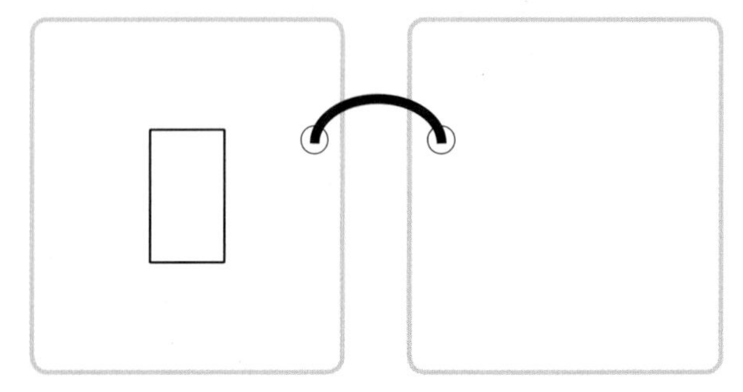

1 왼쪽 도형과 서로 합동인 도형을 찾아 ○표 하세요.

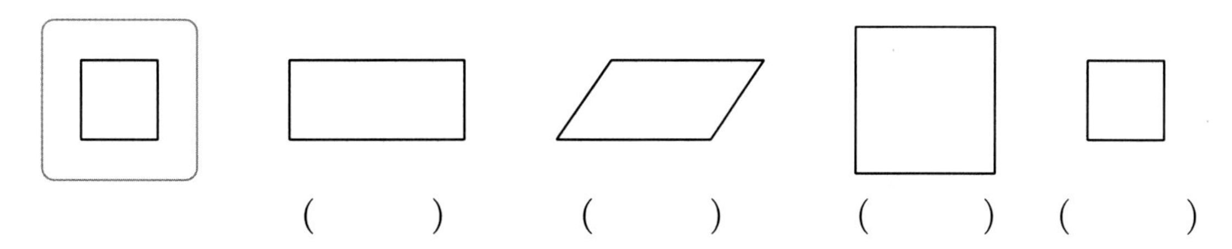

( ) ( ) ( ) ( )

2 서로 합동인 두 도형을 찾아 기호를 써 보세요.

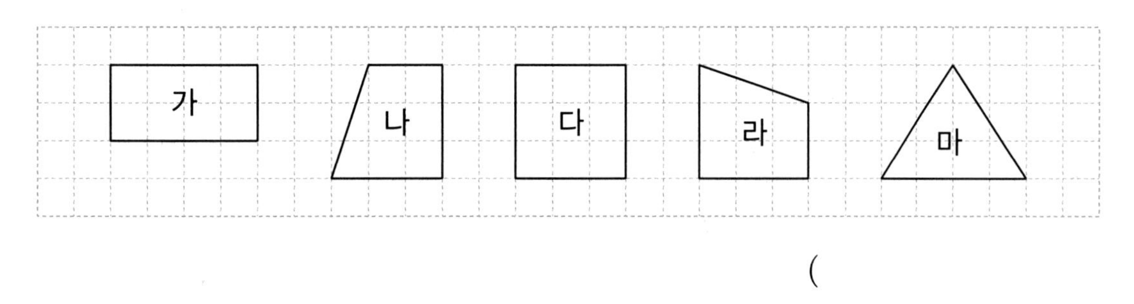

( )

3 종이를 점선을 따라 잘랐을 때 만들어진 두 도형이 서로 합동인 것을 찾아 기호를 써 보세요.

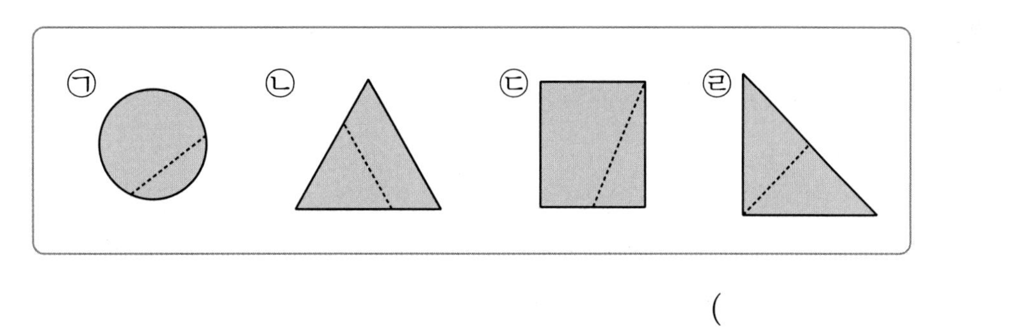

( )

4 주어진 도형과 서로 합동인 도형을 그려 보세요.

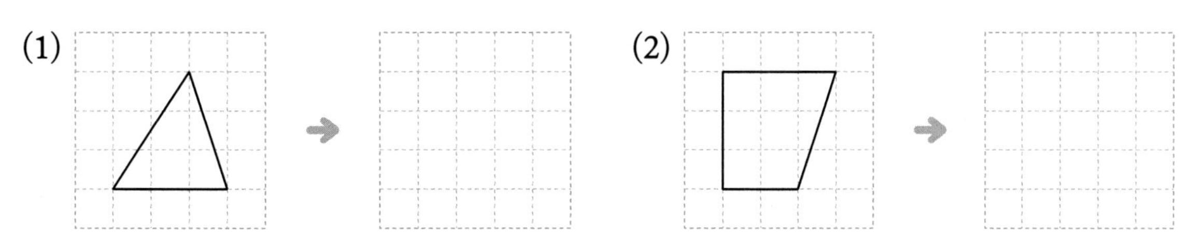

개념 2 합동인 도형의 성질 알아보기

서로 합동인 두 도형을 포개었을 때 완전히 겹치는 점을 대응점, 겹치는 변을 대응변, 겹치는 각을 대응각이라고 합니다.

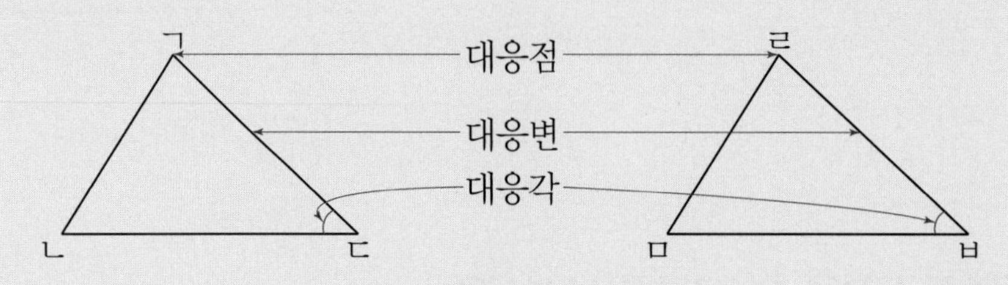
ㄱ
대응점
ㄹ
대응변
대응각
ㄴ
ㄷ
ㅁ
ㅂ

대응점	대응변	대응각
점 ㄱ과 점 ㄹ 점 ㄴ과 점 ㅁ 점 ㄷ과 점 ㅂ	변 ㄱㄴ과 변 ㄹㅁ 변 ㄴㄷ과 변 ㅁㅂ 변 ㄷㄱ과 변 ㅂㄹ	각 ㄱㄴㄷ과 각 ㄹㅁㅂ 각 ㄴㄷㄱ과 각 ㅁㅂㄹ 각 ㄷㄱㄴ과 각 ㅂㄹㅁ

서로 합동인 두 도형의 성질

① 각각의 대응변의 길이가 서로 같습니다.

② 각각의 대응각의 크기가 서로 같습니다.

서로 합동인 사각형 ㄱㄴㄷㄹ과 사각형 ㅁㅂㅅㅇ에서 각각의 대응변의 길이와 대응각의 크기가 서로 같습니다.

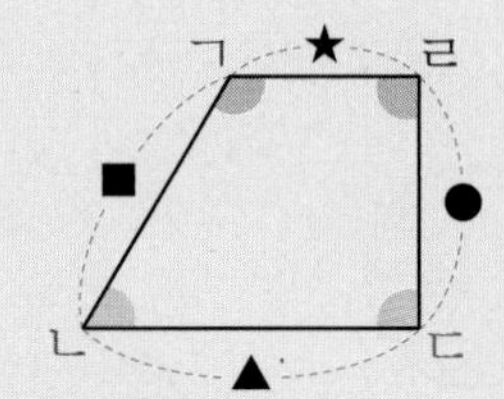
ㄱ
ㄹ
ㄴ
ㄷ

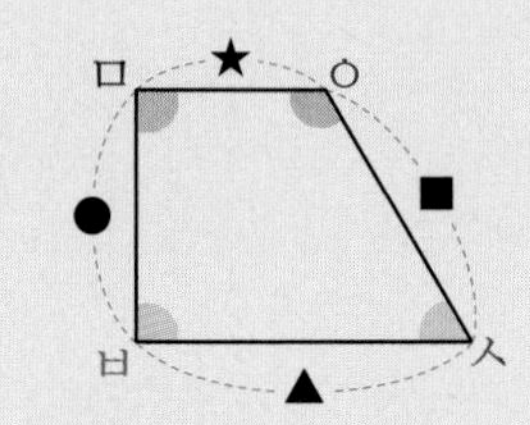
ㅁ
ㅇ
ㅂ
ㅅ

개념 Check

바르게 설명한 친구에게 ○표 하세요.

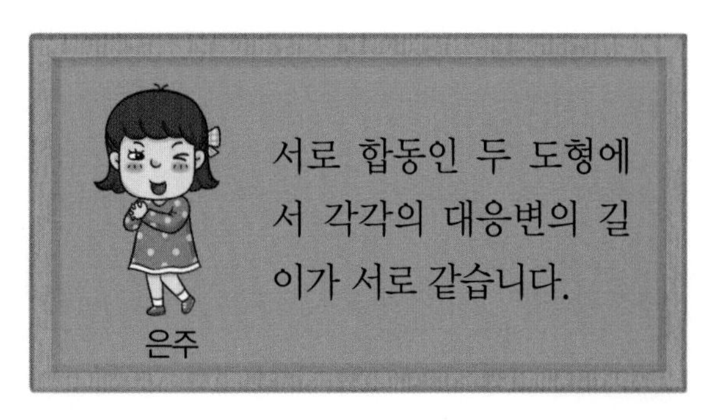
서로 합동인 두 도형에서 각각의 대응변의 길이가 서로 같습니다.
은주

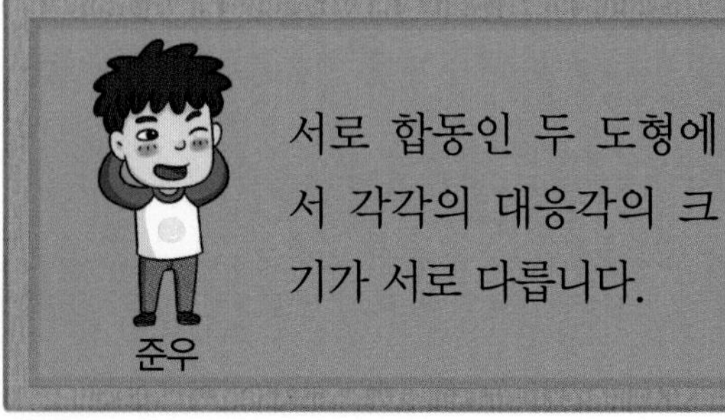
서로 합동인 두 도형에서 각각의 대응각의 크기가 서로 다릅니다.
준우

정답과 풀이 p.16

1 두 도형은 서로 합동입니다. 각각의 대응점을 찾아 써 보세요.

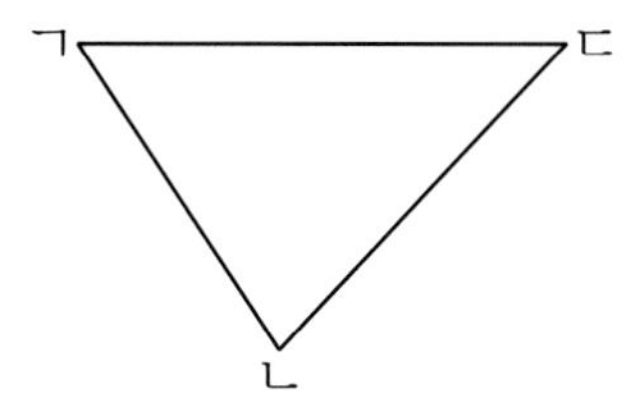

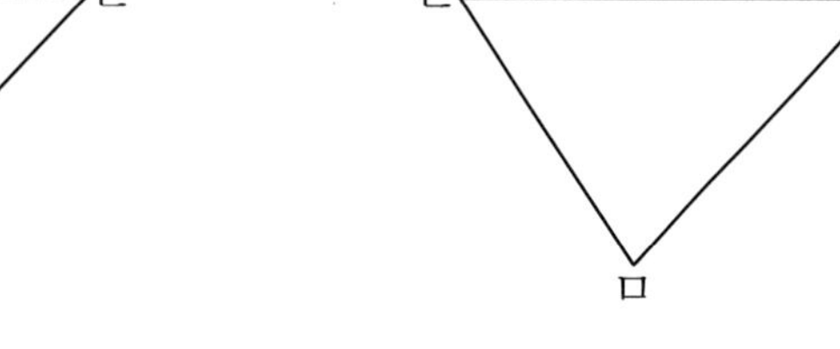

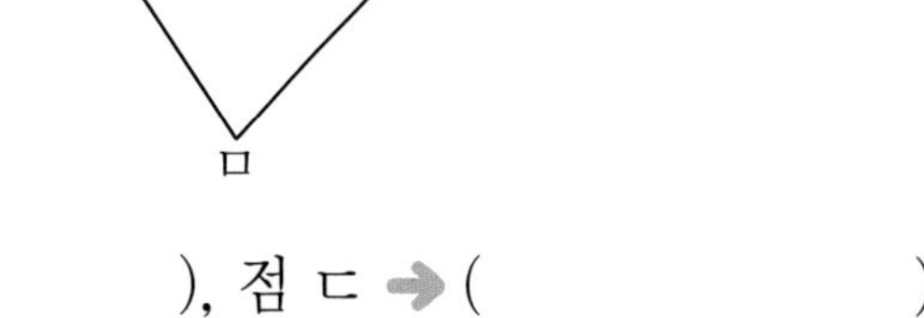

점 ㄱ ➔ (　　　　　　　　), 점 ㄴ ➔ (　　　　　　　　), 점 ㄷ ➔ (　　　　　　　　)

2 두 도형은 서로 합동입니다. 대응각끼리 바르게 짝 지은 것의 기호를 써 보세요.

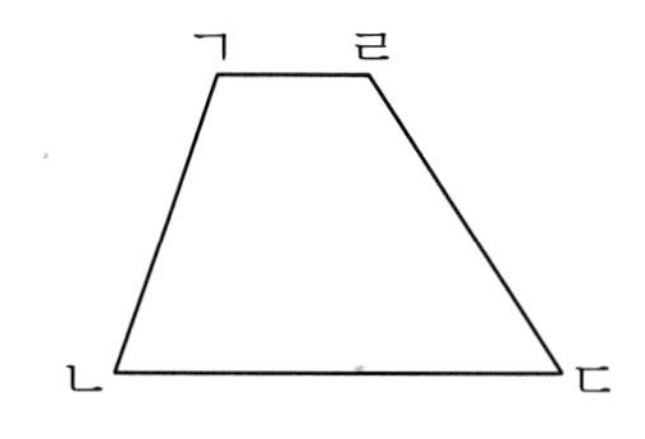

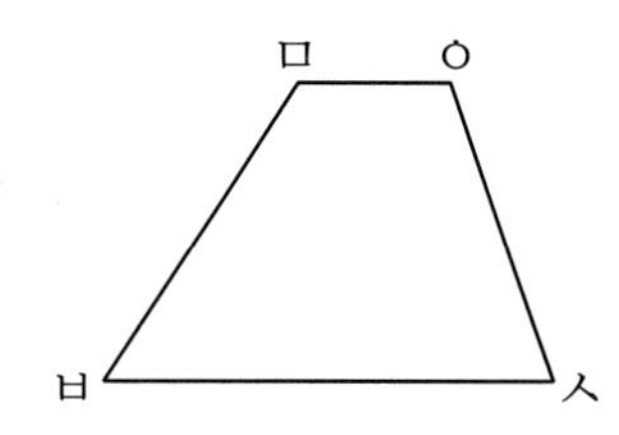

㉠ 각 ㄱㄴㄷ과 각 ㅁㅂㅅ
㉡ 각 ㄱㄹㄷ과 각 ㅇㅁㅂ

(　　　　　　　　)

3 두 도형은 서로 합동입니다. 변 ㅇㅅ은 몇 cm인지 써 보세요.

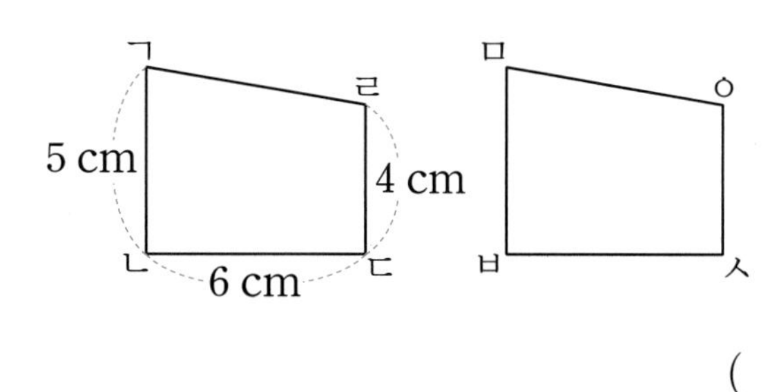

(　　　　　　　　)

4 두 도형은 서로 합동입니다. 각 ㅁㄹㅂ은 몇 도인지 써 보세요.

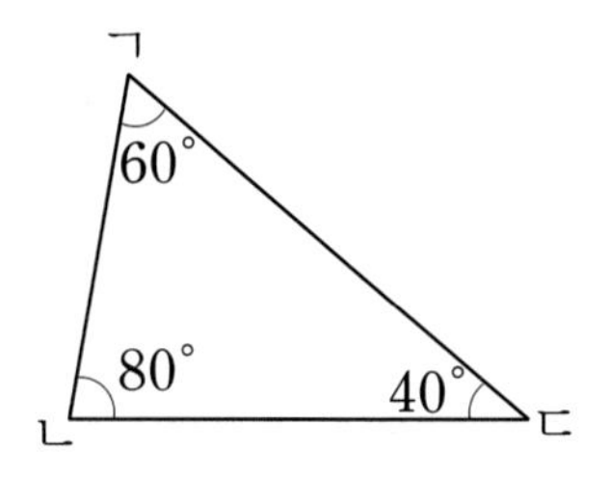

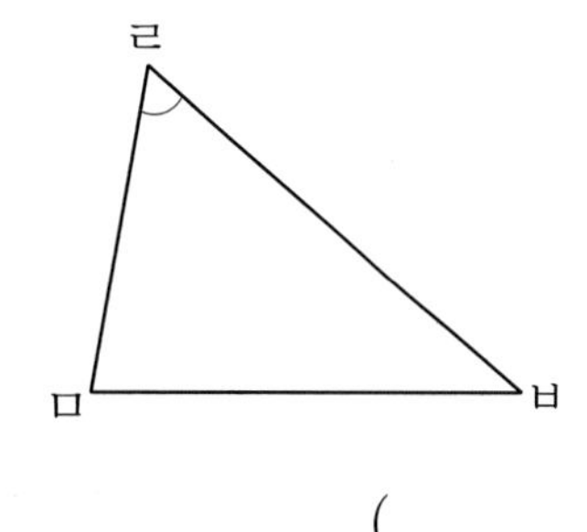

(　　　　　　　　)

교과서 개념 play 마법책 완성하기

준비물 붙임딱지

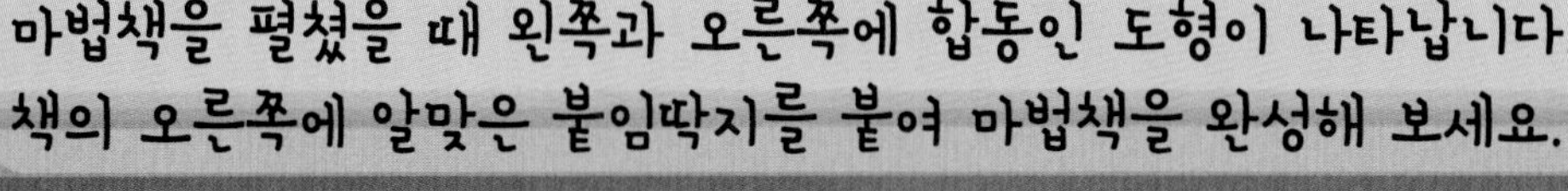

마법책을 펼쳤을 때 왼쪽과 오른쪽에 합동인 도형이 나타납니다. 책의 오른쪽에 알맞은 붙임딱지를 붙여 마법책을 완성해 보세요.

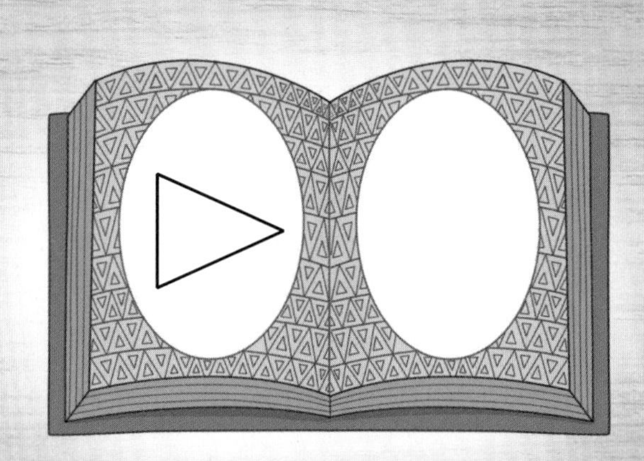

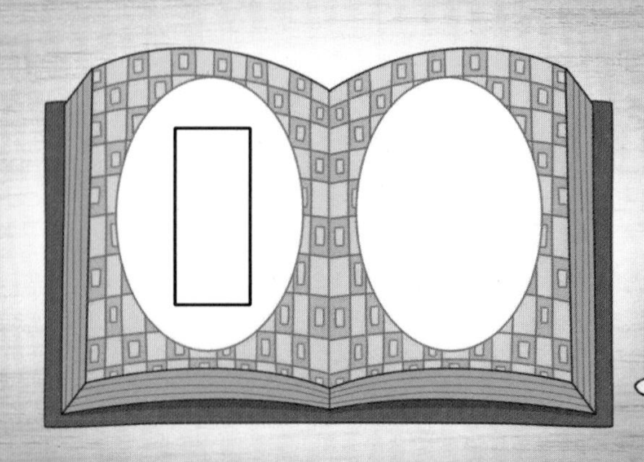

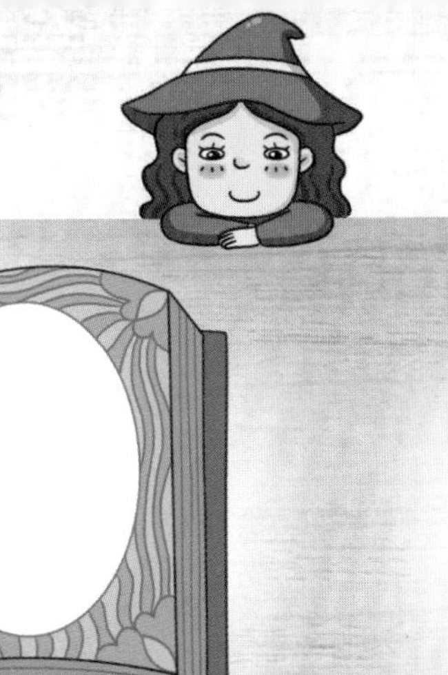

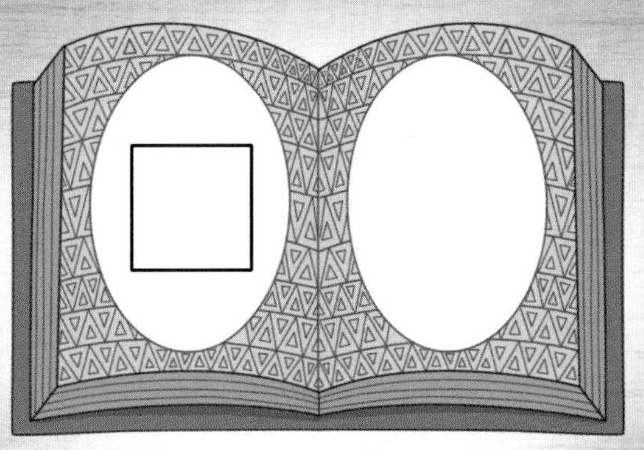

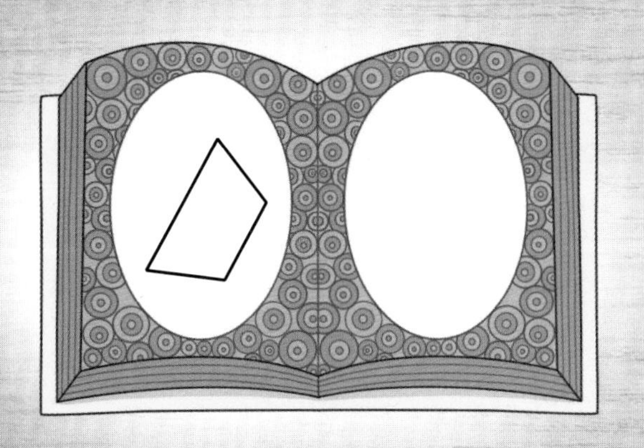

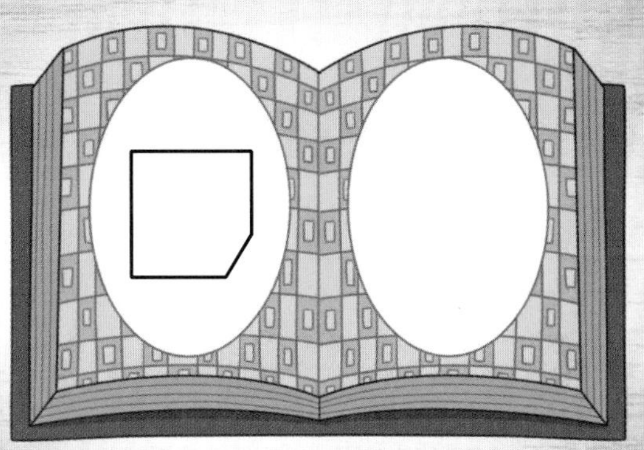

3
단원

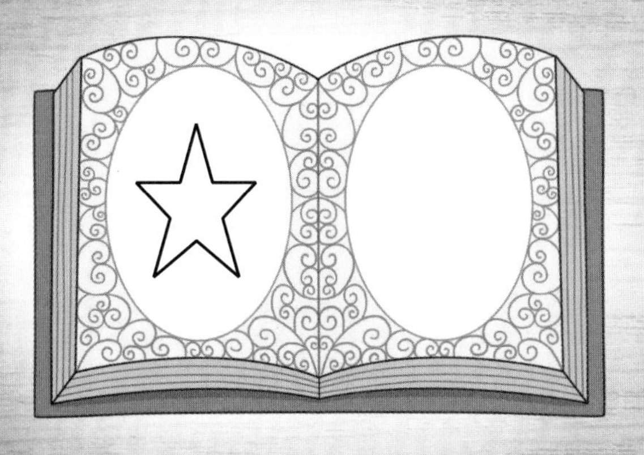

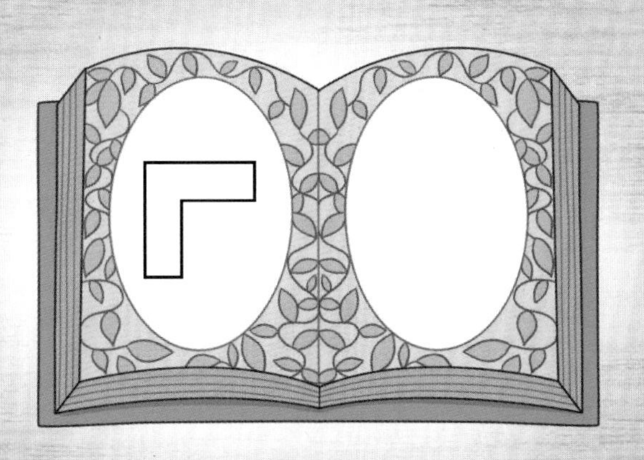

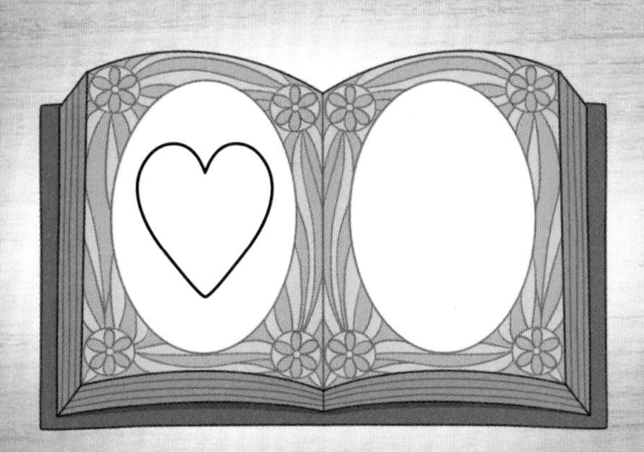

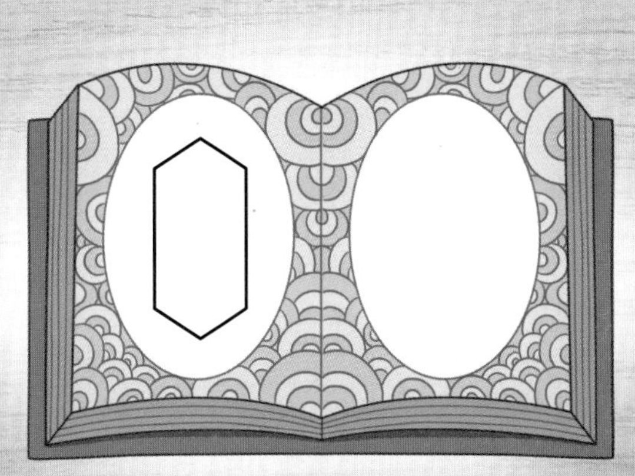

집중! 드릴 문제

[1~4] 서로 합동인 두 도형을 찾아 색칠해 보세요.

1

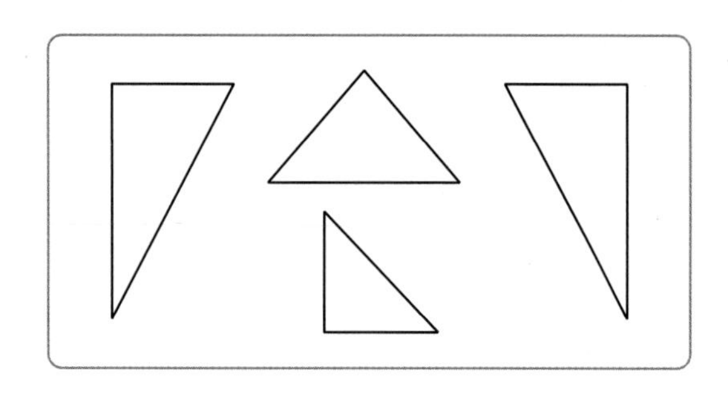

2

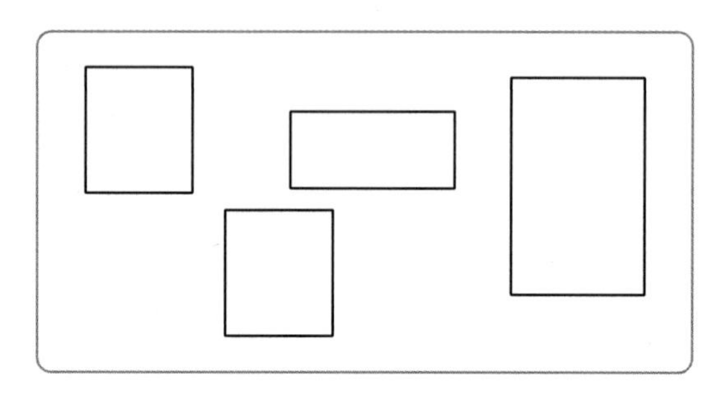

3

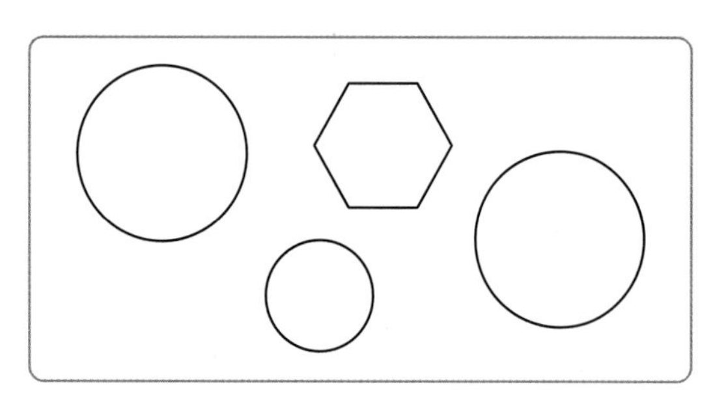

4

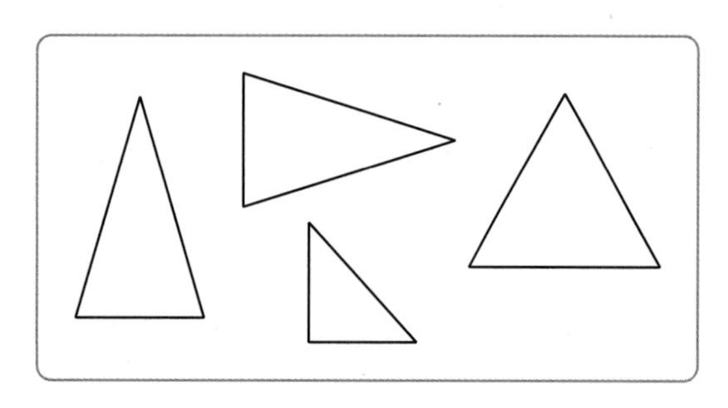

[5~8] 주어진 도형과 서로 합동인 도형을 그려 보세요.

5

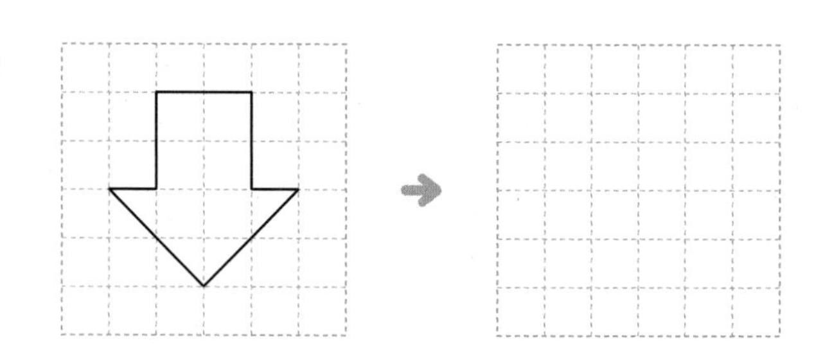

6

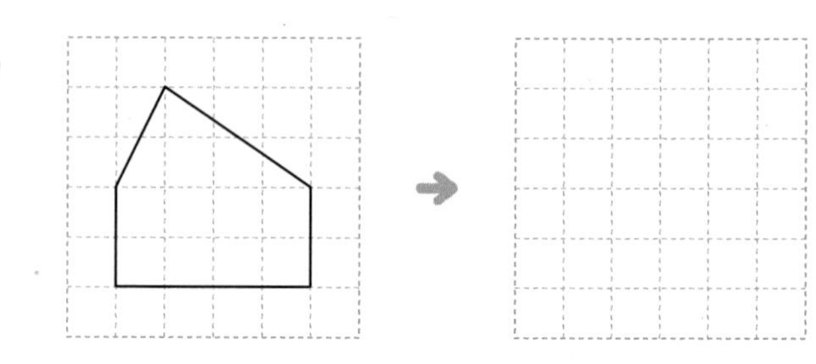

7

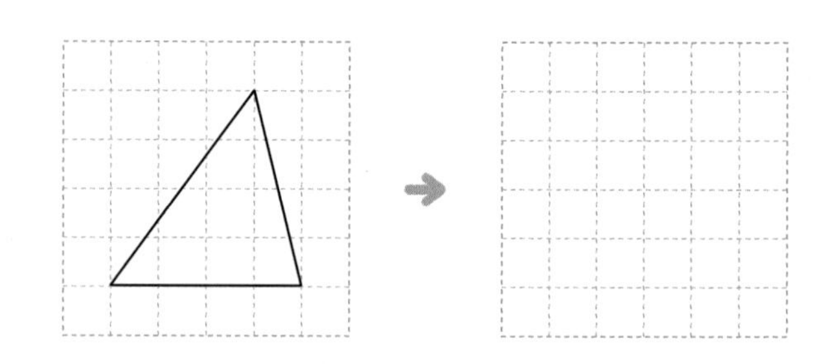

8

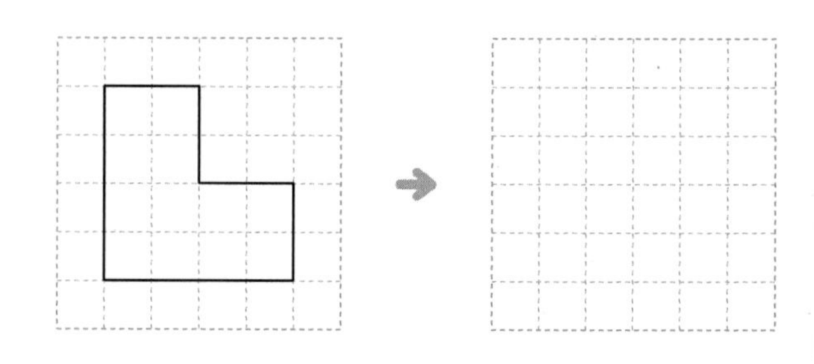

[9~16] 두 도형은 서로 합동입니다. □ 안에 알맞은 수를 써넣으세요.

9

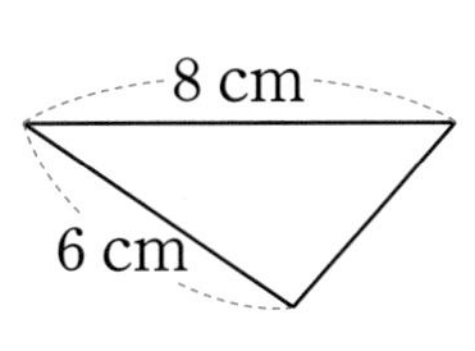

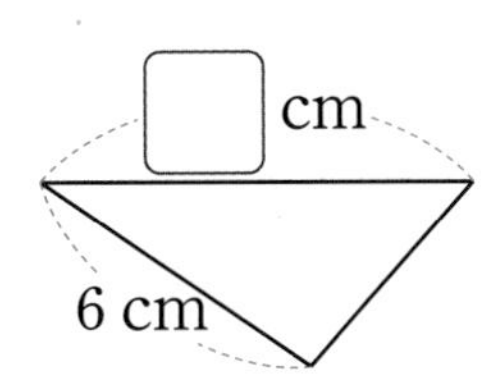

10

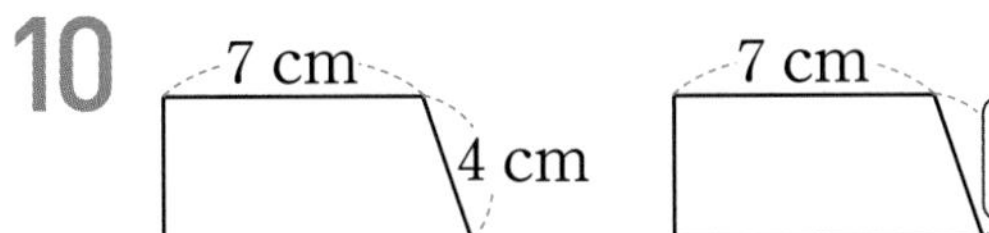

11

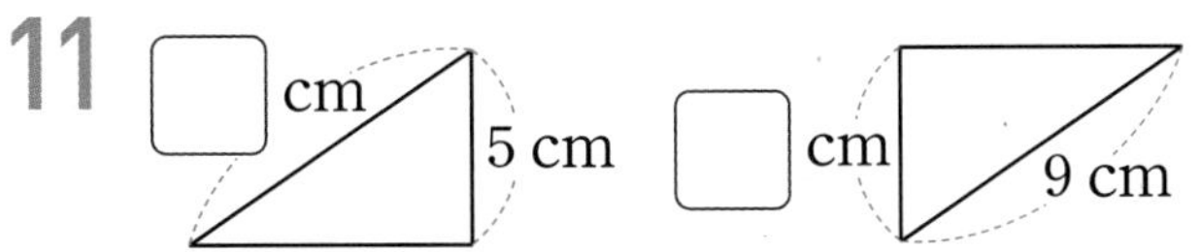

12

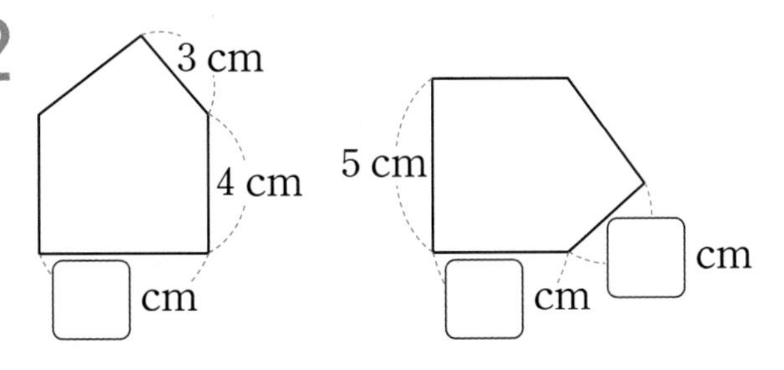

13

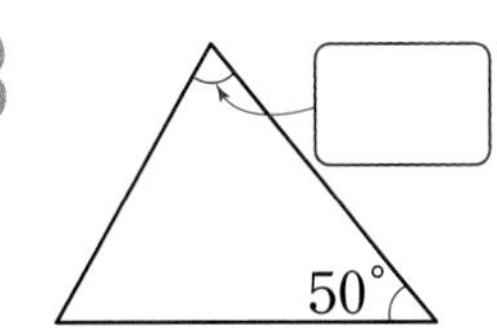

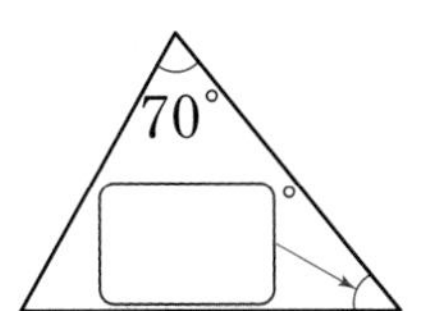

14

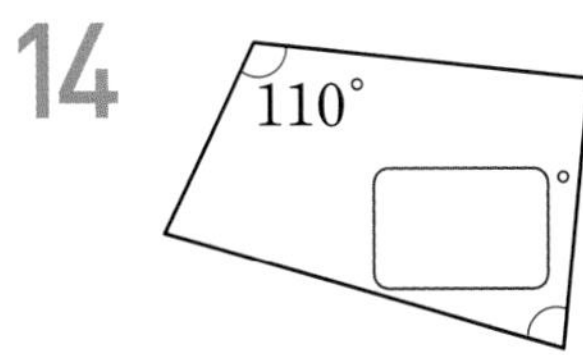

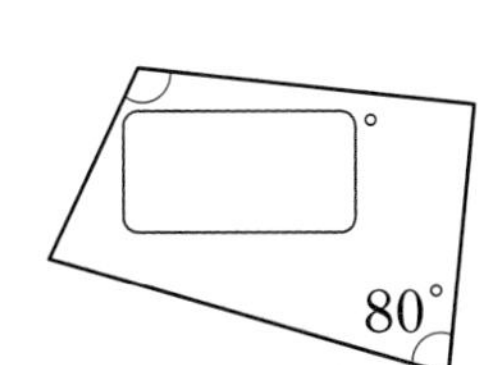

15

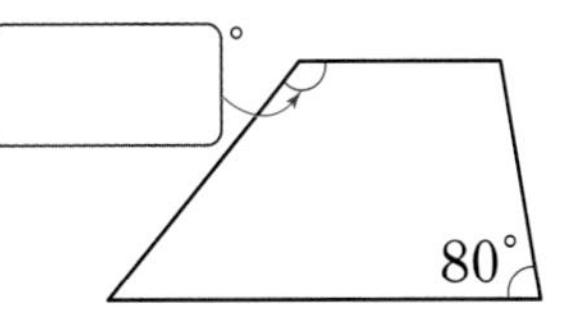

16

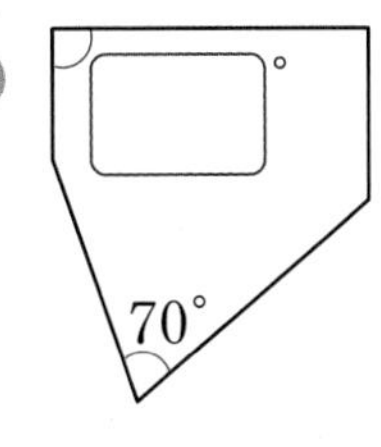

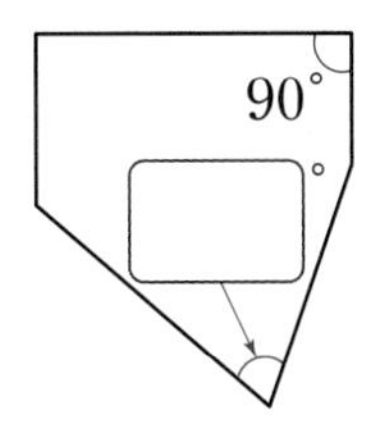

교과서 개념 확인 문제

1 나머지 셋과 서로 합동이 아닌 도형을 찾아 기호를 써 보세요.

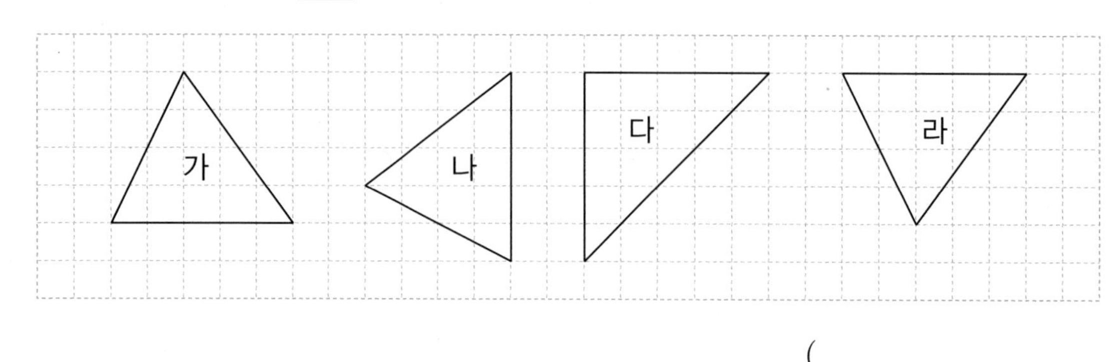

( )

2 점선을 따라 잘랐을 때 만들어지는 두 도형이 서로 합동인 것을 찾아 ○표 하세요.

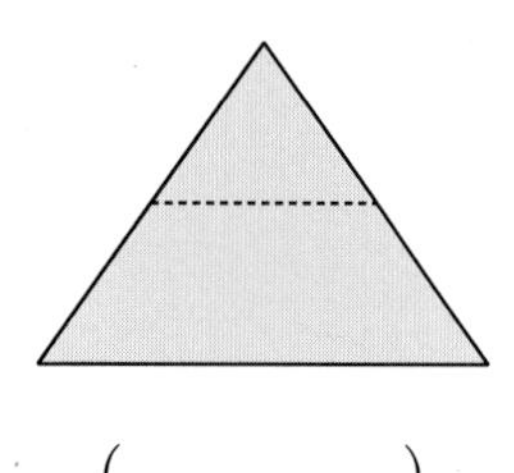

( )

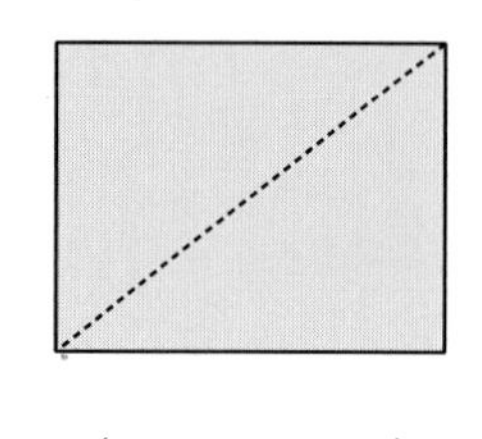

( )

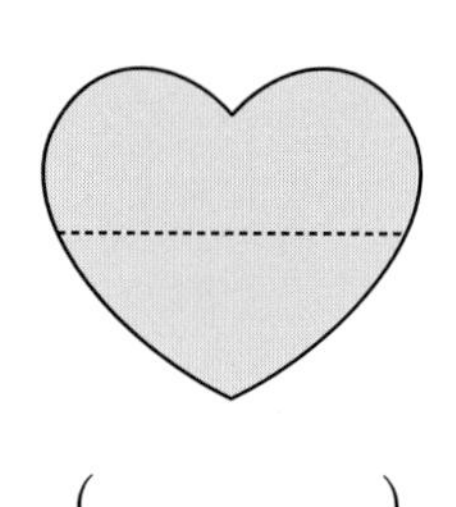

( )

3 두 도형은 서로 합동입니다. 대응점, 대응변, 대응각은 각각 몇 쌍일까요?

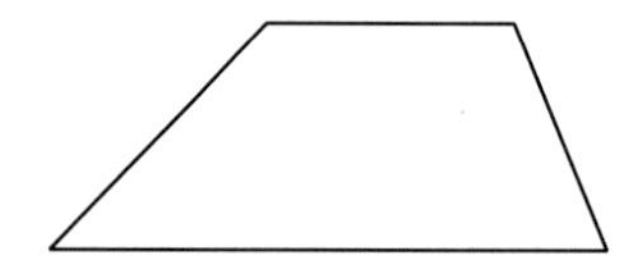

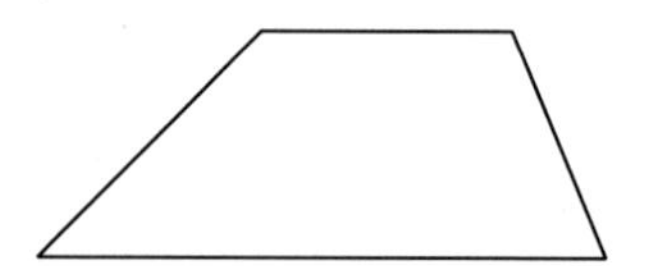

대응점	대응변	대응각

4

주어진 도형과 서로 합동인 도형을 그려 보세요.

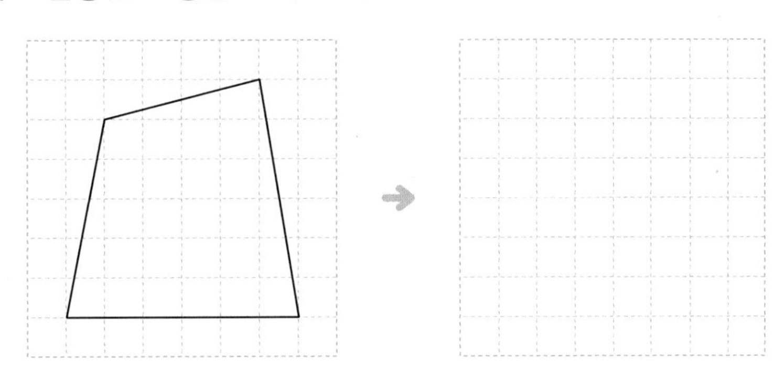

5

직사각형 모양의 종이를 잘라서 서로 합동인 사각형 4개를 만들려고 합니다. 어떻게 잘라야 할지 알맞게 선을 그어 보세요.

6

두 도형은 서로 합동입니다. 각의 크기를 구해 보세요.

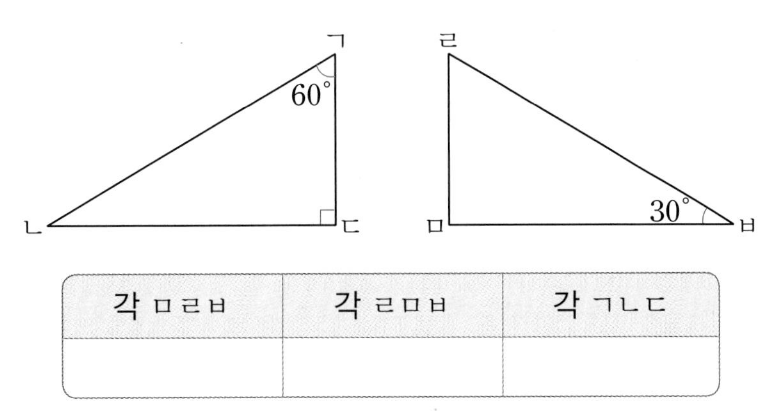

각 ㅁㄹㅂ	각 ㄹㅁㅂ	각 ㄱㄴㄷ

교과서 개념 확인 문제

7 두 도형은 서로 합동입니다. 삼각형 ㄹㅁㅂ의 둘레는 몇 cm인지 구해 보세요.

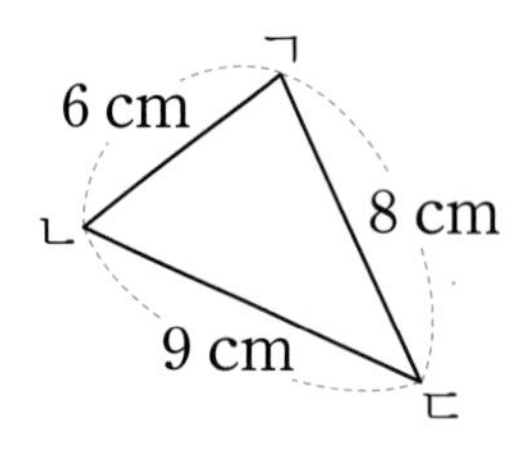

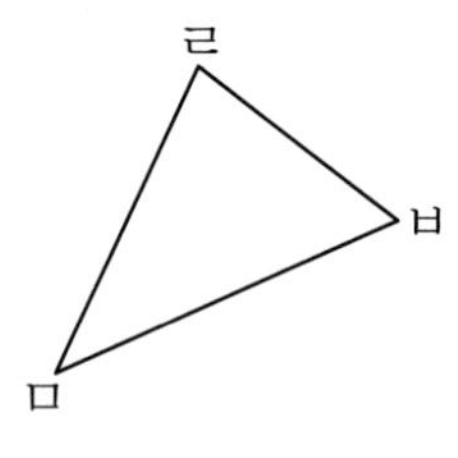

(　　　　　　　　)

8 우리나라와 다른 나라에서 사용하는 표지판입니다. 모양이 서로 합동인 표지판끼리 이어 보세요. (단, 표지판의 색깔과 표지판 안의 그림은 생각하지 않습니다.)

9 두 도형은 서로 합동입니다. 물음에 답하세요.

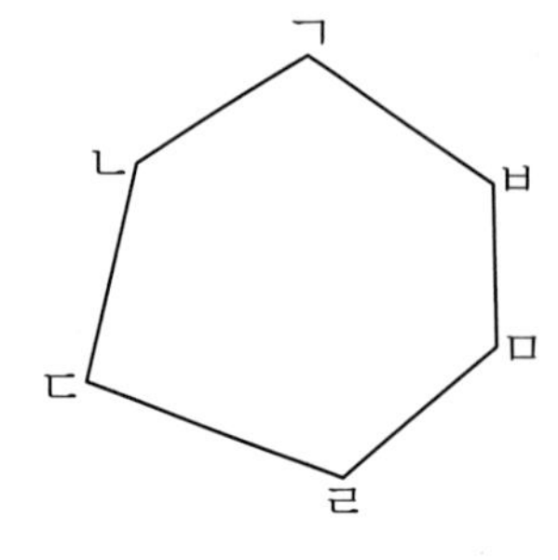

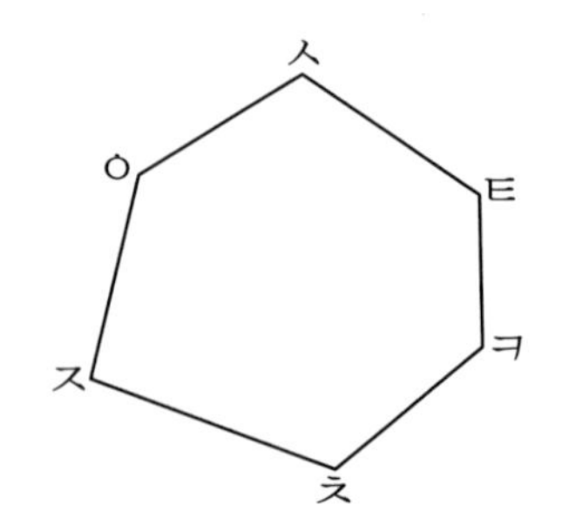

(1) 점 ㄱ의 대응점을 써 보세요. (　　　　　　　　)

(2) 변 ㄹㅁ의 대응변을 써 보세요. (　　　　　　　　)

(3) 각 ㄱㄴㄷ의 대응각을 써 보세요. (　　　　　　　　)

10 두 도형은 서로 합동입니다. 직사각형 ㅁㅂㅅㅇ의 둘레는 몇 cm인지 구해 보세요.

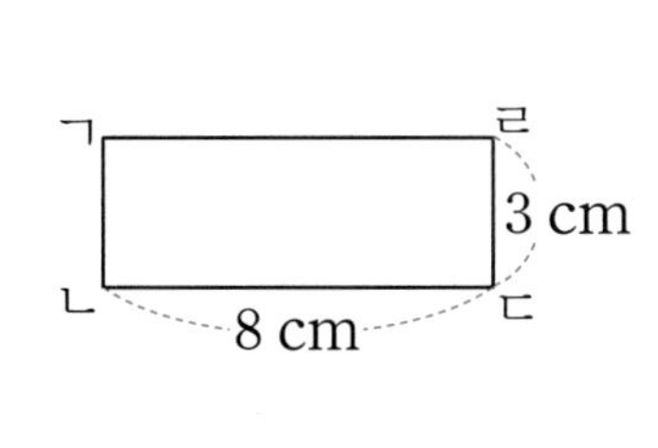

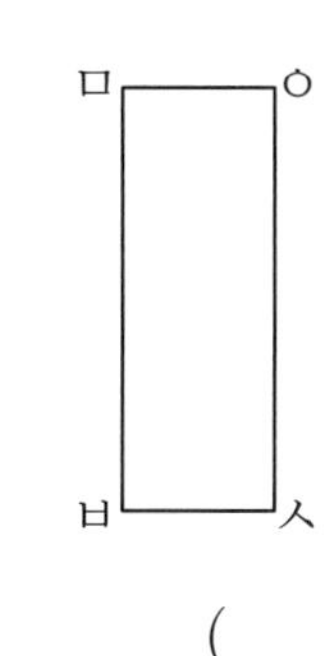

(　　　　　　　　　)

11 두 도형은 서로 합동입니다. □ 안에 알맞은 수를 써넣으세요.

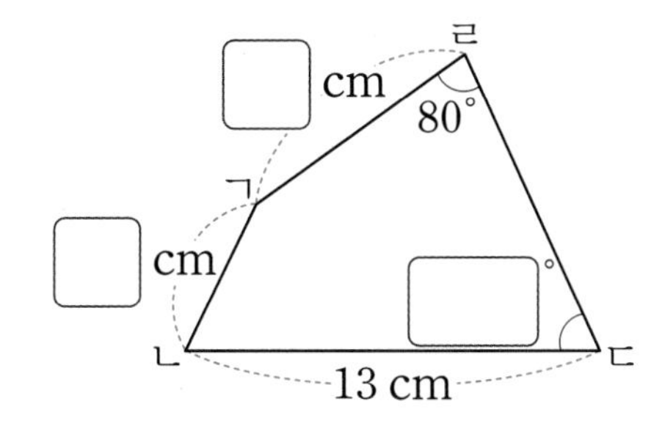

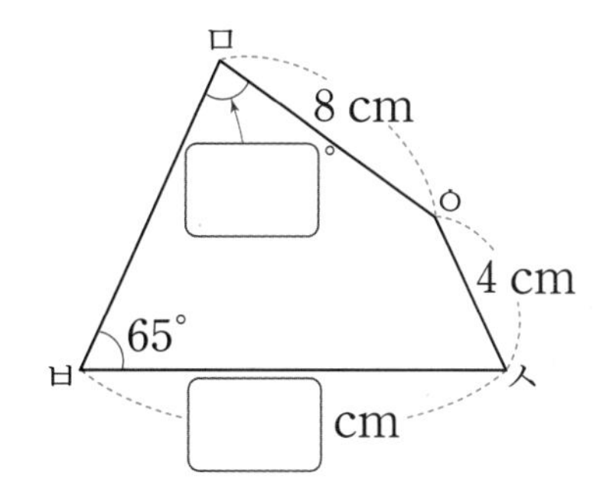

12 두 도형은 서로 합동입니다. □ 안에 알맞은 수를 써넣으세요.

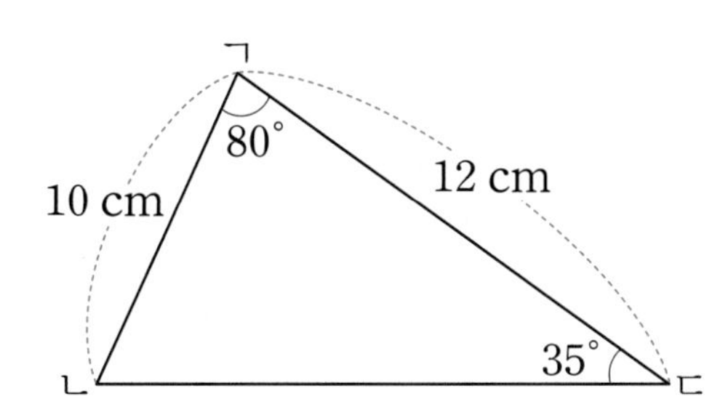

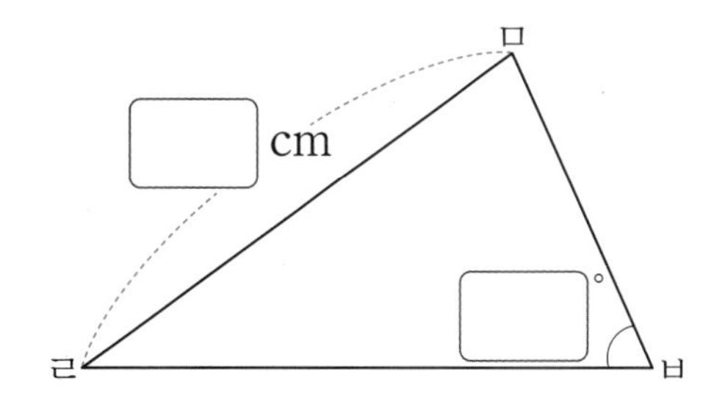

교과서 개념 잡기

개념 3 선대칭도형과 그 성질 알아보기

한 직선을 따라 접었을 때 완전히 겹치는 도형을 선대칭도형이라고 합니다. 이때 그 직선을 대칭축이라고 합니다.
대칭축을 따라 접었을 때 겹치는 점을 대응점, 겹치는 변을 대응변, 겹치는 각을 대응각이라고 합니다.

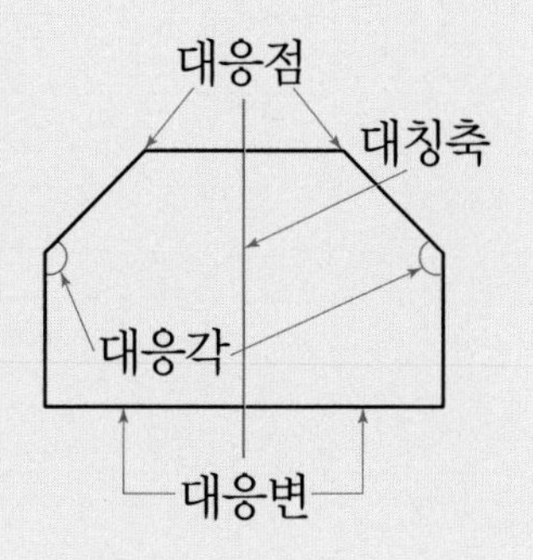

선대칭도형의 성질

① 각각의 대응변의 길이가 서로 같습니다.
② 각각의 대응각의 크기가 서로 같습니다.
③ 대응점끼리 이은 선분은 대칭축과 수직으로 만납니다.
④ 대칭축은 대응점끼리 이은 선분을 똑같이 둘로 나눕니다.

• 선대칭도형 그리기

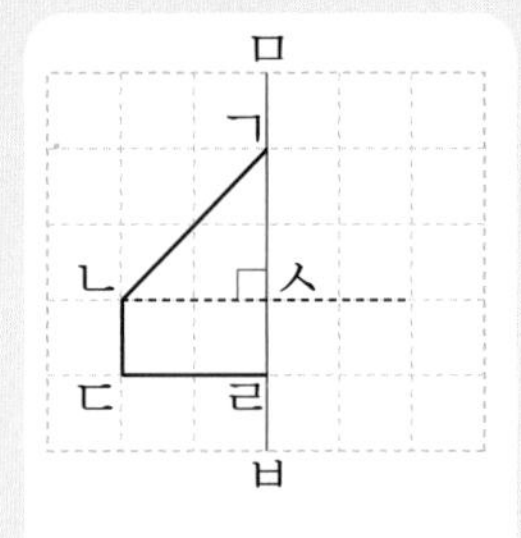

점 ㄴ에서 대칭축 ㅁㅂ에 수선을 긋고, 대칭축과 만나는 점을 찾아 점 ㅅ으로 표시합니다.

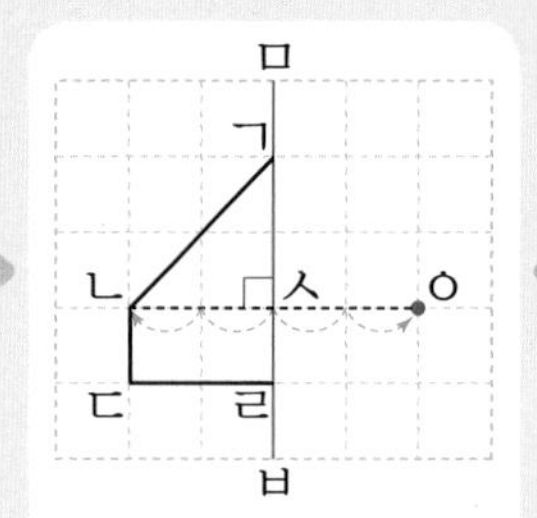

이 수선에 선분 ㄴㅅ과 길이가 같은 선분 ㅇㅅ이 되도록 점 ㄴ의 대응점을 찾아 점 ㅇ으로 표시합니다.

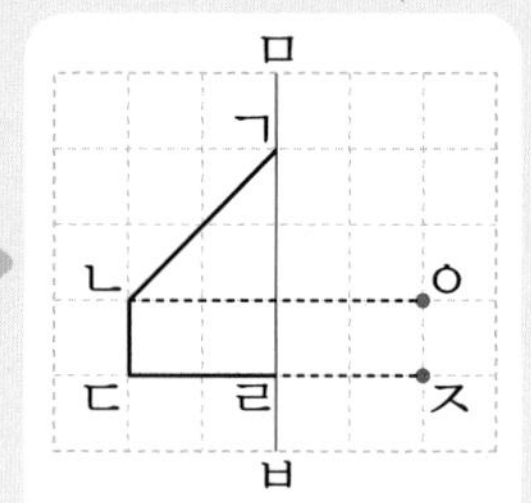

같은 방법으로 점 ㄷ의 대응점을 찾아 점 ㅈ으로 표시합니다.

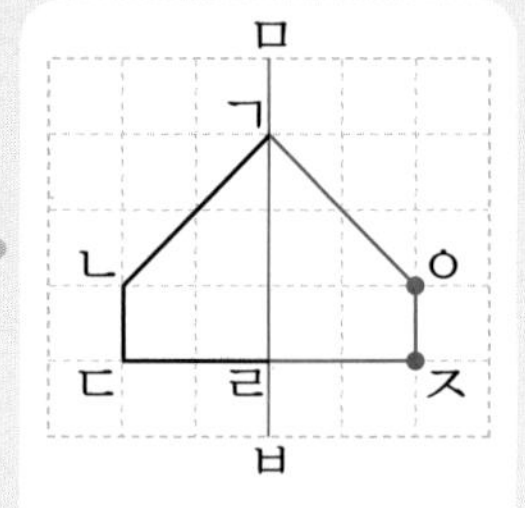

점 ㄹ과 점 ㅈ, 점 ㅈ과 점 ㅇ, 점 ㅇ과 점 ㄱ을 차례로 이어 선대칭도형이 되도록 그립니다.

개념 Check

바르게 말한 친구에게 ◯표 하세요.

선대칭도형에서 대응점끼리 이은 선분은 대칭축과 서로 평행해.

선대칭도형에서 대응점끼리 이은 선분은 대칭축과 수직으로 만나.

1 선대칭도형을 모두 찾아 기호를 써 보세요.

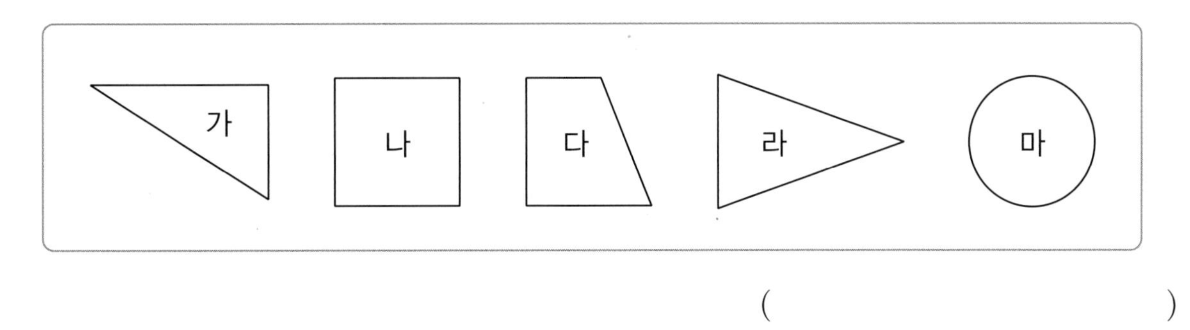

( )

2 선대칭도형의 대칭축을 찾아 기호를 써 보세요.

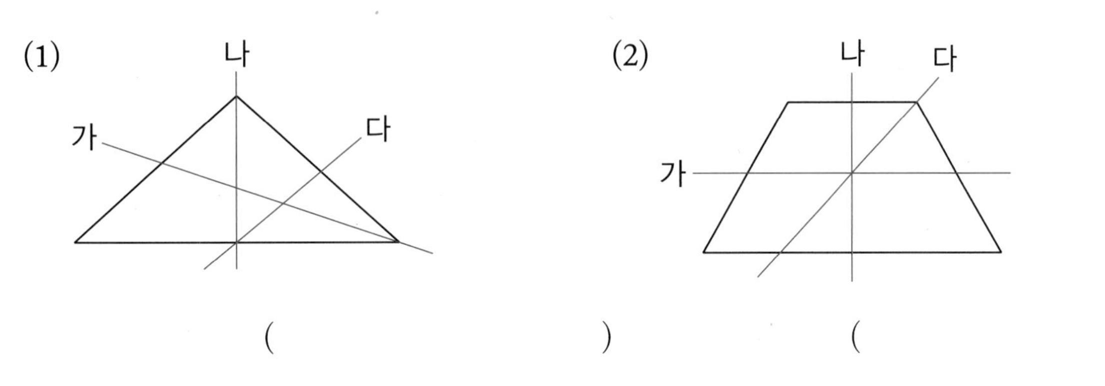

( ) ( )

3 직선 ㅁㅂ을 대칭축으로 하는 선대칭도형입니다. □ 안에 알맞은 수를 써넣으세요.

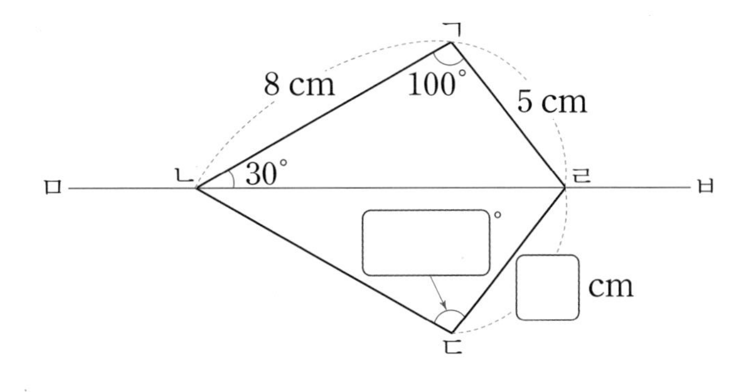

4 선대칭도형을 완성해 보세요.

(1)

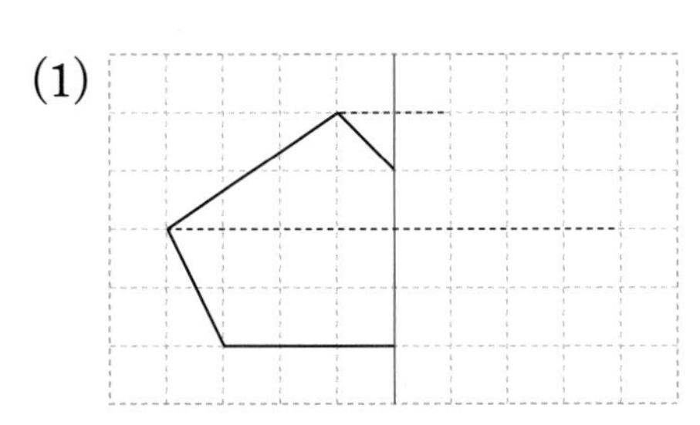

(2)

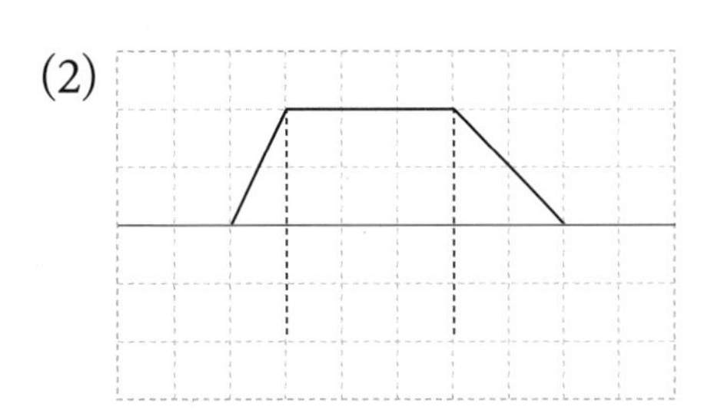

개념 4 점대칭도형과 그 성질 알아보기

한 도형을 어떤 점을 중심으로 180° 돌렸을 때 처음 도형과 완전히 겹치면 이 도형을 점대칭도형이라고 합니다.
이때 그 점을 대칭의 중심이라고 합니다.
대칭의 중심을 중심으로 180° 돌렸을 때 겹치는 점을 대응점, 겹치는 변을 대응변, 겹치는 각을 대응각이라고 합니다.

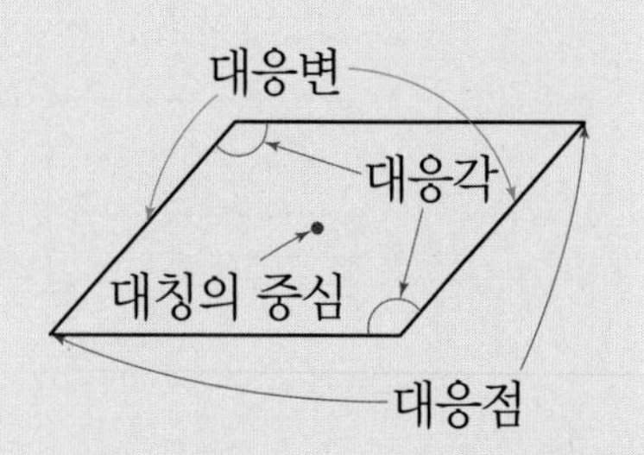

점대칭도형의 성질

① 각각의 대응변의 길이가 서로 같습니다.
② 각각의 대응각의 크기가 서로 같습니다.
③ 대응점끼리 이은 선분은 대칭의 중심에서 만납니다.
④ 대칭의 중심은 대응점끼리 이은 선분을 둘로 똑같이 나눕니다.

• 점대칭도형 그리기

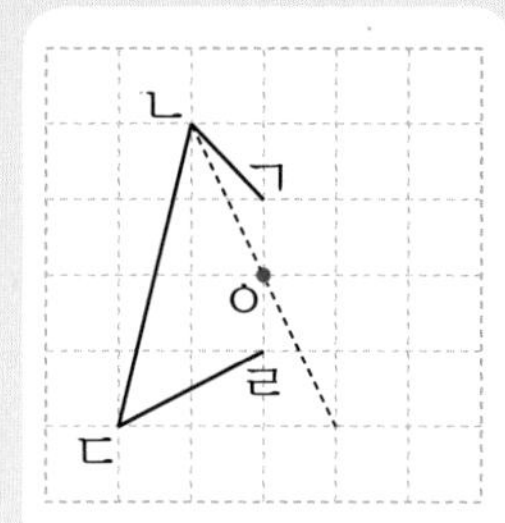

점 ㄴ에서 대칭의 중심인 점 ㅇ을 지나는 직선을 긋습니다.

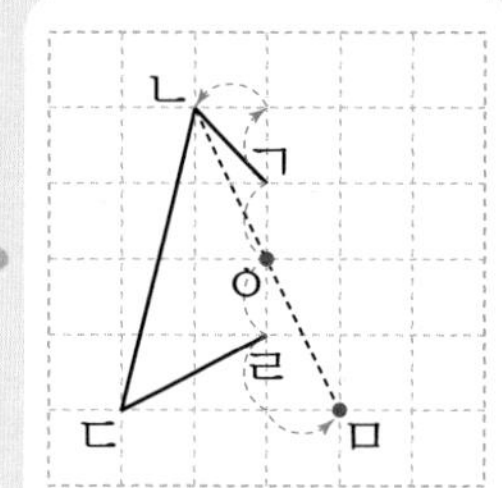

이 직선에 선분 ㄴㅇ과 길이가 같은 선분 ㅁㅇ이 되도록 점 ㄴ의 대응점을 찾아 점 ㅁ으로 표시합니다.

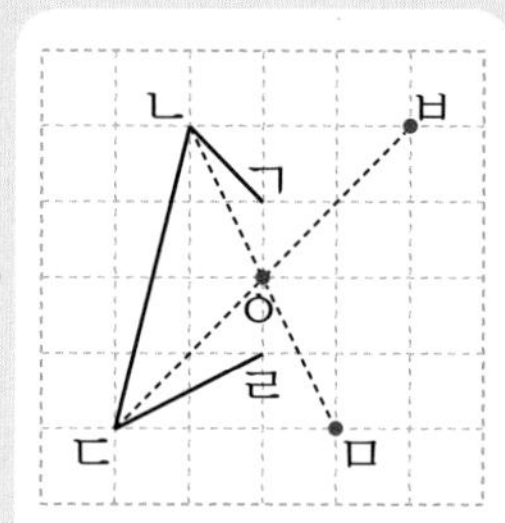

같은 방법으로 점 ㄷ의 대응점을 찾아 점 ㅂ으로 표시합니다. 점 ㄱ의 대응점은 점 ㄹ입니다.

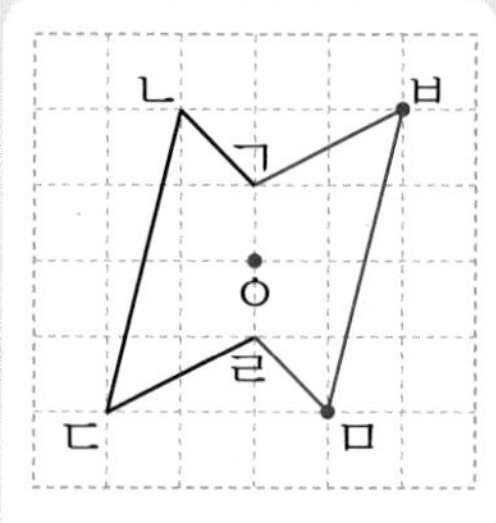

점 ㄹ과 점 ㅁ, 점 ㅁ과 점 ㅂ, 점 ㅂ과 점 ㄱ을 차례로 이어 점대칭도형이 되도록 그립니다.

개념 Check

바르게 설명한 친구에게 ○표 하세요.

민기: 한 도형을 어떤 점을 중심으로 360° 돌렸을 때 처음 도형과 완전히 겹치는 도형을 점대칭도형이라고 합니다.

서희: 한 도형을 어떤 점을 중심으로 180° 돌렸을 때 처음 도형과 완전히 겹치는 도형을 점대칭도형이라고 합니다.

정답과 풀이 p.19

1 점대칭도형을 모두 찾아 ○표 하세요.

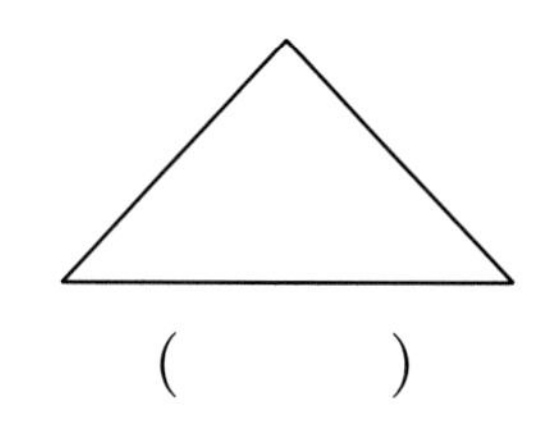
(　　　)

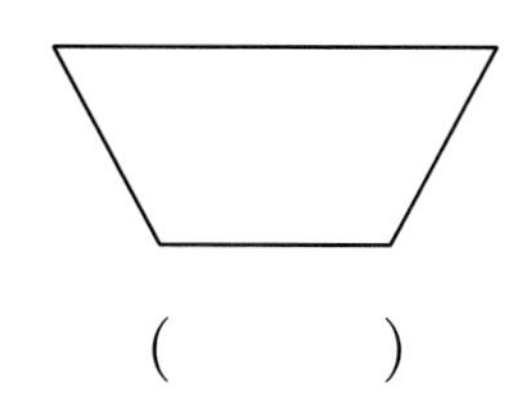
(　　　)

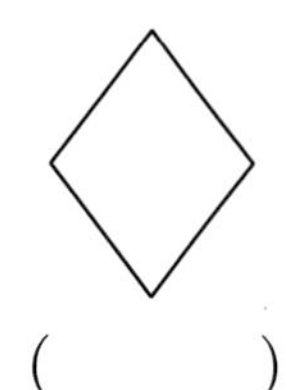
(　　　)

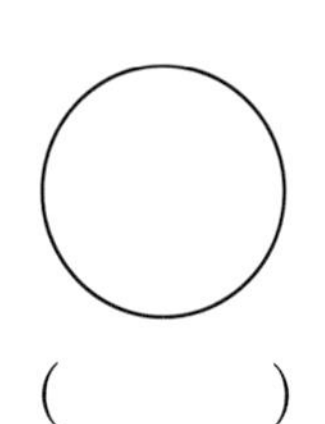
(　　　)

2 점대칭도형에서 대칭의 중심을 찾아 점(•)으로 표시해 보세요.

(1)
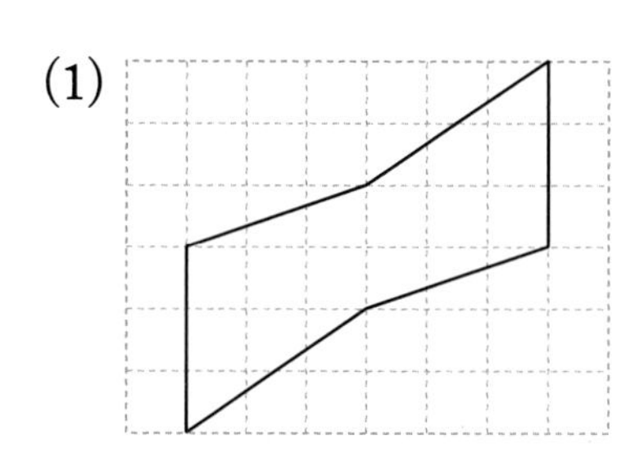

(2)
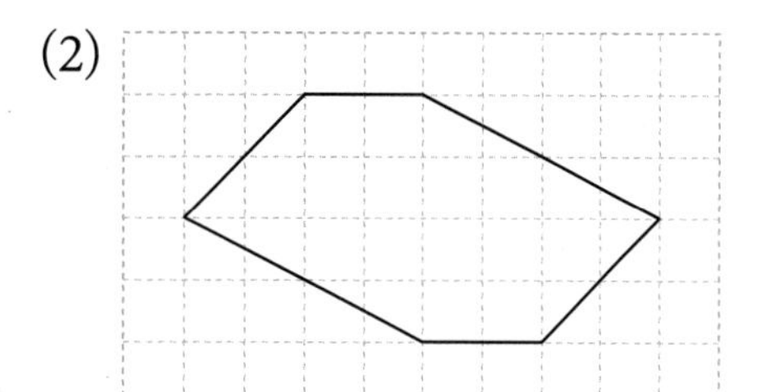

3 점 ㅇ을 대칭의 중심으로 하는 점대칭도형입니다. □ 안에 알맞은 수를 써넣으세요.

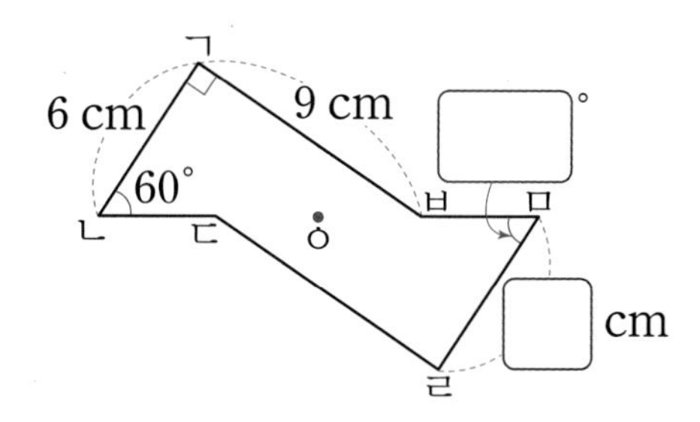

4 점대칭도형을 완성해 보세요.

(1)
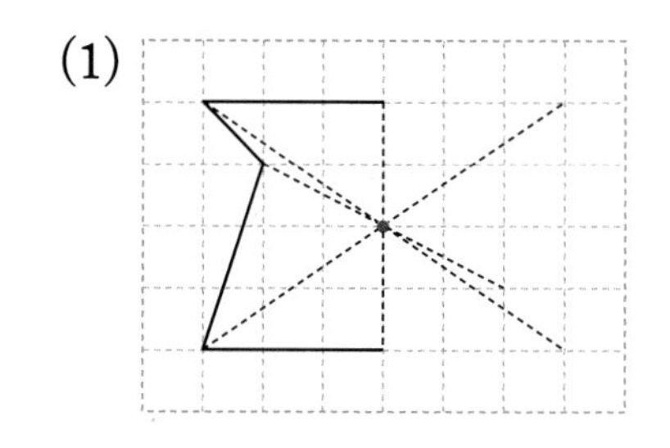

(2)
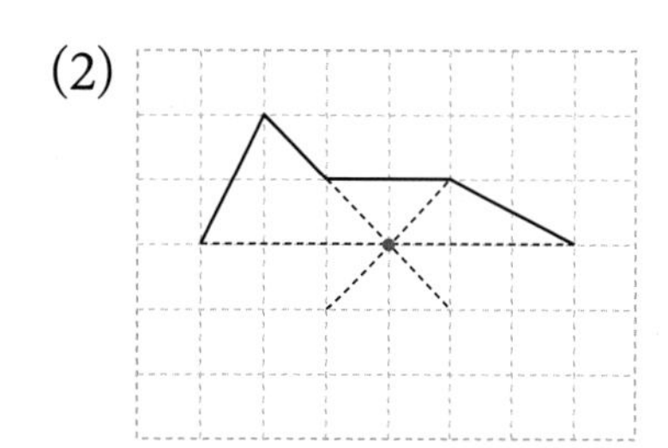

교과서 개념 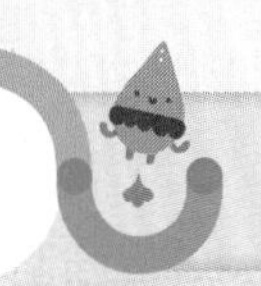 택배 상자 분류하기

준비물 붙임딱지

컨베이어 벨트 위로 지나가는 택배 상자를 분류하여 트럭에 실으려고 합니다.
알맞은 그림이 그려진 상자를 찾아 붙여 보세요.

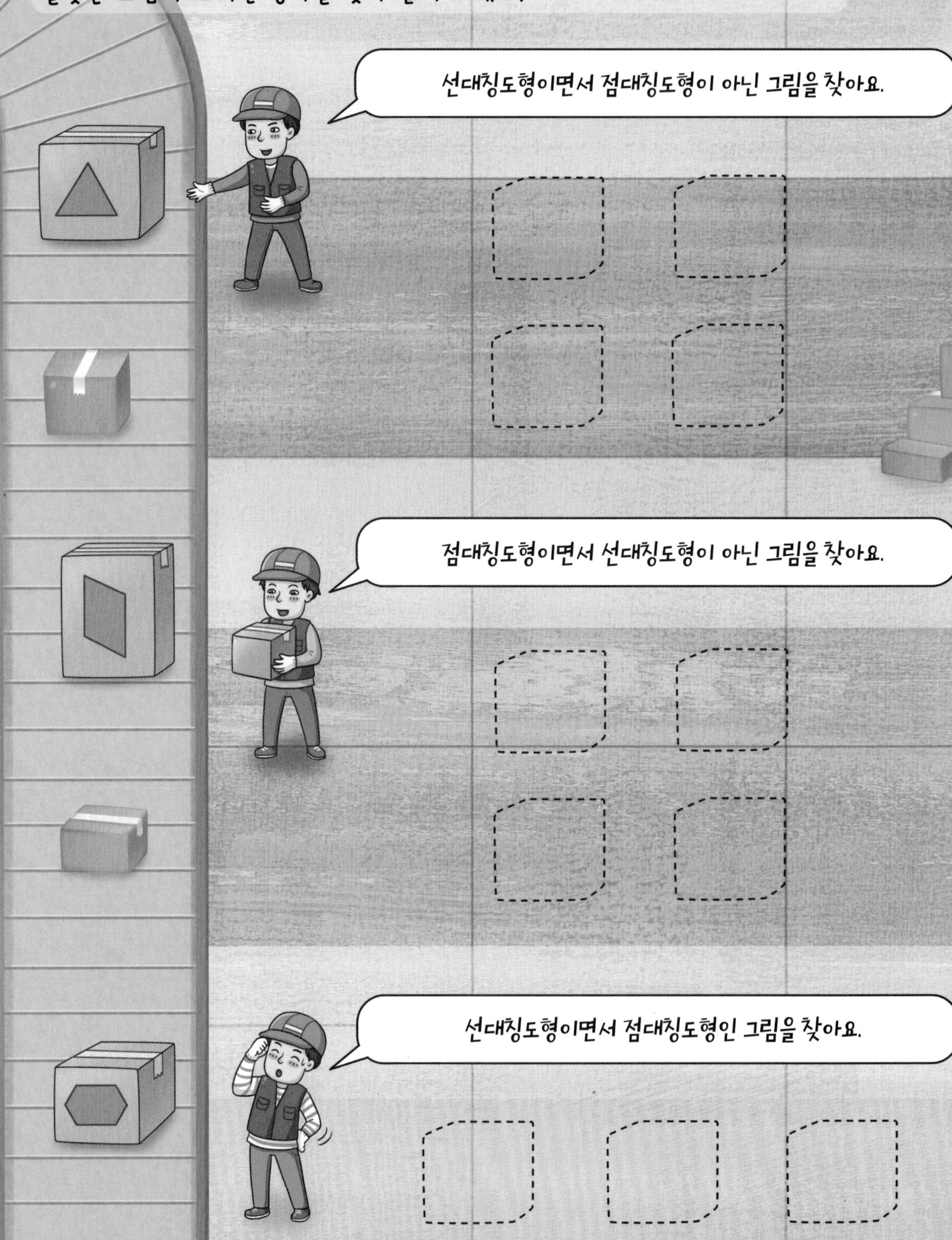

선대칭도형이면서 점대칭도형이 아닌 그림을 찾아요.
점대칭도형이면서 선대칭도형이 아닌 그림을 찾아요.
선대칭도형이면서 점대칭도형인 그림을 찾아요.

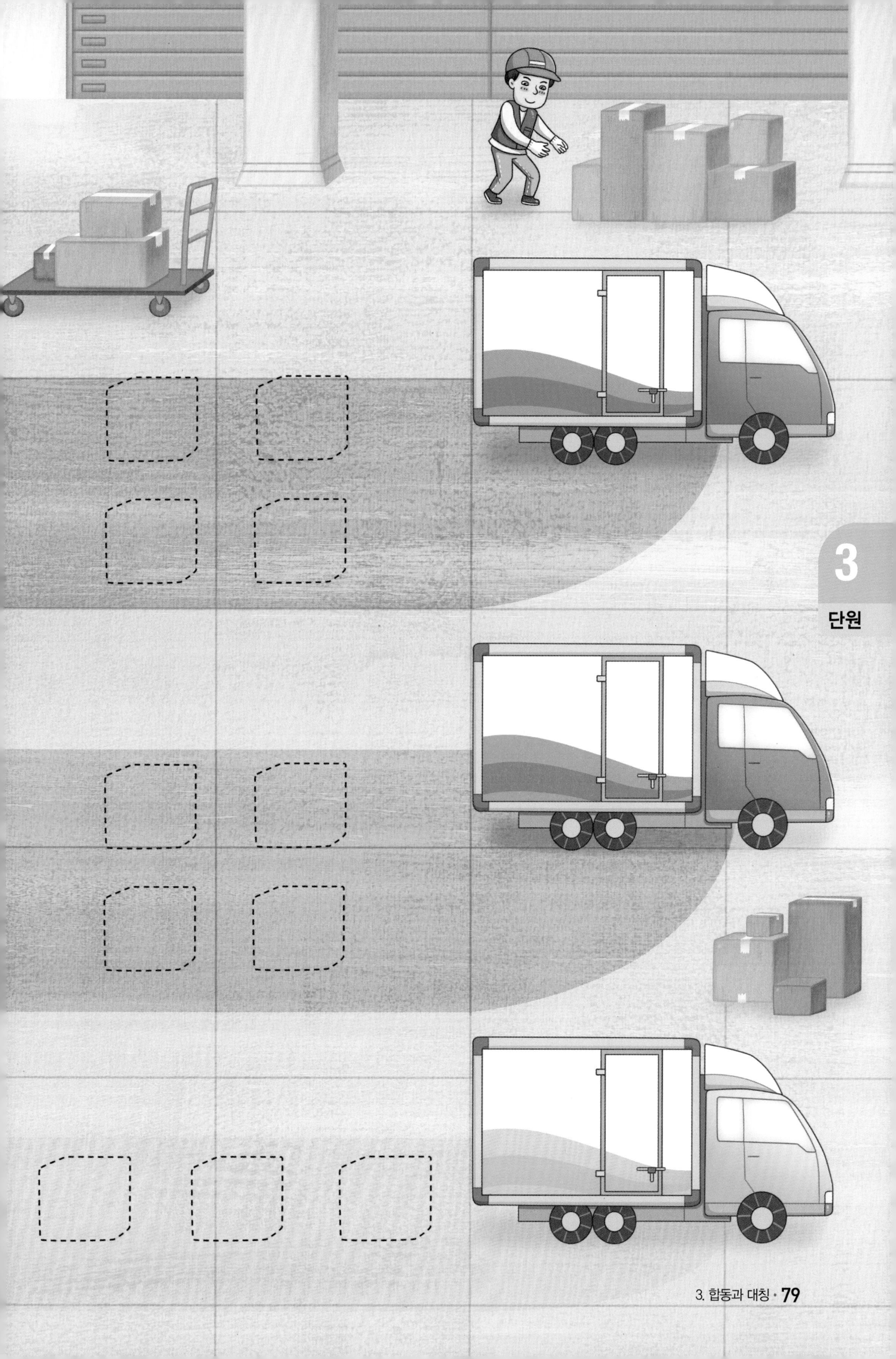

집중! 드릴 문제

[1~4] 직선 ㄱㄴ을 대칭축으로 하는 선대칭도형입니다. □ 안에 알맞은 수를 써넣으세요.

1

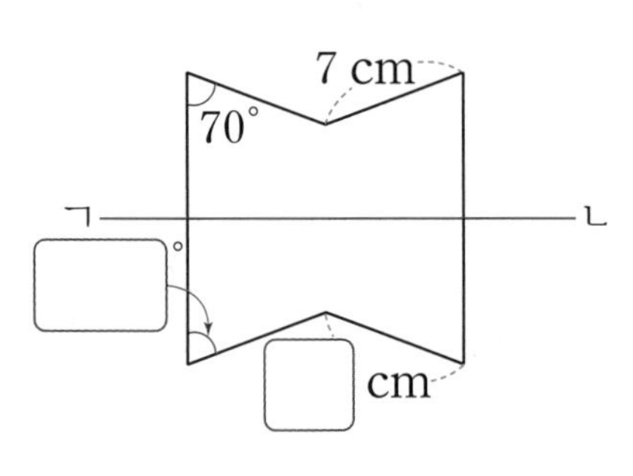

2

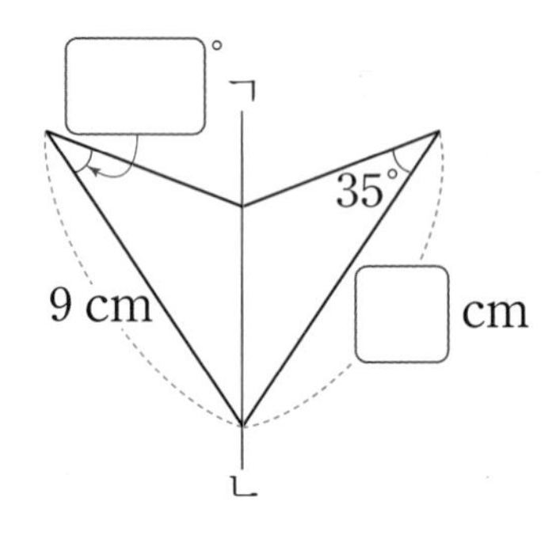

3

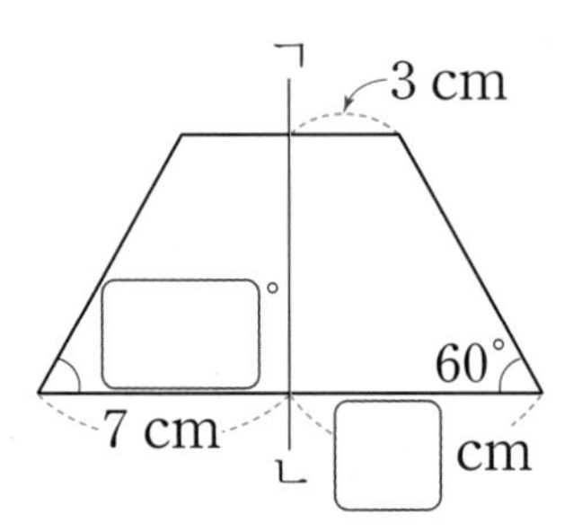

4

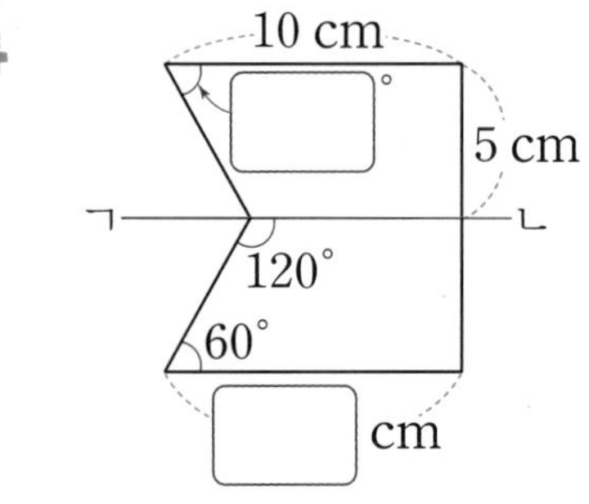

[5~8] 선대칭도형을 완성해 보세요.

5

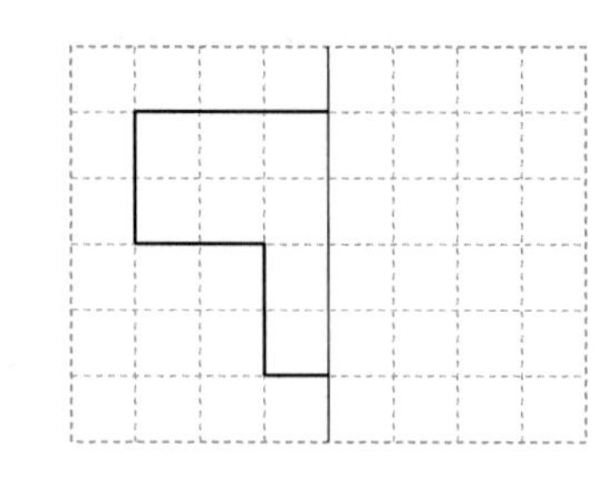

6

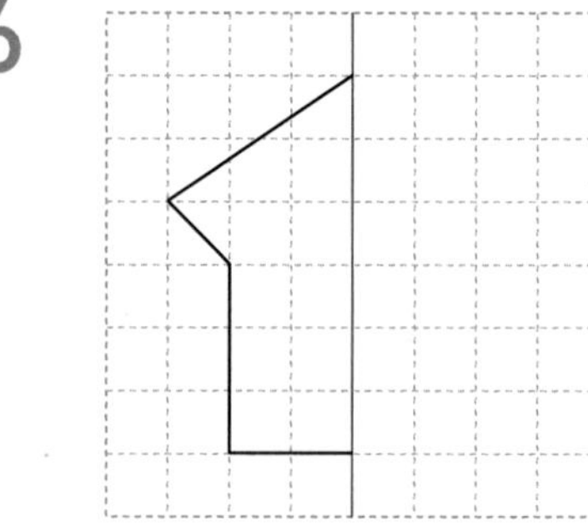

7

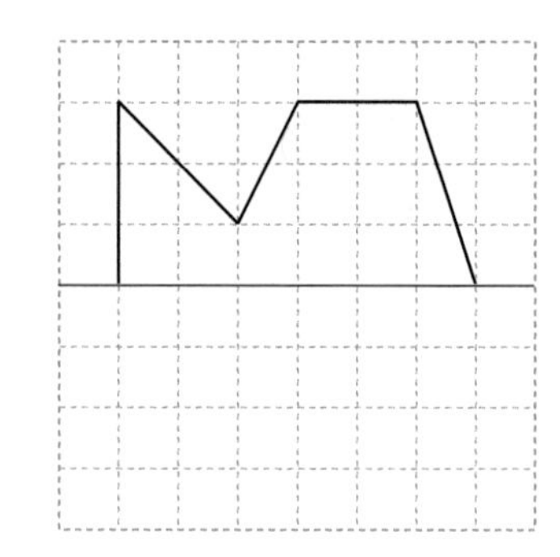

8

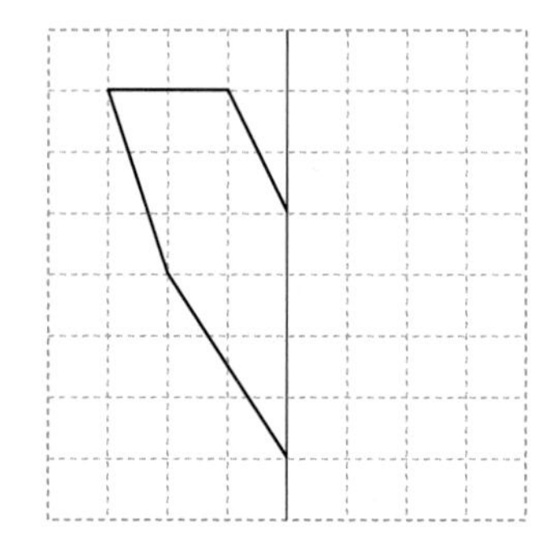

[9~12] 점 ㅇ을 대칭의 중심으로 하는 점대칭도형입니다. □ 안에 알맞은 수를 써넣으세요.

9

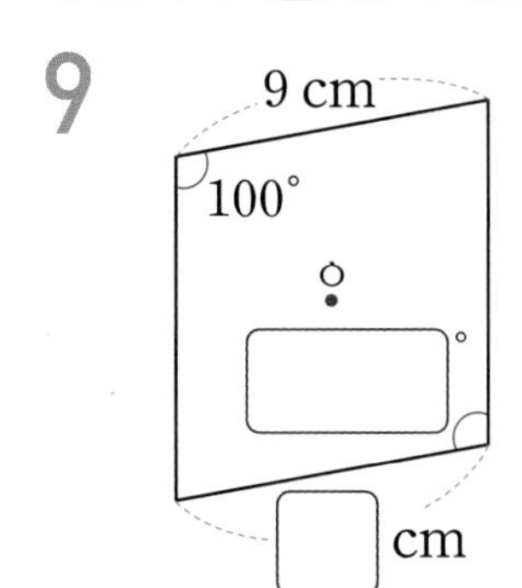

10

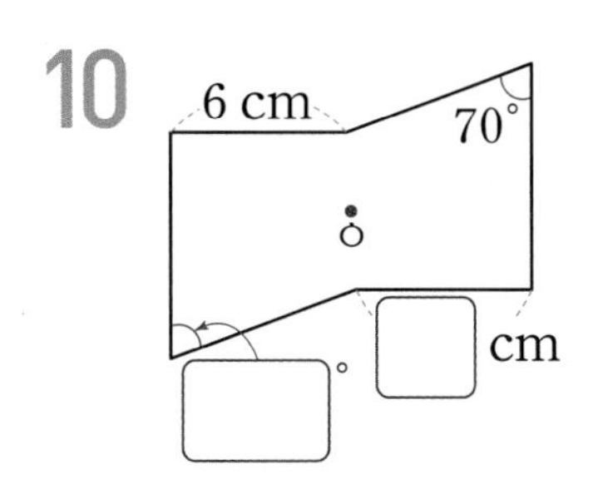

11

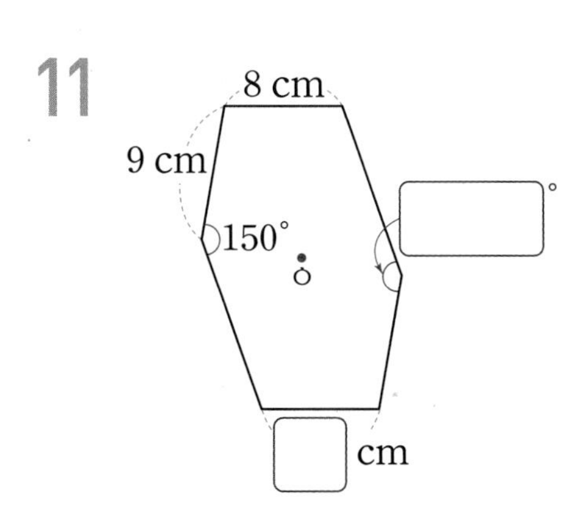

12

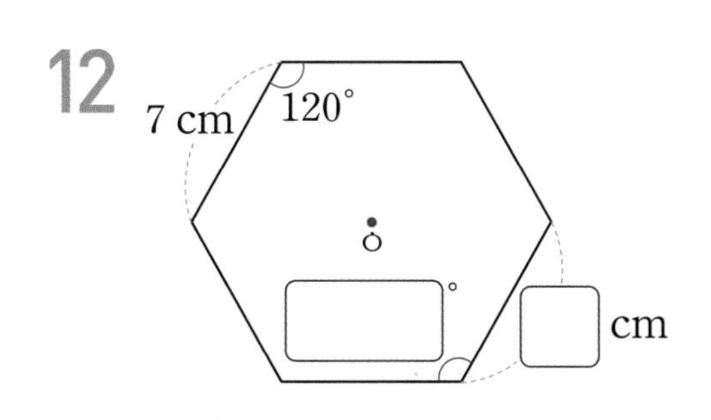

[13~16] 점대칭도형을 완성해 보세요.

13

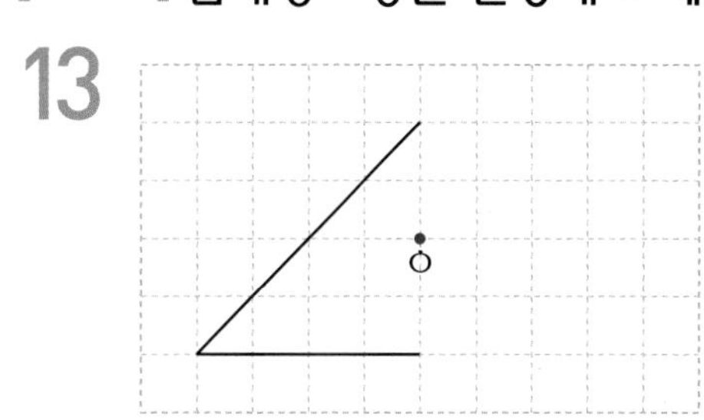

14

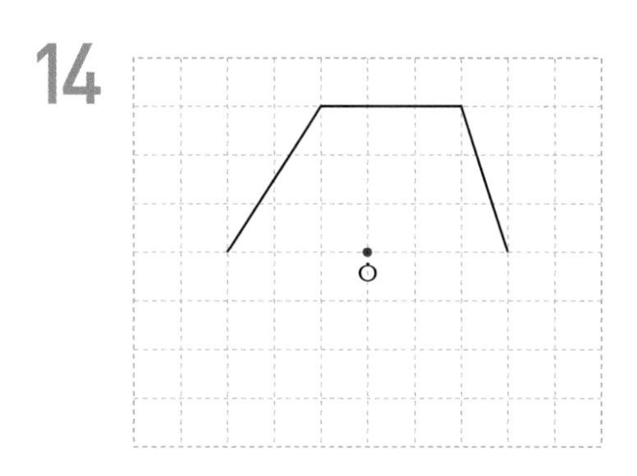

15

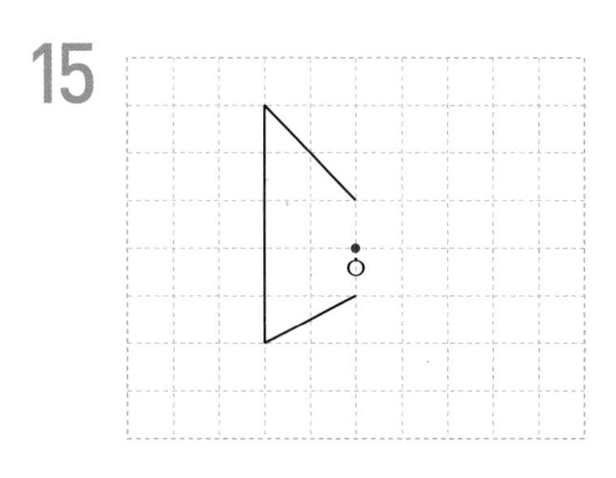

16

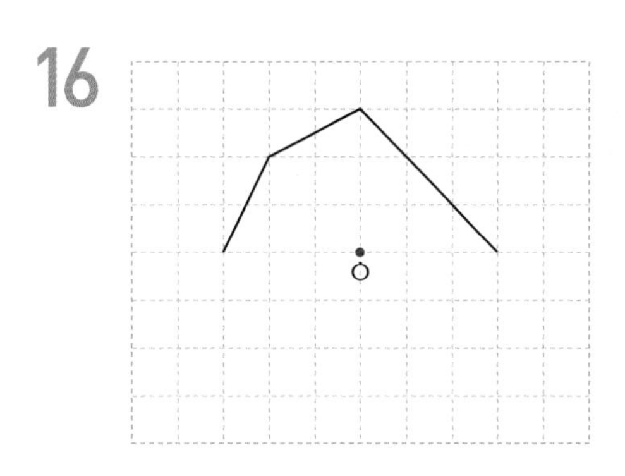

3 단원

교과서 개념 확인 문제

[1~2] 도형을 보고 물음에 답하세요.

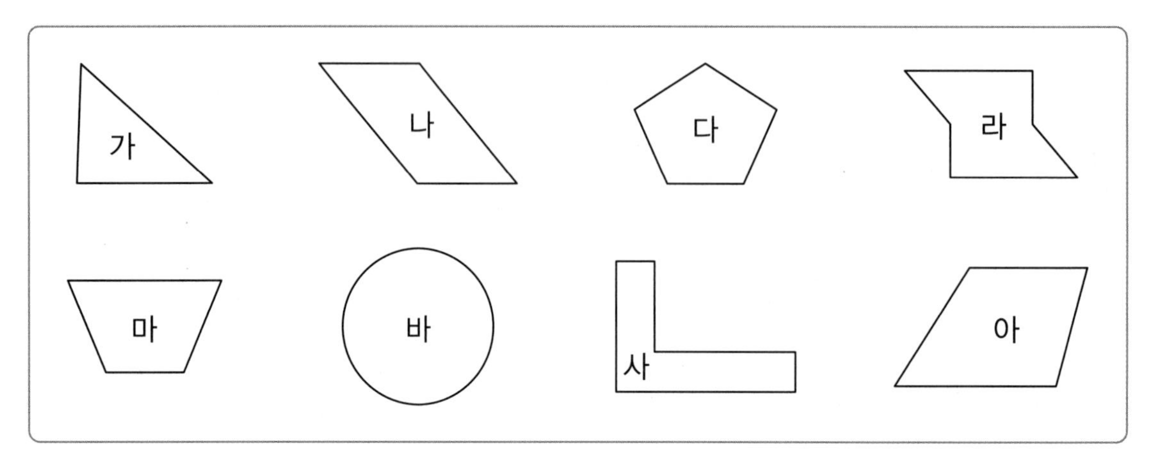

1 선대칭도형을 모두 찾아 기호를 써 보세요. (　　　　　　　　)

2 점대칭도형을 모두 찾아 기호를 써 보세요. (　　　　　　　　)

3 다음 도형은 선대칭도형입니다. 대칭축을 모두 그려 보세요.

(1)

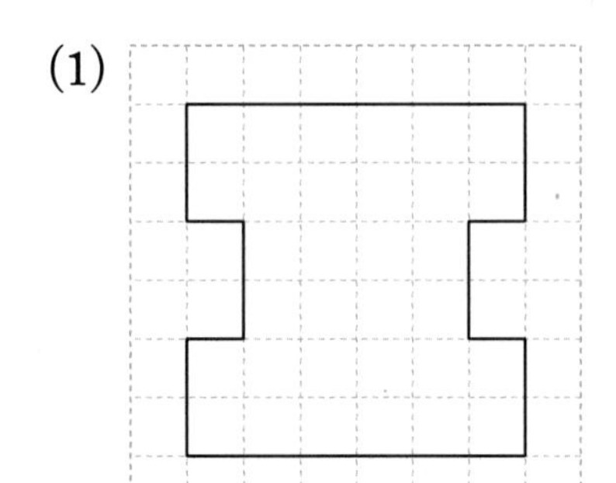

(2)

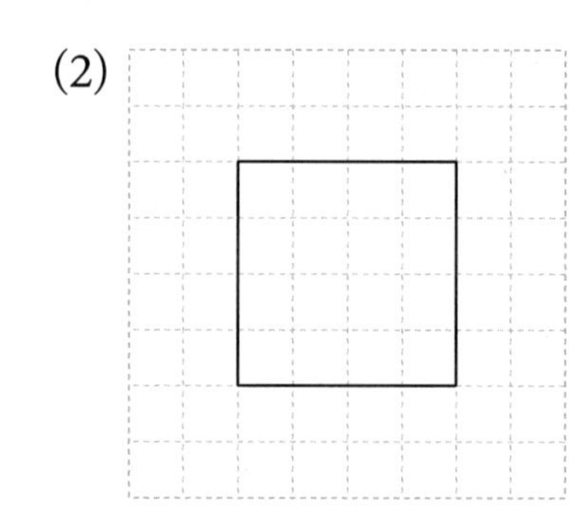

4 다음 도형은 점대칭도형입니다. 대칭의 중심은 몇 개일까요?

(　　　　　　　　)

5 직선 ㅅㅇ을 대칭축으로 하는 선대칭도형입니다. 빈칸에 알맞게 써넣으세요.

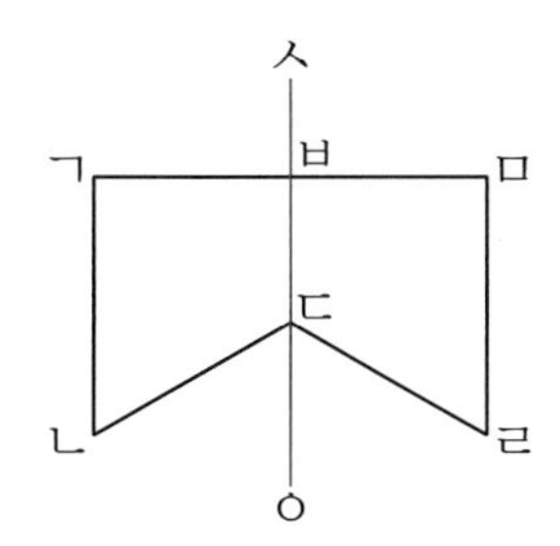

대응점	점 ㄱ	
대응변	변 ㄱㄴ	
대응각	각 ㄱㄴㄷ	

6 점 ㅇ을 대칭의 중심으로 하는 점대칭도형입니다. 빈칸에 알맞게 써넣으세요.

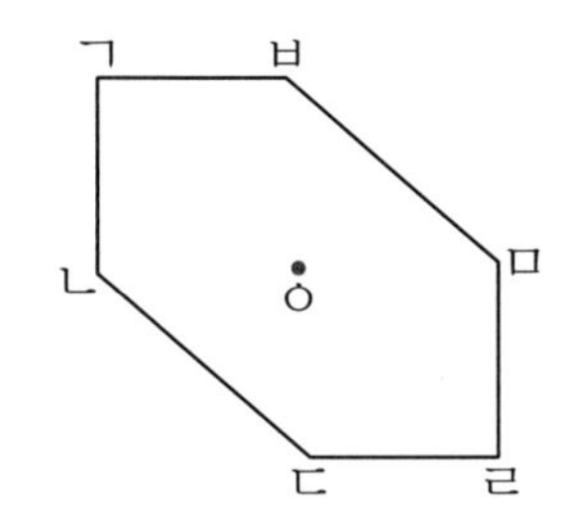

대응점	점 ㄴ	
대응변	변 ㄴㄷ	
대응각	각 ㄴㄷㄹ	

7 점 ㅇ을 대칭의 중심으로 하는 점대칭도형을 완성해 보세요.

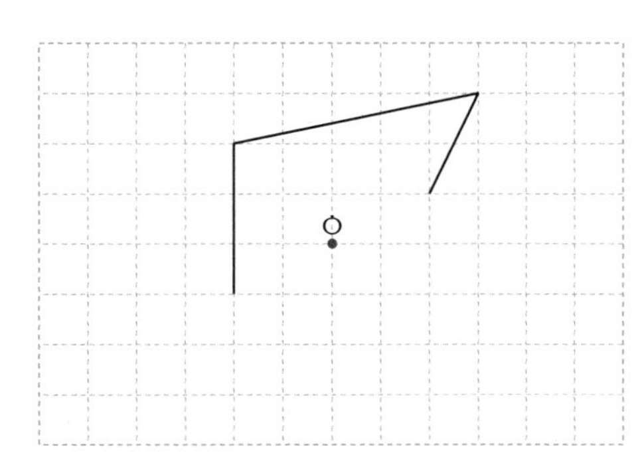

8 직선 ㄱㄴ을 대칭축으로 하는 선대칭도형을 완성해 보세요.

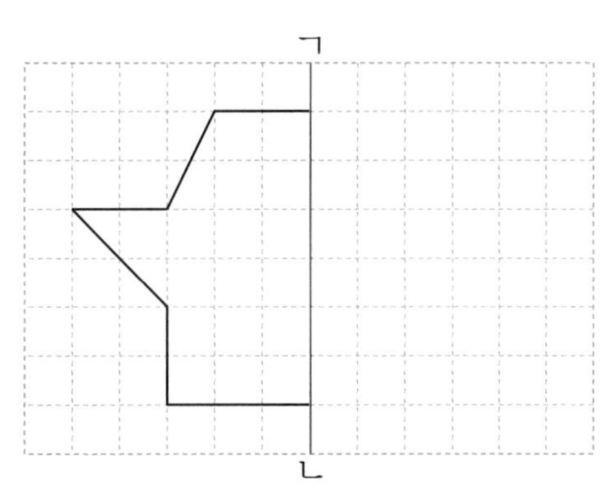

3 단원

9 주어진 직선을 대칭축으로 하는 선대칭도형이 되도록 글자를 완성해 보세요.

10 선대칭도형입니다. 대칭축이 많은 도형부터 차례로 기호를 써 보세요.

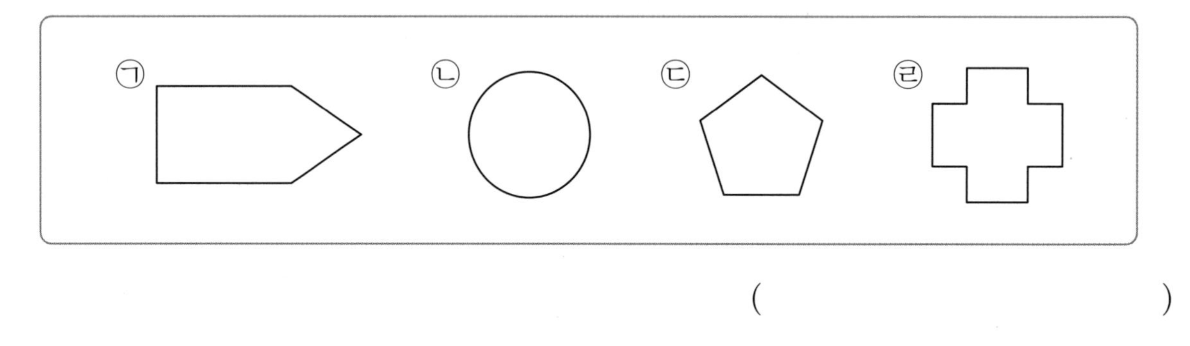

(　　　　　　　　　　　　　　)

11 직선 ㄱㄴ을 대칭축으로 하는 선대칭도형입니다. □ 안에 알맞은 수를 써넣으세요.

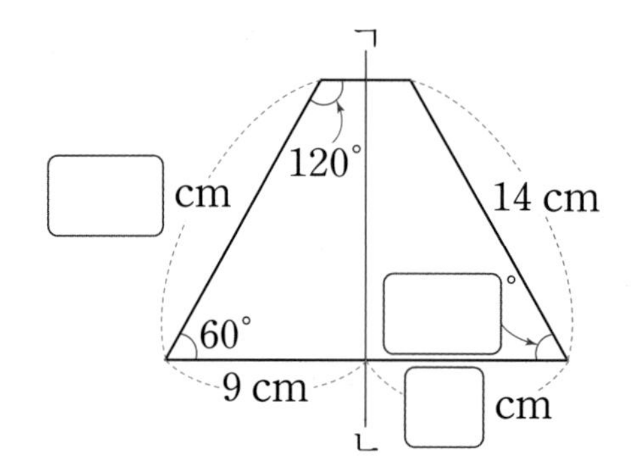

12 선대칭도형이면서 점대칭도형인 것을 모두 찾아 기호를 써 보세요.

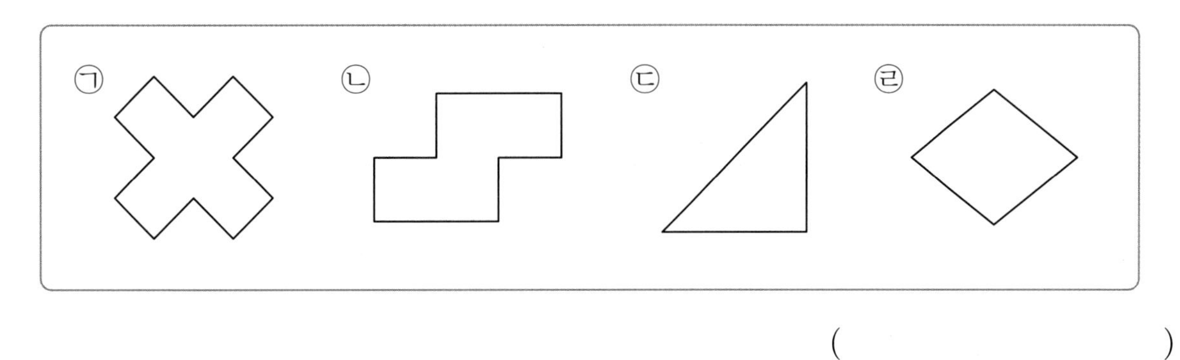

( )

13 점 ㅇ을 대칭의 중심으로 하는 점대칭도형을 완성하고 완성된 다각형의 이름을 써 보세요.

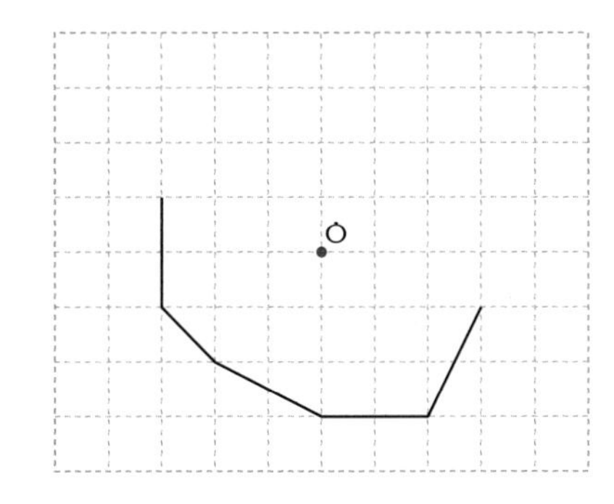

( )

14 점 ㅇ을 대칭의 중심으로 하는 점대칭도형입니다. 이 도형의 둘레는 몇 cm일까요?

점대칭도형에서 대응변의 길이는 서로 같아.

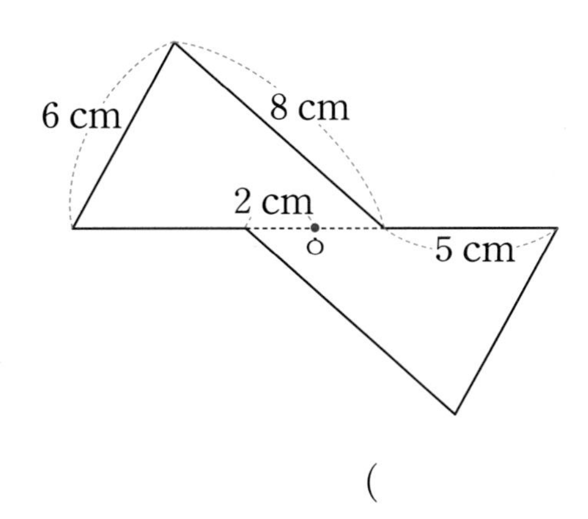

( )

개념 확인평가

3. 합동과 대칭

맞은 개수

1 왼쪽 도형과 서로 합동인 도형을 찾아 기호를 써 보세요.

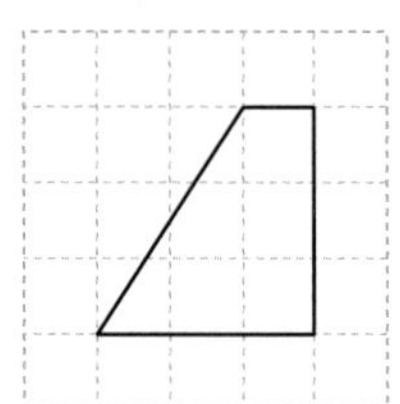

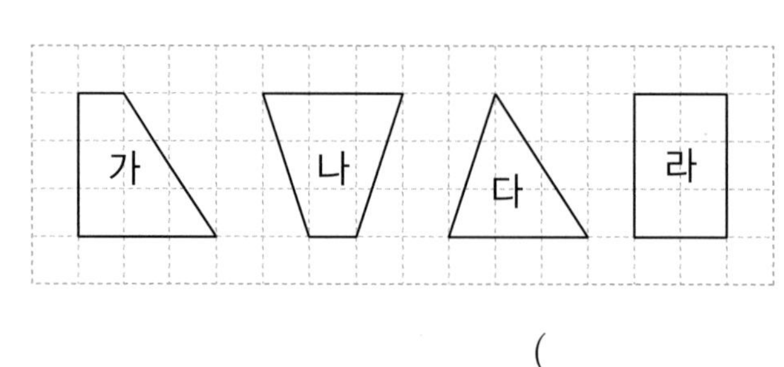

(　　　　　　　　　　)

2 다음 도형은 선대칭도형입니다. 대칭축을 찾아 기호를 써 보세요.

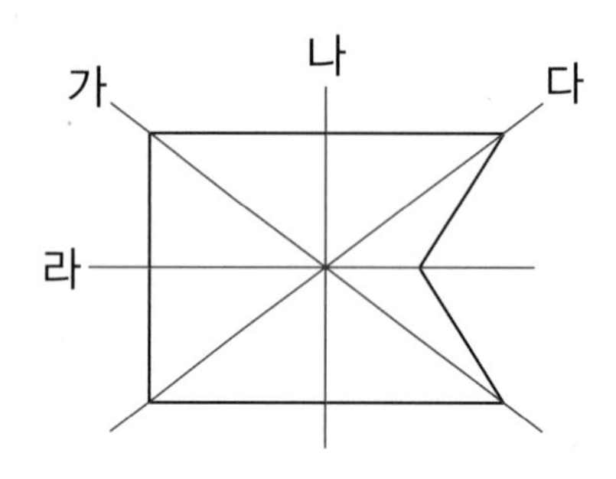

(　　　　　　　　　　)

3 다음 도형은 점대칭도형입니다. 대칭의 중심을 찾아 점(•)으로 표시해 보세요.

(1)

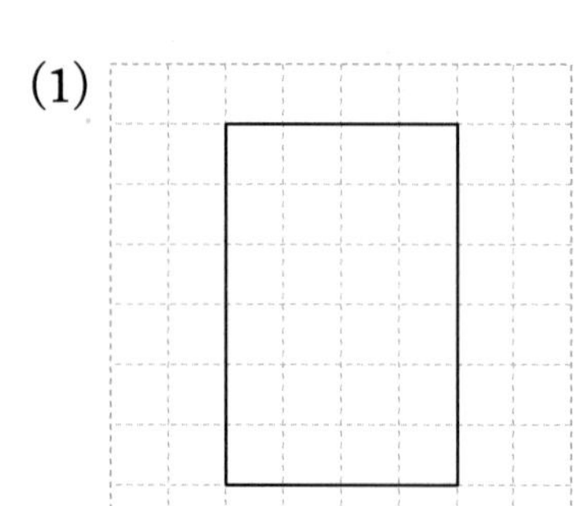

(2)

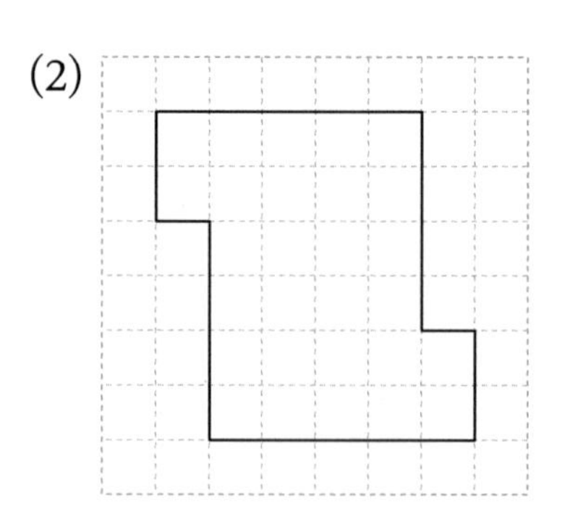

4 두 도형은 서로 합동입니다. 대응변, 대응각이 각각 몇 쌍 있는지 써 보세요.

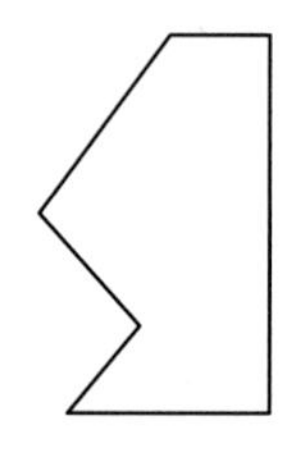

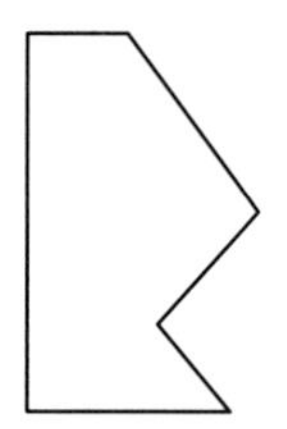

대응변 (　　　　　　　　　　)

대응각 (　　　　　　　　　　)

5 점 ㅇ을 대칭의 중심으로 하는 점대칭도형입니다. 물음에 답하세요.

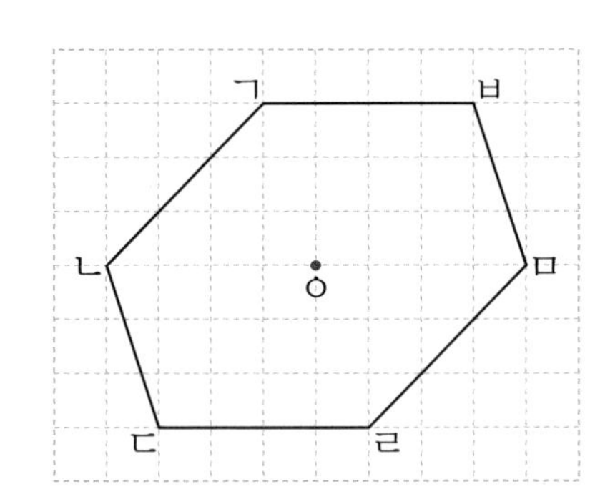

(1) 점 ㄱ의 대응점을 써 보세요.( )

(2) 변 ㄱㅂ의 대응변을 써 보세요.

( )

(3) 각 ㄱㄴㄷ의 대응각을 써 보세요.

( )

6 직선 ㄱㄴ을 대칭축으로 하는 선대칭도형입니다. 물음에 답하세요.

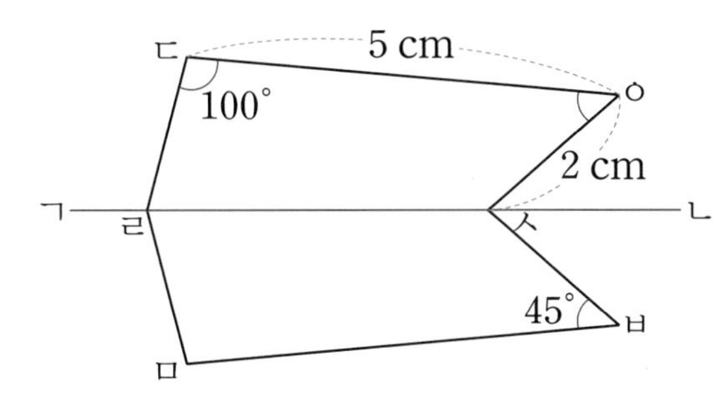

(1) 변 ㅁㅂ은 몇 cm일까요? ( )

(2) 각 ㄷㅇㅅ은 몇 도일까요? ( )

7 직선 ㄱㄴ을 대칭축으로 하는 선대칭도형을 완성해 보세요.

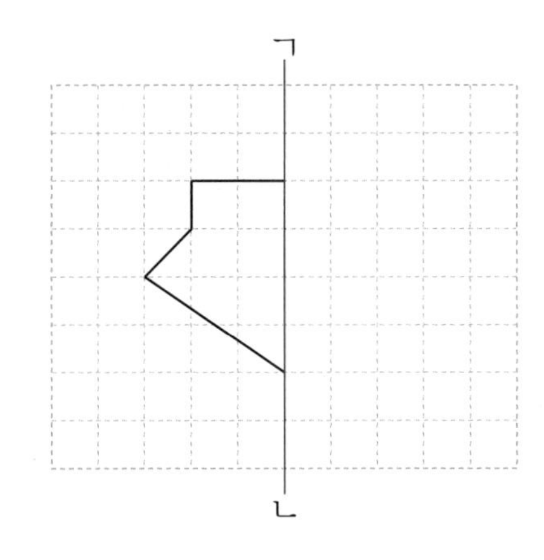

8 점 ㅇ을 대칭의 중심으로 하는 점대칭도형을 완성해 보세요.

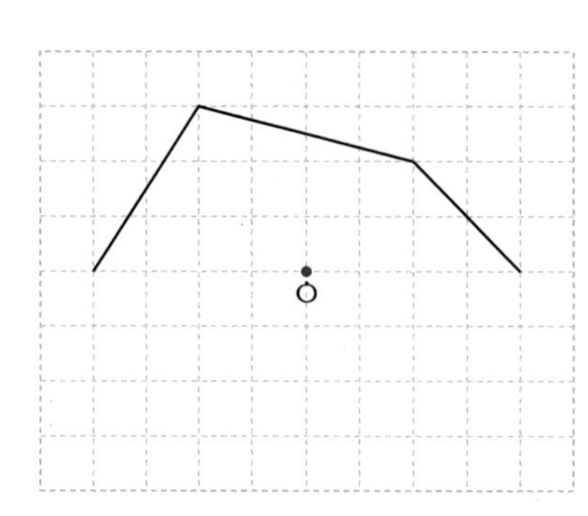

9 두 도형은 서로 합동입니다. 삼각형 ㄱㄴㄷ의 둘레가 12 cm일 때 변 ㄹㅂ은 몇 cm인지 구해 보세요.

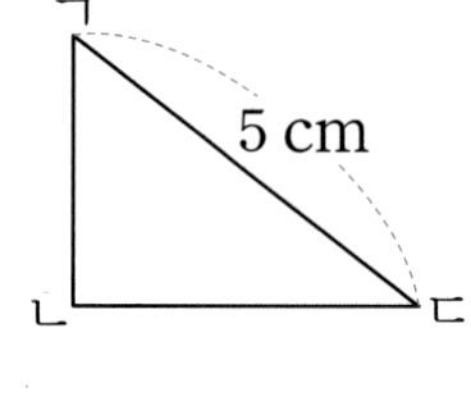

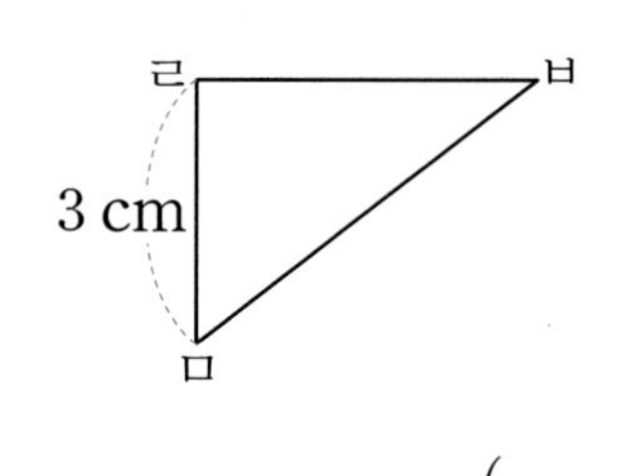

(　　　　　　　　　)

10 선대칭도형도 되고 점대칭도형도 되는 도형을 찾아 기호를 써 보세요.

㉠ ㉡ ㉢

(　　　　　　　　　)

4 소수의 곱셈

학습 계획표

내용	쪽수	날짜		확인
교과서 개념 잡기	90~93쪽	월	일	
교과서 개념 play / 집중! 드릴 문제	94~97쪽	월	일	
교과서 개념 확인 문제	98~101쪽	월	일	
교과서 개념 잡기	102~105쪽	월	일	
교과서 개념 play / 집중! 드릴 문제	106~109쪽	월	일	
교과서 개념 확인 문제	110~113쪽	월	일	
개념 확인평가	114~116쪽	월	일	

교과서 개념 잡기

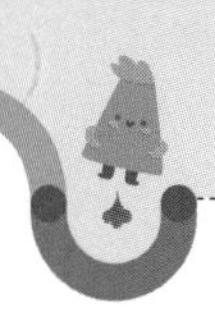

개념 1 (1보다 작은 소수)×(자연수)

• 0.4×6 계산하기

방법1 덧셈식으로 계산하기

$\underbrace{0.4+0.4+0.4+0.4+0.4+0.4}_{\text{6번 더합니다.}}=2.4$ ➔ $0.4 \times 6=2.4$

방법2 0.1의 개수로 계산하기

0.1 0.1 0.1 0.1 0.1 0.1 0.1 0.1 0.1 0.1 0.1 0.1

0.1 0.1 0.1 0.1 0.1 0.1 0.1 0.1 0.1 0.1 0.1 0.1

$0.4 \times 6=0.1 \times 4 \times 6=0.1 \times 24$ ➔ 0.1이 모두 24개이므로 $0.4 \times 6=2.4$입니다.

방법3 분수의 곱셈으로 계산하기

$$0.4 \times 6=\frac{4}{10} \times 6=\frac{4 \times 6}{10}=\frac{24}{10}=2.4$$

개념 2 (1보다 큰 소수)×(자연수)

• 1.5×3 계산하기

방법1 덧셈식으로 계산하기

$\underbrace{1.5+1.5+1.5}_{\text{3번 더합니다.}}=4.5$ ➔ $1.5 \times 3=4.5$

방법2 0.1의 개수로 계산하기

$1.5 \times 3=0.1 \times 15 \times 3=0.1 \times 45$ ➔ 0.1이 모두 45개이므로 $1.5 \times 3=4.5$입니다.

방법3 분수의 곱셈으로 계산하기

$$1.5 \times 3=\frac{15}{10} \times 3=\frac{15 \times 3}{10}=\frac{45}{10}=4.5$$

방법4 $1.5=1+0.5$를 이용하여 계산하기

$1.5 \times 3=(1+0.5) \times 3=1 \times 3+0.5 \times 3=3+1.5=4.5$

개념 Check

0.6×3을 바르게 계산한 것에 ○표 하세요.

0.6×3 $=0.6+0.6+0.6$ $=1.8$	0.6×3 $=0.6+0.6+0.6+0.6+0.6+0.6$ $=3.6$

1

덧셈식으로 계산하려고 합니다. □ 안에 알맞은 수를 써넣으세요.

(1) $0.2+0.2+0.2+0.2+0.2+0.2=\square$ ➔ $0.2\times\square=\square$

(2) $1.6+1.6+1.6+1.6=\square$ ➔ $1.6\times\square=\square$

2

분수의 곱셈으로 계산하려고 합니다. □ 안에 알맞은 수를 써넣으세요.

(1) $0.7\times3=\frac{\square}{10}\times3=\frac{\square\times3}{10}=\frac{\square}{10}=\square$

└➤ 소수로 나타냅니다.

(2) $1.28\times4=\frac{\square}{100}\times4=\frac{\square\times4}{100}=\frac{\square}{100}=\square$

3

0.1의 개수로 계산하려고 합니다. □ 안에 알맞은 수를 써넣으세요.

(1) $0.3\times9=0.1\times\square\times9=0.1\times27$

0.1이 모두 □개이므로 $0.3\times9=\square$입니다.

(2) $5.1\times5=0.1\times\square\times5=0.1\times\square$

0.1이 모두 □개이므로 $5.1\times5=\square$입니다.

4

계산해 보세요.

(1) 0.9×5

(2) 1.3×8

(3) 0.17×4

(4) 4.06×2

개념 3 (자연수)×(1보다 작은 소수)

- 2×0.7 계산하기

방법1 그림으로 계산하기

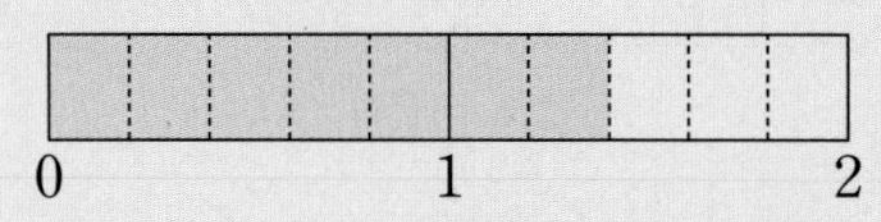

한 칸의 크기는 2의 0.1, 2의 $\frac{1}{10}$이고, 두 칸의 크기는 2의 0.2, 2의 $\frac{2}{10}$입니다.

일곱 칸의 크기는 2의 0.7, 2의 $\frac{7}{10}$이므로 $\frac{14}{10}$가 되어 1.4입니다.

방법2 분수의 곱셈으로 계산하기

$$2 \times 0.7 = 2 \times \frac{7}{10} = \frac{2 \times 7}{10} = \frac{14}{10} = 1.4$$

방법3 자연수의 곱셈으로 계산하기

$2 \times 7 = 14$

$\frac{1}{10}$배 $\frac{1}{10}$배

$2 \times 0.7 = 1.4$

개념 4 (자연수)×(1보다 큰 소수)

- 5×1.3 계산하기

방법1 그림으로 계산하기

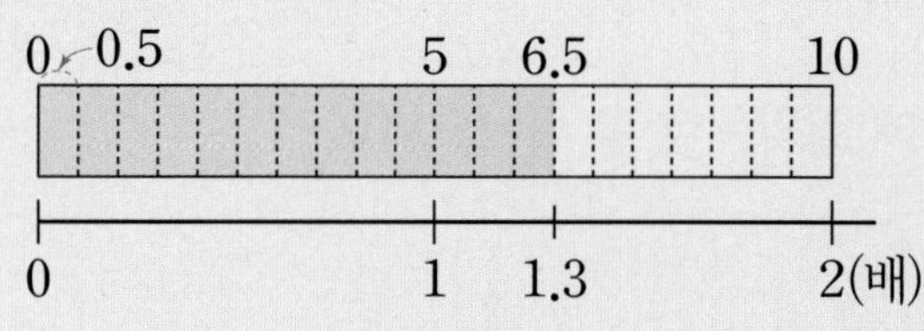

5의 1배는 5이고, 5의 0.3배는 1.5이므로 5의 1.3배는 6.5입니다.

방법2 분수의 곱셈으로 계산하기

$$5 \times 1.3 = 5 \times \frac{13}{10} = \frac{5 \times 13}{10} = \frac{65}{10} = 6.5$$

방법3 자연수의 곱셈으로 계산하기

$5 \times 13 = 65$

$\frac{1}{10}$배 $\frac{1}{10}$배

$5 \times 1.3 = 6.5$

개념 Check

6×0.7을 바르게 계산한 것에 ○표 하세요.

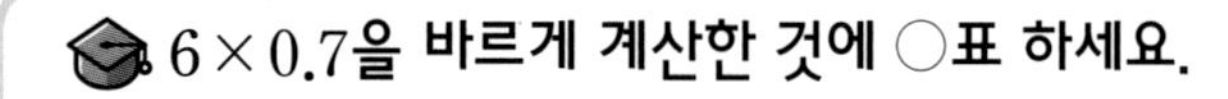

$6 \times 7 = 42$이므로 $6 \times 0.7 = 0.42$입니다.	$6 \times 7 = 42$이므로 $6 \times 0.7 = 4.2$입니다.

1 6의 0.8만큼을 구하려고 합니다. □ 안에 알맞은 수를 써넣으세요.

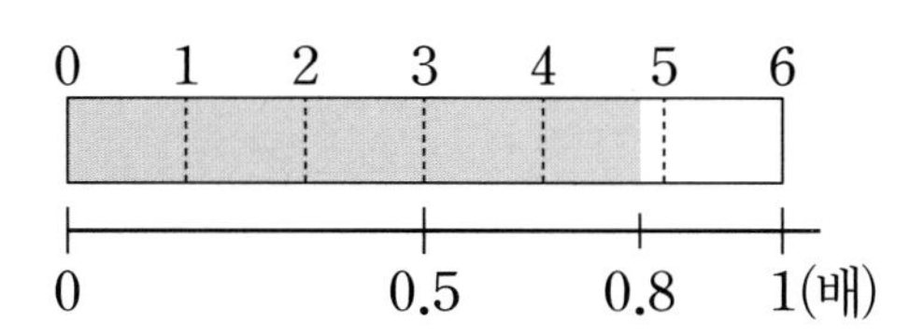

6의 0.8은 6의 $\frac{\square}{10}$이므로 6의 $\frac{1}{10}$은 $\frac{6}{10}$ ➔ 6의 $\frac{8}{10}$은 $\frac{\square}{10}$이 되어 소수로 나타내면 □입니다.

2 분수의 곱셈으로 계산하려고 합니다. □ 안에 알맞은 수를 써넣으세요.

(1) $12 \times 0.86 = 12 \times \frac{\square}{100} = \frac{12 \times \square}{100} = \frac{\square}{100} = \square$

(2) $9 \times 2.4 = 9 \times \frac{\square}{10} = \frac{9 \times \square}{10} = \frac{\square}{10} = \square$

3 자연수의 곱셈으로 계산하려고 합니다. □ 안에 알맞은 수를 써넣으세요.

(1) $7 \times 5 = 35$

$\frac{1}{10}$배 $\frac{1}{10}$배

$7 \times 0.5 = \square$

(2) $21 \times 109 = \square$

$\frac{1}{100}$배 $\frac{1}{100}$배

$21 \times 1.09 = \square$

4 계산해 보세요.

(1) 14×0.3

(2) 9×1.54

교과서 개념 play

과자 성분표

준비물 붙임딱지

과자의 비타민 함량을 나타낸 곱셈식입니다.
알맞은 성분표를 찾아 붙여 보세요.

과자 코너

16 × 0.42
20 × 0.4
3.09 × 2
0.32 × 7
6 × 1.9
1.46 × 7
36 × 0.02
8 × 1.25
6.57 × 3

2.78 × 6

4.2 × 4

5.12 × 3

집중! 드릴 문제

[1~8] 소수를 분수로 나타내어 계산해 보세요.

1 $0.8\times7=\dfrac{\square}{10}\times7=\dfrac{\square\times7}{10}$

$=\dfrac{\square}{10}=\square$

2 $1.6\times6=\dfrac{\square}{10}\times6=\dfrac{\square\times6}{10}$

$=\dfrac{\square}{10}=\square$

3 $4.23\times5=\dfrac{\square}{100}\times5=\dfrac{\square\times5}{100}$

$=\dfrac{\square}{100}=\square$

4 $2.2\times8=\dfrac{\square}{10}\times8=\dfrac{\square\times8}{10}$

$=\dfrac{\square}{10}=\square$

5 $11\times0.7=11\times\dfrac{\square}{10}=\dfrac{11\times\square}{10}$

$=\dfrac{\square}{10}=\square$

6 $4\times0.06=4\times\dfrac{\square}{100}=\dfrac{4\times\square}{100}$

$=\dfrac{\square}{100}=\square$

7 $38\times8.1=38\times\dfrac{\square}{10}=\dfrac{38\times\square}{10}$

$=\dfrac{\square}{10}=\square$

8 $9\times1.66=9\times\dfrac{\square}{100}=\dfrac{9\times\square}{100}$

$=\dfrac{\square}{100}=\square$

[9~18] **계산해 보세요.**

9 0.4×3

10 0.8×2

11 0.19×5

12 1.8×9

13 1.72×6

14 4×0.8

15 2×0.03

16 3×1.4

17 17×5.07

18 7×2.83

교과서 개념 확인 문제

1 그림을 보고 □ 안에 알맞은 수를 써넣으세요.

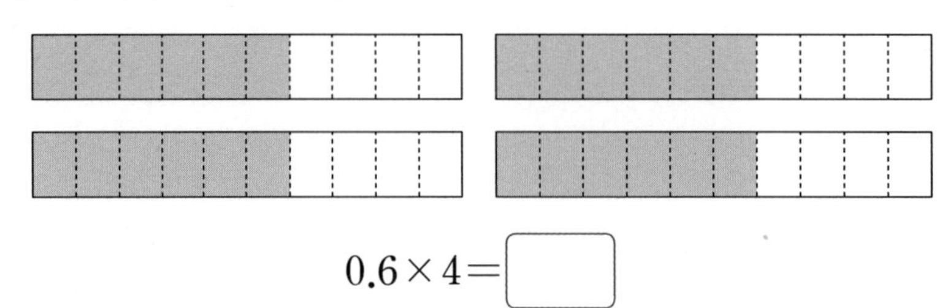

$0.6 \times 4 = \square$

2 자연수의 곱셈으로 계산하려고 합니다. □ 안에 알맞은 수를 써넣으세요.

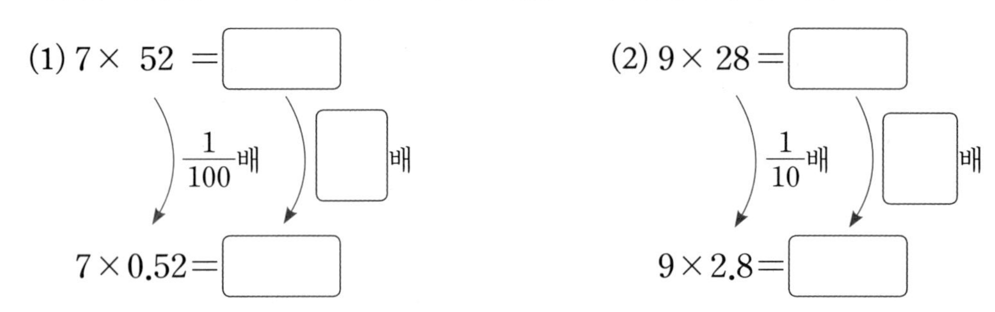

(1) $7 \times 52 = \square$

$\frac{1}{100}$배, □배

$7 \times 0.52 = \square$

(2) $9 \times 28 = \square$

$\frac{1}{10}$배, □배

$9 \times 2.8 = \square$

3 보기 와 같은 방법으로 계산해 보세요.

보기

$$0.12 \times 7 = \frac{12}{100} \times 7 = \frac{12 \times 7}{100} = \frac{84}{100} = 0.84$$

(1) 0.8×9

(2) 0.24×11

4 어림하여 계산 결과가 3보다 작은 것을 찾아 ○표 하세요.

6의 0.4	0.64×5
(　　　)	(　　　)

5 계산해 보세요.

(1) 0.9×6

(2) 0.75×3

(3) 13×0.7

(4) 3.4×8

6 빈 곳에 알맞은 수를 써넣으세요.

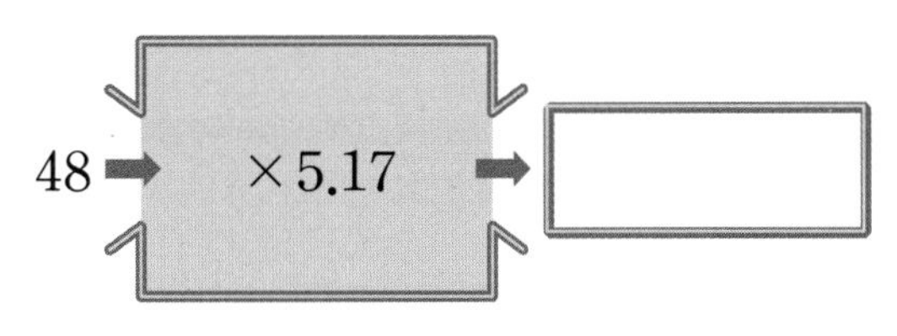

7 빈 곳에 알맞은 수를 써넣으세요.

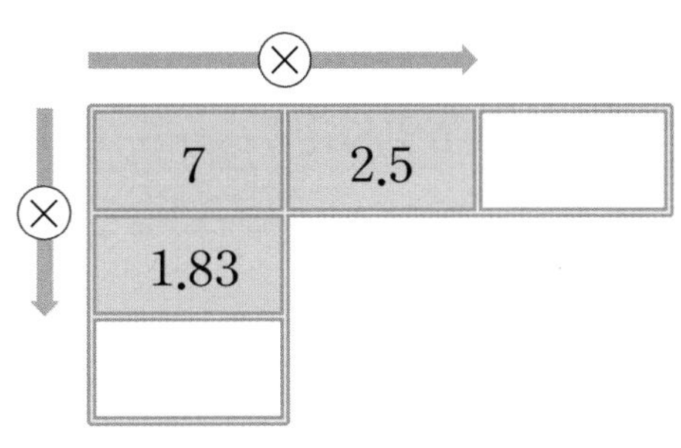

8 계산 결과를 찾아 선으로 이어 보세요.

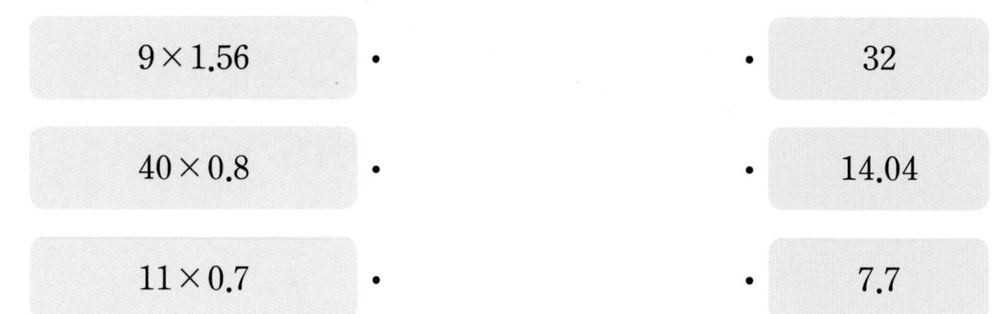

9×1.56 •	• 32
40×0.8 •	• 14.04
11×0.7 •	• 7.7

9 계산 결과의 크기를 비교하여 ○ 안에 >, =, <를 알맞게 써넣으세요.

$$0.9 \times 3 \bigcirc 0.34 \times 6$$

10 계산 결과가 더 큰 것의 기호를 써 보세요.

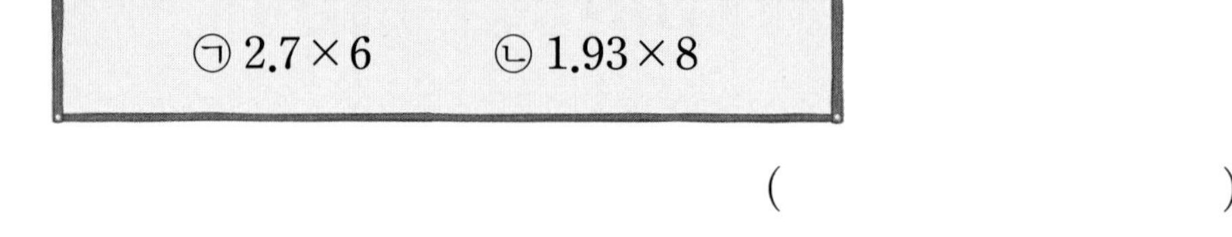

㉠ 2.7×6 ㉡ 1.93×8

( )

11 길이가 0.84 m인 색 테이프가 9개 있습니다. 이 색 테이프를 겹치지 않게 길게 이어 붙였을 때 이어 붙인 색 테이프의 길이는 몇 m일까요?

( )

12 직사각형의 넓이는 몇 cm^2인지 구해 보세요.

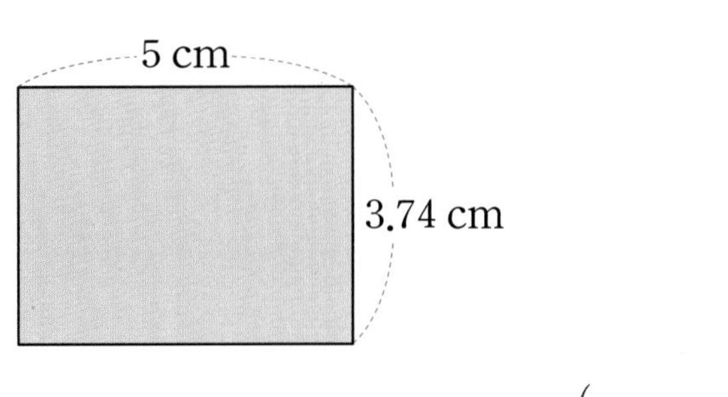

(　　　　　　　)

13 동혁이의 몸무게는 46 kg입니다. 동생의 몸무게는 동혁이의 몸무게의 0.6입니다. 동생의 몸무게는 몇 kg일까요?

(　　　　　　　)

14 계산 결과가 가장 큰 것을 찾아 기호를 써 보세요.

㉠ 3.7×6　　㉡ 4.9×3　　㉢ 5.45×4

(　　　　　　　)

15 1.5 L짜리 음료수가 7병 있습니다. 음료수는 모두 몇 L인지 식을 쓰고 답을 구해 보세요.

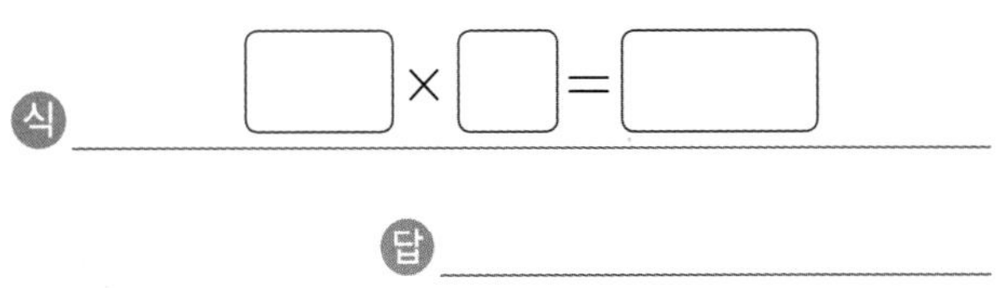

답

개념 5 1보다 작은 소수끼리의 곱셈

• 0.6×0.4 계산하기

방법1 그림으로 계산하기

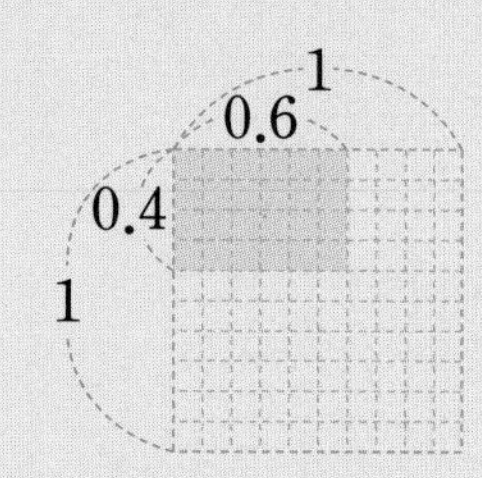

모눈종이의 가로를 0.6만큼, 세로를 0.4만큼 색칠하면 24칸이 색칠되는데 한 칸의 넓이가 0.01이므로 0.24입니다.

방법2 분수의 곱셈으로 계산하기

$$0.6\times0.4=\frac{6}{10}\times\frac{4}{10}=\frac{24}{100}=0.24$$

방법3 자연수의 곱셈으로 계산하기

$$6\times4=24$$

$\frac{1}{10}$배, $\frac{1}{10}$배, $\frac{1}{100}$배

$$0.6\times0.4=0.24$$

방법4 소수의 크기를 생각하여 계산하기 → 자연수의 곱셈 결과에 소수의 크기를 생각하여 소수점을 찍습니다.

$6\times4=24$인데 0.6에 0.4를 곱하면 0.6보다 작은 값이 나와야 하므로 계산 결과는 0.24입니다.

개념 6 1보다 큰 소수끼리의 곱셈

• 1.7×1.2 계산하기

방법1 분수의 곱셈으로 계산하기

$$1.7\times1.2=\frac{17}{10}\times\frac{12}{10}=\frac{204}{100}=2.04$$

방법2 자연수의 곱셈으로 계산하기

$$17\times12=204$$

$\frac{1}{10}$배, $\frac{1}{10}$배, $\frac{1}{100}$배

$$1.7\times1.2=2.04$$

방법3 소수의 크기를 생각하여 계산하기

$17\times12=204$인데 1.7에 1.2를 곱하면 1.7보다 큰 값이 나와야 하므로 계산 결과는 2.04입니다.

개념 Check

0.8×0.7을 계산하는 과정입니다. 알맞은 것에 ○표 하세요.

$8\times7=56$인데 0.8에 0.7을 곱하면 0.8보다 (큰 , 작은) 값이 나와야 하므로
$0.8\times0.7=$(0.56 , 5.6 , 56)입니다.

1 0.7×0.3을 계산하려고 합니다. 모눈종이의 가로를 0.7만큼, 세로를 0.3만큼 색칠한 후 □ 안에 알맞은 수를 써넣으세요.

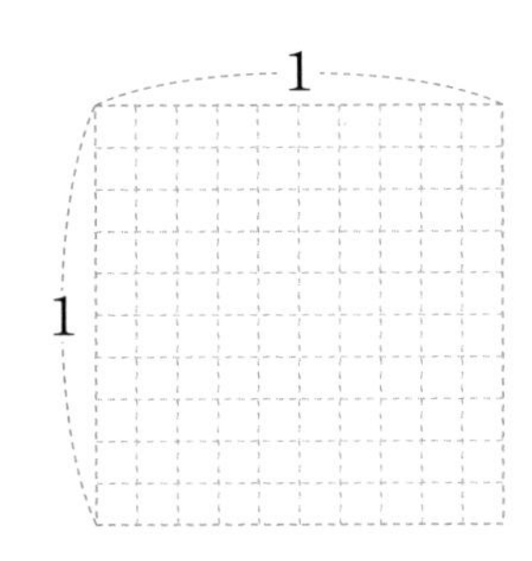

색칠한 모눈은 □칸이고 한 칸의 넓이가 0.01이므로

색칠한 모눈의 넓이는 □입니다.

➜ $0.7 \times 0.3 =$ □

2 분수의 곱셈으로 계산하려고 합니다. □ 안에 알맞은 수를 써넣으세요.

(1) $0.2 \times 0.9 = \frac{\square}{10} \times \frac{\square}{10} = \frac{\square}{\square} = \square$ (소수로 나타냅니다.)

(2) $1.6 \times 1.44 = \frac{\square}{10} \times \frac{\square}{100} = \frac{\square}{1000} = \square$

3 자연수의 곱셈으로 계산하려고 합니다. □ 안에 알맞은 수를 써넣으세요.

(1) $18 \times 8 = 144$

$\frac{1}{100}$배, $\frac{1}{10}$배, $\frac{1}{1000}$배

$0.18 \times 0.8 =$ □

(2) $35 \times 71 = 2485$

$\frac{1}{10}$배, $\frac{1}{10}$배, $\frac{1}{100}$배

$3.5 \times 7.1 =$ □

4 계산해 보세요.

(1)
$$\begin{array}{r} 1\ 4 \\ \times\ 2\ 7 \\ \hline \square \end{array} \rightarrow \begin{array}{r} 1.4 \\ \times\ 2.7 \\ \hline \square \end{array}$$

(2)
$$\begin{array}{r} 9\ 1\ 3 \\ \times\ \ 3\ 8 \\ \hline \square \end{array} \rightarrow \begin{array}{r} 9.1\ 3 \\ \times\ \ 3.8 \\ \hline \square \end{array}$$

개념 7 곱의 소수점 위치

- 자연수와 소수의 곱셈에서 곱의 소수점 위치

곱하는 수의 0이 하나씩 늘어날 때마다 곱의 소수점을 오른쪽으로 한 칸씩 옮깁니다.

$4.26 \times 1 = 4.26$

4.26×10 (0이 1개) → 4.26 (오른쪽으로 1칸) → 42.6

4.26×100 (0이 2개) → 4.26 (오른쪽으로 2칸) → 426

4.26×1000 (0이 3개) → 4.26 (오른쪽으로 3칸) → 4260

곱하는 소수의 소수점 아래 자리 수가 하나씩 늘어날 때마다 곱의 소수점을 왼쪽으로 한 칸씩 옮깁니다.

$4260 \times 1 = 4260$

4260×0.1 (소수 한 자리) → 4260 (왼쪽으로 1칸) → 426

4260×0.01 (소수 두 자리) → 4260 (왼쪽으로 2칸) → 42.6

4260×0.001 (소수 세 자리) → 4260 (왼쪽으로 3칸) → 4.26

- 소수끼리의 곱셈에서 곱의 소수점 위치

자연수끼리 계산한 결과에 곱하는 두 수의 소수점 아래 자리 수를 더한 값만큼 소수점을 왼쪽으로 옮깁니다.

$0.8 \times 0.4 = 0.32$
소수 한 자리 수 × 소수 한 자리 수 = 소수 두 자리 수

$0.8 \times 0.04 = 0.032$
소수 한 자리 수 × 소수 두 자리 수 = 소수 세 자리 수

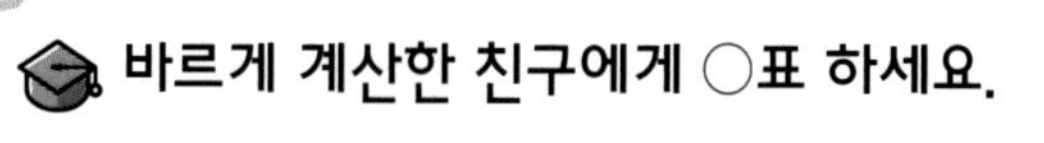

바르게 계산한 친구에게 ○표 하세요.

민기

$1.78 \times 1 = 1.78$
$1.78 \times 10 = 0.178$

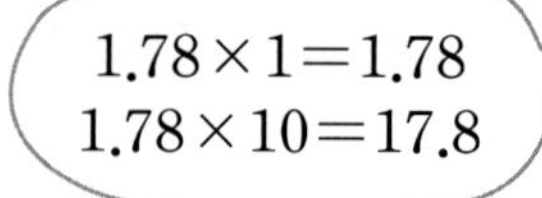

서희

1 소수점의 위치를 생각하여 계산해 보세요.

(1) $0.28 \times 1 = 0.28$

$0.28 \times 10 = \square$

$0.28 \times 100 = \square$

$0.28 \times 1000 = \square$

(2) $5.15 \times 1 = 5.15$

$5.15 \times 10 = \square$

$5.15 \times 100 = \square$

$5.15 \times 1000 = \square$

2 보기를 이용하여 계산해 보세요.

(1) 보기

$1.4 \times 33 = 46.2$

1.4×330

0.14×33

(2) 보기

$29 \times 6.7 = 194.3$

2900×6.7

29×0.067

3 계산해 보세요.

(1) 194×0.1

(2) 0.86×100

4 보기를 이용하여 계산해 보세요.

(1) 보기

$36 \times 11 = 396$

3.6×1.1

0.36×1.1

(2) 보기

$74 \times 52 = 3848$

7.4×5.2

0.74×0.52

교과서 개념 play 실내화 가방 찾기

준비물 붙임딱지

학생들이 등교하고 있습니다.
학생들의 책가방에 맞는 실내화 가방을 찾아 붙여 주세요.

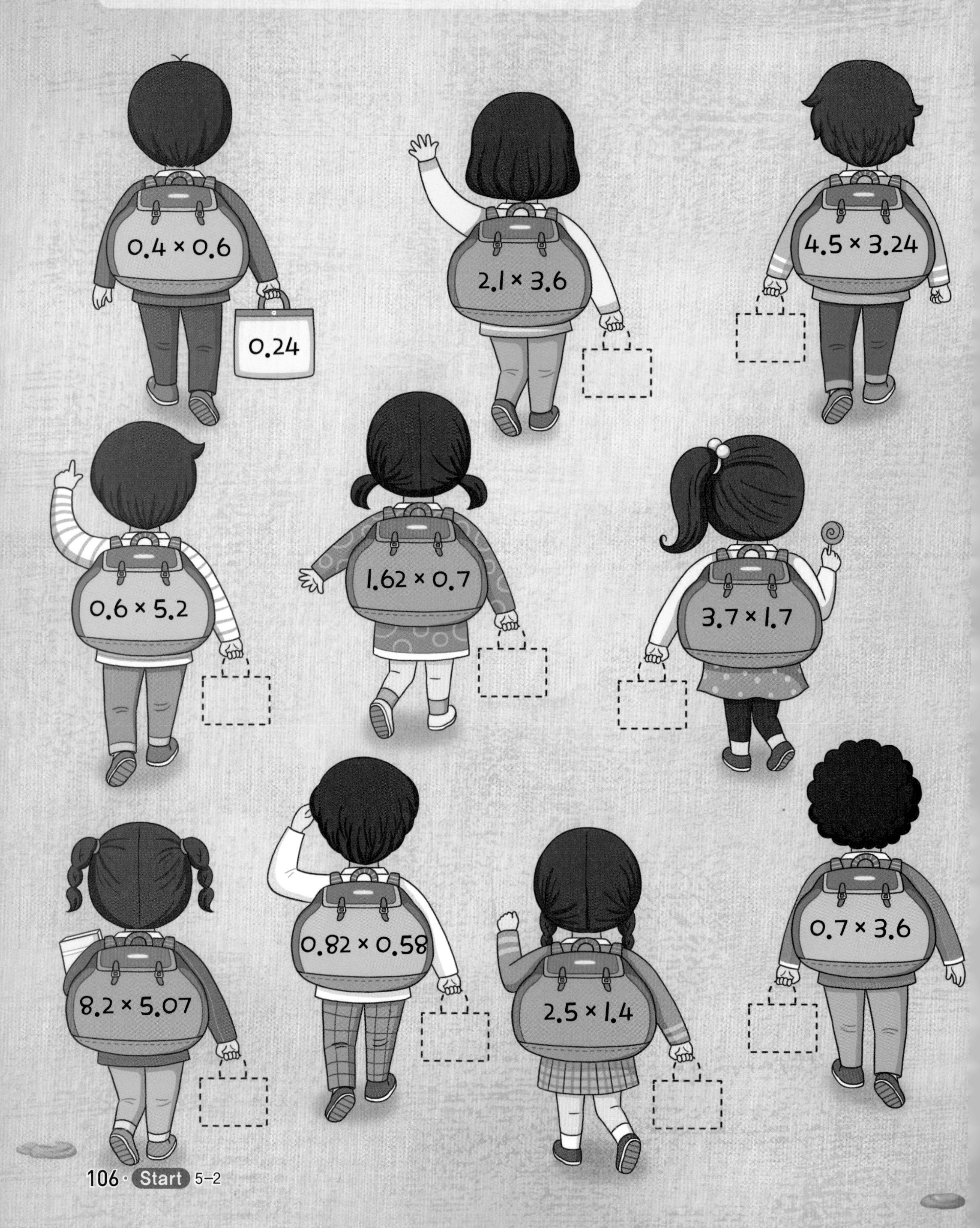

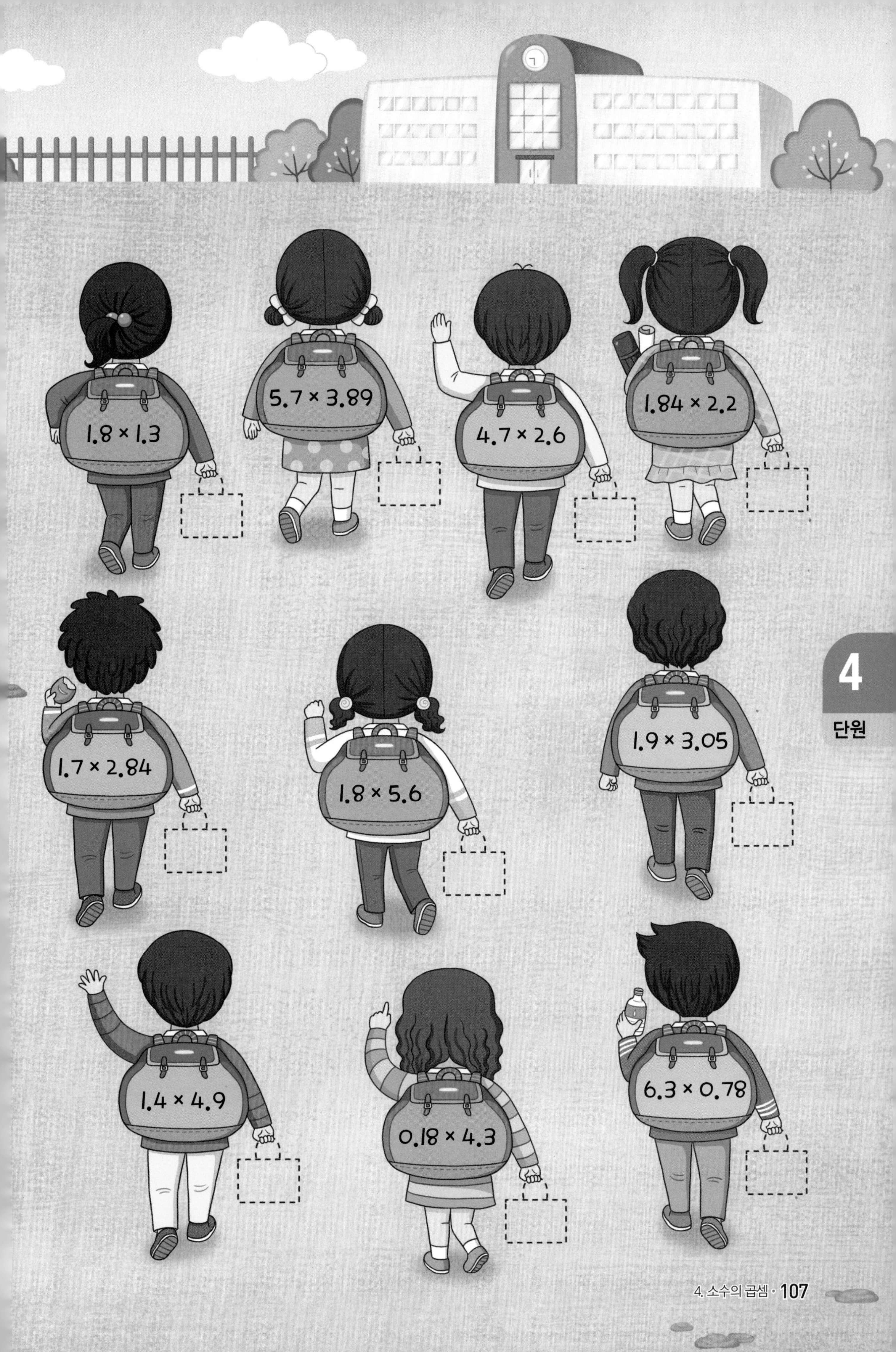
1.8 × 1.3
5.7 × 3.89
4.7 × 2.6
1.84 × 2.2
1.7 × 2.84
1.8 × 5.6
1.9 × 3.05
1.4 × 4.9
0.18 × 4.3
6.3 × 0.78
4
단원

집중! 드릴 문제

[1~8] 계산해 보세요.

1
$$\begin{array}{r} 0.0\,3 \\ \times \quad 0.9 \\ \hline \end{array}$$

2
$$\begin{array}{r} 0.1\,8 \\ \times \quad 0.7 \\ \hline \end{array}$$

3
$$\begin{array}{r} 0.2\,3 \\ \times\ 0.1\,6 \\ \hline \end{array}$$

4
$$\begin{array}{r} 0.3\,6 \\ \times\ 0.5\,5 \\ \hline \end{array}$$

5
$$\begin{array}{r} 4.5 \\ \times\ 5.7 \\ \hline \end{array}$$

6
$$\begin{array}{r} 7.8 \\ \times\ 4.9 \\ \hline \end{array}$$

7
$$\begin{array}{r} 2.4\,8 \\ \times \quad 3.9 \\ \hline \end{array}$$

8
$$\begin{array}{r} 5.2 \\ \times\ 6.0\,3 \\ \hline \end{array}$$

[9~14] 계산해 보세요.

9 0.8×0.6

10 0.15×0.7

11 0.32×0.04

12 5.2×2.6

13 4.7×6.11

14 2.94×6.6

[15~20] 보기 를 이용하여 계산해 보세요.

15

보기

$2.6 \times 147 = 382.2$

$2.6 \times 1470 = \square$

$2.6 \times 1.47 = \square$

$0.26 \times 1.47 = \square$

16

보기

$35 \times 2.9 = 101.5$

$0.35 \times 2.9 = \square$

$3.5 \times 2.9 = \square$

$350 \times 2.9 = \square$

17

보기

$5.1 \times 68 = 346.8$

$5.1 \times 0.68 = \square$

$5.1 \times 6800 = \square$

$0.51 \times 6.8 = \square$

18

보기

$525 \times 17 = 8925$

$525 \times 1.7 = \square$

$52.5 \times 1.7 = \square$

$5.25 \times 1.7 = \square$

19

보기

$45 \times 18 = 810$

$4.5 \times 1.8 = \square$

$0.45 \times 1.8 = \square$

$4.5 \times 0.18 = \square$

20

보기

$146 \times 43 = 6278$

$1.46 \times 4.3 = \square$

$14.6 \times 0.43 = \square$

$1.46 \times 0.43 = \square$

교과서 개념 확인 문제

1 계산해 보세요.

(1) 0.3×0.6

(2) 0.7×0.7

2 □ 안에 알맞은 수를 써넣으세요.

(1) $3.74 \times 1 = \square$

$3.74 \times 10 = \square$

$3.74 \times 100 = \square$

$3.74 \times 1000 = \square$

(2) $826 \times 1 = \square$

$826 \times 0.1 = \square$

$826 \times 0.01 = \square$

$826 \times 0.001 = \square$

3 분수의 곱셈으로 고쳐서 계산해 보세요.

(1) 3.7×1.9

(2) 1.05×4.3

4 $514 \times 68 = 34952$입니다. 5.14×6.8의 값을 어림하여 결괏값에 소수점을 찍어 보세요.

$5.14 \times 6.8 = 3\ 4\ 9\ 5\ 2$

5 계산해 보세요.

(1) 7.6×4.2　　(2) 1.5×0.83

(3) 1.8×0.42　　(4) 20.5×2.1

6 □ 안에 알맞은 수를 써넣으세요.

$$0.88 \times \square = 880$$

7 계산 결과가 다른 것을 찾아 기호를 써 보세요.

㉠ 942의 0.01배
㉡ 9.42×10
㉢ 0.942의 100배

(　　　　　　)

8 빈 곳에 알맞은 수를 써넣으세요.

(⊗ ↓)

6.8	1.09
1.6	2.5

교과서 개념 확인 문제

9 보기 를 이용하여 □ 안에 알맞은 수를 써넣으세요.

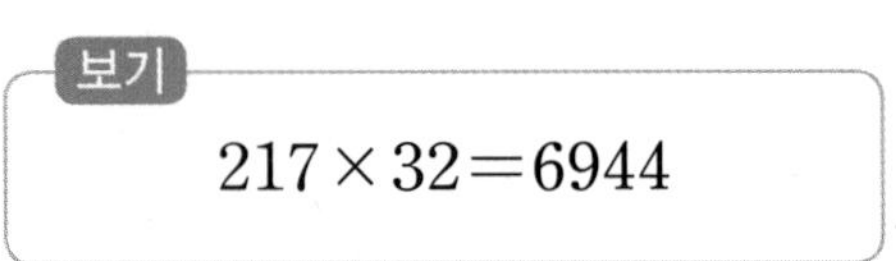

(1) $2.17 \times \square = 6.944$

(2) $\square \times 320 = 69.44$

10 빈칸에 두 수의 곱을 써넣으세요.

(1)

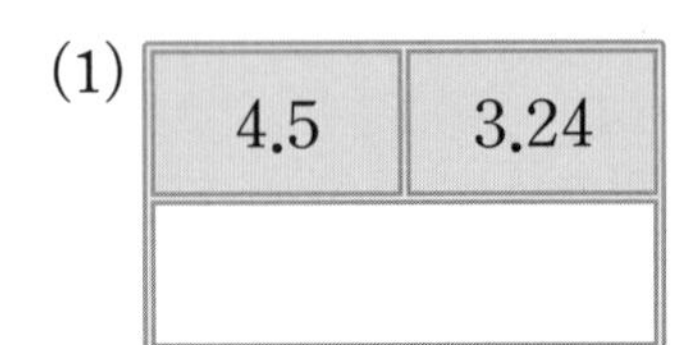

(2)

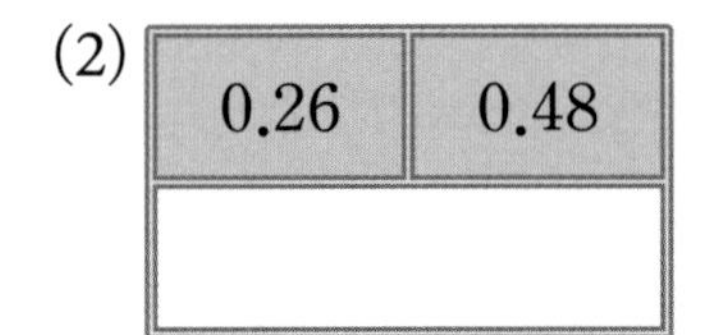

11 가장 큰 수와 가장 작은 수의 곱을 구해 보세요.

0.3 0.9 0.8 0.5

(   )

12 계산 결과가 더 큰 것의 기호를 써 보세요.

㉠ 1.35×3.5 ㉡ 2.09×2.4

(   )

13 관계있는 것끼리 선으로 이어 보세요.

1.27×0.25 •	• 1.65
3.3×0.5 •	• 0.3175

14 평행사변형의 넓이는 몇 cm^2인지 구해 보세요.

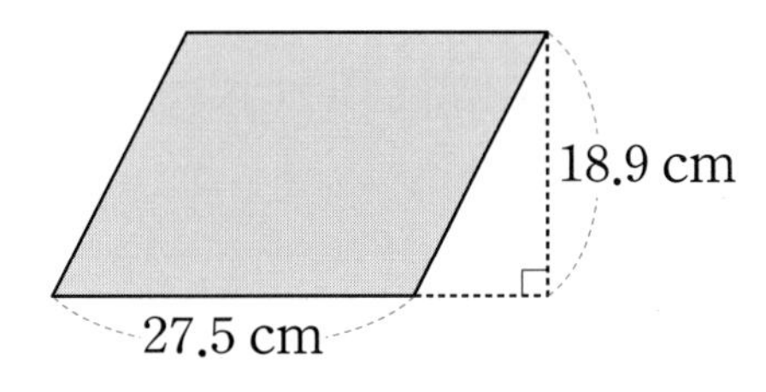

( )

15 꽃밭의 가로와 세로를 각각 1.3배씩 늘려 새로운 꽃밭을 만들려고 합니다. 물음에 답하세요.

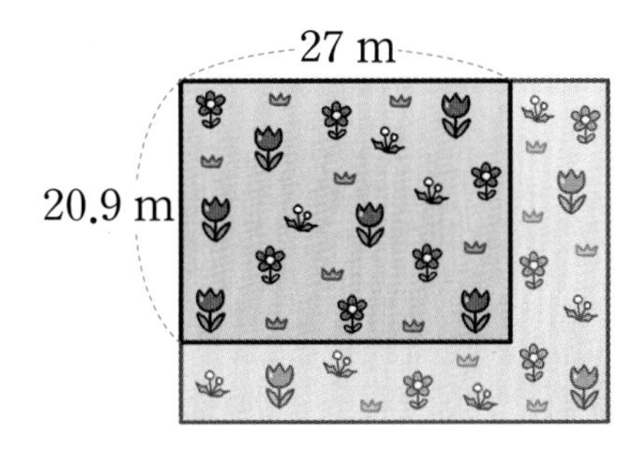

(1) 새로운 꽃밭의 가로는 몇 m일까요? ( )

(2) 새로운 꽃밭의 세로는 몇 m일까요? ( )

(3) 새로운 꽃밭의 넓이는 몇 m^2일까요? ( )

1 0.7×4를 알맞게 색칠하고, 값을 구해 보세요.

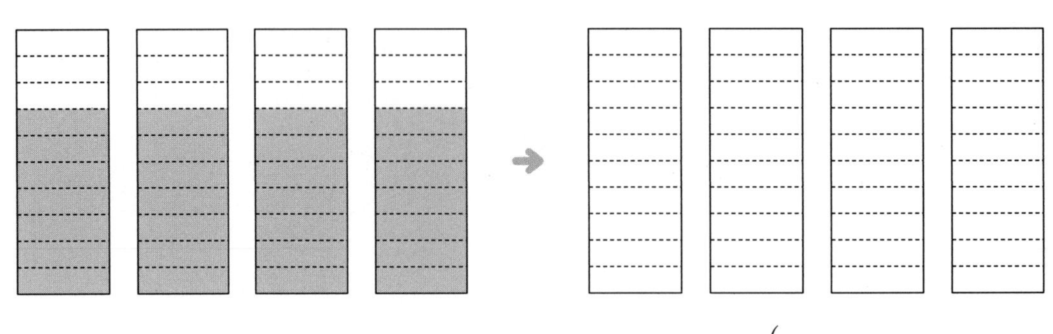

(　　　　　　　　)

2 어림하여 계산 결과가 8보다 작은 것을 찾아 기호를 써 보세요.

㉠ 1.9×9　　㉡ 3.4×2　　㉢ 4.5×2

(　　　　　　　　)

3 계산해 보세요.

(1) 0.5×3

(2) 0.41×9

4 보기 와 같이 계산해 보세요.

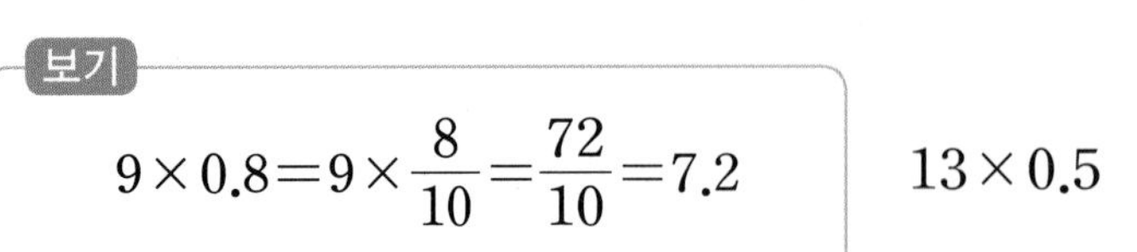

보기

$9 \times 0.8 = 9 \times \frac{8}{10} = \frac{72}{10} = 7.2$

13×0.5

5

28 × 4 = 112임을 이용하여 □ 안에 알맞은 수를 써넣으세요.

(1) $28 \times 0.4 = \square$

(2) $28 \times 0.04 = \square$

6

관계있는 것끼리 선으로 이어 보세요.

2.71 × 10	2.71 × 100	2.71 × 1000
2710	271	27.1

7

빈 곳에 알맞은 수를 써넣으세요.

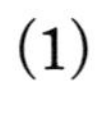

(1)

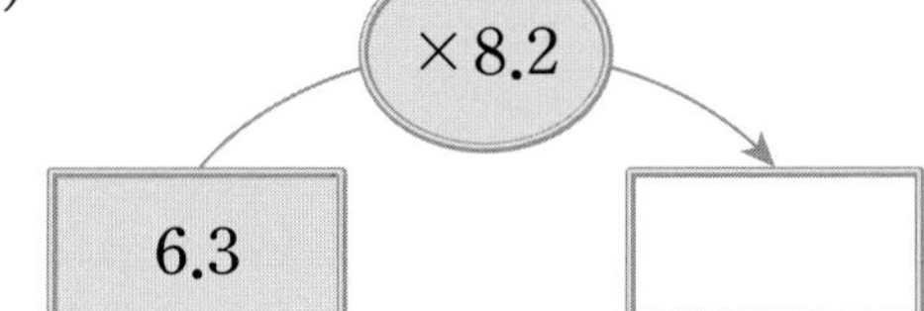

(2)

×4.6

2.34 → □

8

계산 결과의 크기를 비교하여 ○ 안에 >, =, <를 알맞게 써넣으세요.

$7 \times 2.11 \bigcirc 6 \times 2.83$

4 단원

9 계산 결과가 다른 하나를 찾아 기호를 써 보세요.

㉠ 4.14×10 ㉡ 414×0.1
㉢ 414×0.01 ㉣ 0.414×100

( )

10 잘못 계산한 곳을 찾아 바르게 고쳐 보세요.

$$8\times5.05=8\times\frac{505}{10}=\frac{8\times505}{10}=\frac{4040}{10}=404$$

바르게 고치기

11 □ 안에 들어갈 수 있는 가장 작은 자연수를 구해 보세요.

$6.7\times0.4<\square$

( )

12 곶감 한 상자의 무게는 1.5 kg입니다. 곶감 11상자의 무게는 몇 kg일까요?

( )

5 직육면체

학습 계획표

내용	쪽수	날짜	확인
교과서 개념 잡기	118~121쪽	월 일	
교과서 개념 play / 집중! 드릴 문제	122~125쪽	월 일	
교과서 개념 확인 문제	126~129쪽	월 일	
교과서 개념 잡기	130~133쪽	월 일	
교과서 개념 play / 집중! 드릴 문제	134~137쪽	월 일	
교과서 개념 확인 문제	138~141쪽	월 일	
개념 확인평가	142~144쪽	월 일	

교과서 개념 잡기

개념 1 직사각형 6개로 둘러싸인 도형 알아보기

- 직사각형 6개로 둘러싸인 도형을 직육면체라고 합니다.

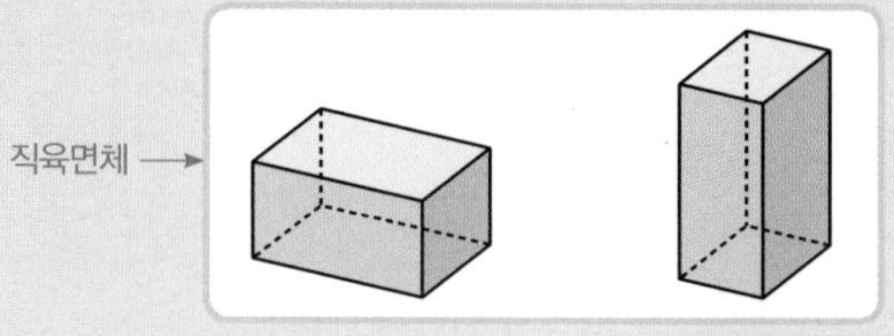

- 직육면체의 구성 요소
  직육면체에서 선분으로 둘러싸인 부분을 면이라 하고, 면과 면이 만나는 선분을 모서리라고 합니다. 또, 모서리와 모서리가 만나는 점을 꼭짓점이라고 합니다.

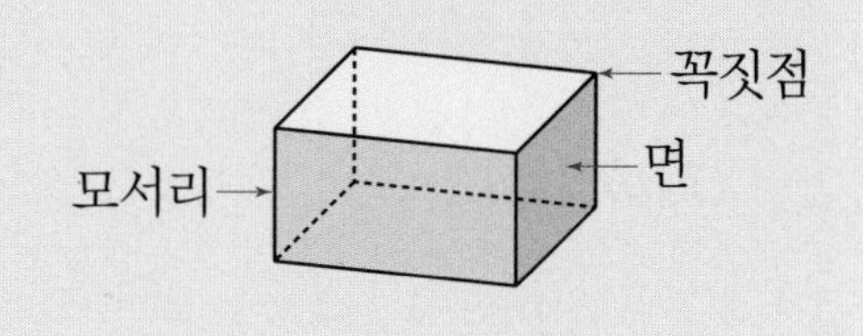

- 직육면체의 특징

면의 모양	면의 수(개)	모서리의 수(개)	꼭짓점의 수(개)
직사각형	6	12	8

개념 2 정사각형 6개로 둘러싸인 도형 알아보기

- 정사각형 6개로 둘러싸인 도형을 정육면체라고 합니다.

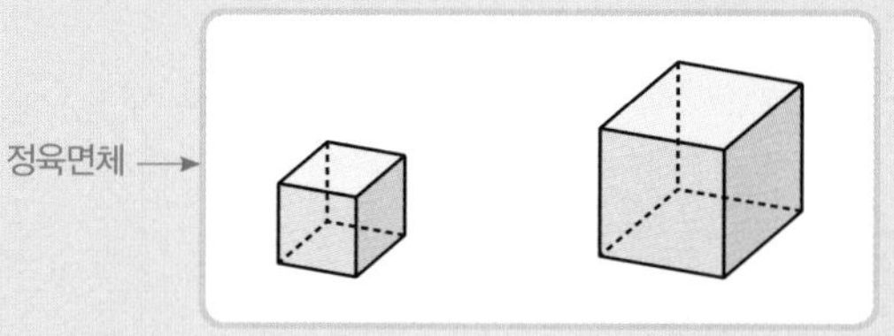

- 정육면체의 특징

면의 모양	면의 수(개)	모서리의 수(개)	꼭짓점의 수(개)
정사각형	6	12	8

- 직육면체와 정육면체의 차이점

	직육면체	정육면체
면의 크기	2개씩 3쌍의 크기가 같습니다.	모든 면의 크기가 같습니다.
모서리의 길이	4개씩 3쌍의 길이가 같습니다.	모든 모서리의 길이가 같습니다.

- 직육면체와 정육면체의 관계
  정육면체의 면의 모양은 정사각형입니다.
  정사각형은 직사각형이라고 할 수 있으므로
  정육면체는 직육면체라고 할 수 있습니다.

직육면체는 정육면체라고 할 수 없어요.

1

□ 안에 직육면체의 각 부분의 이름을 알맞게 써넣으세요.

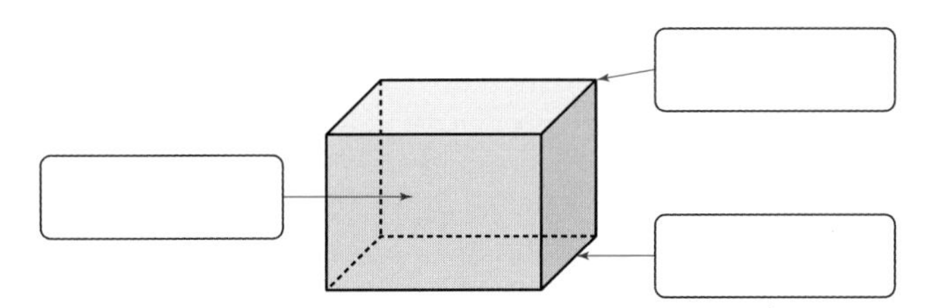

2

직육면체를 모두 찾아 ○표 하세요.

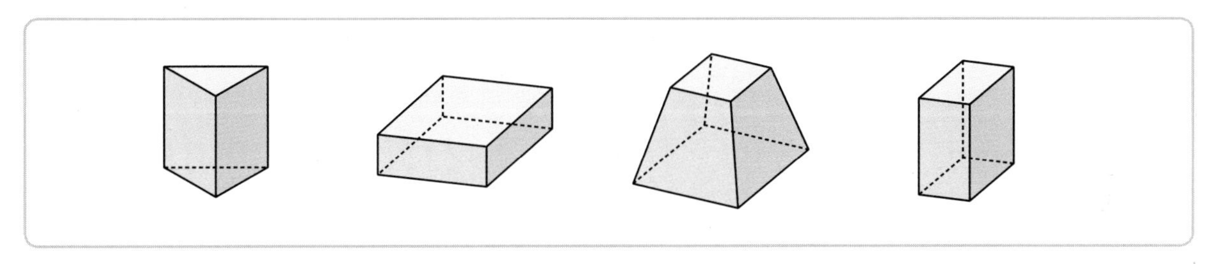

3

정육면체를 보고 □ 안에 알맞은 수를 써넣으세요.

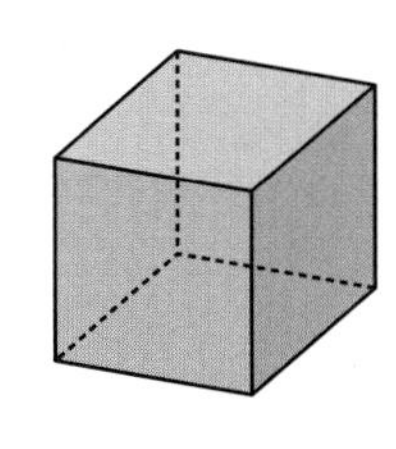

(1) 정육면체의 면은 □개입니다.

(2) 정육면체의 모서리는 □개입니다.

(3) 정육면체의 꼭짓점은 □개입니다.

4

직육면체와 정육면체에 대한 설명으로 맞으면 ○표, 틀리면 ×표 하세요.

(1) 직사각형 4개로 둘러싸인 도형을 직육면체라고 합니다. (　　　)

(2) 정육면체는 면의 크기가 모두 같습니다. (　　　)

개념 3 직육면체의 성질 알아보기

• 서로 마주 보고 있는 면의 관계

마주 보고 있는 면은 서로 평행하고 만나지 않습니다.

그림과 같이 직육면체에서 색칠한 두 면처럼 계속 늘여도 만나지 않는 두 면을 서로 평행하다고 합니다. 이 두 면을 직육면체의 밑면이라고 합니다.
직육면체에는 평행한 면이 3쌍 있고 이 평행한 면은 각각 밑면이 될 수 있습니다.

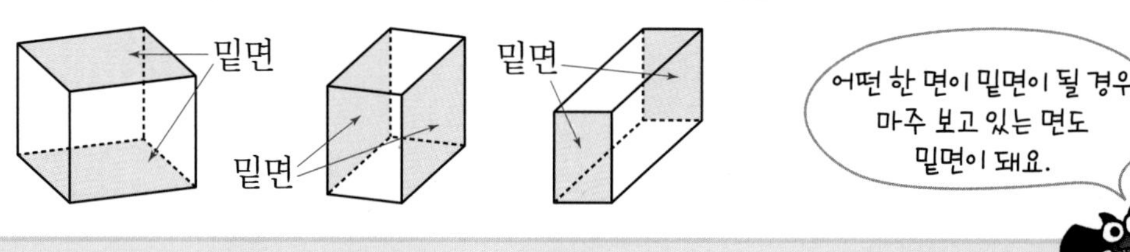
밑면
밑면
밑면
어떤 한 면이 밑면이 될 경우 마주 보고 있는 면도 밑면이 돼요.

• 서로 만나는 두 면 사이의 관계

한 면과 만나는 면은 4개이고 한 면과 만나는 면들은 서로 수직으로 만납니다.

삼각자 3개를 그림과 같이 놓았을 때 면 ㄱㄴㄷㄹ과 면 ㄷㅅㅇㄹ은 수직입니다.
직육면체에서 밑면과 수직인 면을 직육면체의 옆면이라고 합니다.

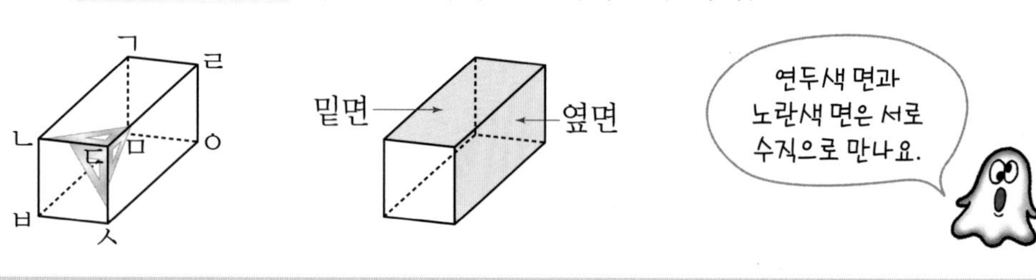
ㄱ
ㄹ
ㄴ
ㄷ
ㅁ
ㅇ
ㅂ
ㅅ
밑면
옆면
연두색 면과 노란색 면은 서로 수직으로 만나요.

개념 4 직육면체의 겨냥도 알아보기

• 직육면체의 모양을 잘 알 수 있도록 나타낸 그림을 직육면체의 겨냥도라고 합니다.

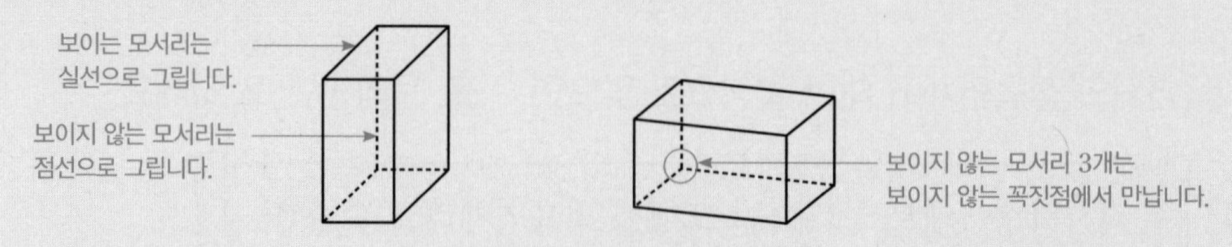
보이는 모서리는 실선으로 그립니다.
보이지 않는 모서리는 점선으로 그립니다.
보이지 않는 모서리 3개는 보이지 않는 꼭짓점에서 만납니다.

면의 수(개) ← 6개		모서리의 수(개) ← 12개		꼭짓점의 수(개) ← 8개	
보이는 면	보이지 않는 면	보이는 모서리	보이지 않는 모서리	보이는 꼭짓점	보이지 않는 꼭짓점
3	3	9	3	7	1

1 오른쪽 직육면체에서 색칠한 면과 평행한 면을 찾아 빗금으로 나타내고 □ 안에 알맞은 수를 써넣으세요.

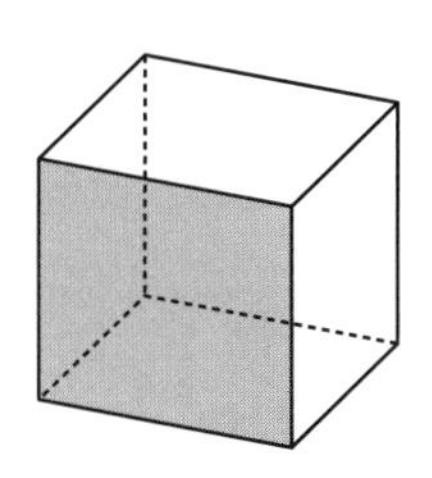

(1) 직육면체에서 한 면에 평행한 면은 □개입니다.

(2) 직육면체에서 서로 평행한 면은 모두 □쌍입니다.

2 직육면체에서 색칠한 면과 수직인 면의 기호를 써 보세요.

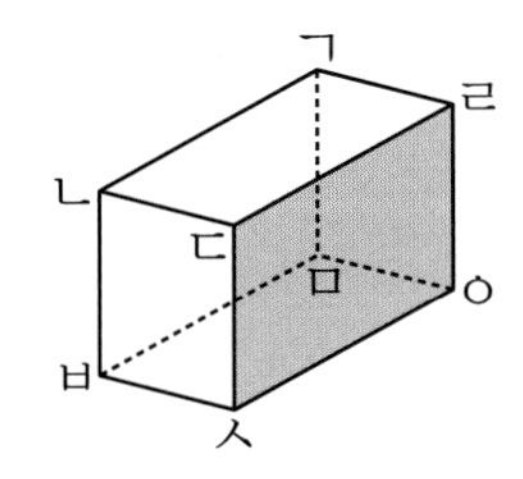

㉠ 면 ㄱㄴㅂㅁ
㉡ 면 ㄴㅂㅅㄷ

(　　　　　　　　　)

3 직육면체의 겨냥도를 보고 □ 안에 알맞은 수를 써넣으세요.

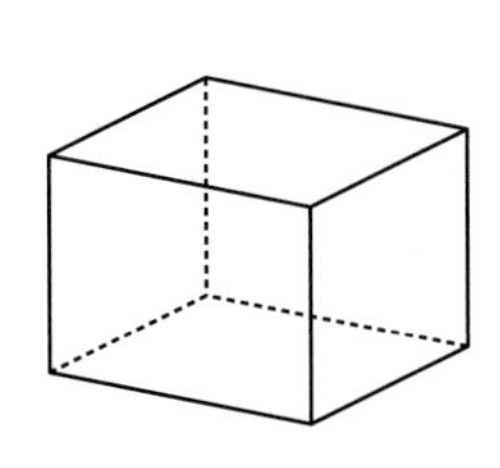

(1) 보이는 면은 □개입니다.

(2) 보이는 모서리는 □개입니다.

(3) 보이지 않는 꼭짓점은 □개입니다.

5 단원

4 직육면체에서 보이지 않는 모서리는 점선으로 그려 넣어 직육면체의 겨냥도를 완성해 보세요.

(1)

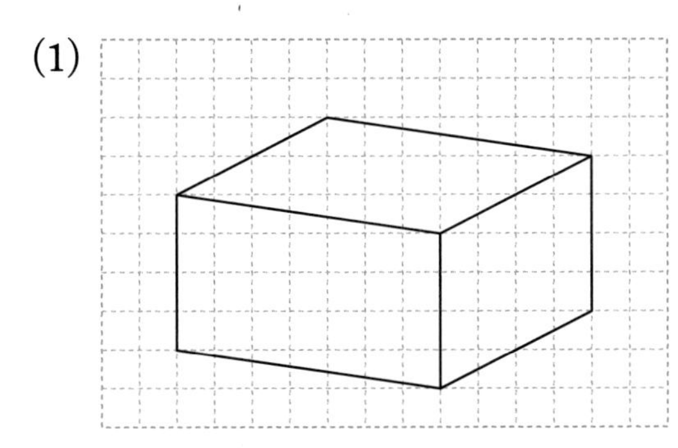

(2)

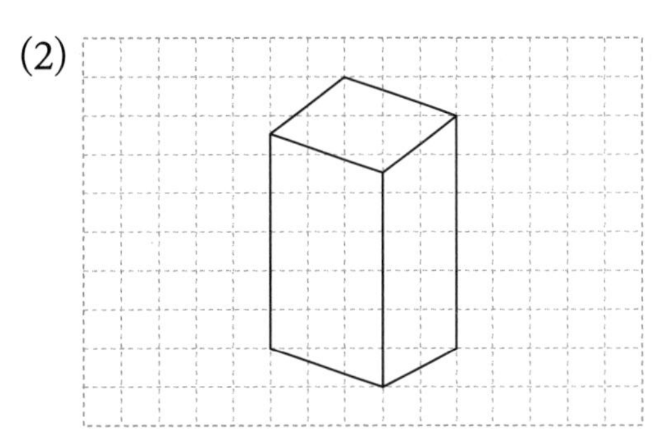

교과서 개념 play 무대와 공작새 날개 완성하기

준비물 붙임딱지

각 무대 안에 있는 정육면체와 직육면체의 겨냥도를 완성하고, 각 겨냥도의 설명으로 알맞은 붙임딱지를 붙여 날개를 완성해 보세요.

직육면체라고 할 수 있습니다.
정육면체

직육면체
5
단원

집중! 드릴 문제

[1~6] 직육면체인 도형은 '직', 정육면체인 도형은 '정', 직육면체도 정육면체도 아닌 도형은 ×표 하세요.

1 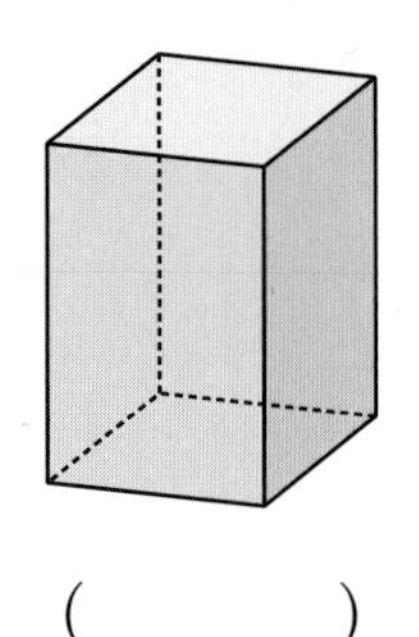

( )

2 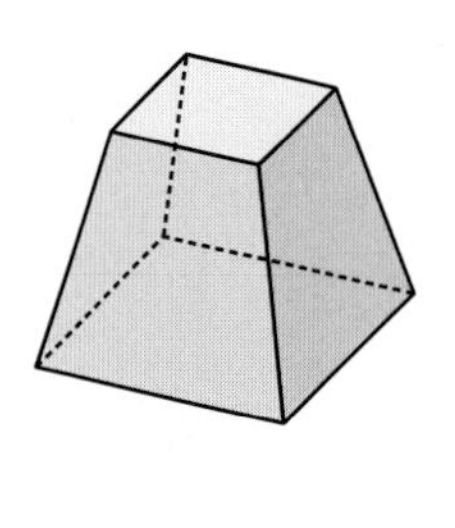

( )

3 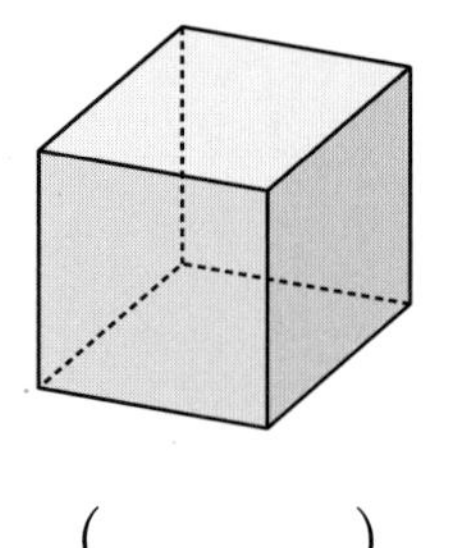

( )

4 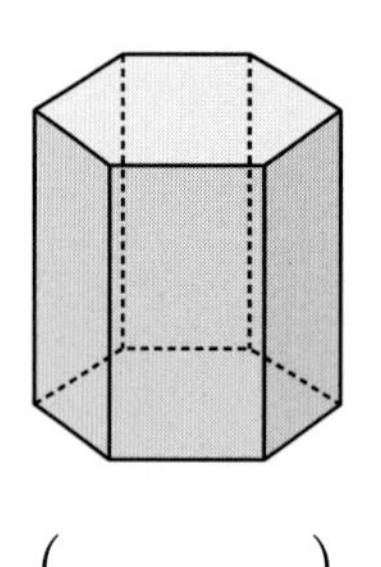

( )

5 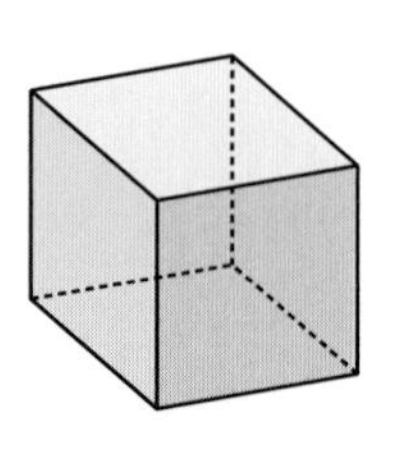

( )

6 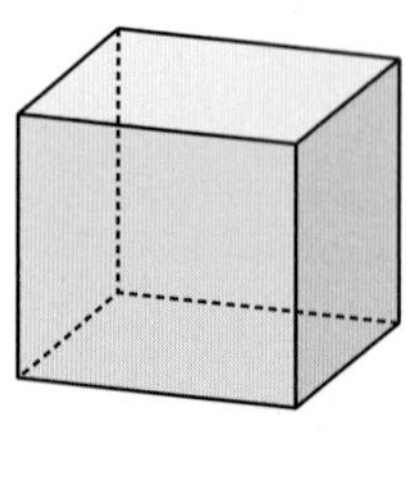

( )

[7~12] 직육면체에서 색칠한 면과 평행한 면을 찾아 색칠해 보세요.

7 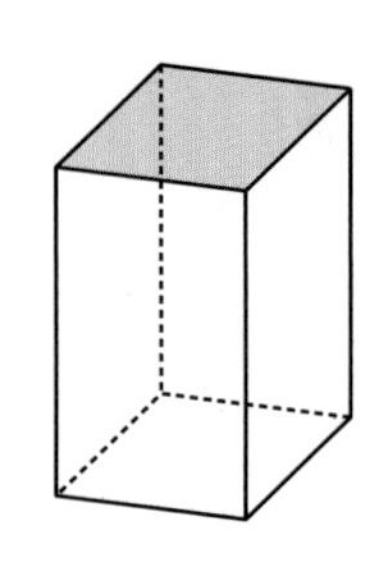

8 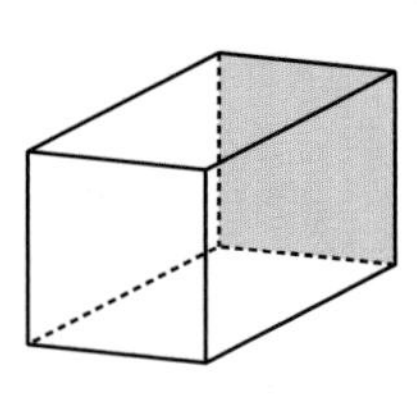

9 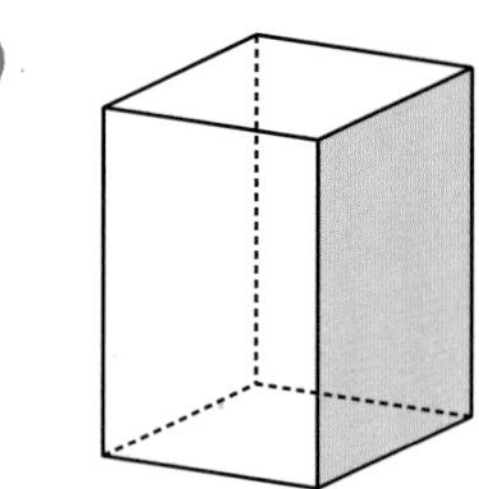

10 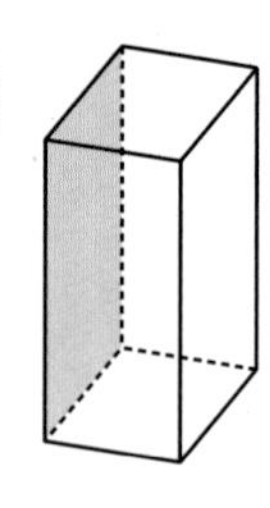

11 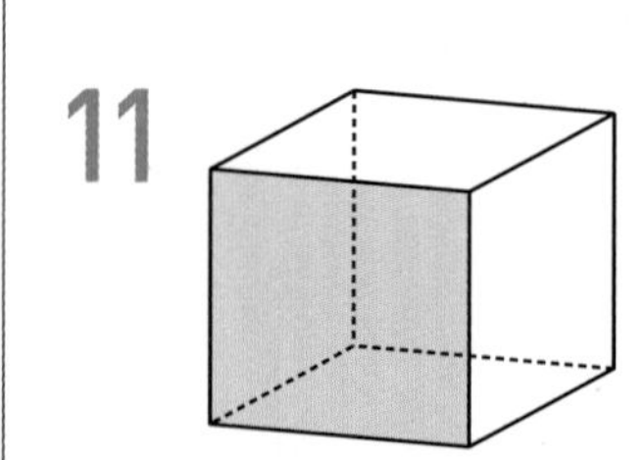

12 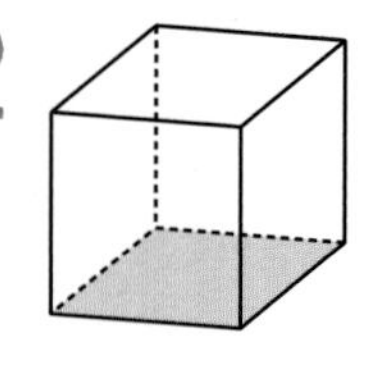

[13~18] 직육면체의 겨냥도를 바르게 그린 것에 ○표, 아닌 것에 ×표 하세요.

13

(　　　)

14

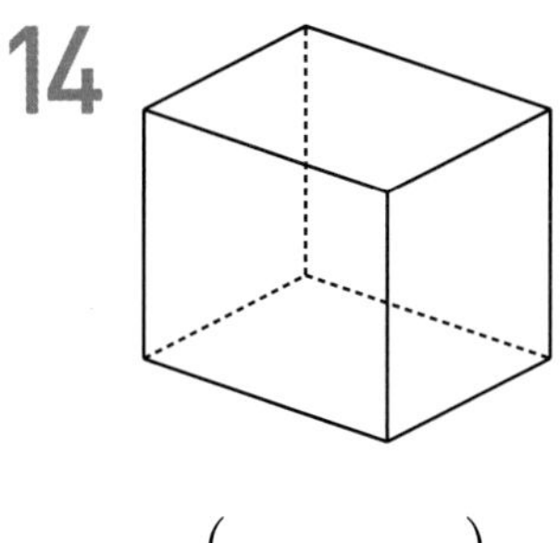

(　　　)

15

(　　　)

16

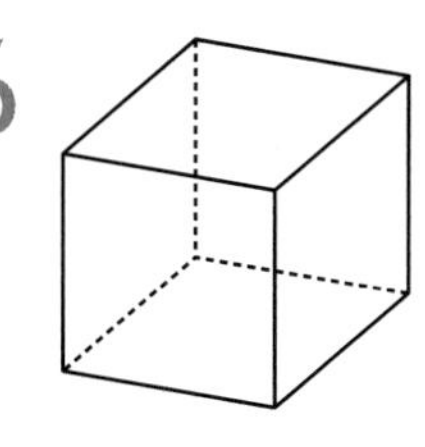

(　　　)

17

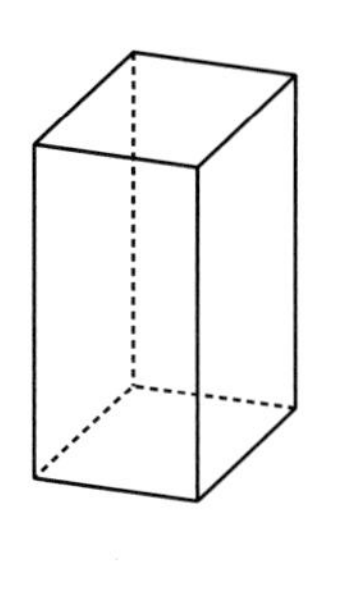

(　　　)

18

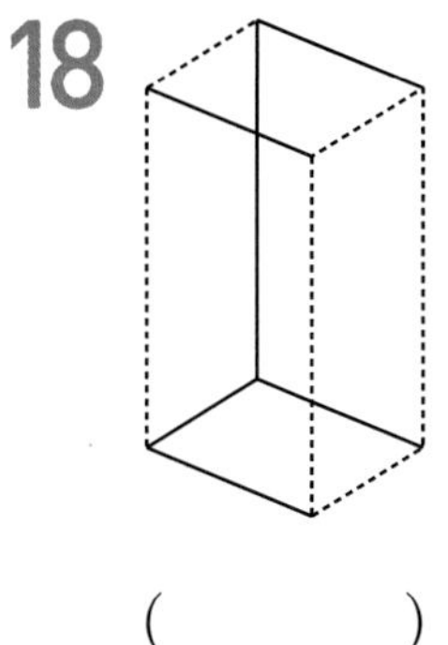

(　　　)

[19~22] 그림에서 빠진 부분을 그려 넣어 직육면체의 겨냥도를 완성해 보세요.

19

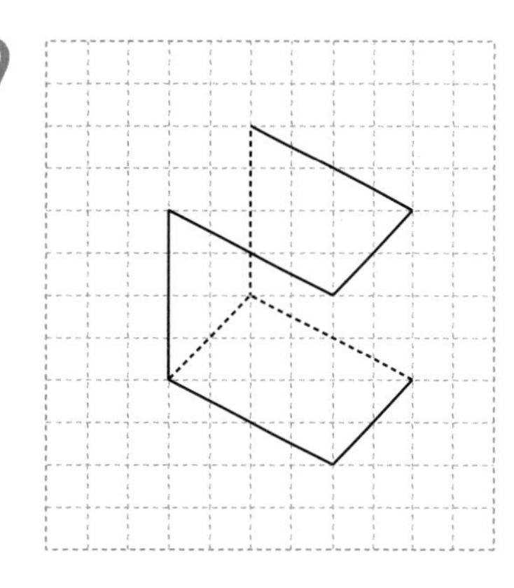

20

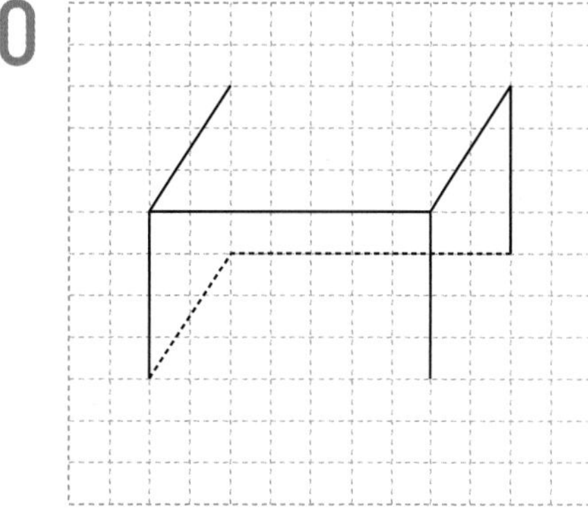

21

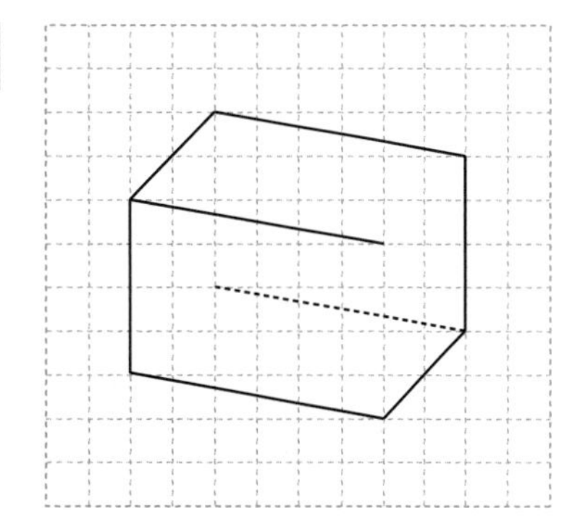

22

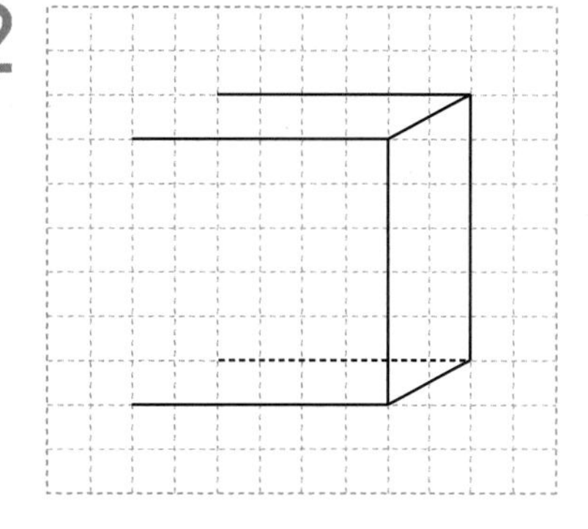

5 단원

교과서 개념 확인 문제

1 직육면체의 각 부분의 이름에 대한 설명입니다. □ 안에 알맞은 말을 써넣으세요.

직육면체에서 선분으로 둘러싸인 부분을 □, 면과 면이 만나는 선분을 □, 모서리와 모서리가 만나는 점을 □(이)라고 합니다.

2 그림을 보고 물음에 답하세요.

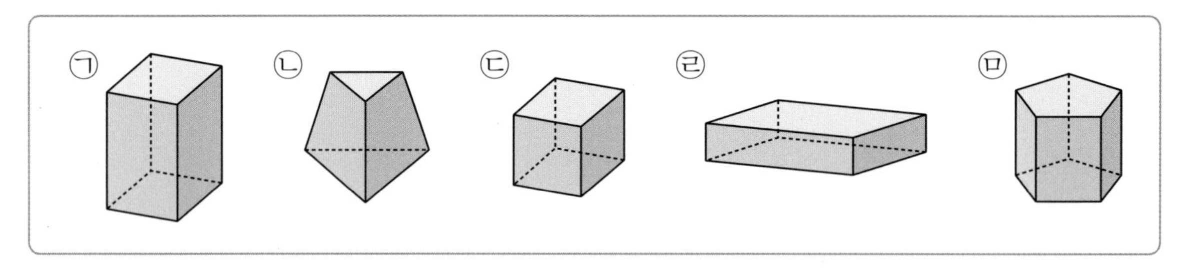

(1) 직육면체가 아닌 것을 모두 찾아 기호를 써 보세요.

( )

(2) 정육면체를 찾아 기호를 써 보세요.

( )

3 정육면체와 직육면체의 면의 모양으로 알맞은 것을 찾아 이어 보세요.

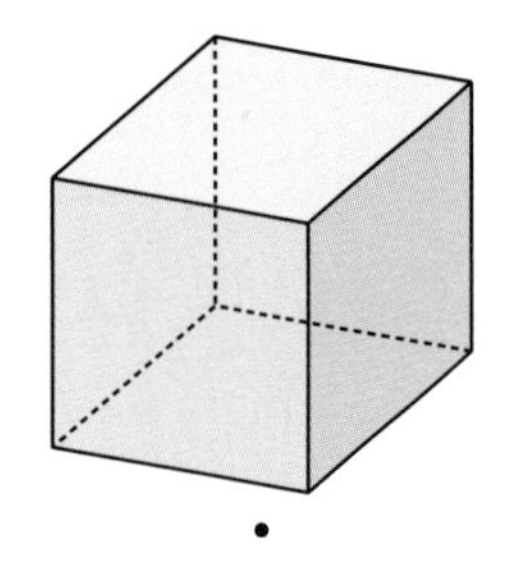

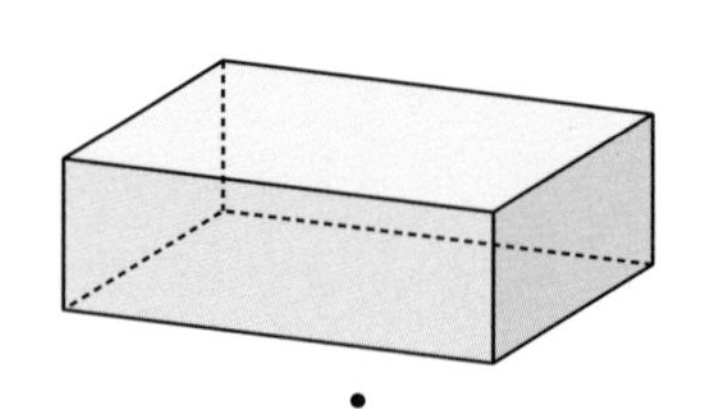

직사각형 정사각형

4 직육면체에서 색칠한 면과 평행한 면을 찾아 색칠해 보세요.

(1)

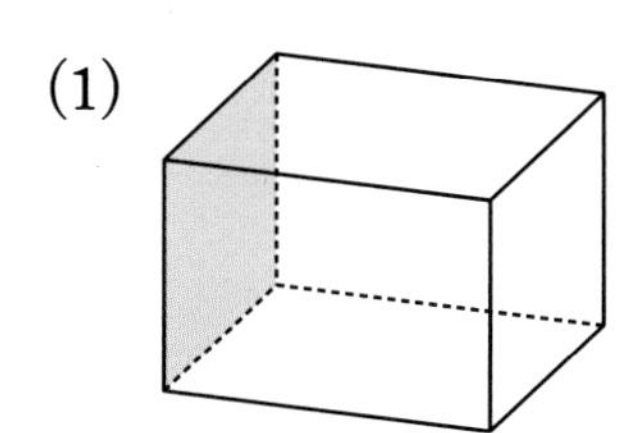

(2)

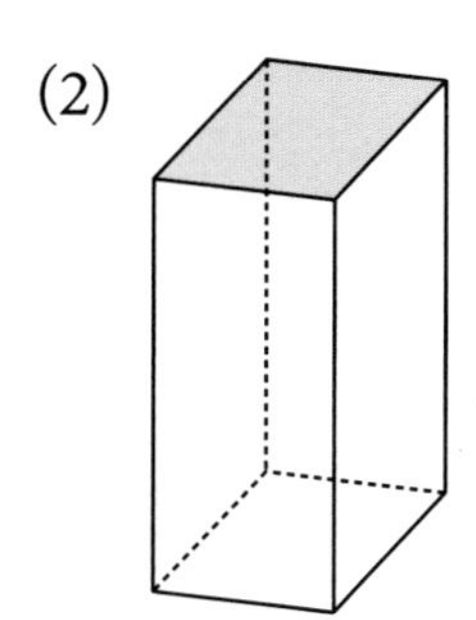

5 직육면체에서 색칠한 두 면이 만나서 이루는 각의 크기는 몇 도일까요?

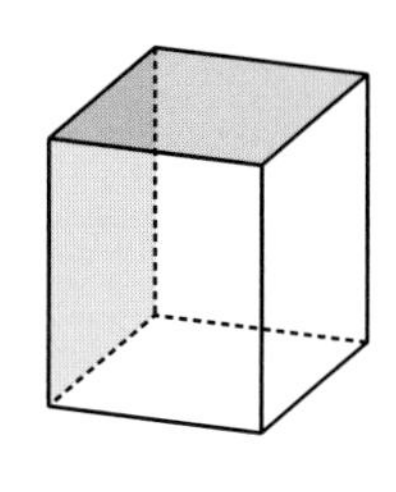

(　　　　　　　　　　)

6 정육면체를 보고 □ 안에 알맞은 수를 써넣으세요.

(1)

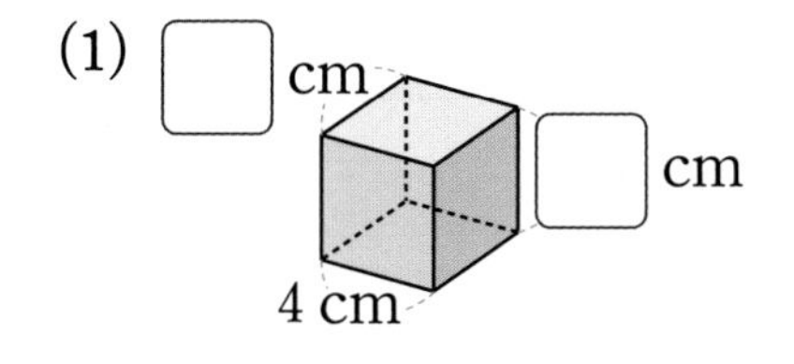

(2)

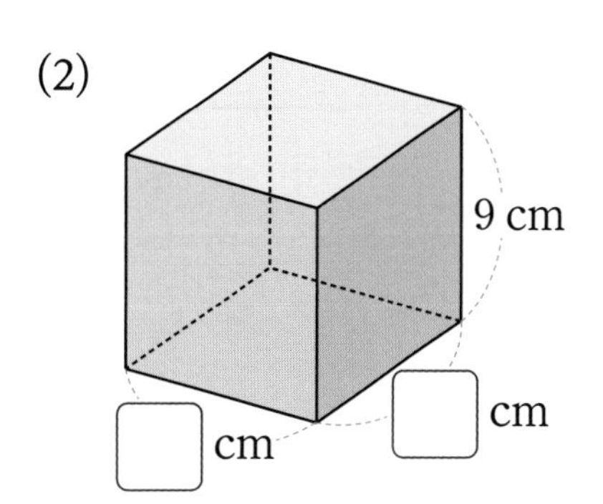

7 빈칸에 알맞은 수를 써넣으세요.

도형	면의 수(개)	모서리의 수(개)	꼭짓점의 수(개)
정육면체			
직육면체			

8 설명이 맞으면 ○표, 틀리면 ×표 하세요.

(1) 정육면체는 직육면체라고 할 수 있습니다. (　　　)

(2) 직육면체는 정육면체라고 할 수 있습니다. (　　　)

9 직육면체를 보고 물음에 답하세요.

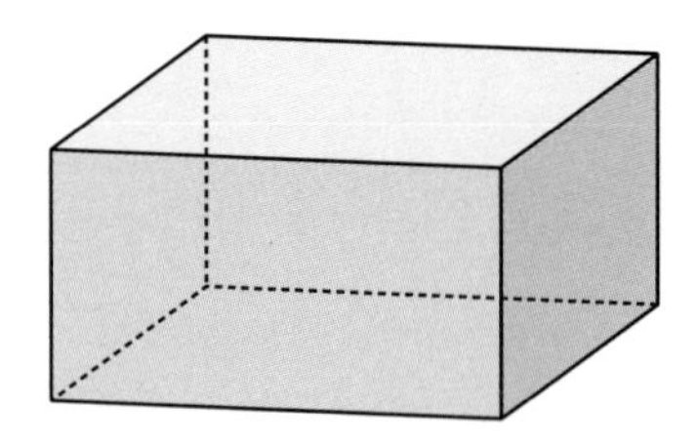

(1) 서로 평행한 면은 모두 몇 쌍일까요?

(　　　　　　　)

(2) 한 면과 수직인 면은 모두 몇 개일까요?

(　　　　　　　)

10 직육면체에서 꼭짓점 ㄱ과 만나는 면을 모두 써 보세요.

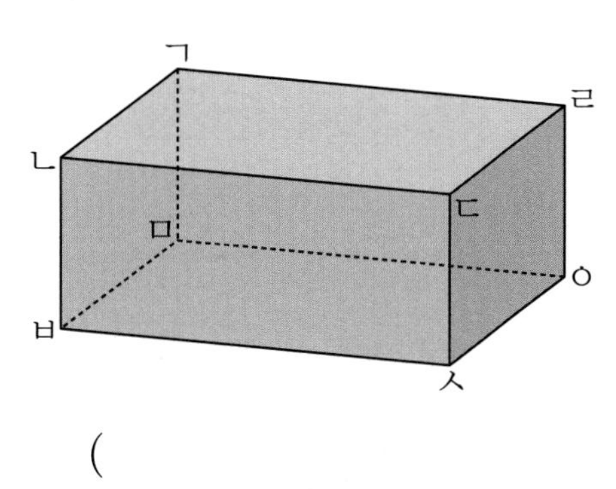

( )

11 직육면체와 정육면체의 공통점을 모두 찾아 기호를 써 보세요.

㉠ 면의 모양
㉡ 면의 수
㉢ 모서리의 길이
㉣ 꼭짓점의 수

( )

12 직육면체에서 보이는 면의 수, 보이지 않는 모서리의 수를 각각 구해 보세요.

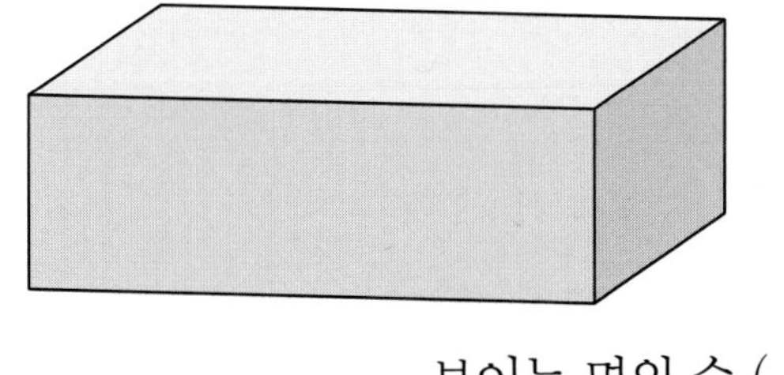

보이는 면의 수 ( )

보이지 않는 모서리의 수 ( )

13 그림에서 빠진 부분을 그려 넣어 직육면체의 겨냥도를 완성해 보세요.

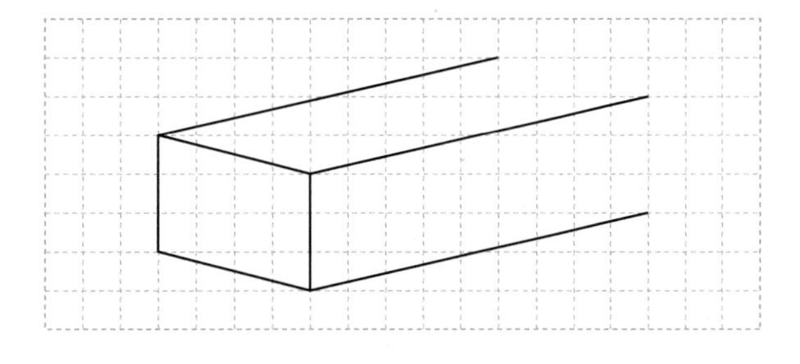

5
단원

교과서 개념 잡기

개념 5 정육면체의 전개도 알아보기

• 정육면체의 모서리를 잘라서 펼친 그림을 정육면체의 전개도라고 합니다.

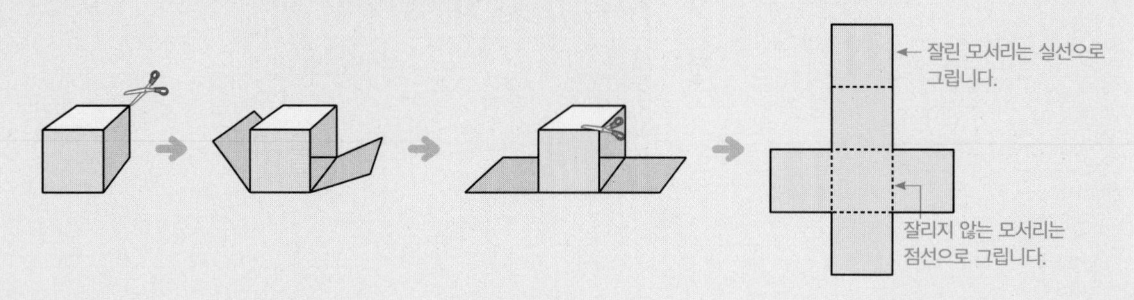

• 전개도를 접었을 때 살펴보기

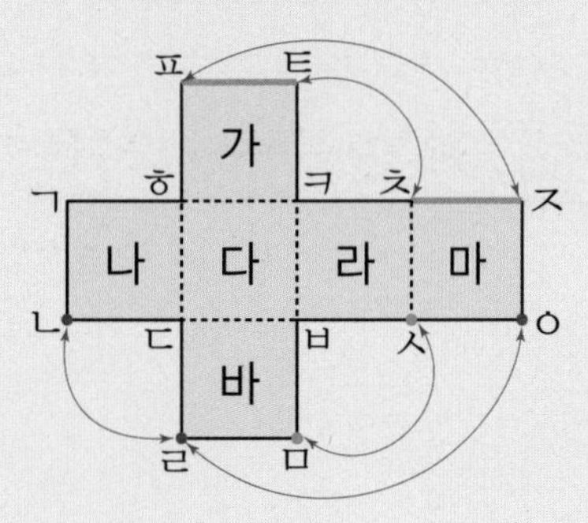

① 점 ㄴ과 만나는 점: 점 ㄹ, 점 ㅇ

② 선분 ㅍㅌ과 겹치는 선분: 선분 ㅈㅊ

③ 면 가와 평행한 면: 면 바

④ 면 가와 수직인 면: 면 나, 면 다, 면 라, 면 마

➔ 전개도를 접었을 때 한 면과 평행한 면이 1개, 한 면과 수직인 면이 4개입니다.

• 정육면체의 전개도의 특징

① 정사각형 6개로 이루어져 있습니다.

② 모든 모서리의 길이가 같습니다.

③ 접었을 때 서로 겹치는 부분이 없습니다.

④ 접었을 때 서로 마주 보며 평행한 면이 3쌍 있습니다.

⑤ 접었을 때 만나는 모서리의 길이가 같습니다.

정육면체의 모서리를 자르는 방법에 따라 여러 가지 모양의 전개도가 나올 수 있어요.

개념 Play

준비물 붙임딱지

윤하가 정육면체의 전개도를 그렸습니다. 바르게 그린 정육면체의 전개도 붙임딱지를 붙여 보세요.

1 ▢ 안에 알맞은 말을 써넣으세요.

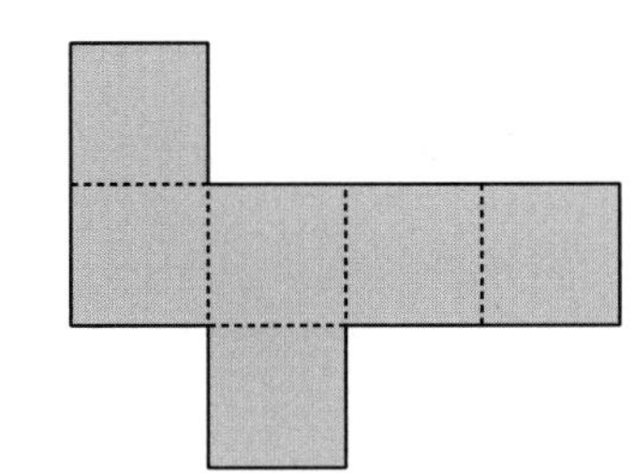

왼쪽 그림과 같이 정육면체의 모서리를 잘라서 펼친 그림을 정육면체의 ▢(이)라고 합니다.

2 정육면체의 전개도를 찾아 기호를 써 보세요.

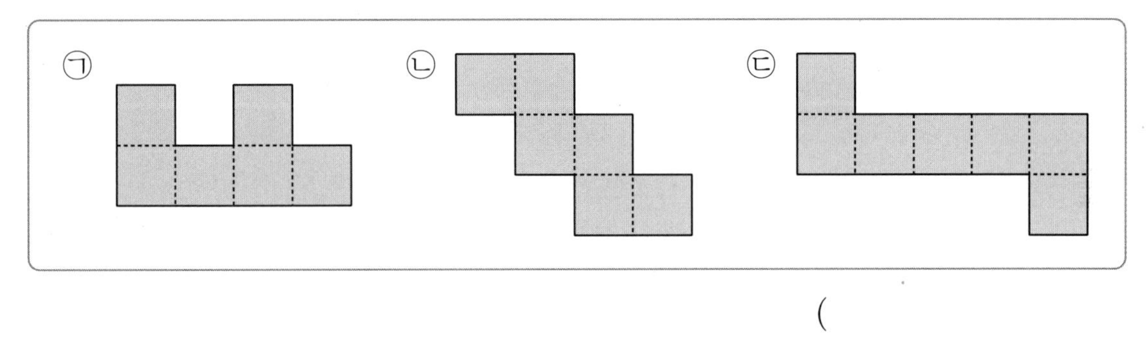

( )

3 전개도를 접어서 정육면체를 만들었습니다. 물음에 답하세요.

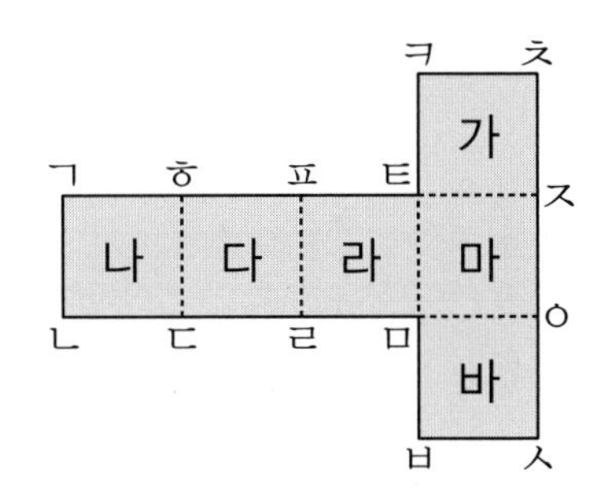

(1) 면 나와 평행한 면을 찾아 써 보세요.

( )

(2) 면 나와 수직인 면을 모두 찾아 써 보세요.

( )

(3) 선분 ㄷㄹ과 겹쳐지는 선분을 찾아 써 보세요.

( )

5 단원

개념 6 직육면체의 전개도 알아보기

• 직육면체의 모서리를 잘라서 펼친 그림을 직육면체의 전개도라고 합니다.

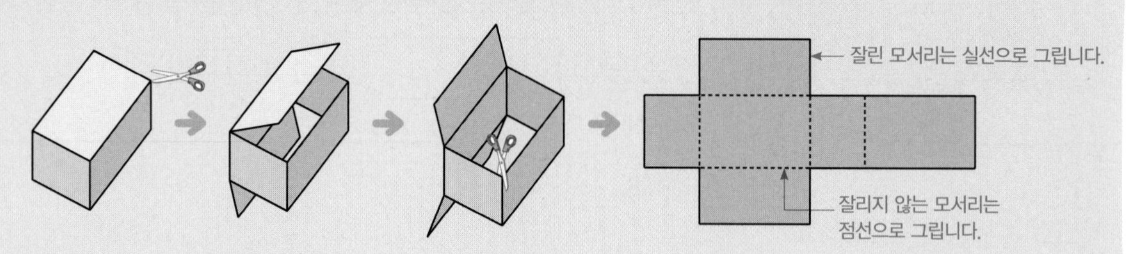

• 전개도를 접었을 때 살펴보기

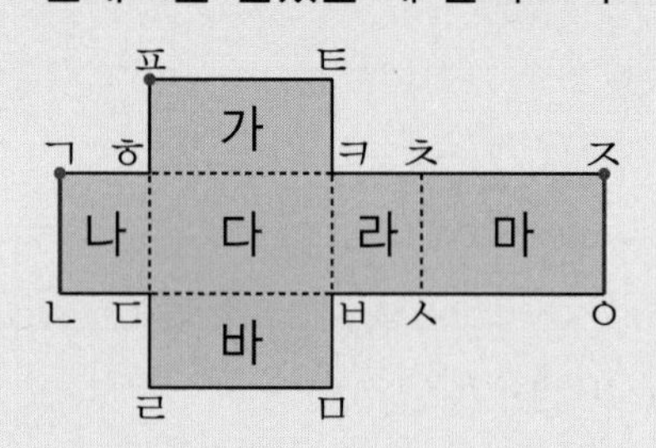

① 점 ㄱ과 만나는 점: 점 ㅍ, 점 ㅈ

② 선분 ㄱㄴ과 겹치는 선분: 선분 ㅈㅇ

③ 면 다와 평행한 면: 면 마 ← 1개

④ 면 라와 수직인 면: 면 가, 면 다, 면 마, 면 바 ← 4개

• 직육면체의 전개도 그리기

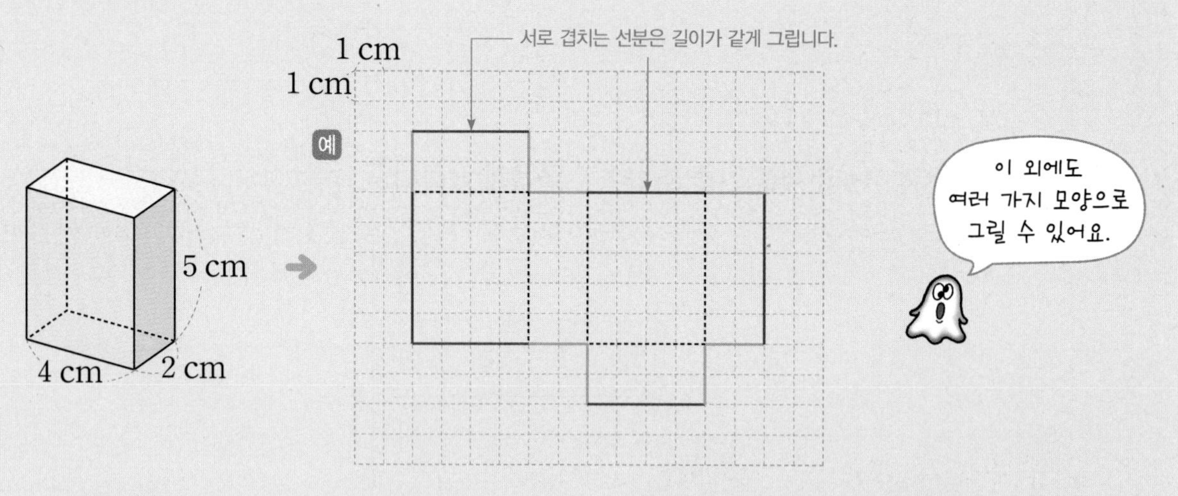

→ 직육면체의 전개도에서 잘린 모서리는 실선으로, 잘리지 않는 모서리는 점선으로 그립니다.

개념 Check

직육면체의 전개도에 대해 바르게 말한 친구에게 ○표 하세요.

1 직육면체의 전개도에 대한 설명으로 맞으면 ○표, 틀리면 ×표 하세요.

(1) 모양과 크기가 같은 면이 2쌍 있습니다. (   )

(2) 접었을 때 겹치는 면이 있습니다. (   )

(3) 만나는 모서리의 길이가 같습니다. (   )

2 직육면체의 전개도를 그린 것입니다. □ 안에 알맞은 수를 써넣으세요.

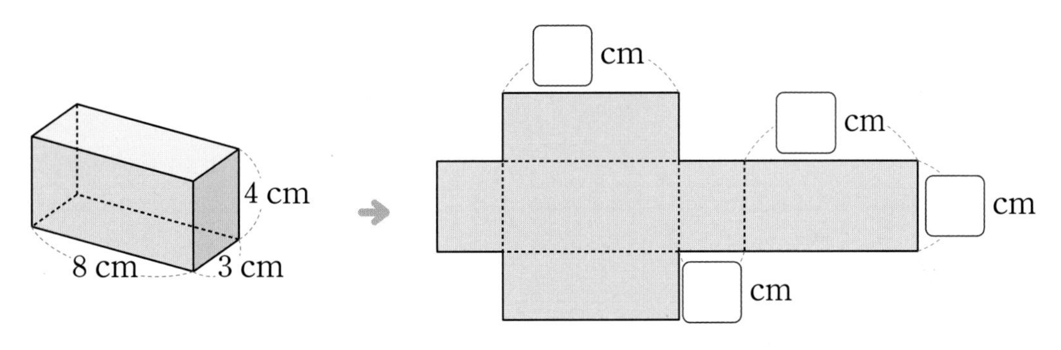

3 직육면체의 겨냥도를 보고 전개도를 완성해 보세요.

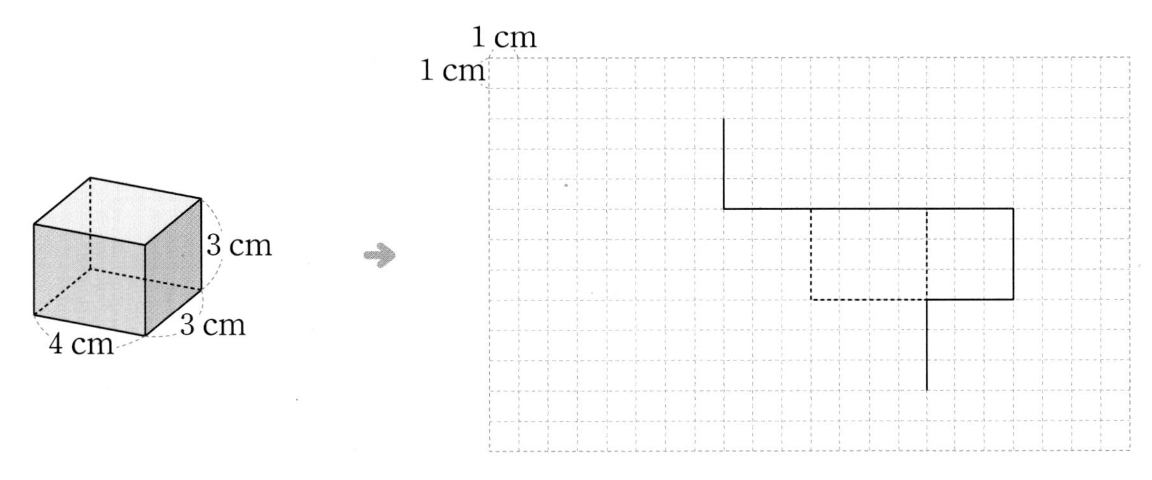

교과서 개념  주사위 만들고 포장하기

준비물 붙임딱지

정육면체 모양의 주사위를 만들고 있습니다. 주사위의 마주 보는 면에 있는 눈의 수를 합하면 7이 되도록 알맞은 붙임딱지를 붙여 주사위의 전개도를 완성해 보세요.

주사위를 담을 직육면체 모양의 상자를 만들고 있습니다. 전개도를 접었을 때 주어진 상자가 되도록 알맞은 직육면체의 전개도를 그려 보세요.

집중! 드릴 문제

[1~4] 전개도를 접어서 정육면체 또는 직육면체를 만들었습니다. 색칠한 면과 평행한 면에 색칠해 보세요.

1

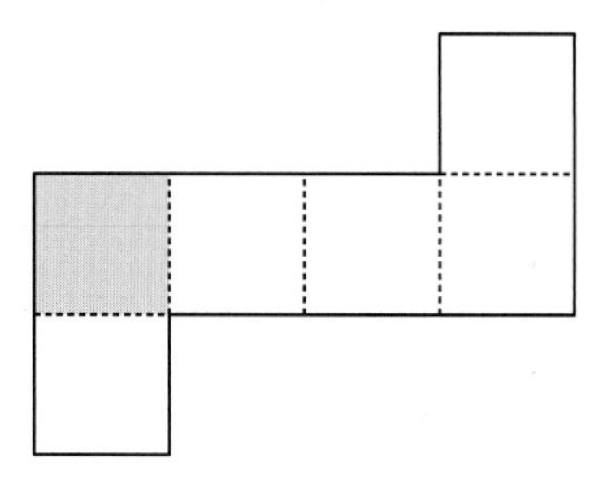

2

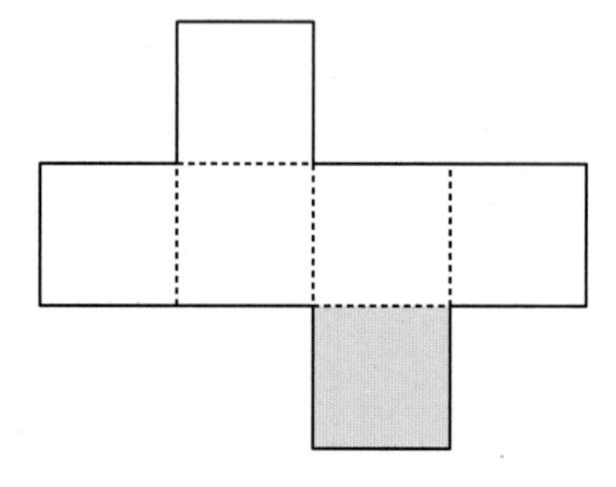

3

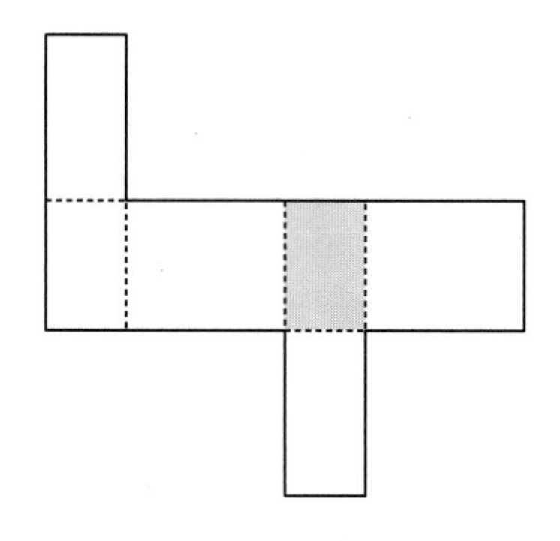

4

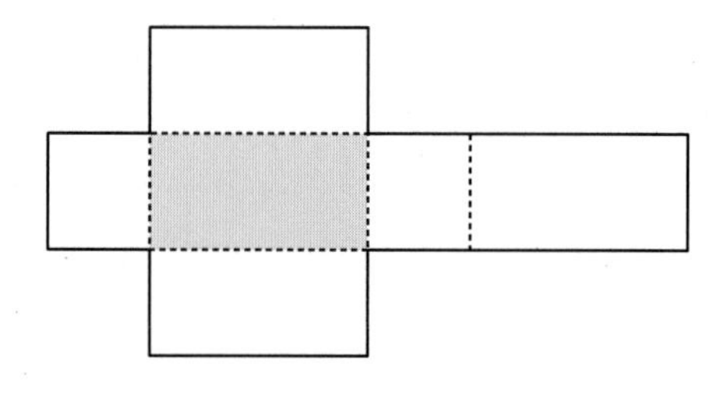

[5~8] 전개도를 접어서 정육면체 또는 직육면체를 만들었습니다. 색칠한 면과 수직인 면에 모두 색칠해 보세요.

5

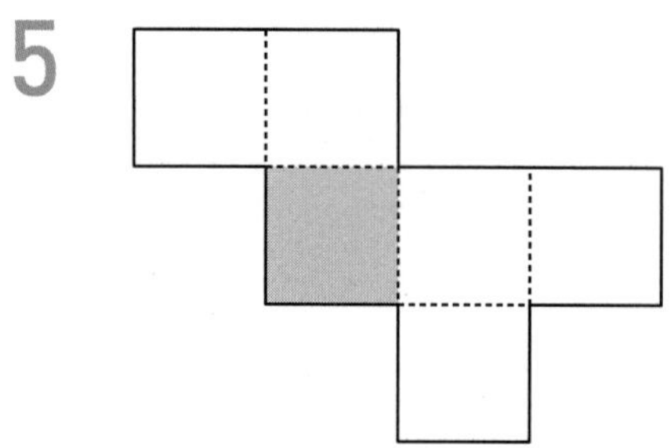

6

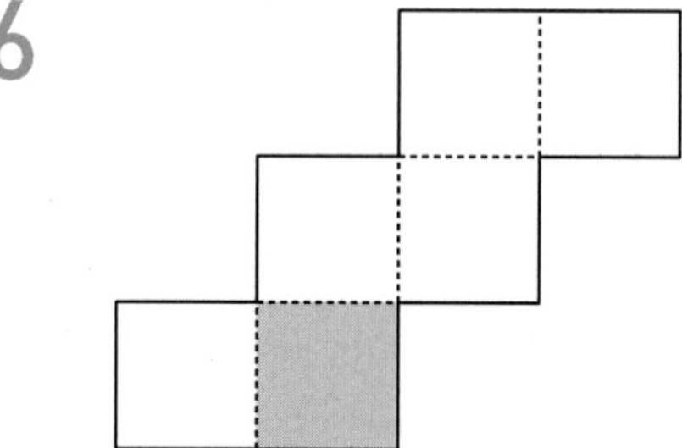

7

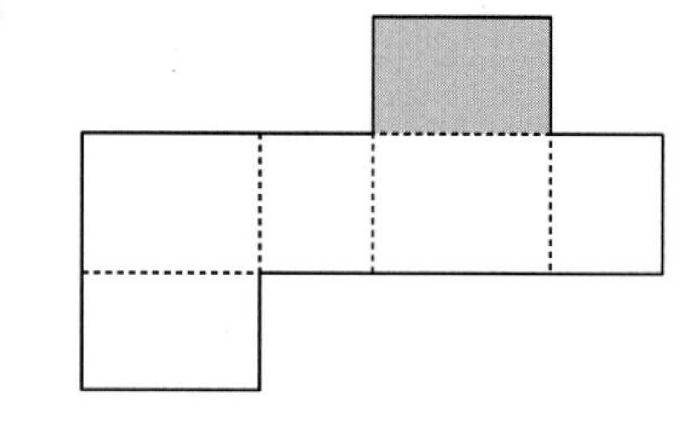

8

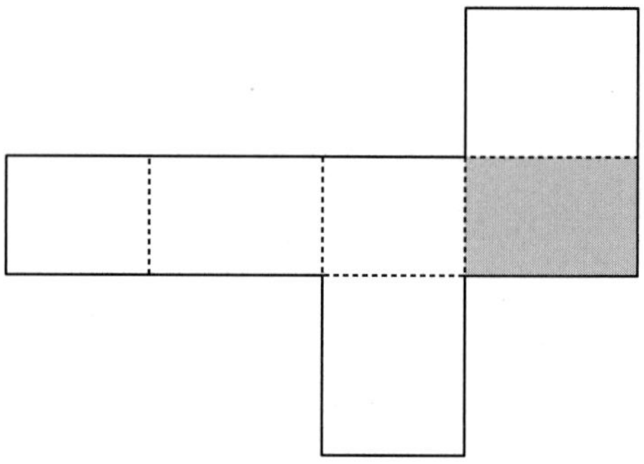

[9~14] 정육면체 또는 직육면체의 전개도이면 ○표, 아니면 ×표 하세요.

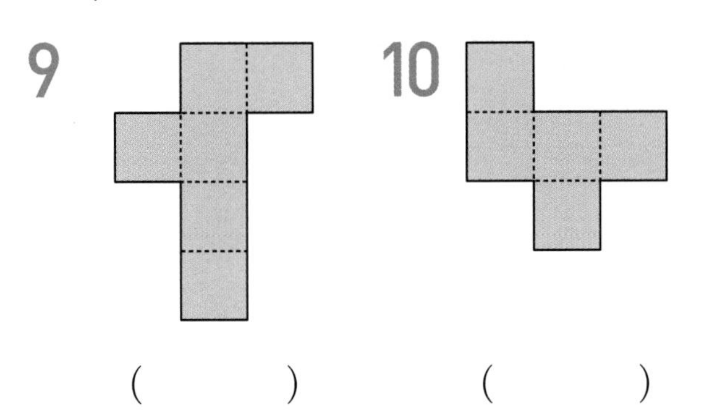

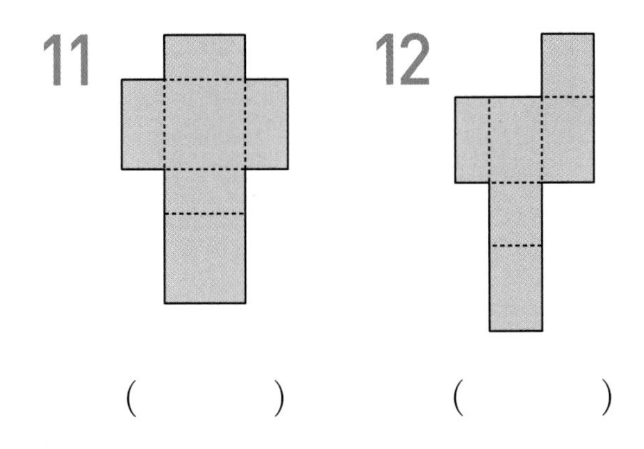

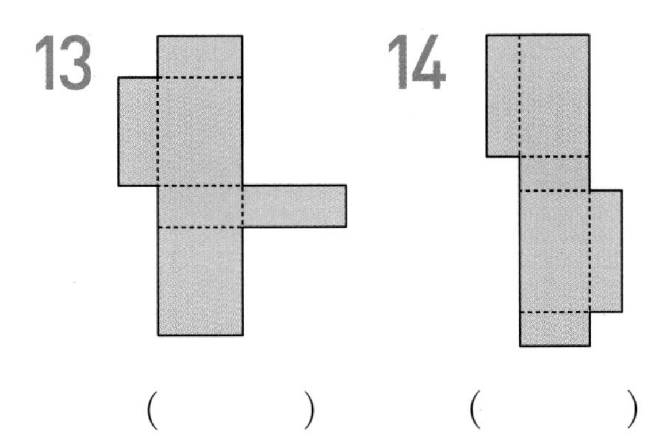

[15~17] 정육면체 또는 직육면체의 전개도를 완성해 보세요.

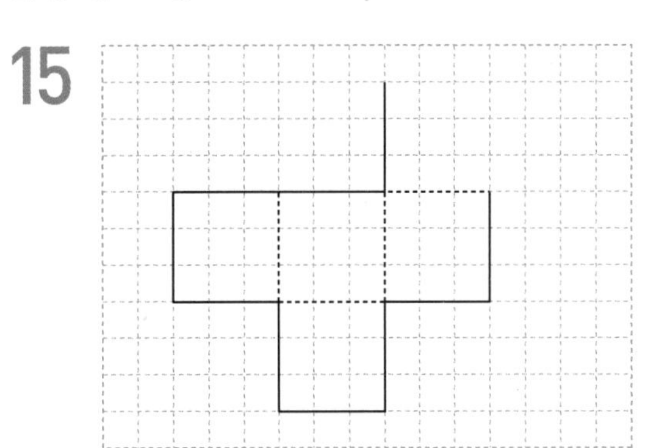

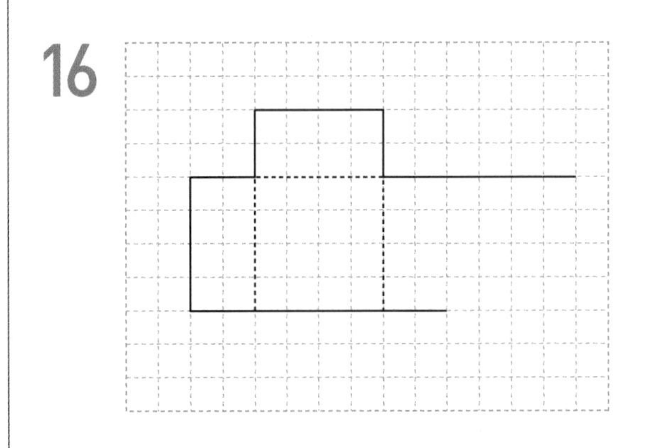

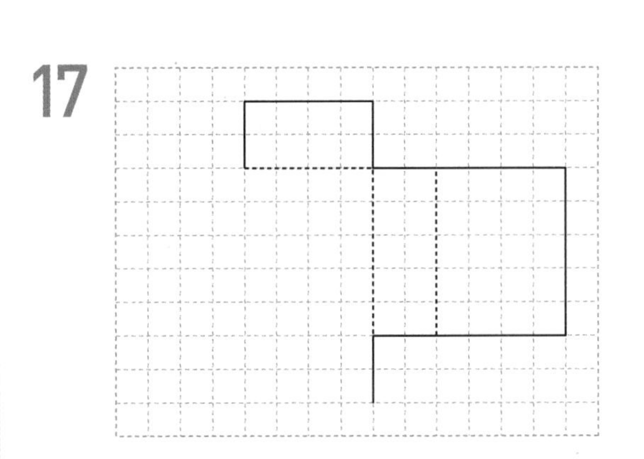

교과서 개념 확인 문제

1 전개도를 접어서 정육면체를 만들었을 때 색칠한 면과 평행한 면에 색칠해 보세요.

(1)

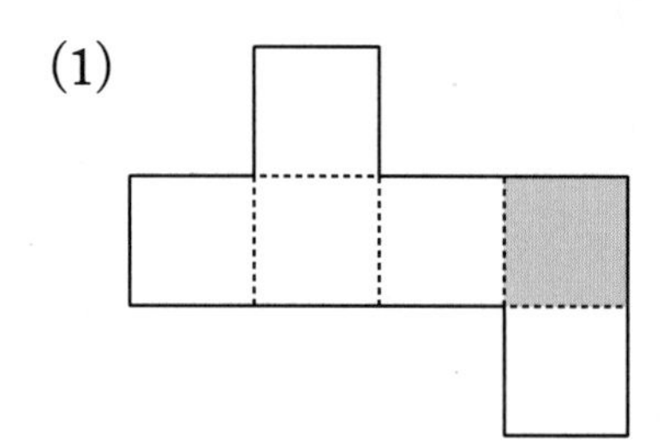

(2)

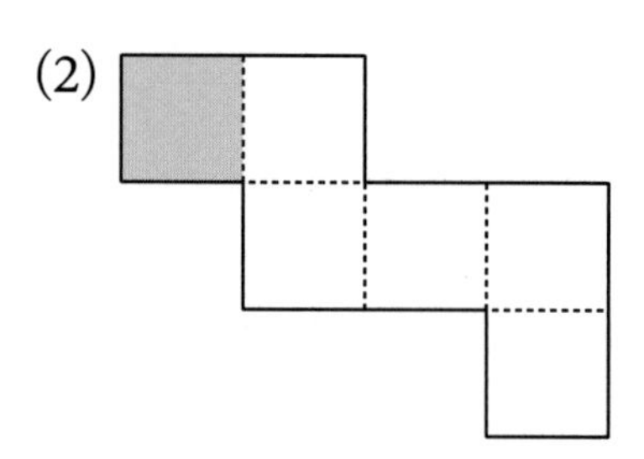

2 전개도를 접어서 정육면체를 만들었습니다. 물음에 답하세요.

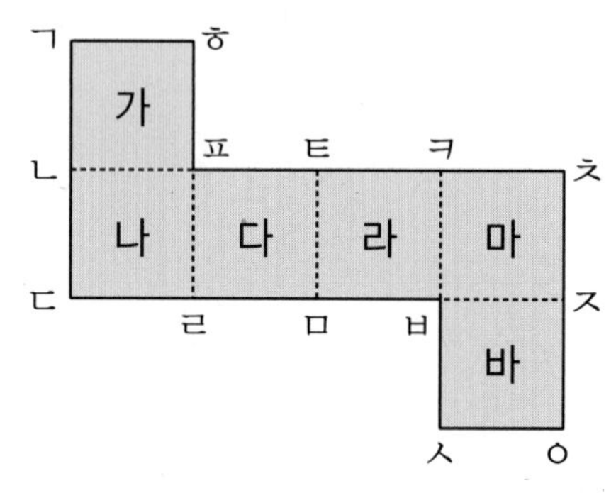

(1) 면 가와 수직인 면을 모두 찾아 써 보세요.

(　　　　　　　　　　　　)

(2) 선분 ㄹㅁ과 겹쳐지는 선분을 찾아 써 보세요.

(　　　　　　　　)

3 정육면체의 전개도를 바르게 그린 것에 ○표 하세요.

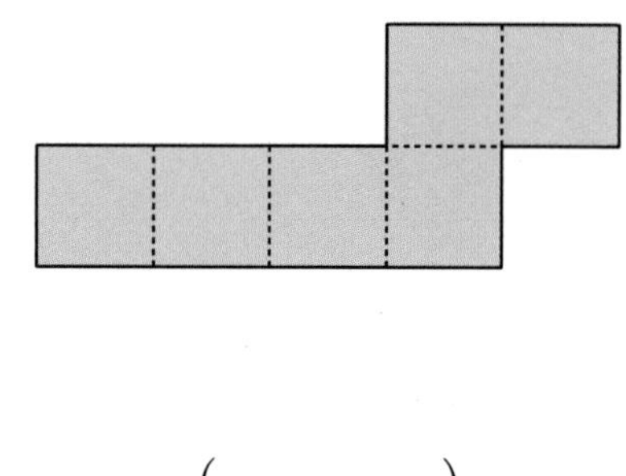

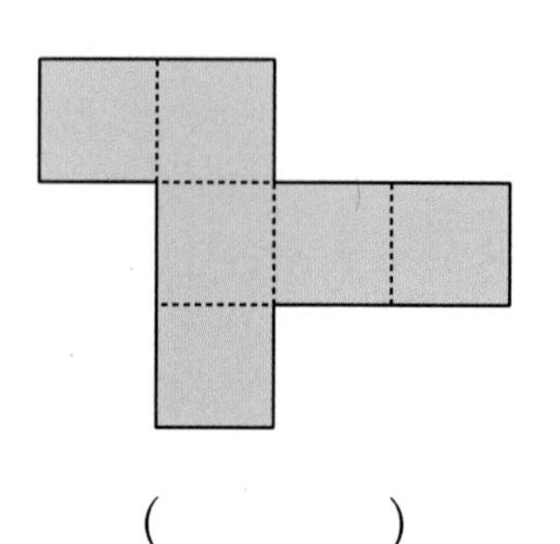

(　　　　)　　　　(　　　　)

[4~7] 전개도를 접어서 직육면체를 만들었습니다. 물음에 답하세요.

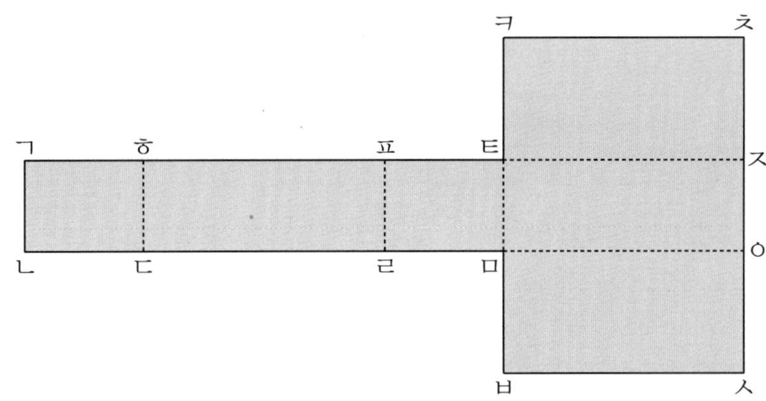

4 면 ㅎㄷㄹㅍ과 마주 보는 면을 찾아 써 보세요.

└→ 평행한 면

(　　　　　　　　　　)

5 점 ㅂ과 만나는 점을 찾아 써 보세요.

(　　　　　　　　　　)

6 면 ㄱㄴㄷㅎ과 만나는 면을 모두 찾아 써 보세요.

└→ 수직인 면

(　　　　　　　　　　　　　　　　)

7 선분 ㄱㅎ과 겹쳐지는 선분을 찾아 써 보세요.

(　　　　　　　　　　)

5 단원

8 직육면체의 전개도가 아닌 것을 찾아 기호를 써 보세요.

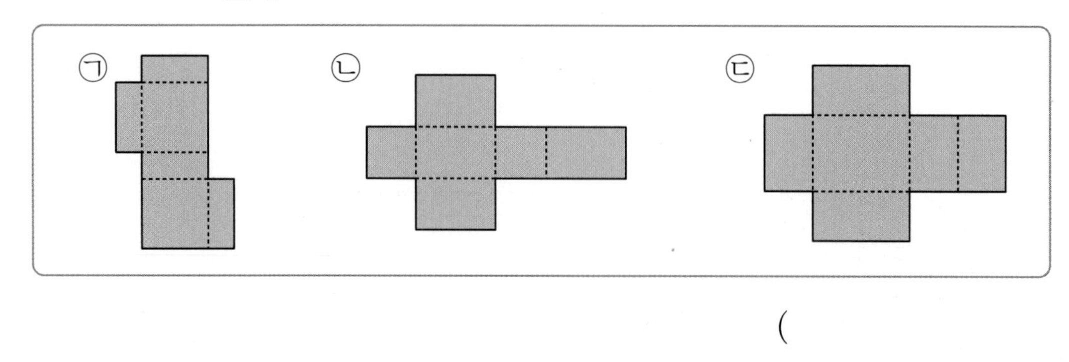

( )

9 직육면체의 전개도입니다. ☐ 안에 알맞은 수를 써넣으세요.

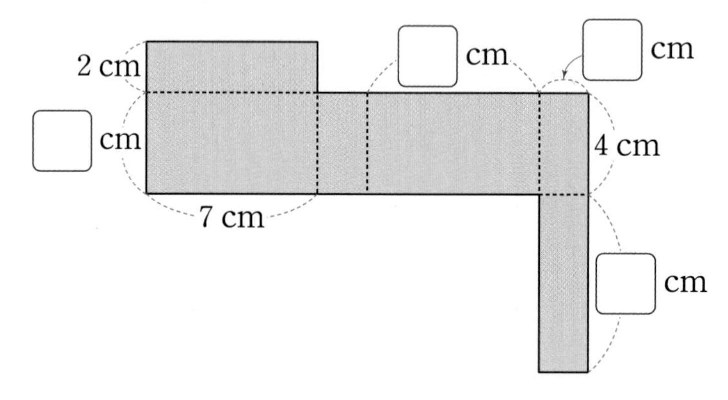

10 직육면체의 모서리를 잘라서 직육면체의 전개도를 만들었습니다. ☐ 안에 알맞은 기호를 써넣으세요.

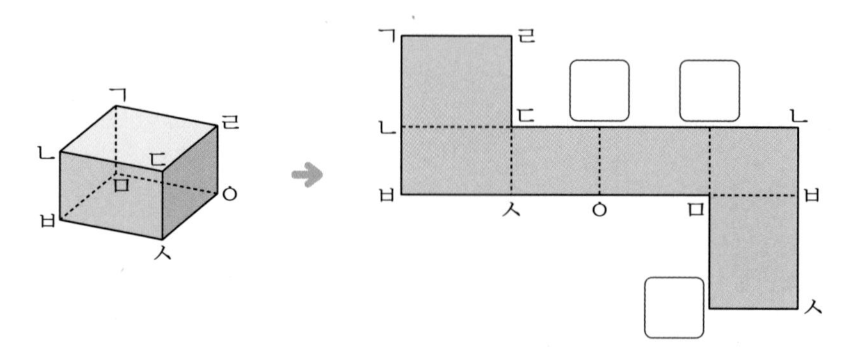

11 직육면체를 보고 전개도를 완성해 보세요.

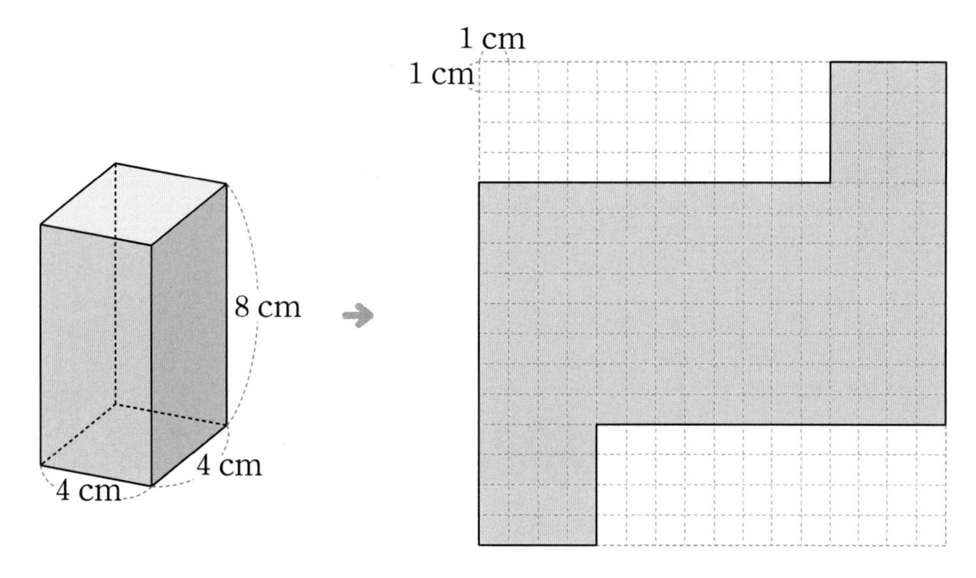

12 직육면체의 전개도를 잘못 그린 것입니다. 잘못 그린 이유를 써 보세요.

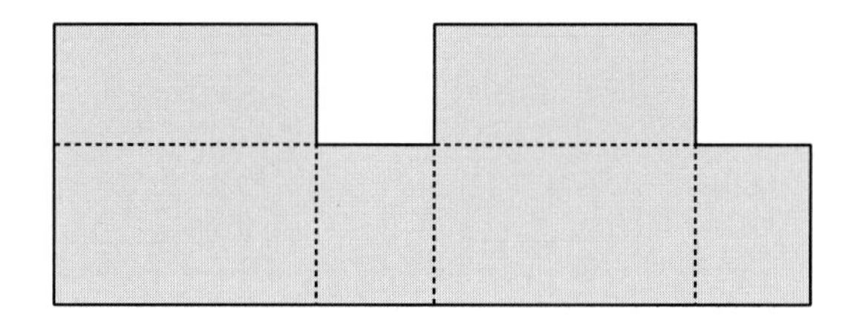

이유 ______________________

____

13 직육면체의 겨냥도를 보고 전개도를 완성해 보세요.

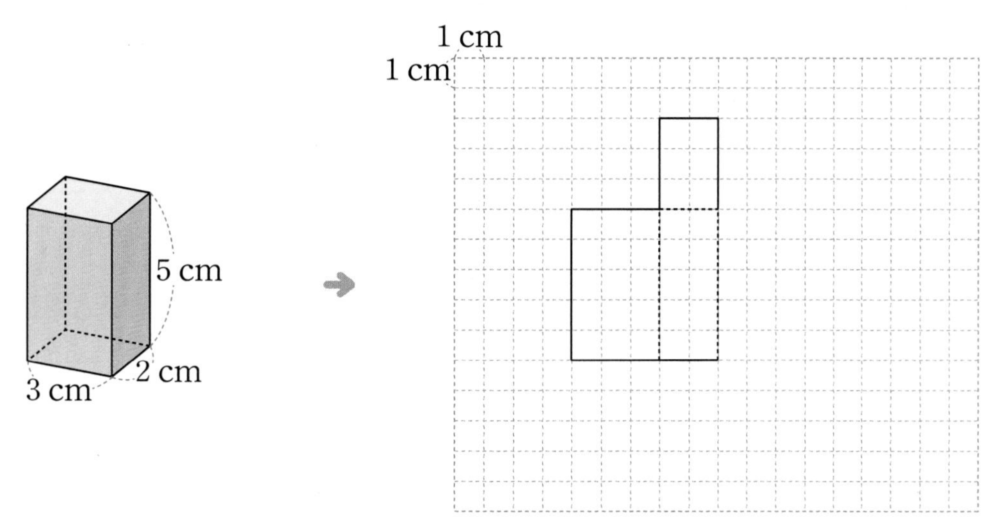

5 단원

개념 확인평가

5. 직육면체

맞은 개수

1 그림을 보고 물음에 답하세요.

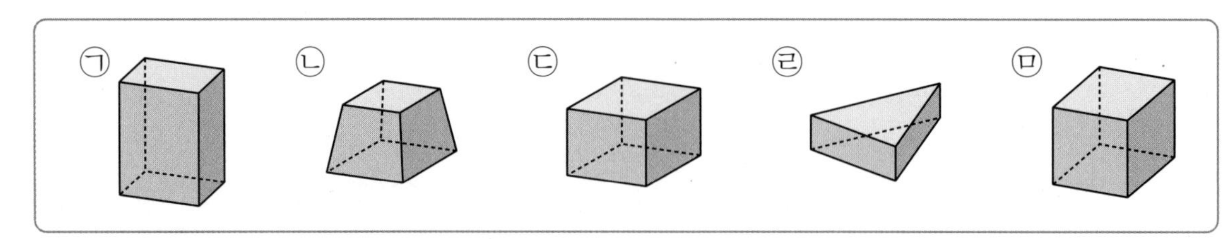

(1) 직육면체를 모두 찾아 기호를 써 보세요.

( )

(2) 정육면체를 찾아 기호를 써 보세요.

( )

2 직육면체를 보고 서로 평행한 면이 잘못 짝 지어진 것을 찾아 기호를 써 보세요.

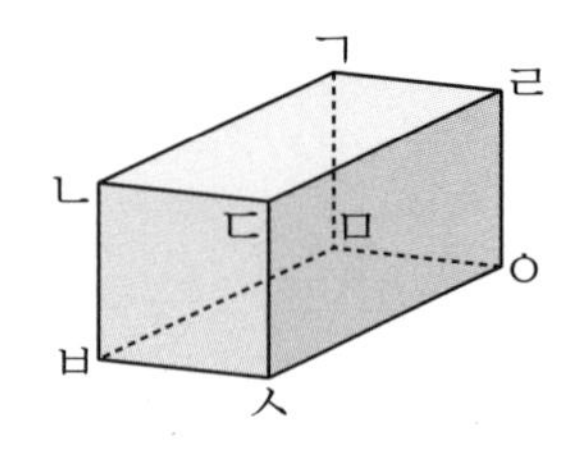

㉠ 면 ㄱㄴㄷㄹ과 면 ㅁㅂㅅㅇ
㉡ 면 ㄴㅂㅅㄷ과 면 ㄱㄴㄷㄹ
㉢ 면 ㄱㅁㅇㄹ과 면 ㄴㅂㅅㄷ
㉣ 면 ㄷㅅㅇㄹ과 면 ㄴㅂㅁㄱ

( )

3 직육면체를 보고 빈칸에 알맞은 수를 써넣으세요.

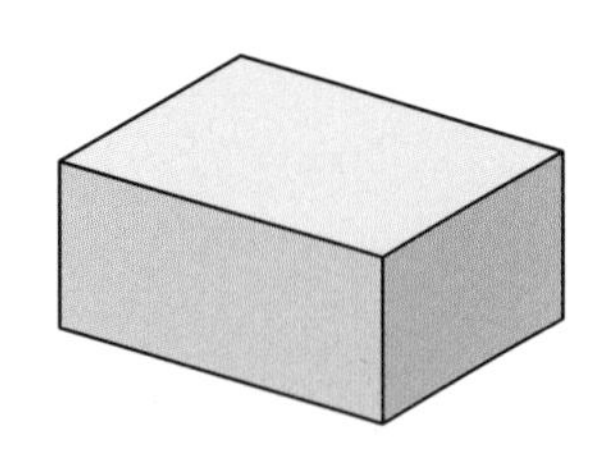

보이는 면의 수(개)	
보이는 모서리의 수(개)	
보이는 꼭짓점의 수(개)	

4 정육면체에서 보이지 않는 면과 보이지 않는 꼭짓점의 수의 합은 몇 개일까요?

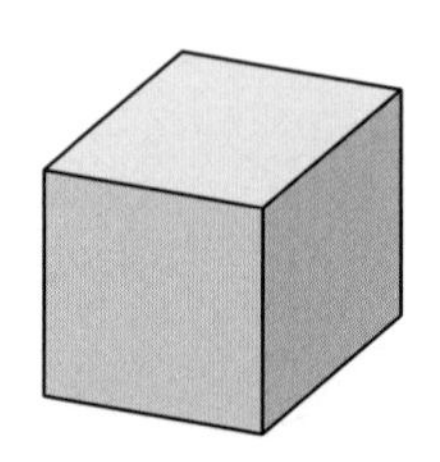

( )

5 직육면체의 겨냥도를 잘못 그린 것입니다. 잘못 그린 이유를 바르게 설명한 친구의 이름을 써 보세요.

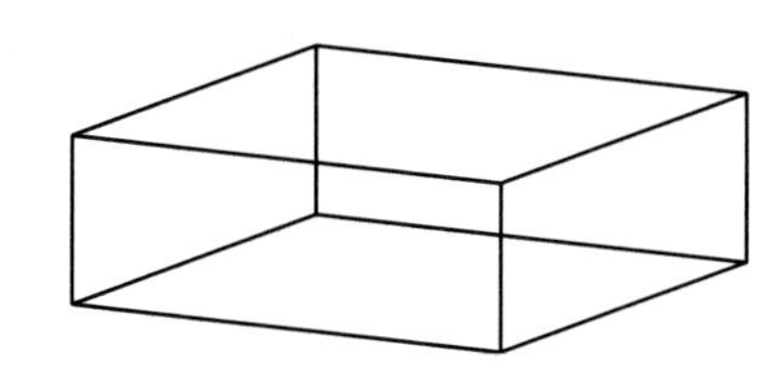

지훈: 보이지 않는 모서리를 실선으로 그리지 않았어.
민아: 보이지 않는 모서리를 점선으로 그리지 않았어.

(   )

6 전개도를 접어서 정육면체를 만들었을 때 면 마와 수직인 면을 모두 찾아 써 보세요.

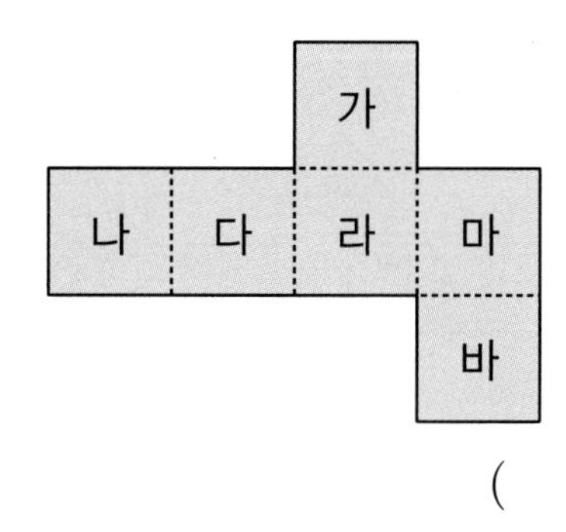

(   )

7 그림에서 빠진 부분을 그려 넣어 직육면체의 겨냥도를 완성해 보세요.

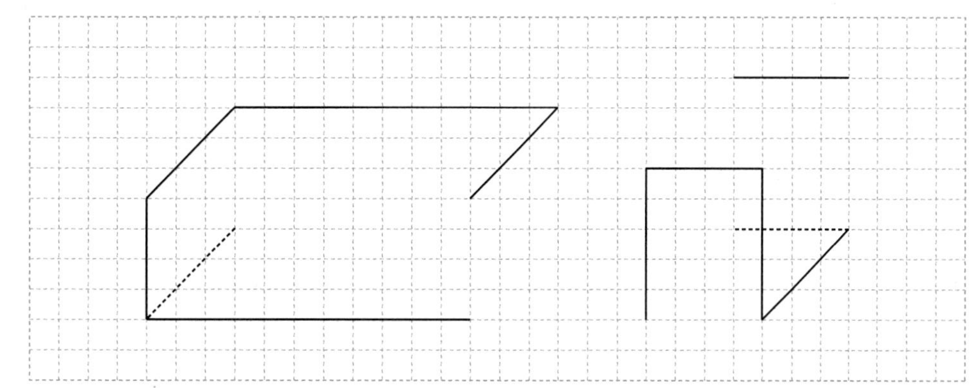

8 한 모서리의 길이가 3 cm인 정육면체 모양의 블록이 있습니다. 이 블록의 모서리 길이의 합은 몇 cm인지 구해 보세요.

(   )

5 단원

9 직육면체에서 면 ㄱㅁㅇㄹ과 평행한 면의 모서리의 길이의 합은 몇 cm인지 구해 보세요.

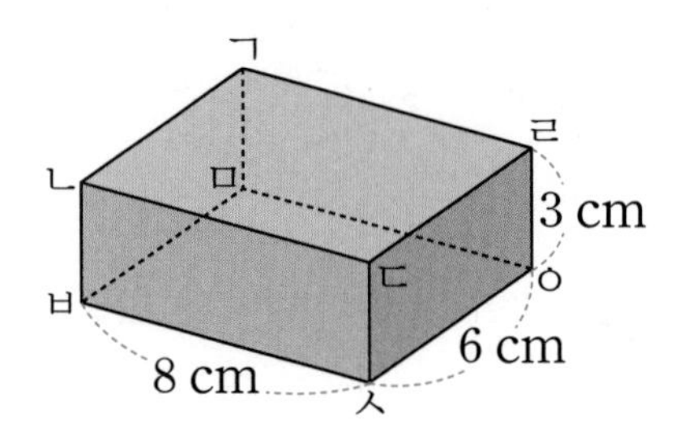

( )

10 직육면체에서 보이는 모서리의 길이의 합은 몇 cm인지 구해 보세요.

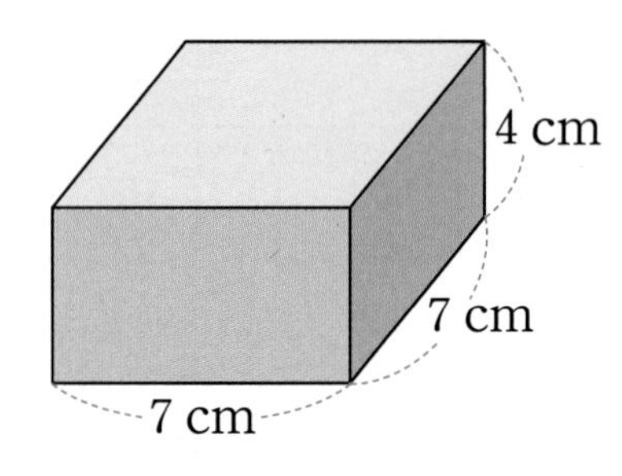

( )

11 직육면체의 겨냥도를 보고 전개도를 그려 보세요.

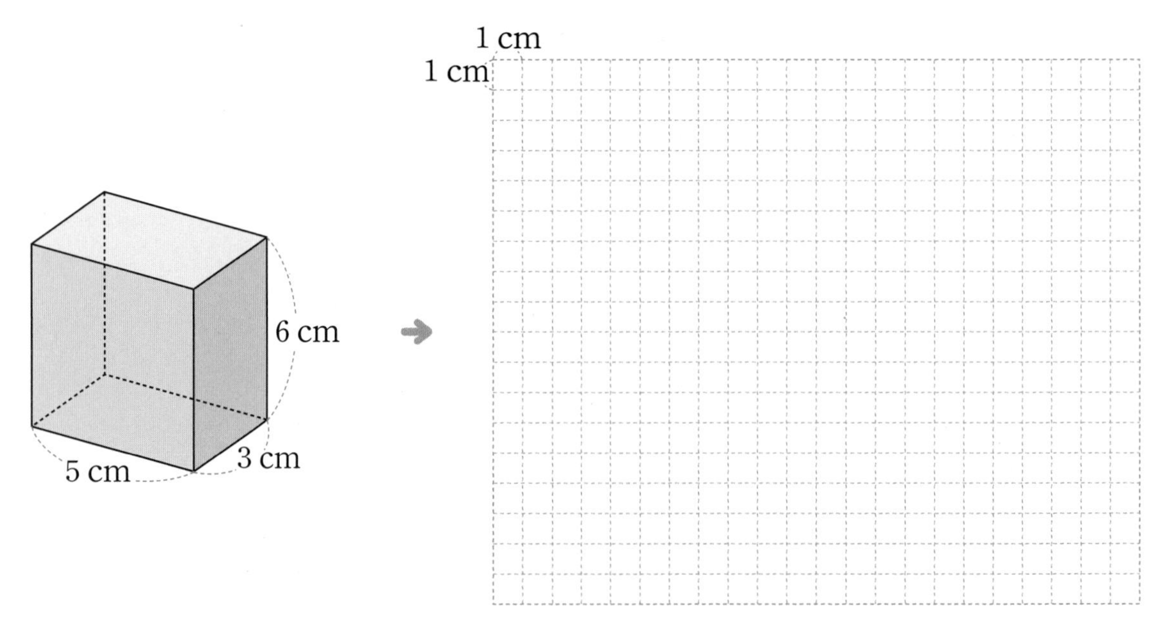

6 평균과 가능성

학습 계획표

내용	쪽수	날짜	확인
교과서 개념 잡기	146~149쪽	월 일	
교과서 개념 play / 집중! 드릴 문제	150~153쪽	월 일	
교과서 개념 확인 문제	154~157쪽	월 일	
교과서 개념 잡기	158~161쪽	월 일	
교과서 개념 play / 집중! 드릴 문제	162~165쪽	월 일	
교과서 개념 확인 문제	166~169쪽	월 일	
개념 확인평가	170~172쪽	월 일	

교과서 개념 잡기

개념 1 평균 알아보기

• 지호네 모둠의 제기차기 기록 8, 9, 7을 모두 더해 자료의 수 3으로 나눈 수 8은 지호네 모둠의 제기차기 기록을 대표하는 값으로 정할 수 있습니다. 이 값을 평균이라고 합니다.

지호네 모둠의 제기차기 기록

이름	지호	윤서	준영
제기차기 기록(개)	8	9	7

(지호네 모둠의 제기차기 기록의 합)
$=8+9+7=24$(개)
(지호네 모둠의 제기차기 기록의 평균)
$=24\div3=8$(개)

선우네 모둠의 제기차기 기록

이름	선우	지환	유미	재석
제기차기 기록(개)	6	5	4	9

(선우네 모둠의 제기차기 기록의 합)
$=6+5+4+9=24$(개)
(선우네 모둠의 제기차기 기록의 평균)
$=24\div4=6$(개)

➜ 평균을 비교하면 8개>6개이므로 지호네 모둠이 더 잘했다고 할 수 있습니다.

(평균)=(자료의 값을 모두 더한 수)÷(자료의 수)

개념 2 평균 구하기 (1)

연수네 모둠이 넣은 화살 수

이름	연수	지민	하은	준태
넣은 화살 수(개)	4	3	6	7

방법1 자료의 값이 고르게 되도록 모형을 옮겨 평균 구하기

연수: 4개
지민: 3개
하은: 6개
준태: 7개

1개 옮김.
2개 옮김.

➜ 평균: 5개

방법2 자료의 값을 모두 더하고 자료의 수로 나누어 평균 구하기

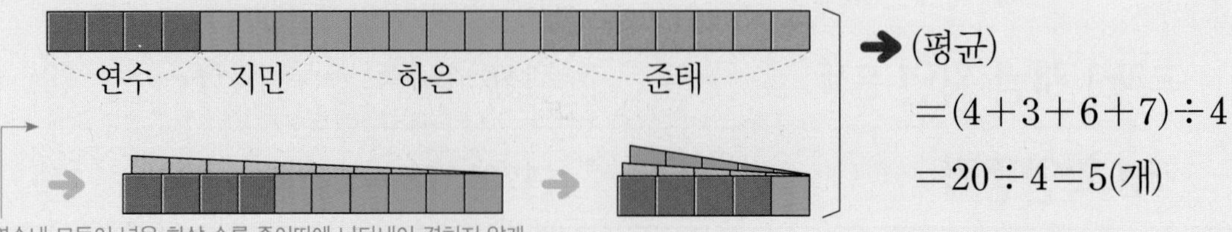

연수네 모둠이 넣은 화살 수를 종이띠에 나타내어 겹치지 않게 이은 다음 4등분이 되도록 접어서 구할 수 있습니다.

➜ (평균)
$=(4+3+6+7)\div4$
$=20\div4=5$(개)

정답과 풀이 p.37

1

종수네 학교 5학년 학급별 학생 수를 나타낸 표입니다. 물음에 답하세요.

학급별 학생 수

학급(반)	1	2	3	4	5
학생 수(명)	24	27	25	24	25

(1) 대표적으로 한 학급에 몇 명의 학생이 있다고 말할 수 있을까요?

(　　　　　　　　)

(2) 한 학급당 학생 수를 정하는 올바른 방법에 ○표 하세요.

방법	○표
각 학급의 학생 수 24, 27, 25, 24, 25 중 가장 큰 수인 27로 정합니다.	
각 학급의 학생 수 24, 27, 25, 24, 25 중 가장 작은 수인 24로 정합니다.	
각 학급의 학생 수 24, 27, 25, 24, 25를 고르게 하면 25, 25, 25, 25, 25이므로 25로 정합니다.	

(3) 한 학급에는 평균 몇 명의 학생이 있을까요?

(　　　　　　　　)

2

서진이네 모둠 친구들이 가지고 있는 모형입니다. □ 안에 알맞은 수를 써넣으세요.

모형을 옮겨 연결된 모형의 수를 고르게 하면 모형은 각각 □개씩 연결되므로 평균은 □개입니다.

6 단원

개념 3 평균 구하기 (2)

현수의 기말고사 점수

과목	국어	수학	사회	과학
점수(점)	80	90	80	70

방법1 각 자료의 값을 고르게 하여 평균 구하기

평균을 80점으로 예상한 후 (80, 80), (90, 70)으로 수를 옮기고 짝 지어 자료의 값을 고르게 하여 구한 기말고사 점수의 평균은 80점입니다.

방법2 자료의 값을 모두 더해 자료의 수로 나누어 평균 구하기

(현수의 기말고사 점수의 평균)=(과목 점수를 모두 더한 수)÷(과목 수)

=(80+90+80+70)÷4=320÷4=80(점)

개념 4 평균 이용하기

• 평균 비교하기

모둠 친구 수와 모은 붙임딱지 수로 평균 비교하기

	모둠 1	모둠 2	모둠 3	모둠 4
모둠 친구 수(명)	4	5	4	6
모은 붙임딱지 수(장)	24	25	28	30
모은 붙임딱지 수의 평균(장)	6 ← 24÷4	5 ← 25÷5	7 ← 28÷4	5 ← 30÷6

(모둠별 모은 붙임딱지 수의 합)÷(모둠 친구 수)

➔ 1인당 모은 붙임딱지 수가 가장 많은 모둠은 평균이 가장 높은 모둠 3입니다.

• 평균을 이용하여 문제 해결하기

지호네 모둠의 턱걸이 기록의 평균이 9개일 때 수정이의 턱걸이 기록 구하기

지호네 모둠의 턱걸이 기록

이름	지호	준영	예서	수정
턱걸이 기록(개)	7	11	8	

(턱걸이 기록의 합)=9×4=36(개), (수정이의 턱걸이 기록)=36−(7+11+8)=10(개)

평균을 알 때 모르는 자료의 값을 구하는 방법

(자료의 값을 모두 더한 수)=(평균)×(자료의 수)

➔ (모르는 자료의 값)=(자료의 값을 모두 더한 수)−(아는 자료의 값을 모두 더한 수)

1 성민이네 모둠이 읽은 책 수를 나타낸 표입니다. □ 안에 알맞은 수를 써넣어 성민이네 모둠이 읽은 책 수의 평균을 구해 보세요.

성민이네 모둠이 읽은 책 수

이름	성민	진아	현수	경현	주영
읽은 책 수(권)	5	4	3	6	7

(1) 평균을 5권으로 예상하여 평균을 구해 보세요.

5, (4, □), (3, □)로 수를 옮기고 짝 지어 자료의 값을 고르게 하여 구한 평균은 □권입니다.

(2) 자료의 값을 모두 더해 자료의 수로 나누어 평균을 구해 보세요.

(□+□+□+□+□)÷5=□÷5=□(권)

2 동혁이네 모둠과 영진이네 모둠의 윗몸 말아 올리기 기록을 나타낸 표입니다. 물음에 답하세요.

동혁이네 모둠의 윗몸 말아 올리기

이름	동혁	혜승	예원	민수
기록(회)	21	16	18	17

영진이네 모둠의 윗몸 말아 올리기

이름	영진	보미	진수
기록(회)	18	22	20

(1) 동혁이네 모둠의 윗몸 말아 올리기 기록의 평균을 구하려고 합니다. □ 안에 알맞은 수를 써넣으세요.

(□+□+□+□)÷□=□÷□=□(회)

(2) 영진이네 모둠의 윗몸 말아 올리기 기록의 평균을 구하려고 합니다. □ 안에 알맞은 수를 써넣으세요.

(□+□+□)÷□=□÷□=□(회)

(3) 어느 모둠이 더 잘했다고 볼 수 있을까요?

(　　　　　　　　)

6 단원

교과서 개념 play 종이류 분리배출하기

준비물 붙임딱지

아파트 재활용품 분리수거 날입니다. 각 동별로 모은 종이류 무게의 평균으로 알맞은 붙임딱지를 붙여 보세요.

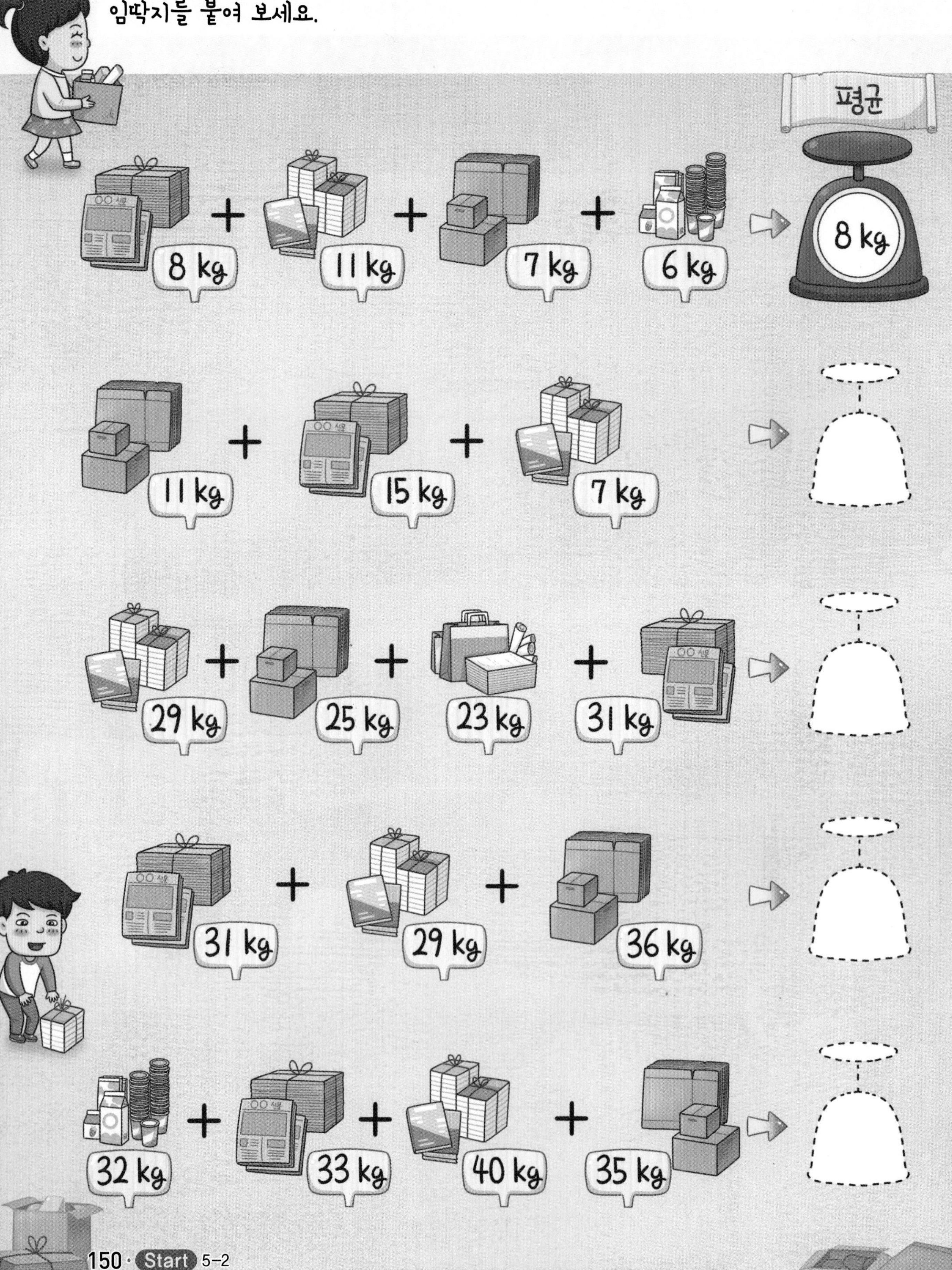

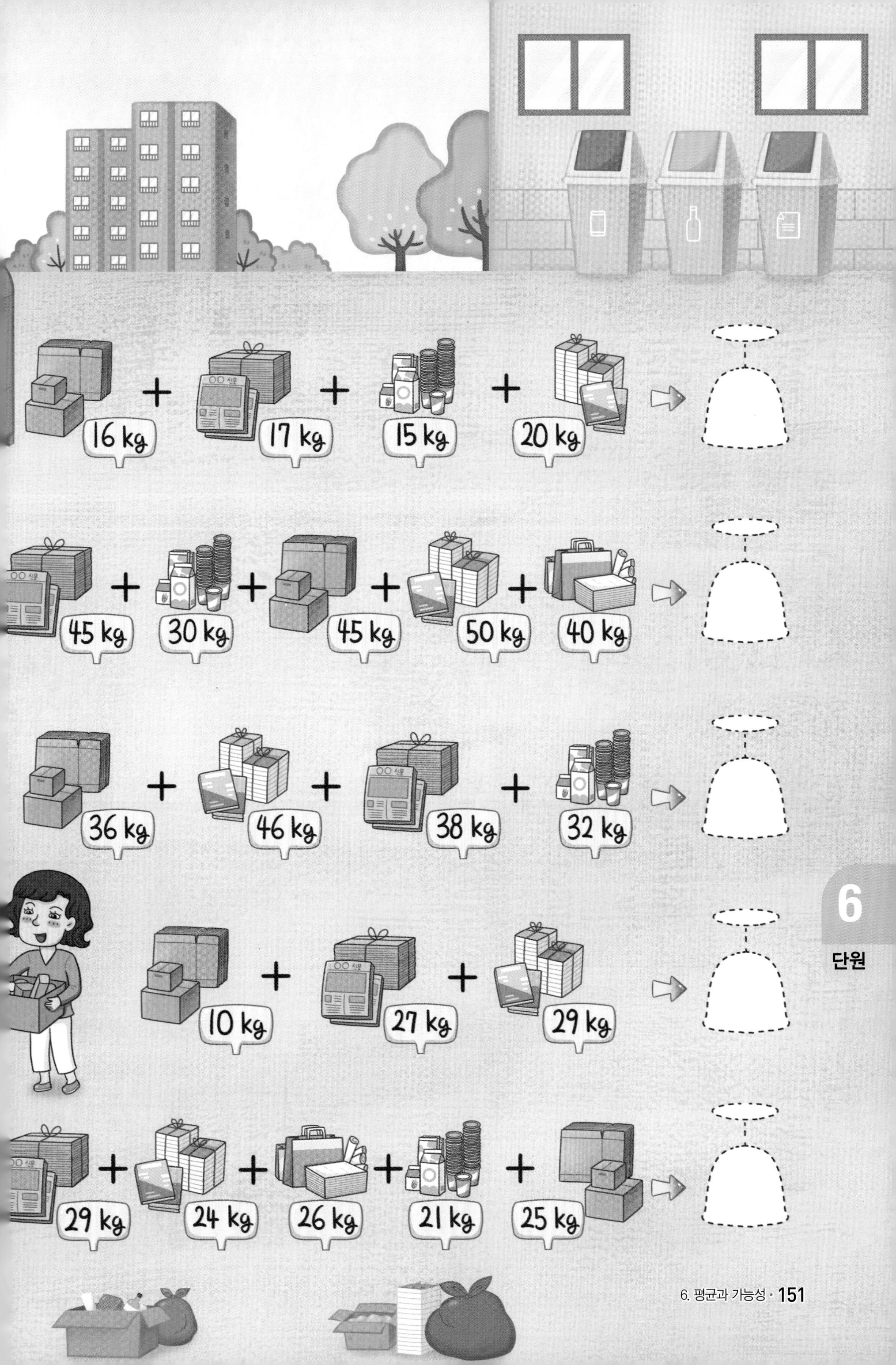
16 kg
17 kg
15 kg
20 kg
45 kg
30 kg
45 kg
50 kg
40 kg
36 kg
46 kg
38 kg
32 kg
10 kg
27 kg
29 kg
29 kg
24 kg
26 kg
21 kg
25 kg
6
단원

집중! 드릴 문제

[1~4] 표를 보고 평균을 구해 보세요.

1

농구팀의 경기별 얻은 점수

경기	첫 번째	두 번째	세 번째
얻은 점수(점)	80	100	90

( )

2

마신 우유의 양

이름	현기	승하	지민
우유의 양(mL)	150	380	220

( )

3

회별 제기차기 기록

회	1회	2회	3회	4회
기록(개)	7	5	4	8

( )

4

대출한 도서의 수

이름	성연	보람	준기	명훈
도서의 수(권)	11	8	4	9

( )

[5~8] 표를 보고 평균을 구해 보세요.

5

요일별 최고 기온

요일	월	화	수	목	금
기온(℃)	11	16	13	17	18

( )

6

요일별 독서 시간

요일	월	화	수	목	금
독서 시간(분)	30	25	36	42	32

( )

7

과목별 점수

과목	국어	영어	수학	사회	과학
점수(점)	75	95	80	90	70

( )

8

요일별 방문자 수

요일	월	화	수	목	금
방문자 수(명)	145	117	150	135	153

( )

[9~11] 모둠별 평균을 구하고 평균이 가장 높은 모둠을 써 보세요.

9

	모둠 1	모둠 2	모둠 3
학생 수(명)	3	5	4
기록(개)	18	25	28
평균(개)			

( )

10

	모둠 1	모둠 2	모둠 3
학생 수(명)	8	6	9
모은 딱지 수(장)	88	72	90
평균(장)			

( )

11

	모둠 1	모둠 2	모둠 3
학생 수(명)	4	6	5
공부 시간(분)	224	330	270
평균(분)			

( )

[12~15] 표를 보고 빈칸에 알맞은 수를 써넣으세요.

12

민서네 모둠의 키

이름	민서	주현	경준	평균
키(cm)	137	141		140

13

마을별 사과 생산량

마을	가	나	다	평균
생산량(kg)	268		352	320

14

학급별 학생 수

학급(반)	1	2	3	4	평균
학생 수(명)	28		24	31	29

15

영채네 모둠의 줄넘기 기록

이름	영채	수민	진우	형식	평균
기록(번)	67	48	54		61

교과서 개념 확인 문제

1 시윤이네 양계장에서 5일 동안 닭들이 낳은 달걀 수를 나타낸 표입니다. 물음에 답하세요.

5일 동안 닭들이 낳은 달걀 수

요일	월	화	수	목	금
달걀 수(개)	37	41	39	40	43

(1) 하루에 낳은 달걀 수를 정하는 올바른 방법을 말한 사람의 이름을 써 보세요.

시윤: 요일별 낳은 달걀 수 37, 41, 39, 40, 43 중 가장 큰 수인 43이나 가장 작은 수인 37로 정하면 돼.

혜진: 요일별 낳은 달걀 수 37, 41, 39, 40, 43을 고르게 하면 40, 40, 40, 40, 40이 되므로 40으로 정하면 돼.

(   )

(2) 5일 동안 닭들이 낳은 달걀 수는 모두 몇 개일까요?

(   )

(3) 하루에 낳은 달걀 수는 평균 몇 개일까요?

(   )

2 길이가 각각 15 cm, 24 cm, 21 cm인 색 테이프 길이의 평균을 구하려고 합니다. 물음에 답하세요.

15 cm　　24 cm　　21 cm

(1) 색 테이프를 겹치지 않게 한 줄로 이은 전체 길이는 몇 cm일까요?

(   )

(2) 색 테이프 길이의 평균은 몇 cm일까요?

(   )

정답과 풀이 p.39

[3~6] 윤지네 모둠과 성우네 모둠의 단체 줄넘기 기록을 나타낸 표입니다. 물음에 답하세요.

윤지네 모둠의 단체 줄넘기 기록

회	1회	2회	3회	4회
기록(번)	13	20	16	19

성우네 모둠의 단체 줄넘기 기록

회	1회	2회	3회
기록(번)	21	14	25

3

윤지네 모둠의 줄넘기 기록의 합계와 평균을 각각 구해 보세요.

합계 (　　　　　　　)
평균 (　　　　　　　)

4

성우네 모둠의 줄넘기 기록의 합계와 평균을 각각 구해 보세요.

합계 (　　　　　　　)
평균 (　　　　　　　)

5

줄넘기 기록의 평균을 비교해 보고 알맞은 말에 ○표 하세요.

줄넘기 기록의 평균이 (윤지 , 성우)네 모둠이 더 많으므로 (윤지 , 성우)네 모둠이 더 줄넘기를 잘했습니다.

6

두 모둠의 단체 줄넘기 기록에 대해 잘못 말한 친구는 누구일까요?

윤지네 모둠은 총 68번, 성우네 모둠은 총 60번의 줄넘기를 했지만 두 모둠의 줄넘기 횟수가 다르므로 기록의 총 개수만으로는 어느 모둠이 더 잘했는지 판단하기 어려워.

두 모둠의 단체 줄넘기 최고 기록을 비교하면 윤지네 모둠이 20번, 성우네 모둠이 25번이니까 성우네 모둠이 더 잘했어.

두 모둠의 단체 줄넘기 기록의 평균을 구해 보면 어느 모둠이 더 잘했는지 비교할 수 있어.

(　　　　　　　)

6 단원

[7~9] 지난주 월요일부터 금요일까지 최고 기온을 나타낸 표입니다. 물음에 답하세요.

요일별 최고 기온

요일	월	화	수	목	금
기온(℃)	7	6	4	5	8

7 지난주 요일별 최고 기온을 막대그래프로 나타내어 보세요.

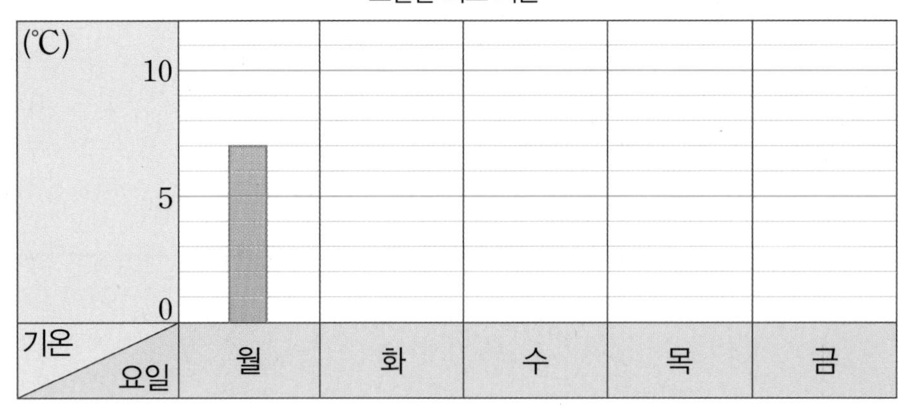

8 위 7의 막대그래프의 막대의 높이를 고르게 하여 나타내어 보세요.

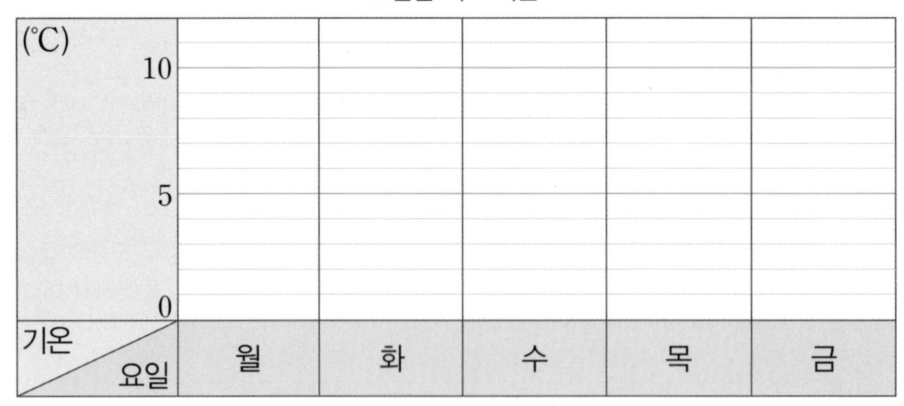

9 지난주 요일별 최고 기온의 평균은 몇 ℃일까요?

( )

정답과 풀이 p.39

10 종민이네 모둠의 몸무게를 나타낸 표입니다. 종민이네 모둠의 몸무게의 평균이 40 kg일 때 물음에 답하세요.

종민이네 모둠의 몸무게

이름	종민	서윤	준호	지성
몸무게(kg)	38	44	39	

(1) 종민이네 모둠은 모두 몇 명일까요?

( )

(2) 종민이네 모둠의 몸무게는 모두 몇 kg일까요?

( )

(3) 지성이의 몸무게는 몇 kg일까요?

( )

11 현우네 모둠과 민수네 모둠의 턱걸이 기록을 나타낸 표입니다. 두 모둠의 턱걸이 기록의 평균이 같을 때 물음에 답하세요.

현우네 모둠의 턱걸이 기록

이름	현우	선민	경서	슬기
기록(개)	12	6	7	11

민수네 모둠의 턱걸이 기록

이름	민수	기범	영재	정호	한영
기록(개)	9	11		7	10

(1) 현우네 모둠의 턱걸이 기록의 평균은 몇 개일까요?

( )

(2) 민수네 모둠의 턱걸이 기록은 모두 몇 개일까요?

( )

(3) 영재의 턱걸이 기록은 몇 개일까요?

( )

교과서 개념 잡기

개념 5 일이 일어날 가능성을 말로 표현하기

• 가능성은 어떠한 상황에서 특정한 일이 일어나길 기대할 수 있는 정도를 말합니다.
가능성의 정도는 불가능하다, ~아닐 것 같다, 반반이다, ~일 것 같다, 확실하다 등으로 표현할 수 있습니다.

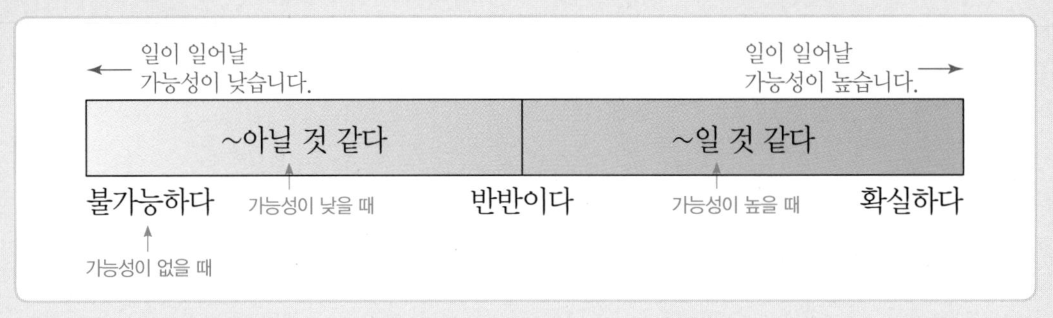

일 \ 가능성	불가능하다	~아닐 것 같다	반반이다	~일 것 같다	확실하다
검은색 구슬만 2개 들어 있는 주머니에서 꺼낸 구슬은 노란색일 것입니다.	○				
11월에 우리 반에 전학생이 올 것입니다. → 학기말에는 전학생이 거의 오지 않음.		○			
500원짜리 동전을 던지면 그림 면이 나올 것입니다. → 그림 면 또는 숫자 면			○		
우리나라는 7월에 3월보다 비가 자주 올 것입니다. → 우리나라는 6~7월이 장마기간임.				○	
1월 다음에는 2월이 올 것입니다.					○

→ 1월 다음 달이 2월임.

개념 6 일이 일어날 가능성을 비교하기

• 회전판을 돌렸을 때 화살이 파란색에 멈출 가능성 알아보기

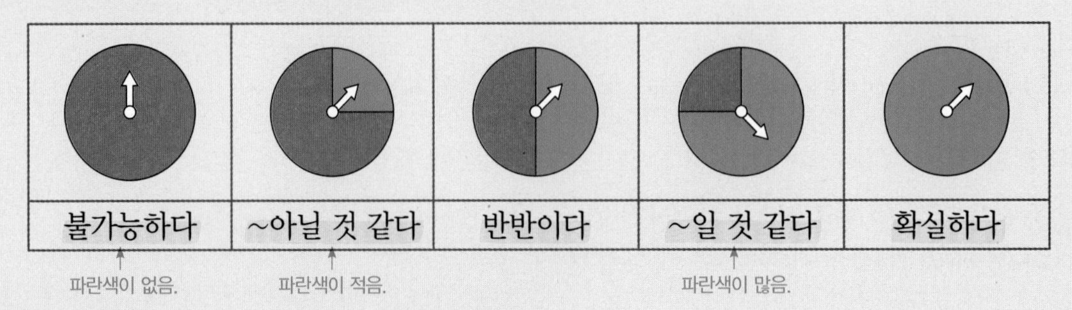

참고 일이 일어날 가능성이 높은 순서 알아보기

확실하다 > ~일 것 같다 > 반반이다 > ~아닐 것 같다 > 불가능하다

정답과 풀이 p.40

1 ▢ 안에 일이 일어날 가능성을 알맞게 써넣으세요.

← 일이 일어날 가능성이 낮습니다.　　　일이 일어날 가능성이 높습니다. →

~아닐 것 같다	▢

▢　　반반이다　　확실하다

2 일이 일어날 가능성을 찾아 알맞게 이어 보세요.

- 계산기로 [2] [+] [1] [=]을 눌렀을 때 3이 나올 것입니다. •　　　• 반반이다
- ○× 문제에서 ○라고 답했을 때 정답일 것입니다. •　　　• 확실하다

3 일이 일어날 가능성을 생각해 보고, 알맞게 표현한 곳에 ○표 해 보세요.

일 ＼ 가능성	불가능하다	~아닐 것 같다	반반이다	~일 것 같다	확실하다
오늘이 토요일이면 내일은 일요일일 것입니다.					
주사위를 한 번 굴리면 주사위 눈의 수가 2 이상으로 나올 것입니다.					
내년 3월의 날수는 32일일 것입니다.					
동전을 두 번 던지면 모두 숫자 면이 나올 것입니다.					
태어날 내 동생은 여자일 것입니다.					

개념 7 일이 일어날 가능성을 수로 표현하기

- 일이 일어날 가능성을 0, $\frac{1}{2}$, 1과 같이 수로 표현할 수 있습니다.

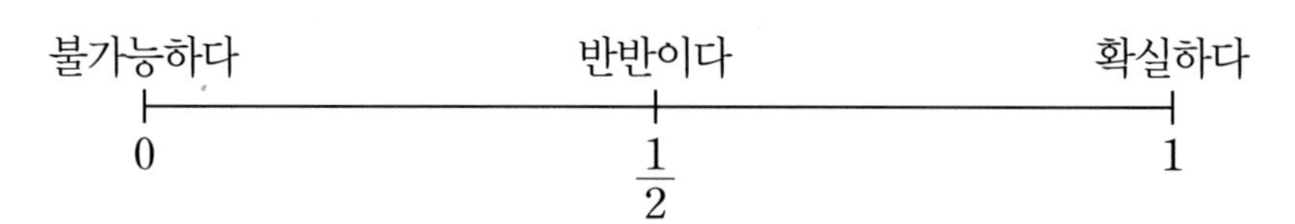

일이 일어날 가능성이 '불가능하다'인 경우를 수로 표현하면 0입니다.
일이 일어날 가능성이 '반반이다'인 경우를 수로 표현하면 $\frac{1}{2}$입니다.
일이 일어날 가능성이 '확실하다'인 경우를 수로 표현하면 1입니다.

- 회전판을 돌렸을 때 화살이 초록색 또는 주황색에 멈출 가능성을 말과 수로 표현하기

일	화살이 초록색에 멈출 가능성	화살이 주황색에 멈출 가능성
가능성을 말로 표현하기	확실하다	불가능하다
가능성을 수로 표현하기	1	0

- 동전을 던졌을 때 숫자 면 또는 그림 면이 나올 가능성을 말과 수로 표현하기

숫자 면

그림 면

일	숫자 면이 나올 가능성	그림 면이 나올 가능성
가능성을 말로 표현하기	반반이다	반반이다
가능성을 수로 표현하기	$\frac{1}{2}$	$\frac{1}{2}$

개념 Check

일이 일어날 가능성을 수로 표현하였습니다. 바르게 설명한 친구에게 ○표 하세요.

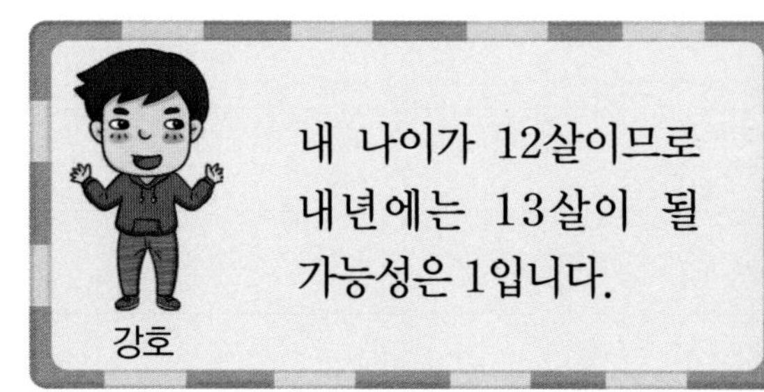

내 나이가 12살이므로 내년에는 13살이 될 가능성은 1입니다.
강호

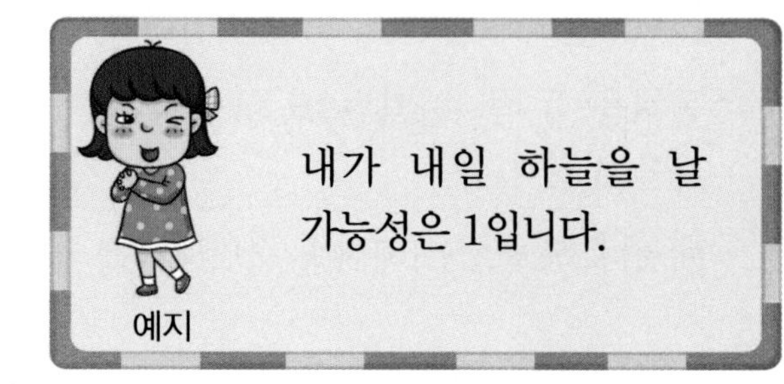

내가 내일 하늘을 날 가능성은 1입니다.
예지

1 일이 일어날 가능성을 수로 표현하려고 합니다. □ 안에 알맞은 수를 써넣으세요.

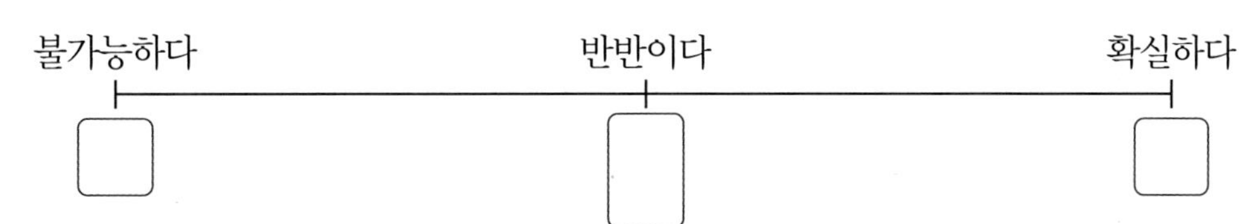

2 초록색 구슬이 2개 들어 있는 상자에서 구슬 1개를 꺼냈습니다. 알맞은 말에 ○표 하고 □ 안에 알맞은 수를 써넣으세요.

(1) 꺼낸 구슬이 초록색일 가능성은 (불가능하다 , 확실하다)이므로 수로 표현하면 □입니다.

(2) 꺼낸 구슬이 주황색일 가능성은 (불가능하다 , 확실하다)이므로 수로 표현하면 □입니다.

3 회전판을 돌렸을 때 화살이 멈출 가능성을 수로 표현하려고 합니다. □ 안에 알맞은 수를 써넣으세요.

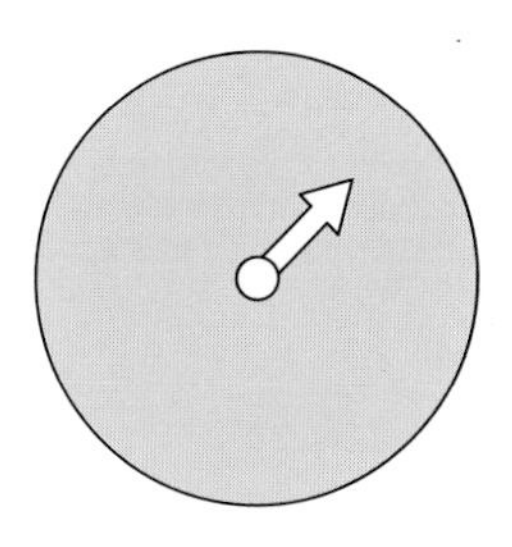

(1) 화살이 노란색에 멈출 가능성을 수로 표현하면 □입니다.

(2) 화살이 빨간색에 멈출 가능성을 수로 표현하면 □입니다.

6 단원

교과서 개념 play 일이 일어날 가능성 알아보기

준비물 붙임딱지

일이 일어날 가능성에 알맞게 붙임딱지를 붙여 보세요.

수학 체험전! 가능성

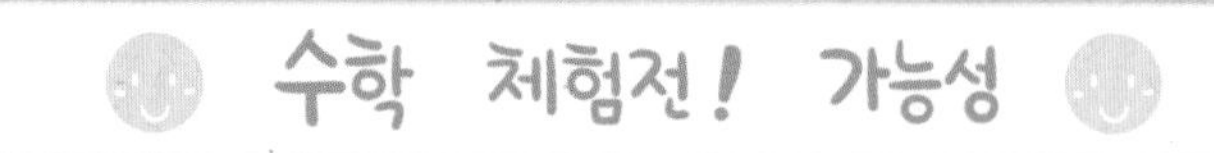

회전판을 돌릴 때 화살이 빨간색에 멈출 가능성

~아닐 것 같다	~일 것 같다

불가능하다 반반이다 확실하다

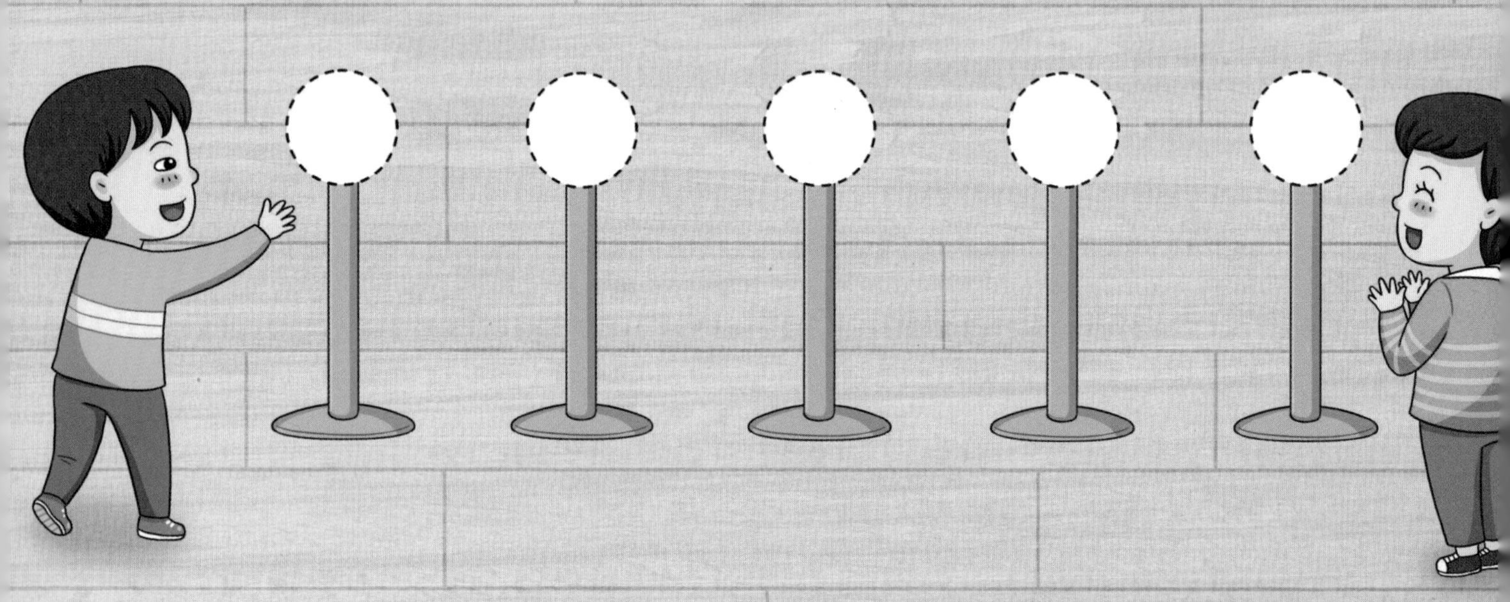

바둑돌을 1개 꺼낼 때 검은색 바둑돌일 가능성

~아닐 것 같다	~일 것 같다

불가능하다 반반이다 확실하다

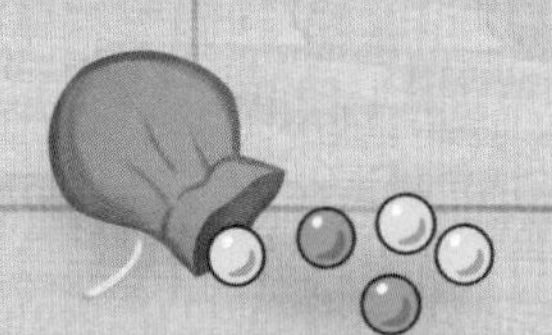

상자 안에 들어 있는 제비는 모두 4개입니다. 친구들의 이야기를 읽고 알맞은 제비 붙임딱지를 붙여 보세요. (단, 마지막 문제는 자유롭게 정하여 ☐ 안에 알맞은 수를 써넣고 붙임딱지를 붙여 보세요.)

6
단원

집중! 드릴 문제

[1~4] 일이 일어날 가능성에 대하여 알맞은 말을 보기 에서 찾아 써 보세요.

보기
불가능하다 반반이다 확실하다

1 내일 아침에 해가 서쪽에서 뜰 것입니다.

( )

2 100원짜리 동전을 던졌을 때 그림 면이 나올 것입니다.

( )

3 3과 4를 더하면 7이 될 것입니다.

( )

4 은행에서 뽑은 대기 번호표의 번호는 홀수일 것입니다.

( )

[5~8] 일이 일어날 가능성을 말과 수로 표현해 보세요.

5 하루는 24시간일 것입니다.

말 ( )
수 ( )

6 1부터 9까지 쓰인 9장의 수 카드에서 한 장을 뽑을 때 10이 나올 것입니다.

말 ( )
수 ( )

7 한 명의 아이가 태어날 때 여자 아이일 것입니다.

말 ( )
수 ( )

8 보라색 구슬 4개가 들어 있는 주머니에서 구슬을 1개 꺼냈을 때 꺼낸 구슬은 보라색 구슬일 것입니다.

말 ( )
수 ( )

[9~11] 일이 일어날 가능성을 수로 표현해 보세요.

9 동전을 한 개 던졌습니다.

(1) 숫자 면이 나올 가능성

( )

(2) 그림 면이 나올 가능성

( )

10 당첨 제비만 2개 들어 있는 제비뽑기 상자에서 제비 1개를 뽑았습니다.

(1) 뽑은 제비가 당첨 제비일 가능성

( )

(2) 뽑은 제비가 당첨 제비가 아닐 가능성

( )

11 1부터 6까지의 눈이 그려진 주사위를 한 번 굴렸습니다.

(1) 나온 눈의 수가 7일 가능성

( )

(2) 나온 눈의 수가 1 이상일 가능성

( )

(3) 나온 눈의 수가 짝수일 가능성

( )

[12~15] 회전판을 돌렸을 때 일이 일어날 가능성을 수로 표현해 보세요.

12 화살이 보라색에 멈출 가능성

( )

13 화살이 파란색에 멈출 가능성

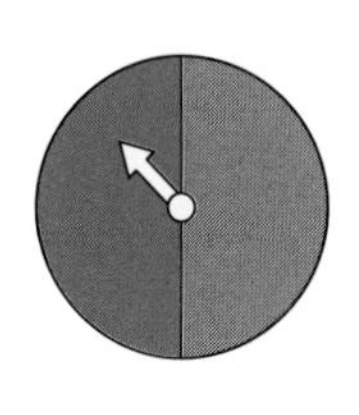

( )

14 화살이 보라색에 멈출 가능성

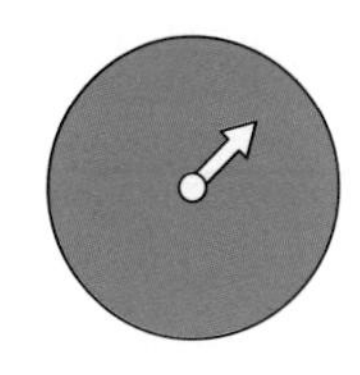

( )

15 화살이 초록색에 멈출 가능성

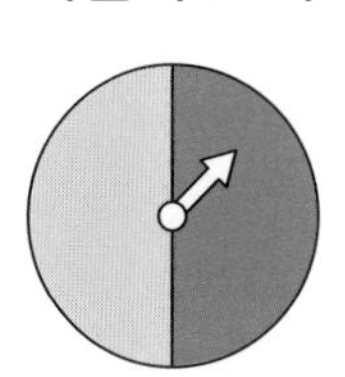

( )

6 단원

교과서 개념 확인 문제

1 사건이 일어날 가능성을 생각해 보고, 알맞게 표현한 곳에 ○표 하세요.

일 \ 가능성	불가능하다	반반이다	확실하다
내년에는 여름 다음에 가을이 올 것입니다.			
계산기로 [3][+][2][=]을 눌렀을 때 6이 나올 것입니다.			
주사위를 한 번 굴리면 주사위 눈의 수가 3보다 큰 수가 나올 것입니다.			

2 일이 일어날 가능성이 확실한 것을 찾아 기호를 써 보세요.

㉠ 한 명의 아이가 태어날 때 남자 아이일 가능성
㉡ 내일 해가 동쪽에서 뜰 가능성
㉢ 주사위를 굴렸을 때 나온 눈의 수가 8일 가능성

( )

3 일이 일어날 가능성을 바르게 이야기한 친구는 누구일까요?

1번부터 10번까지의 번호표가 들어 있는 상자 안에서 한 장을 꺼내면 11번 번호표일 것입니다.

불가능해.
반반이야.
확실해.
준하
현지
민수

( )

4 일이 일어날 가능성을 수직선에 ↓로 나타내어 보세요.

(1)

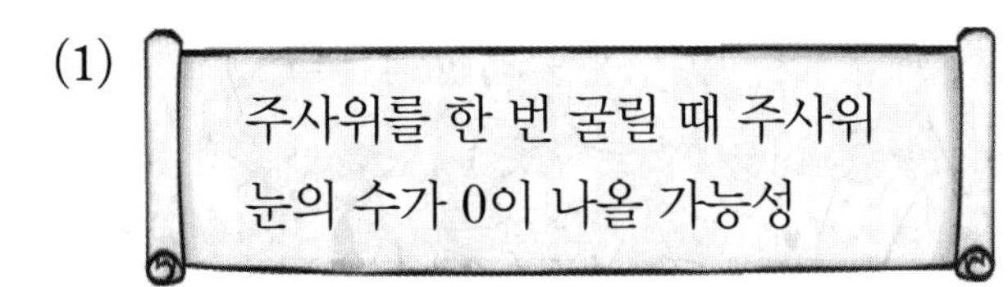

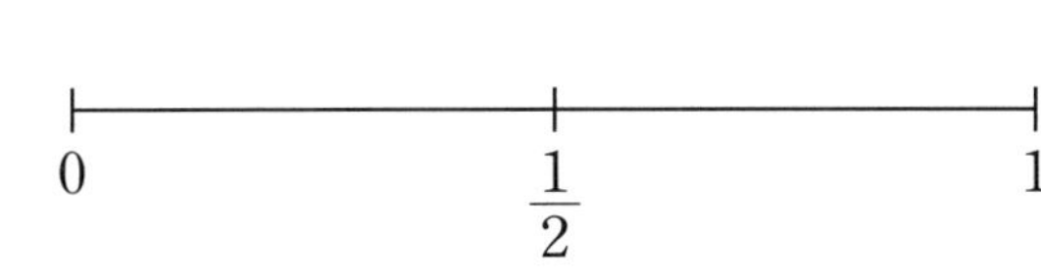

(2)

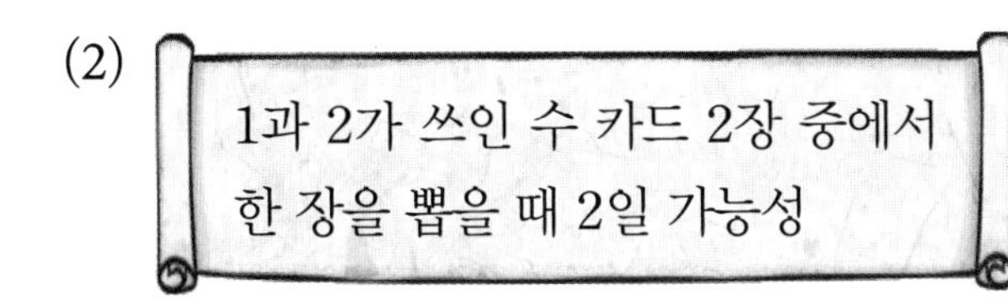

1과 2가 쓰인 수 카드 2장 중에서
한 장을 뽑을 때 2일 가능성

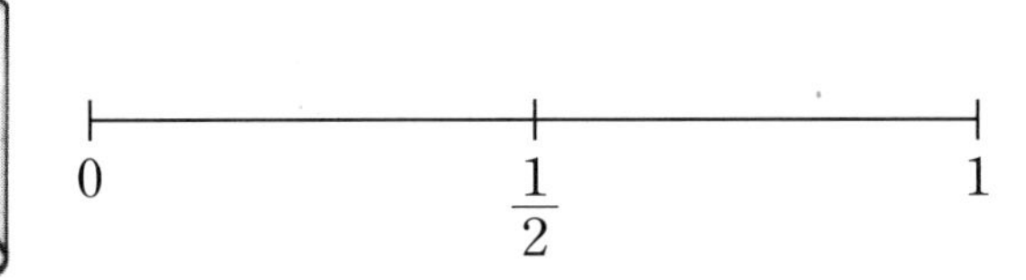

5 빨간색 구슬만 4개 들어 있는 주머니에서 구슬 1개를 꺼낼 때 파란색일 가능성은 0부터 1까지의 수 중에서 어떤 수로 나타낼 수 있을까요?

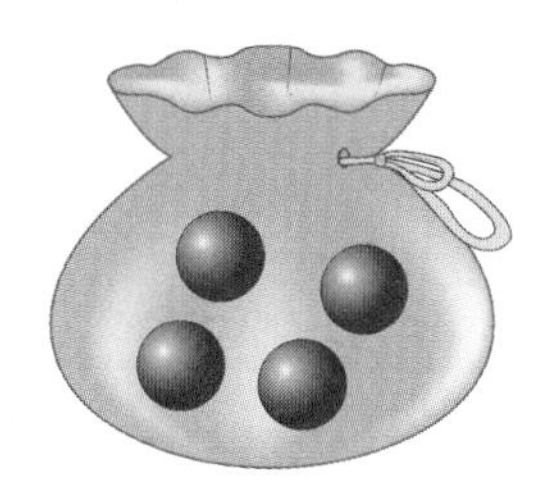

(　　　　　　　　)

6 100원짜리 동전에는 다음과 같이 숫자 면과 그림 면이 있습니다. 동전 한 개를 던졌을 때 숫자 면이 나올 가능성을 수로 표현해 보세요.

(　　　　　　　　)

6 단원

7 회전판을 돌렸을 때 화살이 파란색에 멈출 가능성을 수로 표현해 보세요.

(1)

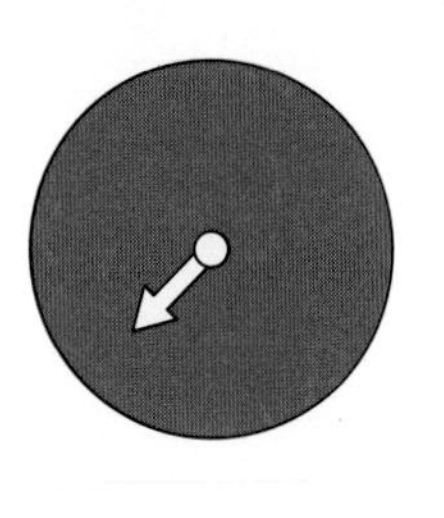

(　　　　　　　　)

(2)

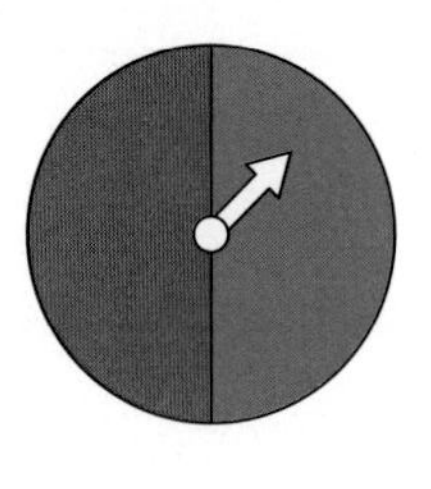

(　　　　　　　　)

8 다음 카드 중에서 한 장을 뽑을 때  카드를 뽑을 가능성을 수로 표현해 보세요.

(　　　　　　　　)

9 1부터 6까지의 눈이 그려진 주사위를 한 번 굴릴 때, 주사위의 눈이 2의 배수로 나올 가능성을 수로 표현해 보세요.

(　　　　　　　　)

[10~13] 그림과 같이 주황색 공 2개와 파란색 공 2개가 들어 있는 상자에서 공 한 개를 꺼냈습니다. 물음에 답하세요.

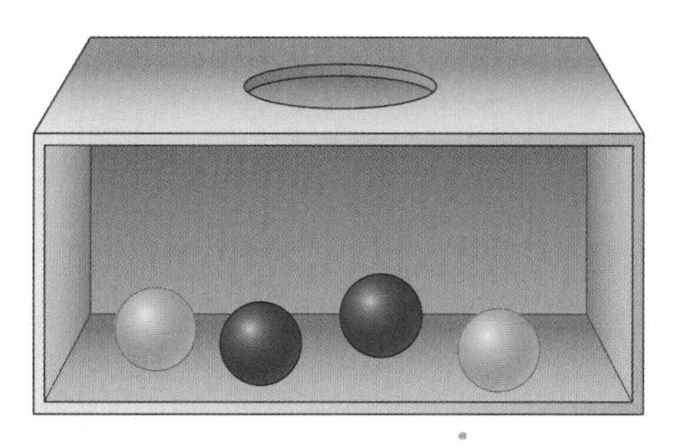

10 꺼낸 공이 검은색일 가능성을 수로 표현해 보세요.

( )

11 꺼낸 공이 주황색일 가능성을 수로 표현해 보세요.

( )

12 꺼낸 공이 파란색일 가능성을 수로 표현해 보세요.

( )

13 꺼낸 공이 초록색일 가능성을 수로 표현해 보세요.

( )

개념 확인평가

6. 평균과 가능성

맞은 개수

1 정현이네 모둠 학생들의 몸무게를 조사하여 나타낸 표입니다. 정현이네 모둠 학생들의 몸무게의 평균을 구해 보세요.

정현이네 모둠 학생들의 몸무게

이름	정현	윤지	선호	수민	혜수
몸무게(kg)	40	44	38	45	43

(　　　　　　　　)

2 일이 일어날 가능성을 생각해 보고, 알맞게 표현한 곳에 ○표 하세요.

지금 시각이 오전 8시이면
1시간 후에는 오전 9시일 것입니다.

불가능하다	~아닐 것 같다	반반이다	~일 것 같다	확실하다

3 일이 일어날 가능성을 찾아 알맞게 이어 보세요.

4와 2를 곱하면 6이 될 것입니다. •		• 1
○×문제에서 ×라고 답했을 때 정답일 것입니다. •		• $\frac{1}{2}$
오늘이 5월 31일이면 내일은 6월 1일이 될 것입니다. •		• 0

4 지우의 월별 국어 점수를 나타낸 표입니다. 물음에 답하세요.

지우의 월별 국어 점수

월	3	4	5	6
국어 점수(점)	76	84	92	88

(1) 지우의 월별 국어 점수의 평균을 구해 보세요.

( )

(2) 지우의 3월부터 7월까지의 국어 점수의 평균이 3월부터 6월까지의 국어 점수의 평균보다 높으려면 7월에는 몇 점을 받아야 하는지 예상해 보세요.

---

5 일이 일어날 가능성을 수로 표현해 보세요.

1부터 4까지 쓰여진 수 카드 4장 중에서 한 장을 뽑으면 짝수일 것입니다.

( )

6 리라의 과학과 수학 성적을 나타낸 표입니다. 1회에서 4회까지의 점수의 평균은 어느 과목이 몇 점 더 높은지 차례로 써 보세요.

리라의 성적

회	1회	2회	3회	4회
과학 점수(점)	94	88	84	90
수학 점수(점)	85	80	79	92

( ), ( )

6 단원

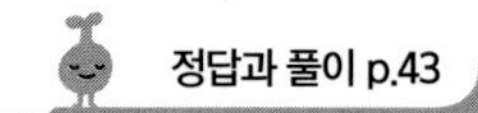

7 주머니 속에 오렌지 맛 사탕이 1개, 자두 맛 사탕이 1개 들어 있습니다. 이 중에서 1개를 꺼냈을 때 물음에 답하세요.

(1) 꺼낸 사탕이 오렌지 맛일 가능성을 말로 표현해 보세요.

( )

(2) 꺼낸 사탕이 자두 맛일 가능성을 수로 표현해 보세요.

( )

8 승혜네 마을의 과수원별 포도 생산량을 나타낸 표입니다. 포도 생산량의 평균이 15톤일 때 나 과수원의 포도 생산량은 몇 톤인지 구해 보세요.

과수원별 포도 생산량

과수원	가	나	다	라
생산량(톤)	17		8	13

( )

9 상자에 다음과 같은 구슬이 들어 있습니다. 이 중에서 구슬 1개를 꺼냈을 때 물음에 답하세요.

(1) 꺼낸 구슬에 적힌 수가 짝수일 가능성을 말과 수로 표현해 보세요.

말 ( )

수 ( )

(2) 꺼낸 구슬에 적힌 수가 짝수일 가능성과 화살이 파란색에 멈출 가능성이 같도록 회전판을 색칠해 보세요.

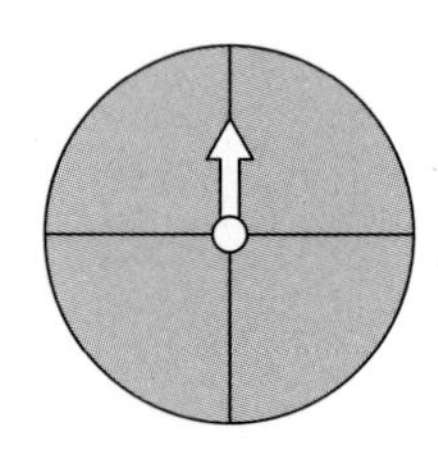

Go!
매쓰

GO!

교과서 GO! 사고력 GO!

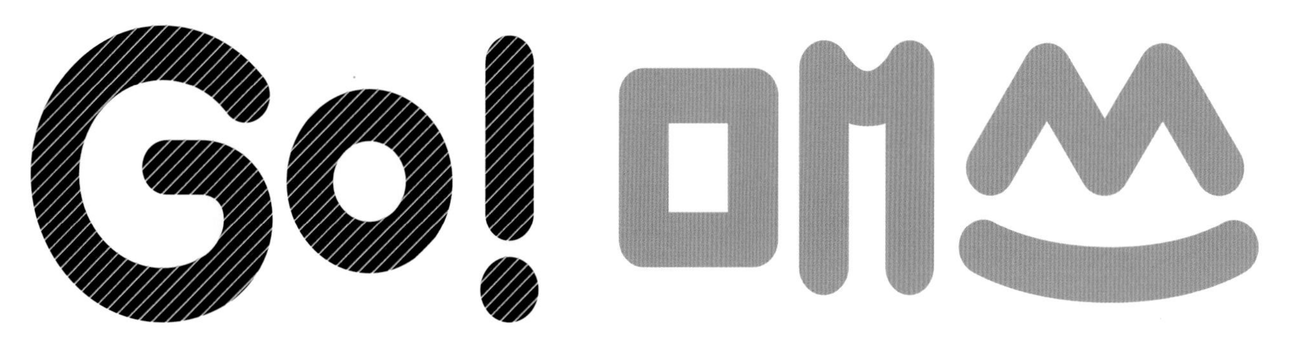

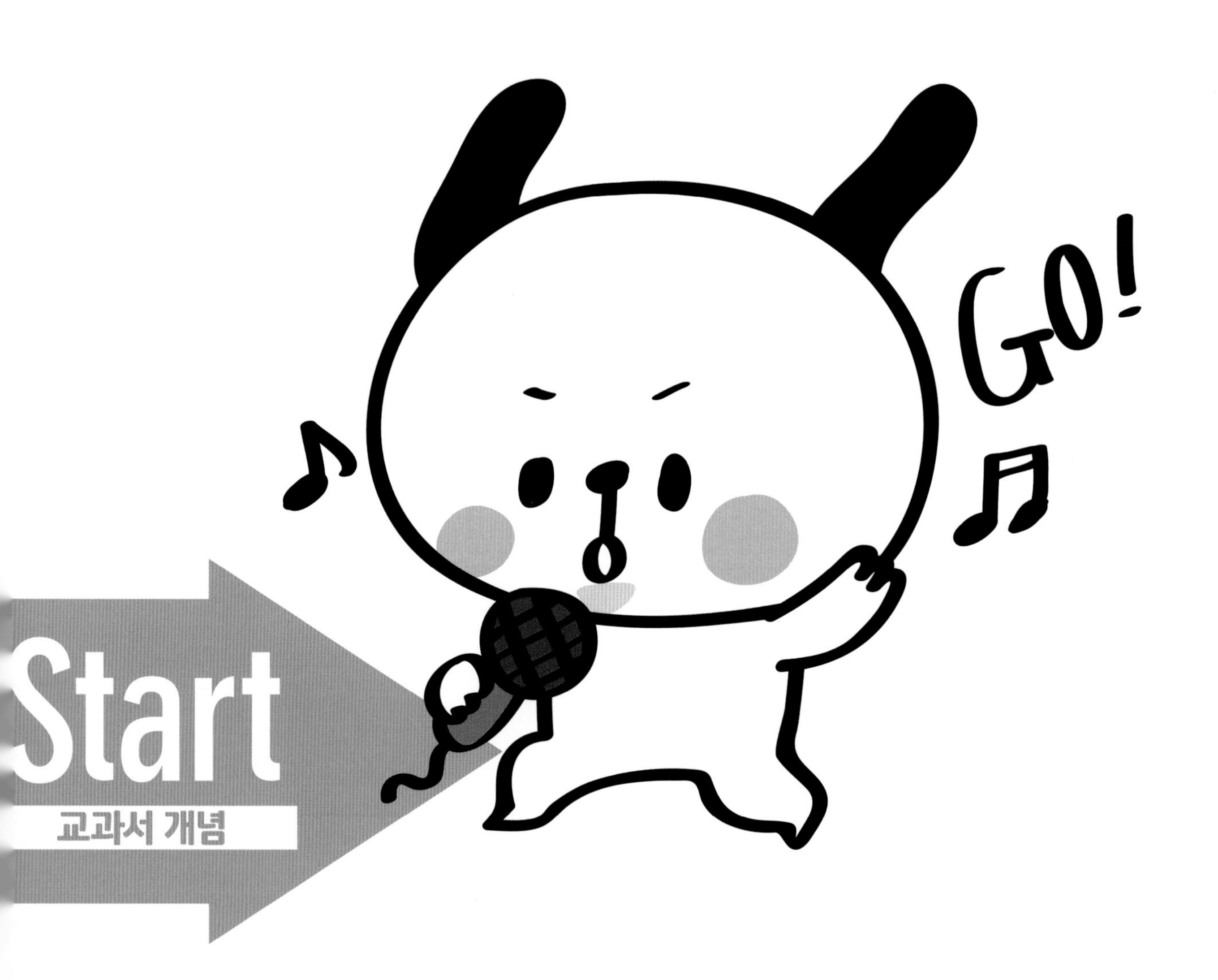

정답과 풀이

수학 5-2

열심히
풀었으니까,
한 번 맞춰 볼까?

Go! 매쓰 Start

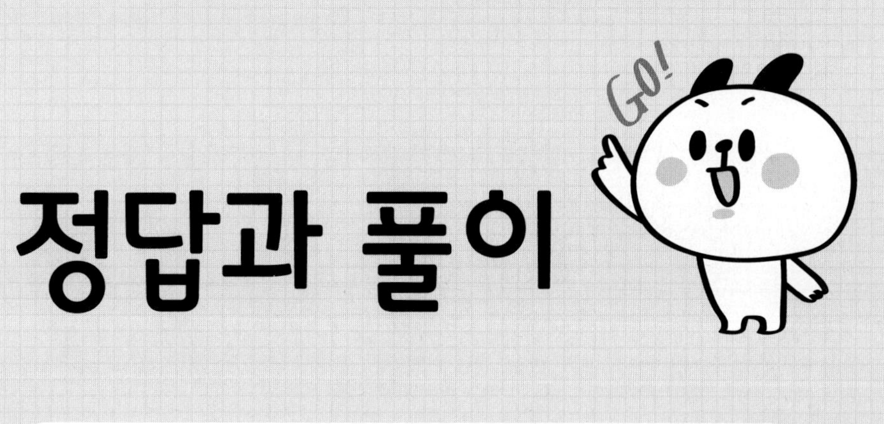

정답과 풀이

수학 5-2

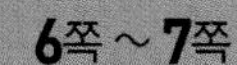

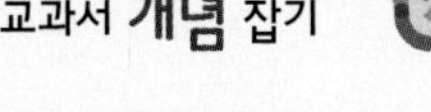

교과서 개념 잡기

개념 1 이상과 이하 알아보기 → 경계값이 포함됩니다.

- 60, 61, 63, 65 등과 같이 60과 같거나 큰 수를 60 이상인 수라고 합니다.
  60 이상인 수를 수직선에 나타내면 다음과 같습니다.
  (경계값을 ●으로 표시하고 오른쪽으로 선을 긋습니다.)
  59 60 61 62 63 64 65
- 9.0, 8.5, 8.0, 7.7 등과 같이 9와 같거나 작은 수를 9 이하인 수라고 합니다.
  9 이하인 수를 수직선에 나타내면 다음과 같습니다.
  (경계값을 ●으로 표시하고 왼쪽으로 선을 긋습니다.)
  4 5 6 7 8 9 10

개념 2 초과와 미만 알아보기 → 경계값이 포함되지 않습니다.

- 20.4, 21.9, 23.0 등과 같이 20보다 큰 수를 20 초과인 수라고 합니다.
  20 초과인 수를 수직선에 나타내면 다음과 같습니다.
  (경계값을 ○으로 표시하고 오른쪽으로 선을 긋습니다.)
  17 18 19 20 21 22 23
- 83.5, 83.0, 82.8 등과 같이 84보다 작은 수를 84 미만인 수라고 합니다.
  84 미만인 수를 수직선에 나타내면 다음과 같습니다.
  (경계값을 ○으로 표시하고 왼쪽으로 선을 긋습니다.)
  80 81 82 83 84 85 86

개념 Check

바르게 설명한 친구에게 ○표 하세요.

강호: 16, 16.8, 17, 18.9 등과 같이 16과 같거나 큰 수를 16 이상인 수라고 합니다.

민기: 30.5, 31.0, 32, 34.1 등과 같이 30보다 큰 수를 30 미만인 수라고 합니다.

✤ 30보다 큰 수를 30 초과인 수라고 합니다.

1 알맞은 말에 ○표 하세요.

(1) 17, 18, 19 등과 같이 17과 같거나 큰 수를 17 ((이상), 이하)인 수라고 합니다.

(2) 90.4, 90, 89.7 등과 같이 91보다 작은 수를 91 (초과 , (미만))인 수라고 합니다.

✤ (1) ■와 같거나 큰 수 → ■ 이상인 수
(2) ▲보다 작은 수 → ▲ 미만인 수

2 32 이하인 수에 모두 ○표 하세요.

(29) (30) (31) (32) 33 34

✤ 32 이하인 수 → 32와 같거나 작은 수

3 11 초과인 수는 모두 몇 개인지 써 보세요.

18 9 13 11 5

(2개)

✤ 11 초과인 수는 11보다 큰 수이므로 18, 13입니다. → 2개

4 수의 범위를 수직선에 나타내어 보세요.

(1) 10 이상인 수 — 6 7 8 9 10 11 12

✤ 10 이상인 수는 10과 같거나 큰 수입니다.

(2) 15 미만인 수 — 13 14 15 16 17 18 19

✤ 15 미만인 수는 15보다 작은 수입니다.

교과서 개념 잡기

개념 3 수의 범위를 활용하여 문제 해결하기

수의 범위를 이상, 이하, 초과, 미만을 이용하여 수직선에 나타내면 다음과 같습니다.

- 4 이상 9 이하인 수
  → 4와 같거나 크고 9와 같거나 작은 수
  3 4 5 6 7 8 9 10 (포함, 포함)
  4와 9에 ●으로 표시하고 4와 9 사이에 선을 긋습니다.
- 4 이상 9 미만인 수
  → 4와 같거나 크고 9보다 작은 수
  3 4 5 6 7 8 9 10 (포함, 포함×)
  4에 ●, 9에 ○으로 표시하고 4와 9 사이에 선을 긋습니다.
- 4 초과 9 이하인 수
  → 4보다 크고 9와 같거나 작은 수
  3 4 5 6 7 8 9 10 (포함×, 포함)
  4에 ○, 9에 ●으로 표시하고 4와 9 사이에 선을 긋습니다.
- 4 초과 9 미만인 수
  → 4보다 크고 9보다 작은 수
  3 4 5 6 7 8 9 10 (포함×, 포함×)
  4와 9에 ○으로 표시하고 4와 9 사이에 선을 긋습니다.

이상과 이하는 경계값이 포함되고
초과와 미만은 경계값이 포함되지 않습니다.

개념 Play (붙임딱지)

수의 범위를 바르게 나타낸 수직선을 찾아 붙임딱지를 붙여 보세요.

5 초과 8 이하인 수	5 이상 8 이하인 수
4 5 6 7 8 9	4 5 6 7 8 9

1 3 이상 7 이하인 자연수를 모두 써 보세요.

(3, 4, 5, 6, 7)

✤ 3과 같거나 크고 7과 같거나 작은 자연수는 3, 4, 5, 6, 7입니다.

2 10 초과 14 이하인 수의 범위를 수직선에 바르게 나타낸 것을 찾아 기호를 써 보세요.

㉠ 9 10 11 12 13 14 15 ㉡ 9 10 11 12 13 14 15 ㉢ 9 10 11 12 13 14 15

(㉢)

✤ 10에 ○, 14에 ●으로 표시하고 10과 14 사이에 선을 그어야 합니다.
㉠ 10 이상 14 이하인 수 ㉡ 10 초과 14 미만인 수

3 9 이상 20 미만인 수를 모두 찾아 써 보세요.

7 22 14 20 9

(14, 9)

✤ 9와 같거나 크고 20보다 작은 수는 14, 9입니다.

4 수의 범위를 수직선에 나타내어 보세요.

(1) 2 초과 6 미만인 수
1 2 3 4 5 6 7 8 9 10

✤ 2와 6에 ○으로 표시하고 2와 6 사이에 선을 그어야 합니다.

(2) 15 이상 21 미만인 수
13 14 15 16 17 18 19 20 21 22

✤ 15에 ●, 21에 ○으로 표시하고 15와 21 사이에 선을 그어야 합니다.

10쪽 ~ 11쪽

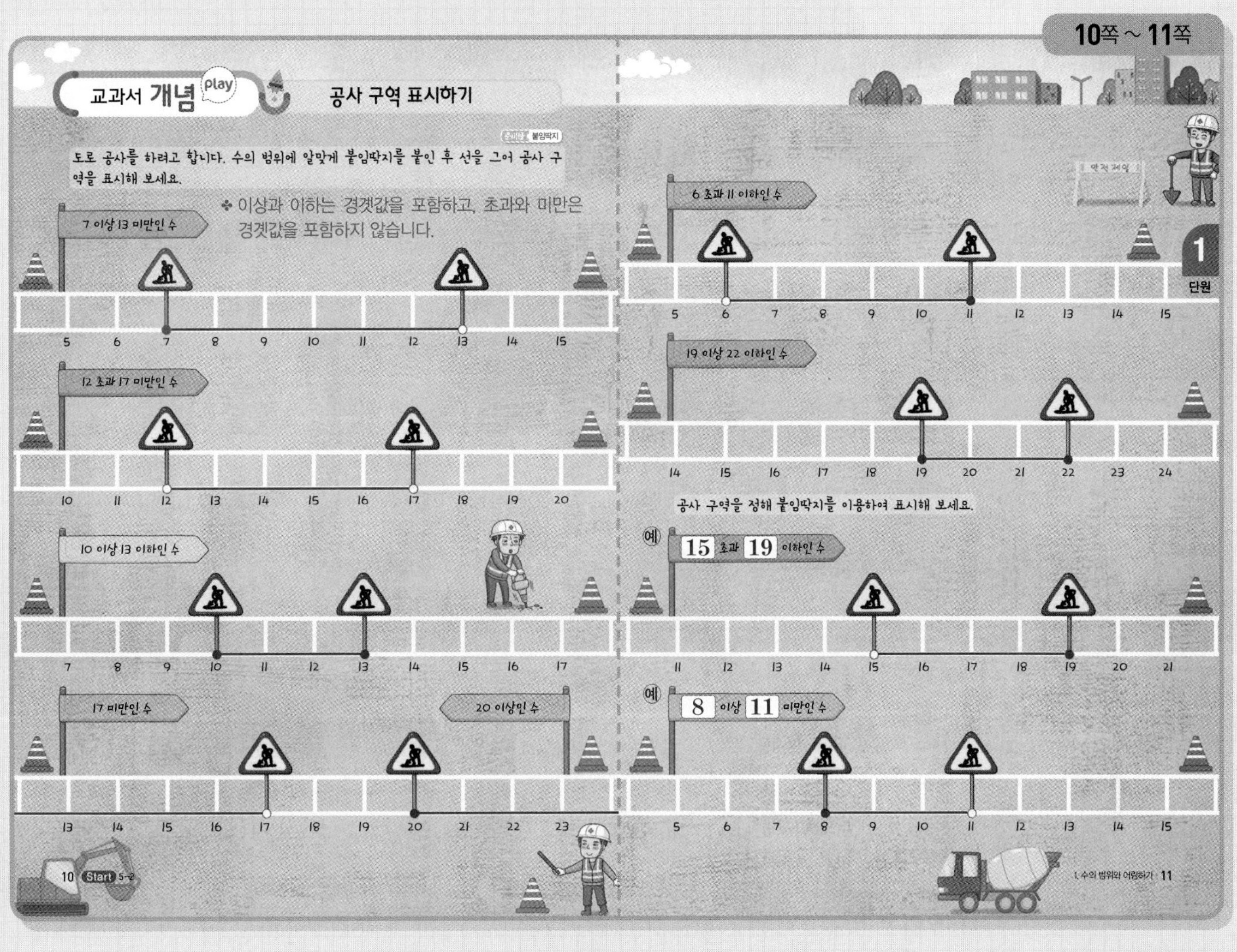

교과서 개념 play

공사 구역 표시하기

도로 공사를 하려고 합니다. 수의 범위에 알맞게 붙임딱지를 붙인 후 선을 그어 공사 구역을 표시해 보세요.

✤ 이상과 이하는 경곗값을 포함하고, 초과와 미만은 경곗값을 포함하지 않습니다.

7 이상 13 미만인 수

12 초과 17 미만인 수

10 이상 13 이하인 수

17 미만인 수

20 이상인 수

6 초과 11 이하인 수

19 이상 22 이하인 수

공사 구역을 정해 붙임딱지를 이용하여 표시해 보세요.

예 15 초과 19 이하인 수

예 8 이상 11 미만인 수

10 Start 5-2

1. 수의 범위와 어림하기 · 11

12쪽 ~ 13쪽

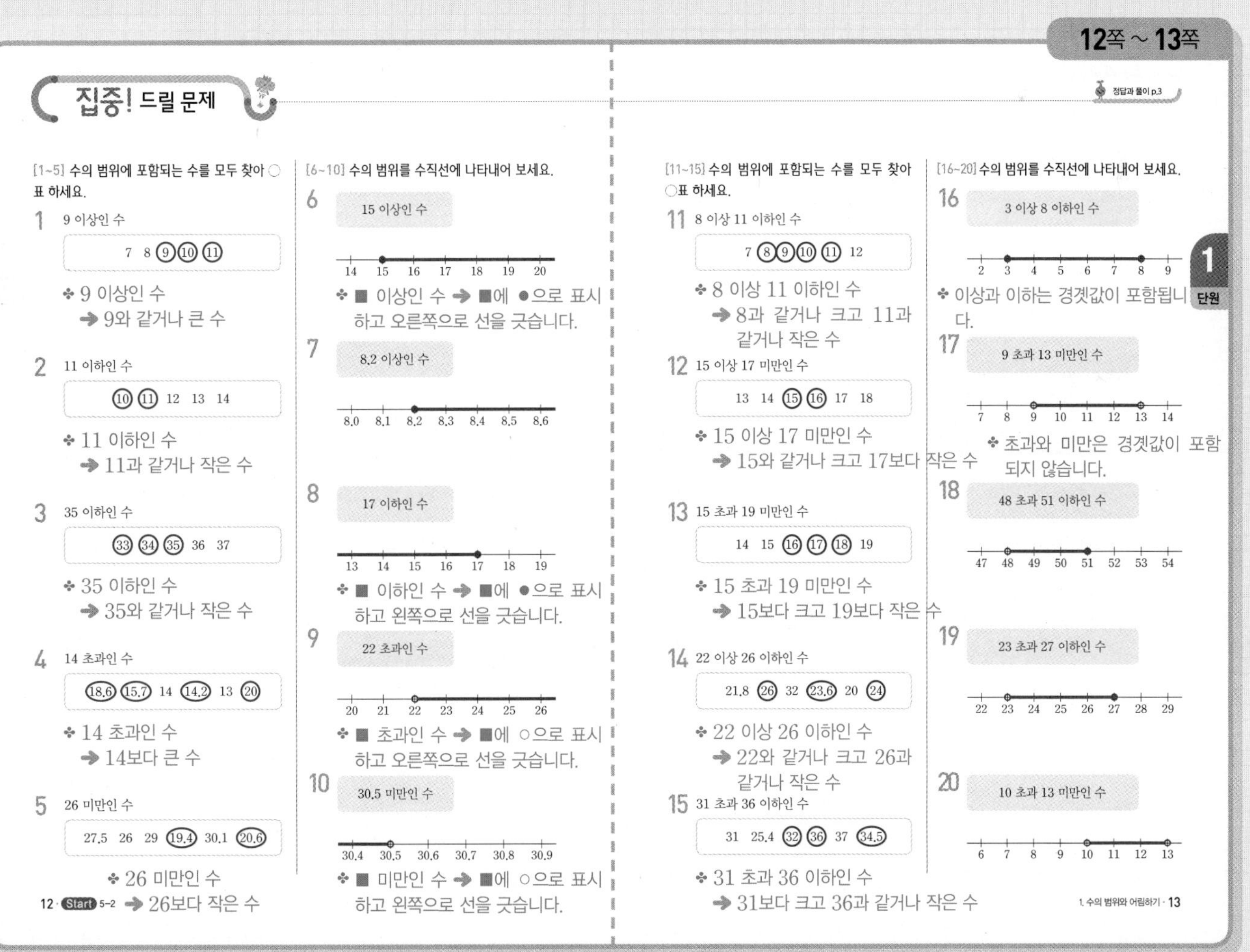

집중! 드릴 문제

정답과 풀이 p.3

[1~5] 수의 범위에 포함되는 수를 모두 찾아 ○표 하세요.

1 9 이상인 수

7 8 ⑨ ⑩ ⑪

✤ 9 이상인 수
➔ 9와 같거나 큰 수

2 11 이하인 수

⑩ ⑪ 12 13 14

✤ 11 이하인 수
➔ 11과 같거나 작은 수

3 35 이하인 수

(33) (34) (35) 36 37

✤ 35 이하인 수
➔ 35와 같거나 작은 수

4 14 초과인 수

(18.6) (15.7) 14 (14.2) 13 (20)

✤ 14 초과인 수
➔ 14보다 큰 수

5 26 미만인 수

27.5 26 29 (19.4) 30.1 (20.6)

✤ 26 미만인 수
➔ 26보다 작은 수

[6~10] 수의 범위를 수직선에 나타내어 보세요.

6 15 이상인 수

✤ ■ 이상인 수 ➔ ■에 ●으로 표시하고 오른쪽으로 선을 긋습니다.

7 8.2 이상인 수

8 17 이하인 수

✤ ■ 이하인 수 ➔ ■에 ●으로 표시하고 왼쪽으로 선을 긋습니다.

9 22 초과인 수

✤ ■ 초과인 수 ➔ ■에 ○으로 표시하고 오른쪽으로 선을 긋습니다.

10 30.5 미만인 수

✤ ■ 미만인 수 ➔ ■에 ○으로 표시하고 왼쪽으로 선을 긋습니다.

[11~15] 수의 범위에 포함되는 수를 모두 찾아 ○표 하세요.

11 8 이상 11 이하인 수

7 ⑧ ⑨ ⑩ ⑪ 12

✤ 8 이상 11 이하인 수
➔ 8과 같거나 크고 11과 같거나 작은 수

12 15 이상 17 미만인 수

13 14 ⑮ ⑯ 17 18

✤ 15 이상 17 미만인 수
➔ 15와 같거나 크고 17보다 작은 수

13 15 초과 19 미만인 수

14 15 ⑯ ⑰ ⑱ 19

✤ 15 초과 19 미만인 수
➔ 15보다 크고 19보다 작은 수

14 22 이상 26 이하인 수

21.8 (26) 32 (23.6) 20 (24)

✤ 22 이상 26 이하인 수
➔ 22와 같거나 크고 26과 같거나 작은 수

15 31 초과 36 이하인 수

31 25.4 (32) (36) 37 (34.5)

✤ 31 초과 36 이하인 수
➔ 31보다 크고 36과 같거나 작은 수

[16~20] 수의 범위를 수직선에 나타내어 보세요.

16 3 이상 8 이하인 수

✤ 이상과 이하는 경곗값이 포함됩니다.

17 9 초과 13 미만인 수

✤ 초과와 미만은 경곗값이 포함되지 않습니다.

18 48 초과 51 이하인 수

19 23 초과 27 이하인 수

20 10 초과 13 미만인 수

12 · Start 5-2

1. 수의 범위와 어림하기 · 13

교과서 개념 확인 문제

정답과 풀이 p.4

[1~3] 수를 보고 물음에 답하세요.

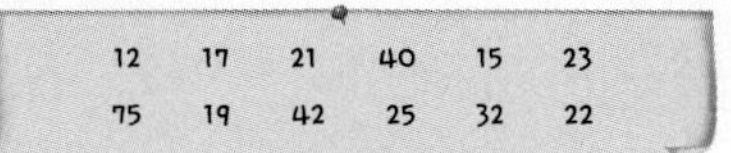

1 19 이하인 수를 모두 찾아 써 보세요.

(12, 17, 15, 19)

✤ 19와 같거나 작은 수를 모두 찾습니다.

2 40 이상인 수를 모두 찾아 써 보세요.

(40, 75, 42)

✤ 40과 같거나 큰 수를 모두 찾습니다.

3 40 초과인 수를 모두 찾아 써 보세요.

(75, 42)

✤ 40보다 큰 수를 모두 찾습니다.

4 수직선에 나타낸 수의 범위를 써 보세요.

(1) 63 64 65 66 67 68 69 70 71

(66 이하인 수)

(2)
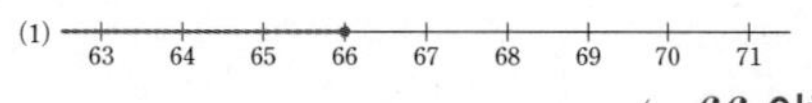

(44 초과인 수)

✤ (1) 66과 같거나 작은 수이므로 66 이하인 수입니다.
(2) 44보다 큰 수이므로 44 초과인 수입니다.

5 □ 안에 알맞은 말을 써넣으세요.

(1) 10과 같거나 크고 15와 같거나 작은 수를 10 **이상** 15 **이하**인 수라고 합니다.

(2) 22보다 크고 30보다 작은 수를 22 **초과** 30 **미만**인 수라고 합니다.

✤ (1) ~와 같거나 큰 ➔ 이상
~와 같거나 작은 ➔ 이하
(2) ~보다 큰 ➔ 초과
~보다 작은 ➔ 미만

6 6 이상 11 미만인 수를 수직선에 바르게 나타낸 사람은 누구일까요?

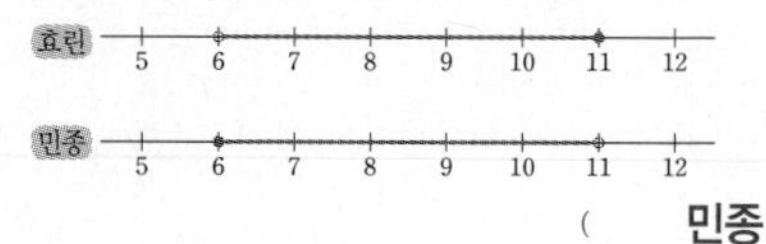

(민종)

✤ 6 이상 11 미만인 수 ➔ 6에 ●, 11에 ○으로 표시하고 6과 11 사이에 선을 긋습니다.
효린이는 6 초과 11 이하인 수의 범위를 나타내었습니다.

7 수의 범위를 수직선에 나타내어 보세요.

(1) 27 이상 31 이하인 수

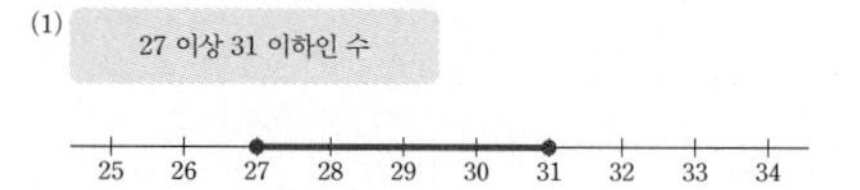

(2) 32 초과 40 미만인 수

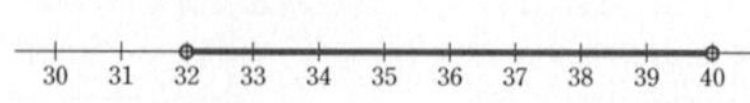

✤ (1) 27과 31에 ●으로 표시하고 27과 31 사이에 선을 긋습니다.
(2) 32와 40에 ○으로 표시하고 32와 40 사이에 선을 긋습니다.

교과서 개념 확인 문제

정답과 풀이 p.4

8 23 초과 26 미만인 수를 모두 찾아 써 보세요.

22.7 25.0 28.4 23.0 24.9

(25.0, 24.9)

✤ 23 초과 26 미만인 수는 23보다 크고 26보다 작은 수입니다.
따라서 23 초과 26 미만인 수는 25.0, 24.9입니다.

9 경호네 모둠 학생들의 100 m 달리기 기록을 조사하여 나타낸 표입니다. 기록이 17초 미만인 학생은 누구누구일까요?

경호네 모둠 학생들의 100 m 달리기 기록

이름	기록(초)	이름	기록(초)
경호	16.8	동혁	17.2
민재	20.8	혜미	17.0
가은	18.5	유진	15.7

(경호, 유진)

✤ 17 미만인 수는 17보다 작은 수이므로 16.8, 15.7입니다.
따라서 기록이 17초 미만인 학생은 경호, 유진입니다.

10 25 이상인 수에 모두 ○표 하고, 20 미만인 수에 모두 △표 하세요.

△16 20 ○29 ○38 △17
23 ○33 ○25 △12 ○48

✤ 25 이상인 수는 25와 같거나 큰 수이고, 20 미만인 수는 20보다 작은 수입니다.

11 ☆ 이상인 자연수를 가장 작은 수부터 차례로 쓴 것입니다. ☆에 알맞은 자연수를 구해 보세요.

33, 34, 35, 36, 37……

(33)

✤ ☆ 이상인 수 중에서 가장 작은 수는 ☆입니다.
주어진 수 중에서 가장 작은 수는 33이므로 33 이상인 자연수입니다.

12 48을 포함하는 수의 범위를 모두 찾아 기호를 써 보세요.

㉠ 48 미만인 수 ㉡ 47 이상인 수
㉢ 48 이하인 수 ㉣ 49 초과인 수

(㉡, ㉢)

✤ ㉠ 48보다 작은 수의 범위이므로 48이 포함되지 않습니다.
㉡ 47과 같거나 큰 수의 범위이므로 48이 포함됩니다.
㉢ 48과 같거나 작은 수의 범위이므로 48이 포함됩니다.
㉣ 49보다 큰 수의 범위이므로 48이 포함되지 않습니다.

13 수직선에 나타낸 수의 범위에 포함되는 자연수는 모두 몇 개인지 구해 보세요.

16 18 20 22 24 26 28 30 32

(8개)

✤ 18 초과 26 이하인 수를 나타내므로 수의 범위에 포함되는 자연수는 19, 20, 21, 22, 23, 24, 25, 26으로 모두 8개입니다.

14 □ 안에 이상, 이하, 초과, 미만 중에서 알맞은 말을 각각 써넣으세요.

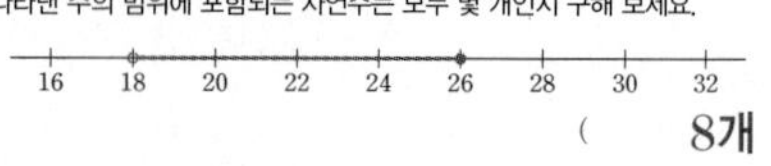

25 초과 31 이하인 모든 자연수 ➔ 26, 27, 28, 29, 30, 31

✤ 25는 포함되지 않았으므로 25 '초과', 31은 포함되었으므로 31 '이하'로 써야 합니다.

18쪽 ~ 19쪽

교과서 개념 잡기

개념 4 올림 알아보기

- 103을 십의 자리까지 나타내기 위하여 십의 자리 아래 수인 3을 10으로 보고 110으로 나타낼 수 있습니다. 이와 같이 구하려는 자리의 아래 수를 올려서 나타내는 방법을 올림이라고 합니다.

올림하여 십의 자리까지 나타내면 103 → 110	올림하여 백의 자리까지 나타내면 103 → 200
십의 자리의 아래 수인 3을 10으로 보고 올림하면 110이 됩니다.	백의 자리의 아래 수인 3을 100으로 보고 올림하면 200이 됩니다.

개념 5 버림 알아보기

- 382를 십의 자리까지 나타내기 위하여 십의 자리 아래 수인 2를 0으로 보고 380으로 나타낼 수 있습니다. 이와 같이 구하려는 자리의 아래 수를 버려서 나타내는 방법을 버림이라고 합니다.

버림하여 십의 자리까지 나타내면 382 → 380	버림하여 백의 자리까지 나타내면 382 → 300
십의 자리의 아래 수인 2를 0으로 보고 버림하면 380이 됩니다.	백의 자리의 아래 수인 82를 0으로 보고 버림하면 300이 됩니다.

개념 Check

바르게 설명한 친구에게 ○표 하세요.

민기: 구하려는 자리의 아래 수를 올려서 나타내는 방법을 버림이라고 합니다.

서희: 구하려는 자리의 아래 수를 올려서 나타내는 방법을 올림이라고 합니다.

정답과 풀이 p.5

1 알맞은 수에 ○표 하세요.

(1) 79를 올림하여 십의 자리까지 나타내면 (70 , (80))입니다.

(2) 115를 버림하여 백의 자리까지 나타내면 ((100) , 200)입니다.

✤ (1) 십의 자리의 아래 수인 9를 10으로 보고 올림하면 80이 됩니다.
(2) 백의 자리의 아래 수인 15를 0으로 보고 버림하면 100이 됩니다.

1 단원

2 □ 안에 알맞은 수를 써넣으세요.

(1) 314를 올림하여 백의 자리까지 나타내면 **400** 입니다.

(2) 1108을 버림하여 천의 자리까지 나타내면 **1000** 입니다.

✤ (1) 백의 자리의 아래 수인 14를 100으로 보고 올림하면 400이 됩니다.
(2) 천의 자리의 아래 수인 108을 0으로 보고 버림하면 1000이 됩니다.

3 보기 와 같이 8.66을 버림하여 소수 첫째 자리까지 나타내어 보세요.

보기: 9.23을 버림하여 소수 첫째 자리까지 나타내면 9.2입니다.

소수 첫째 자리까지 나타내려면 소수 첫째 자리 아래 수를 버려야 해.

(8.6)

✤ 소수 첫째 자리의 아래 수를 0으로 보고 버림합니다.
8.66 → 8.60=8.6

4 올림하여 천의 자리까지 나타내면 5000이 되는 수에 모두 ○표 하세요.

4000 3099 5001 (4806) (5000)

✤ 천의 자리의 아래 수를 1000으로 보고 올림했을 때 5000이 되는 수를 찾아봅니다.
4000 → 4000, 3099 → 4000,
5001 → 6000, 4806 → 5000, 5000 → 5000

20쪽 ~ 21쪽

교과서 개념 잡기

개념 6 반올림 알아보기

- 구하려는 자리 바로 아래 자리의 숫자가 0, 1, 2, 3, 4이면 버리고, 5, 6, 7, 8, 9이면 올려서 나타내는 방법을 반올림이라고 합니다.

반올림하여 십의 자리까지 나타내면 3191 → 3190	반올림하여 백의 자리까지 나타내면 3191 → 3200
일의 자리 숫자가 1이므로 버림하여 3190으로 나타낼 수 있습니다.	십의 자리 숫자가 9이므로 올림하여 3200으로 나타낼 수 있습니다.

개념 7 올림, 버림, 반올림을 활용하여 문제 해결하기

- 구하려는 자리의 아래 수까지 포함해야 하는 경우에 올림을 활용합니다.
  예 끈 402 cm가 필요한데 1 m씩 판매할 경우
  402 cm를 올림하여 백의 자리까지 나타내면 500 cm → 5 m를 사야 합니다.

- 구하려는 자리의 아래 수는 필요하지 않은 경우에 버림을 활용합니다.
  예 공 273개를 100개씩 상자에 넣어서 팔 경우
  273개를 버림하여 백의 자리까지 나타내면 200개 → 2상자까지 팔 수 있습니다.

- 인구, 관객 수, 길이, 무게 등을 어림하여 나타내는 경우에 반올림을 활용합니다.
  예 인구 8607명을 약 몇천 명으로 어림하여 나타낼 경우
  8607명을 반올림하여 천의 자리까지 나타내면 9000명입니다.

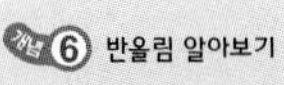

개념 Check

바르게 설명한 친구에게 ○표 하세요.

예지: 2750원짜리 물건을 사려면 천 원짜리 지폐 2장이 필요합니다.

준우: 2750원짜리 물건을 사려면 천 원짜리 지폐 3장이 필요합니다.

정답과 풀이 p.5

1 반올림하여 주어진 자리까지 나타내어 보세요.

수	십의 자리	백의 자리	천의 자리
8163	8160	8200	8000

✤ • 십의 자리까지: 8163 → 8160
• 백의 자리까지: 8163 → 8200
• 천의 자리까지: 8163 → 8000

1 단원

2 3.074를 반올림하여 소수 첫째 자리까지 나타내면 얼마일까요?

(3.1)

✤ 3.074의 소수 둘째 자리 숫자가 7이므로 올립니다. → 3.1

3 구슬 1238개를 상자에 모두 담으려고 합니다. 상자 한 개에 100개씩 담을 수 있을 때 물음에 답하세요.

(1) 상자가 최소 몇 개 필요한지 알아보려고 할 때 알맞은 어림 방법에 ○표 하세요.

((올림) , 버림 , 반올림)

(2) 상자는 최소 몇 개 필요할까요?

(13개)

✤ 올림으로 어림합니다. 1238 → 1300이므로 상자는 최소 13개가 필요합니다.

4 공장에서 빵을 891봉지 만들었습니다. 한 상자에 10봉지씩 담아서 판다면 빵은 최대 몇 상자까지 팔 수 있을까요?

(89상자)

✤ 버림으로 어림합니다. 891 → 890이므로 빵을 10봉지씩 89상자에 담아 최대 89상자까지 팔 수 있고 남은 1봉지는 팔 수 없습니다.

22쪽 ~ 23쪽

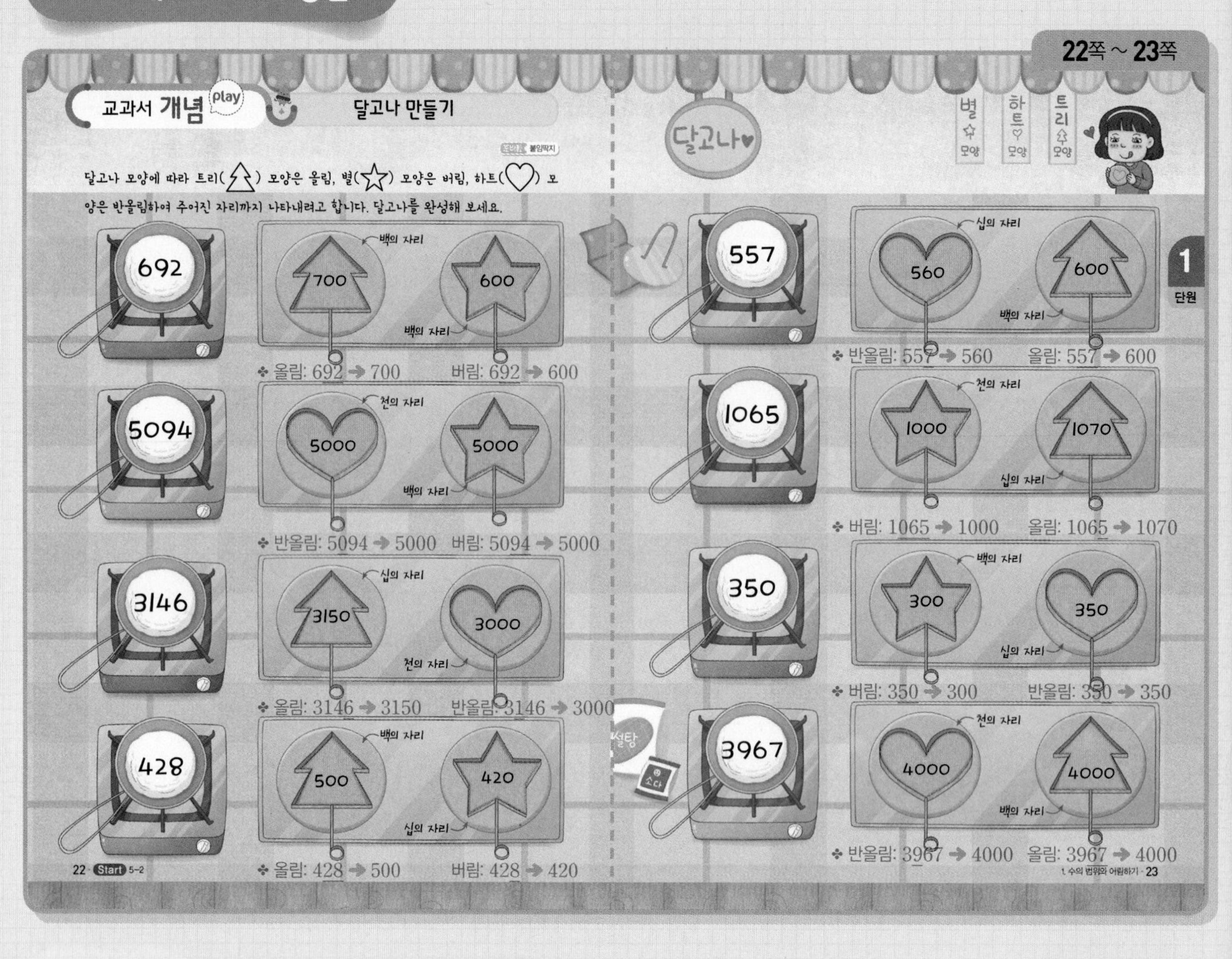

24쪽 ~ 25쪽

집중! 드릴 문제

[1~10] □ 안에 알맞은 수를 써넣으세요.

1 906을 올림하여 십의 자리까지 나타내면 **910** 입니다.
✣ 906 → 910

2 2283을 버림하여 백의 자리까지 나타내면 **2200** 입니다.
✣ 2283 → 2200

3 544를 반올림하여 백의 자리까지 나타내면 **500** 입니다.
✣ 544 → 500

4 4095를 올림하여 천의 자리까지 나타내면 **5000** 입니다.
✣ 4095 → 5000

5 7725를 버림하여 십의 자리까지 나타내면 **7720** 입니다.
✣ 7725 → 7720

6 4.371을 버림하여 소수 첫째 자리까지 나타내면 **4.3** 입니다.
✣ 4.371 → 4.3

7 5.619를 반올림하여 소수 둘째 자리까지 나타내면 **5.62** 입니다.
✣ 5.619 → 5.62

8 3.144를 올림하여 소수 둘째 자리까지 나타내면 **3.15** 입니다.
✣ 3.144 → 3.15

9 1.652를 올림하여 소수 첫째 자리까지 나타내면 **1.7** 입니다.
✣ 1.652 → 1.7

10 0.185를 반올림하여 소수 첫째 자리까지 나타내면 **0.2** 입니다.
✣ 0.185 → 0.2

[11~18] 주어진 문장을 읽고 답을 구해 보세요.

11 인형 3472개를 한 상자에 100개씩 담아서 팔려고 합니다. 팔 수 있는 인형은 최대 몇 상자일까요?
(**34상자**)
✣ 버림으로 어림합니다.
3472 → 3400이므로 팔 수 있는 인형은 최대 34상자입니다.

12 빵 734개를 모두 상자에 담으려고 합니다. 한 상자에 빵을 100개씩 담을 수 있다면 상자는 최소 몇 상자 필요할까요?
(**8상자**)
✣ 올림으로 어림합니다.
734 → 800이므로 최소 8상자 필요합니다.

13 25960원을 모두 1000원짜리 지폐로 바꾸려고 합니다. 최대 얼마까지 바꿀 수 있을까요?
(**25000원**)
✣ 버림으로 어림합니다.
25960 → 25000이므로 바꿀 수 있는 금액은 25000원입니다.

14 어떤 지역의 인구가 3032명입니다. 이 지역의 인구를 반올림하여 천의 자리까지 나타내면 몇천 명일까요?
(**3000명**)
✣ 반올림으로 어림합니다.
3032 → 3000

15 무게가 15.9 kg인 물건을 눈금이 1 kg마다 표시된 저울로 재었습니다. 저울의 바늘이 가리키는 곳과 가까운 쪽의 눈금을 읽으면 몇 kg일까요?
(**16 kg**)
✣ 반올림으로 어림합니다.
15.9 → 16

16 지민이는 과자 5640원어치를 샀습니다. 1000원짜리 지폐로만 물건값을 낸다면 최소 얼마를 내야 할까요?
(**6000원**)
✣ 올림으로 어림합니다.
5640 → 6000이므로 최소 6000원을 내야 합니다.

17 선물 1개를 포장하는 데 리본이 1 m 필요합니다. 리본 610 cm로 선물을 최대 몇 개까지 포장할 수 있을까요?
(**6개**)
✣ 버림으로 어림합니다.
610 → 600이므로 선물을 최대 6개까지 포장할 수 있습니다.

18 145명의 관광객이 버스에 모두 타려고 합니다. 버스 한 대에 10명까지 탈 수 있다면 버스는 최소 몇 대 필요할까요?
(**15대**)
✣ 올림으로 어림합니다.
145 → 150이므로 최소 15대 필요합니다.

교과서 개념 확인 문제

정답과 풀이 p.7

1 수를 올림하여 주어진 자리까지 나타내어 보세요.

수	십의 자리	백의 자리
327	330	400

✣ • 십의 자리까지: 327 → 330
• 백의 자리까지: 327 → 400

2 보기 와 같이 소수를 올림하여 □ 안에 알맞은 수를 써넣으세요.

보기
1.082를 올림하여 소수 둘째 자리까지 나타내면 1.09입니다.

3.514를 올림하여 소수 둘째 자리까지 나타내면 3.52 입니다.

✣ 3.514 → 3.52

3 5.386을 올림, 버림, 반올림하여 소수 첫째 자리까지 나타내어 보세요.

수	올림	버림	반올림
5.386	5.4	5.3	5.4

✣ • 올림: 5.386 → 5.4
• 버림: 5.386 → 5.3
• 반올림: 5.386 → 5.4
└→ 8이므로 올림합니다.

4 설명이 맞으면 ○표, 틀리면 ×표 하세요.

(1) 4309를 버림하여 십의 자리까지 나타내면 4310입니다. (×)

(2) 7283을 반올림하여 천의 자리까지 나타내면 7000입니다. (○)

✣ (1) 4309 → 4300
(2) 7283 → 7000
└→ 2이므로 버림합니다.

5 연필의 길이는 몇 cm인지 반올림하여 일의 자리까지 나타내어 보세요.

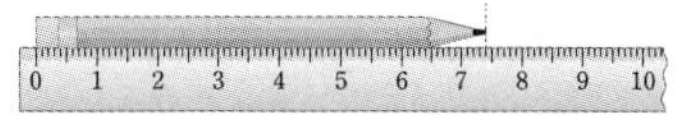

(7 cm)

✣ 연필의 길이는 7.4 cm입니다. 반올림하여 일의 자리까지 나타내면 소수 첫째 자리 숫자가 4이므로 버림하여 7이 됩니다.
→ 7 cm

6 버림하여 주어진 자리까지 나타내어 보세요.

수	십의 자리	백의 자리
1249	1240	1200
35102	35100	35100

✣ • 1249 → 1240, 1249 → 1200
• 35102 → 35100, 35102 → 35100

7 나타내는 수가 다른 하나를 찾아 기호를 써 보세요.

㉠ 2901을 올림하여 백의 자리까지 나타낸 수
㉡ 2901을 올림하여 천의 자리까지 나타낸 수
㉢ 2901을 올림하여 십의 자리까지 나타낸 수

(㉢)

✣ ㉠ 2901 → 3000 ㉡ 2901 → 3000 ㉢ 2901 → 2910

8 버림하여 백의 자리까지 나타내면 2500이 되는 수에 모두 ○표 하세요.

2490 (2563) (2501) 2433

✣ 2490 → 2400, 2563 → 2500, 2501 → 2500, 2433 → 2400
따라서 버림하여 백의 자리까지 나타내면 2500이 되는 수는 2563과 2501입니다.

교과서 개념 확인 문제

정답과 풀이 p.7

9 귤 756상자를 트럭에 모두 실으려고 합니다. 트럭 한 대에 100상자씩 실을 수 있을 때 트럭은 최소 몇 대 필요한지 구하려고 합니다. 어떤 방법으로 어림해야 할까요?

남는 상자 없이 모두 실어야 해.

((올림) , 버림 , 반올림)

✣ 남는 상자 없이 모두 실어야 하므로 올림해야 합니다.

10 어림한 수의 크기를 비교하여 더 큰 것의 기호를 써 보세요.

㉠ 516을 올림하여 십의 자리까지 나타낸 수
㉡ 503을 올림하여 백의 자리까지 나타낸 수

(㉡)

✣ ㉠ 516 → 520, ㉡ 503 → 600
따라서 520 < 600이므로 더 큰 것은 ㉡입니다.

11 오늘 하루 영화관에 입장한 관람객 수는 12085명입니다. 관람객 수를 올림, 버림, 반올림하여 백의 자리까지 나타내어 보세요.

올림	버림	반올림
12100	12000	12100

✣ 올림: 12085 → 12100, 버림: 12085 → 12000,
반올림: 12085 → 12100
└→ 8이므로 올림합니다.

12 동전을 모은 저금통을 열어서 세어 보니 모두 27350원이었습니다. 이것을 1000원짜리 지폐로 바꾸면 최대 얼마까지 바꿀 수 있는지 구해 보세요.

(27000원)

✣ 버림으로 어림합니다.
27350 → 27000이므로 바꿀 수 있는 최대 금액은 27000원입니다.

13 수 카드 4장을 한 번씩만 사용하여 가장 큰 네 자리 수를 만들고 만든 네 자리 수를 반올림하여 백의 자리까지 나타내어 보세요.

(9600)

✣ 주어진 수 카드 4장을 사용하여 만들 수 있는 가장 큰 네 자리 수는 9632입니다.
9632를 반올림하여 백의 자리까지 나타내면 십의 자리 숫자가 3이므로 버림하여 9600이 됩니다.

14 문구점에서 보람이는 끈을 최소 몇 cm 사야 할까요?

끈 327 cm 주세요.
끈은 100 cm 단위로만 팔아요.

(400 cm)

✣ 100 cm 단위로 팔고 있으므로 필요한 끈의 길이를 올림하여 백의 자리까지 나타냅니다.
327을 올림하여 백의 자리까지 나타내면 400이므로 최소 400 cm를 사야 합니다.

15 버림하여 십의 자리까지 나타내면 120이 되는 자연수 중에서 가장 큰 수를 써 보세요.

(129)

✣ 버림하여 십의 자리까지 나타내면 120이 되는 자연수는 12□입니다.
□에는 0부터 9까지 들어갈 수 있으므로 이 중에서 가장 큰 수는 129입니다.

개념 확인평가 1. 수의 범위와 어림하기

맞은 개수

1 수를 보고 물음에 답하세요.

14 15 16 17 18 19 20

(1) 18 이상인 수를 모두 찾아 써 보세요. (**18, 19, 20**)

✤ 18과 같거나 큰 수를 찾으면 18, 19, 20입니다.

(2) 17 미만인 수를 모두 찾아 써 보세요. (**14, 15, 16**)

✤ 17보다 작은 수를 찾으면 14, 15, 16입니다.

2 □ 안에 알맞은 수를 써넣으세요.

(1) 928을 올림하여 십의 자리까지 나타내면 **930**입니다.

(2) 571을 반올림하여 백의 자리까지 나타내면 **600**입니다.

✤ (1) 928 ➔ 930
(2) 571 ➔ 600
└➔ 7이므로 올림합니다.

3 바르게 설명한 것에 ○표, 잘못 설명한 것에 ×표 하세요.

(1) 7은 7 이상인 수에 포함됩니다. (○)

(2) 5, 6, 7, 8 중에서 6 이하인 수는 5뿐입니다. (×)

✤ (1) 7 이상인 수 ➔ 7과 같거나 큰 수
(2) 6 이하인 수 ➔ 6과 같거나 작은 수
5, 6, 7, 8 중에서 6 이하인 수는 5, 6입니다.

4 30 초과 40 이하인 수를 모두 찾아 써 보세요.

26 30 19 38
33 21 45 40

(**38, 33, 40**)

✤ 30 초과 40 이하인 수는 30보다 크고 40과 같거나 작은 수이므로 38, 33, 40입니다.

정답과 풀이 p.8

[5~6] 정국이네 모둠 학생들이 1분 동안 윗몸 말아 올리기를 한 횟수와 등급별 윗몸 말아 올리기 횟수의 범위를 나타낸 표입니다. 물음에 답하세요.

윗몸 말아 올리기 기록

이름	횟수(회)
정국	30
민지	23
진석	20
석호	17

등급별 횟수

등급	횟수(회)
가	30 이상
나	25 이상 30 미만
다	20 이상 25 미만
라	20 미만

5 다 등급에 속하는 학생의 이름을 모두 써 보세요.

(**민지, 진석**)

✤ 다 등급은 20회 이상 25회 미만이므로 다 등급에 속하는 학생은 민지, 진석입니다.

6 가 등급의 횟수의 범위를 수직선에 나타내어 보세요.

20 21 22 23 24 25 26 27 28 29 30 31 32

✤ 가 등급: 30 이상 ➔ 30에 ●으로 표시하고 오른쪽으로 선을 긋습니다.

7 주어진 수를 올림, 버림, 반올림하여 백의 자리까지 나타내어 보세요.

수	올림	버림	반올림
5366	**5400**	**5300**	**5400**

✤ 올림: 5366 ➔ 5400 버림: 5366 ➔ 5300
반올림: 5366 ➔ 5400
└➔ 6이므로 올림합니다.

8 수직선에 나타낸 수의 범위를 써 보세요.

10 11 12 13 14 15 16 17

(**11 이상 15 이하인 수**)

✤ 11과 15에 ●으로 표시하고 11과 15 사이에 선을 그었으므로 11 이상 15 이하인 수입니다.

1 단원

개념 확인평가 1. 수의 범위와 어림하기

정답과 풀이 p.8

9 '미만'을 넣어 문장을 만들어 보세요.

문장 예 **우리 반에서 몸무게가 35 kg 미만인 학생은 모두 10명입니다.**

✤ ■ 미만인 수 ➔ ■보다 작은 수

10 어림하는 방법이 다른 한 친구를 찾아 이름을 써 보세요.

예지: 쿠폰 10장을 모으면 치킨 1마리로 바꿀 수 있어. 쿠폰 22장이 있으니까 치킨 2마리로 바꿀 수 있어.

민기: 귤 43개를 10개씩 한 망에 넣어 팔면 모두 40개를 팔 수 있어.

준우: 비커에 물이 1.35 L 있는데 1 L 단위로 가까운 쪽의 눈금을 읽으면 1 L야.

(**준우**)

✤ 예지: 버림 민기: 버림 준우: 반올림

11 준남이는 4760원짜리 필통을 한 개 사려고 합니다. 1000원짜리 지폐로만 필통값을 내려면 최소 얼마를 내야 할까요?

(**5000원**)

✤ 올림으로 어림합니다.
4760 ➔ 5000이므로 최소 5000원을 내야 합니다.

[Go! 매쓰]
여기까지 1단원 내용입니다.
다음부터는 2단원 내용이 시작합니다.

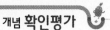

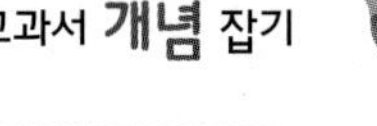

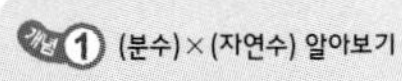

• (진분수)×(자연수)

$\frac{5}{6}\times3=\frac{5}{6}+\frac{5}{6}+\frac{5}{6}=\frac{5\times3}{6}=\frac{15}{6}=2\frac{3}{6}=2\frac{1}{2}$ ← $\frac{5}{6}\times3$은 $\frac{5}{6}$를 3번 더한 것과 같습니다.

방법1 분자와 자연수를 곱한 후, 분모와 분자를 약분하여 계산하기

$\frac{5}{6}\times3=\frac{5\times3}{6}=\frac{15}{6}=\frac{5}{2}=2\frac{1}{2}$

(진분수)×(자연수)는 분자와 자연수를 곱하여 계산할 수 있어요.

방법2 분자와 자연수를 곱하기 전, 분모와 분자를 약분하여 계산하기

$\frac{5}{6}\times3=\frac{5\times3}{6}=\frac{5}{2}=2\frac{1}{2}$

방법3 (분수)×(자연수)의 식에서 분모와 자연수를 약분하여 계산하기

$\frac{5}{6}\times3=\frac{5}{2}=2\frac{1}{2}$ ← 계산 과정이 가장 간단합니다.

• (대분수)×(자연수)

방법1 대분수를 가분수로 나타내어 계산하기

$1\frac{5}{8}\times2=\frac{13}{8}\times2=\frac{13}{4}=3\frac{1}{4}$

방법2 대분수를 자연수와 진분수의 합으로 바꾸어 계산하기

$1\frac{5}{8}\times2=\left(1+\frac{5}{8}\right)\times2=(1\times2)+\left(\frac{5}{8}\times2\right)=2+\frac{5}{4}=2+1\frac{1}{4}=3\frac{1}{4}$

개념 Check

$\frac{3}{7}\times2$를 바르게 계산한 친구에게 ○표 하세요.

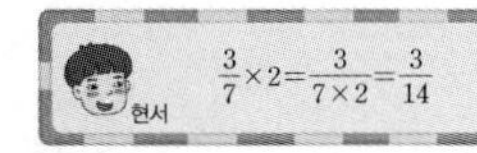

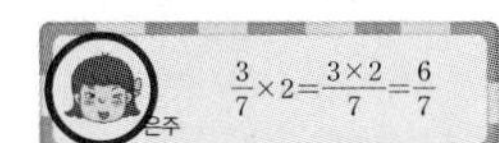

1 그림을 보고 □ 안에 알맞은 수를 써넣으세요.

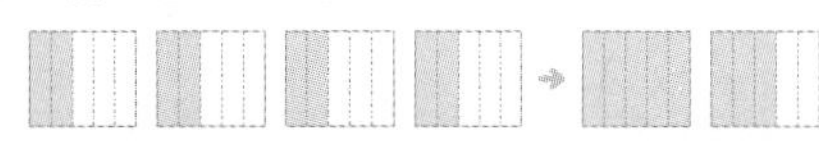

$\frac{2}{5}\times4=\frac{2}{5}+\frac{2}{5}+\frac{2}{5}+\frac{2}{5}=\frac{2\times4}{5}=\frac{8}{5}=1\frac{3}{5}$

✤ $\frac{2}{5}\times4$는 $\frac{2}{5}$를 4번 더한 것과 같습니다.

2 $\frac{7}{8}\times2$를 여러 가지 방법으로 계산한 것입니다. □ 안에 알맞은 수를 써넣으세요.

(1) $\frac{7}{8}\times2=\frac{7\times2}{8}=\frac{14}{8}=\frac{7}{4}=1\frac{3}{4}$

(2) $\frac{7}{8}\times2=\frac{7\times2}{8}=\frac{7}{4}=1\frac{3}{4}$ (3) $\frac{7}{8}\times2=\frac{7}{4}=1\frac{3}{4}$

✤ (1) 분자와 자연수를 곱한 후, 분모와 분자를 약분하여 계산한 것입니다.
(2) 분자와 자연수를 곱하기 전, 분모와 분자를 약분하여 계산한 것입니다.
(3) 분모와 자연수를 약분하여 계산한 것입니다.

3 □ 안에 알맞은 수를 써넣으세요.

(1) $2\frac{1}{7}\times4=\frac{15}{7}\times4=\frac{15\times4}{7}=\frac{60}{7}=8\frac{4}{7}$

(2) $2\frac{1}{7}\times4=(2\times4)+\left(\frac{1}{7}\times4\right)=8+\frac{4}{7}=8\frac{4}{7}$

✤ (1) 대분수를 가분수로 나타내어 계산한 것입니다.
(2) 대분수를 자연수와 진분수의 합으로 바꾸어 계산한 것입니다.

4 계산해 보세요.

(1) $\frac{2}{9}\times6=1\frac{1}{3}$ (2) $2\frac{1}{4}\times3=6\frac{3}{4}$

✤ (1) $\frac{2}{9}\times6=\frac{2\times2}{3}=\frac{4}{3}=1\frac{1}{3}$

(2) $2\frac{1}{4}\times3=\frac{9}{4}\times3=\frac{9\times3}{4}=\frac{27}{4}=6\frac{3}{4}$

2 단원

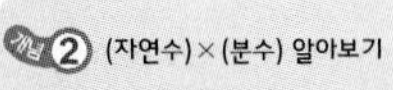

개념 2 (자연수)×(분수) 알아보기

• (자연수)×(진분수)

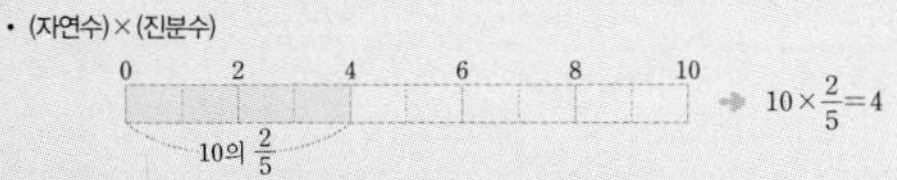

→ $10\times\frac{2}{5}=4$

방법1 자연수와 분자를 곱한 후, 분모와 분자를 약분하여 계산하기

$10\times\frac{2}{5}=\frac{10\times2}{5}=\frac{20}{5}=4$

(자연수)×(진분수)는 자연수와 분자를 곱하여 계산할 수 있어요.

방법2 자연수와 분자를 곱하기 전, 분모와 분자를 약분하여 계산하기

$10\times\frac{2}{5}=\frac{10\times2}{5}=4$

방법3 (자연수)×(분수)의 식에서 자연수와 분모를 약분하여 계산하기

$10\times\frac{2}{5}=4$ ← 계산 과정이 가장 간단합니다.

• (자연수)×(대분수)

방법1 대분수를 가분수로 나타내어 계산하기

$2\times1\frac{3}{4}=2\times\frac{7}{4}=\frac{7}{2}=3\frac{1}{2}$

대분수 상태에서 약분하지 않도록 주의해요.

방법2 대분수를 자연수와 진분수의 합으로 바꾸어 계산하기

$2\times1\frac{3}{4}=2\times\left(1+\frac{3}{4}\right)=(2\times1)+\left(2\times\frac{3}{4}\right)=2+\frac{3}{2}=2+1\frac{1}{2}=3\frac{1}{2}$

개념 Check

$6\times2\frac{1}{3}$을 바르게 계산한 친구에게 ○표 하세요.

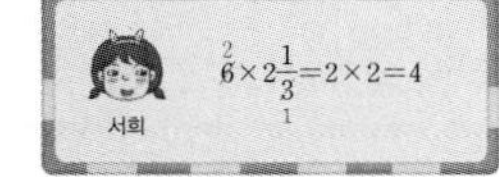

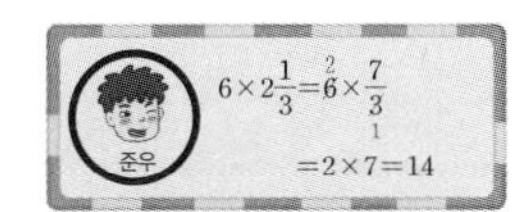

1 그림을 보고 □ 안에 알맞은 수를 써넣으세요.

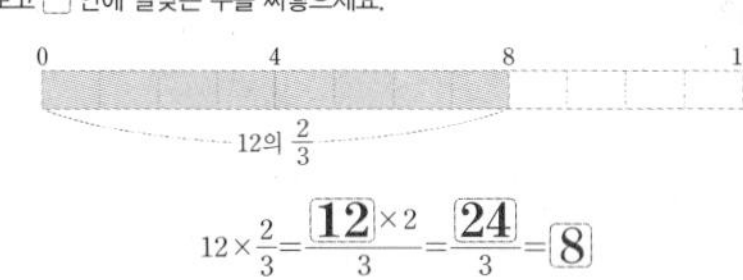

$12\times\frac{2}{3}=\frac{12\times2}{3}=\frac{24}{3}=8$

2 $6\times\frac{5}{9}$를 여러 가지 방법으로 계산한 것입니다. □ 안에 알맞은 수를 써넣으세요.

(1) $6\times\frac{5}{9}=\frac{6\times5}{9}=\frac{30}{9}=\frac{10}{3}=3\frac{1}{3}$

(2) $6\times\frac{5}{9}=\frac{6\times5}{9}=\frac{10}{3}=3\frac{1}{3}$ (3) $6\times\frac{5}{9}=\frac{10}{3}=3\frac{1}{3}$

✤ (1) 자연수와 분자를 곱한 후, 분모와 분자를 약분하여 계산한 것입니다.
(2) 자연수와 분자를 곱하기 전, 분모와 분자를 약분하여 계산한 것입니다.
(3) 자연수와 분모를 약분하여 계산한 것입니다.

3 □ 안에 알맞은 수를 써넣으세요.

(1) $5\times1\frac{3}{8}=5\times\frac{11}{8}=\frac{5\times11}{8}=\frac{55}{8}=6\frac{7}{8}$

(2) $5\times1\frac{3}{8}=(5\times1)+\left(5\times\frac{3}{8}\right)=5+\frac{15}{8}=5+1\frac{7}{8}=6\frac{7}{8}$

✤ (1) 대분수를 가분수로 나타내어 계산한 것입니다.
(2) 대분수를 자연수와 진분수의 합으로 바꾸어 계산한 것입니다.

4 계산해 보세요.

(1) $8\times\frac{5}{12}=3\frac{1}{3}$ (2) $3\times2\frac{1}{2}=7\frac{1}{2}$

✤ (1) $8\times\frac{5}{12}=\frac{2\times5}{3}=\frac{10}{3}=3\frac{1}{3}$

(2) $3\times2\frac{1}{2}=3\times\frac{5}{2}=\frac{3\times5}{2}=\frac{15}{2}=7\frac{1}{2}$

2 단원

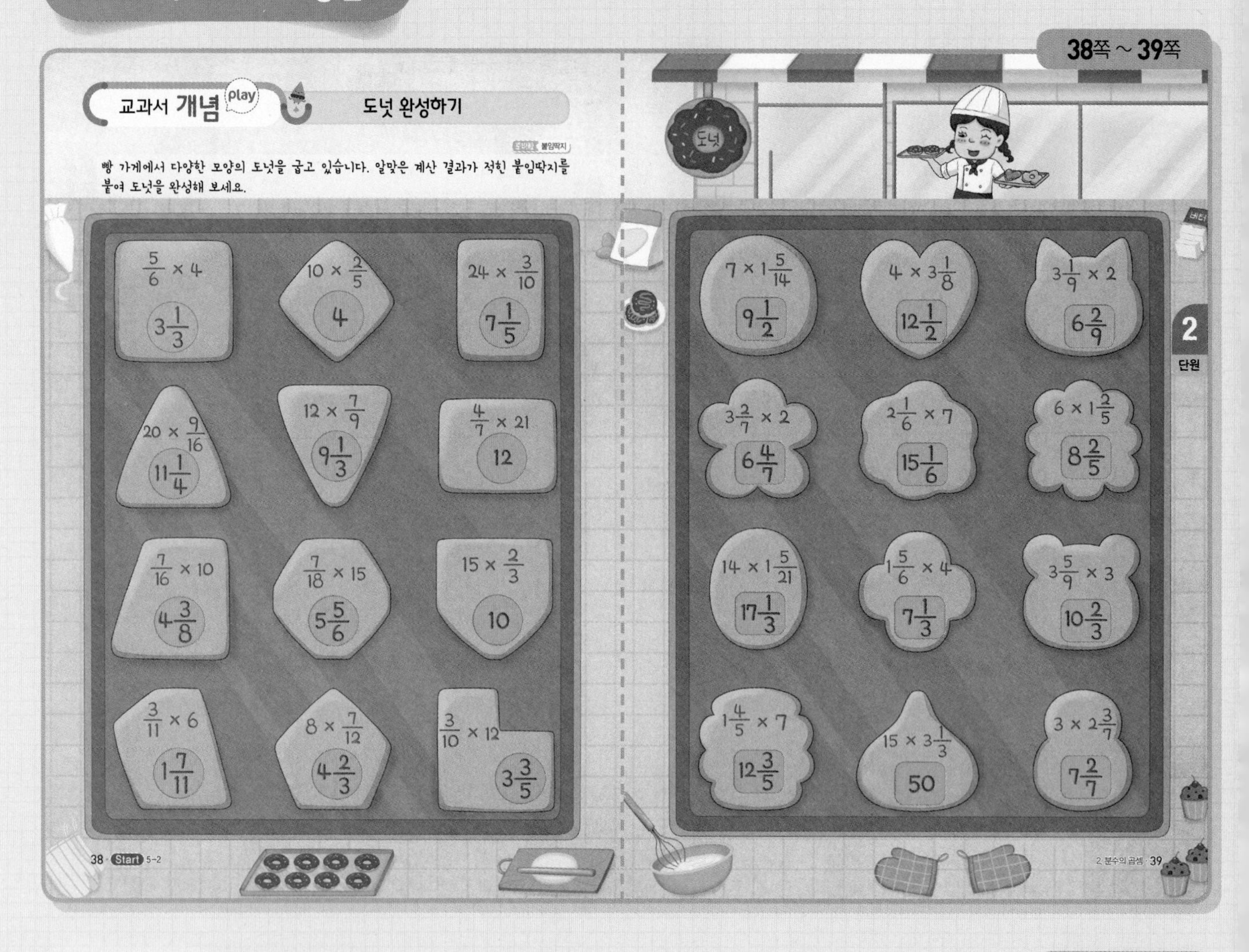

38쪽 ~ 39쪽
교과서 개념 play
도넛 완성하기
붙임딱지
빵 가게에서 다양한 모양의 도넛을 굽고 있습니다. 알맞은 계산 결과가 적힌 붙임딱지를 붙여 도넛을 완성해 보세요.
$\frac{5}{6}\times4$ $3\frac{1}{3}$
$10\times\frac{2}{5}$ 4
$24\times\frac{3}{10}$ $7\frac{1}{5}$
$20\times\frac{9}{16}$ $11\frac{1}{4}$
$12\times\frac{7}{9}$ $9\frac{1}{3}$
$\frac{4}{7}\times21$ 12
$\frac{7}{16}\times10$ $4\frac{3}{8}$
$\frac{7}{18}\times15$ $5\frac{5}{6}$
$15\times\frac{2}{3}$ 10
$\frac{3}{11}\times6$ $1\frac{7}{11}$
$8\times\frac{7}{12}$ $4\frac{2}{3}$
$\frac{3}{10}\times12$ $3\frac{3}{5}$
$7\times1\frac{5}{14}$ $9\frac{1}{2}$
$4\times3\frac{1}{8}$ $12\frac{1}{2}$
$3\frac{1}{9}\times2$ $6\frac{2}{9}$
$3\frac{2}{7}\times2$ $6\frac{4}{7}$
$2\frac{1}{6}\times7$ $15\frac{1}{6}$
$6\times1\frac{2}{5}$ $8\frac{2}{5}$
$14\times1\frac{5}{21}$ $17\frac{1}{3}$
$1\frac{5}{6}\times4$ $7\frac{1}{3}$
$3\frac{5}{9}\times3$ $10\frac{2}{3}$
$1\frac{4}{5}\times7$ $12\frac{3}{5}$
$15\times3\frac{1}{3}$ 50
$3\times2\frac{3}{7}$ $7\frac{2}{7}$
38 · Start 5-2
2. 분수의 곱셈 · 39

40쪽 ~ 41쪽

집중! 드릴 문제

정답과 풀이 p.10

[1~5] 계산해 보세요.

1. $\frac{9}{16}\times8$ ($4\frac{1}{2}$)
   ✣ $\frac{9}{16}\times8=\frac{9}{2}=4\frac{1}{2}$

2. $\frac{5}{6}\times12$ (10)
   ✣ $\frac{5}{6}\times12=10$

3. $\frac{3}{8}\times5$ ($1\frac{7}{8}$)
   ✣ $\frac{3}{8}\times5=\frac{15}{8}=1\frac{7}{8}$

4. $\frac{2}{11}\times22$ (4)
   ✣ $\frac{2}{11}\times22=4$

5. $\frac{7}{12}\times8$ ($4\frac{2}{3}$)
   ✣ $\frac{7}{12}\times8=\frac{14}{3}=4\frac{2}{3}$

[6~10] 계산해 보세요.

6. $3\frac{2}{5}\times10$ (34)
   ✣ $3\frac{2}{5}\times10=\frac{17}{5}\times10=34$

7. $2\frac{2}{9}\times2$ ($4\frac{4}{9}$)
   ✣ $2\frac{2}{9}\times2=\frac{20}{9}\times2=\frac{40}{9}=4\frac{4}{9}$

8. $2\frac{1}{6}\times2$ ($4\frac{1}{3}$)
   ✣ $2\frac{1}{6}\times2=\frac{13}{6}\times2=\frac{13}{3}=4\frac{1}{3}$

9. $1\frac{3}{10}\times4$ ($5\frac{1}{5}$)
   ✣ $1\frac{3}{10}\times4=\frac{13}{10}\times4=\frac{26}{5}=5\frac{1}{5}$

10. $3\frac{1}{8}\times6$ ($18\frac{3}{4}$)
   ✣ $3\frac{1}{8}\times6=\frac{25}{8}\times6=\frac{75}{4}=18\frac{3}{4}$

[11~15] 계산해 보세요.

11. $2\times\frac{4}{5}$ ($1\frac{3}{5}$)
   ✣ $2\times\frac{4}{5}=\frac{8}{5}=1\frac{3}{5}$

12. $5\times\frac{8}{9}$ ($4\frac{4}{9}$)
   ✣ $5\times\frac{8}{9}=\frac{40}{9}=4\frac{4}{9}$

13. $6\times\frac{11}{12}$ ($5\frac{1}{2}$)
   ✣ $6\times\frac{11}{12}=\frac{11}{2}=5\frac{1}{2}$

14. $20\times\frac{4}{15}$ ($5\frac{1}{3}$)
   ✣ $20\times\frac{4}{15}=\frac{16}{3}=5\frac{1}{3}$

15. $3\times\frac{7}{18}$ ($1\frac{1}{6}$)
   ✣ $3\times\frac{7}{18}=\frac{7}{6}=1\frac{1}{6}$

[16~20] 계산해 보세요.

16. $4\times1\frac{2}{3}$ ($6\frac{2}{3}$)
   ✣ $4\times1\frac{2}{3}=4\times\frac{5}{3}=\frac{20}{3}=6\frac{2}{3}$

17. $3\times4\frac{1}{2}$ ($13\frac{1}{2}$)
   ✣ $3\times4\frac{1}{2}=3\times\frac{9}{2}=\frac{27}{2}=13\frac{1}{2}$

18. $6\times1\frac{3}{4}$ ($10\frac{1}{2}$)
   ✣ $6\times1\frac{3}{4}=6\times\frac{7}{4}=\frac{21}{2}=10\frac{1}{2}$

19. $8\times1\frac{1}{10}$ ($8\frac{4}{5}$)
   ✣ $8\times1\frac{1}{10}=8\times\frac{11}{10}=\frac{44}{5}=8\frac{4}{5}$

20. $26\times1\frac{2}{13}$ (30)
   ✣ $26\times1\frac{2}{13}=26\times\frac{15}{13}=30$

2 단원

교과서 개념 확인 문제

정답과 풀이 p.11

1 그림을 보고 □ 안에 알맞은 수를 써넣으세요.

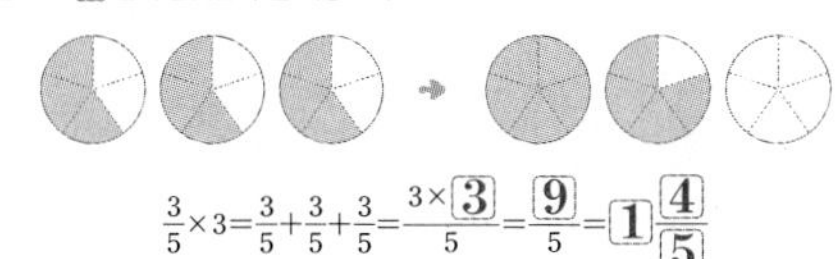

$\frac{3}{5}\times3=\frac{3}{5}+\frac{3}{5}+\frac{3}{5}=\frac{3\times\boxed{3}}{5}=\frac{\boxed{9}}{5}=\boxed{1}\frac{\boxed{4}}{\boxed{5}}$

2 보기 와 같이 계산해 보세요.

보기: $\frac{5}{\cancel{8}_4}\times\cancel{6}^3=\frac{5\times3}{4}=\frac{15}{4}=3\frac{3}{4}$

(1) $\frac{9}{\cancel{20}_5}\times\cancel{8}^2=\frac{9\times2}{5}=\frac{18}{5}=3\frac{3}{5}$

(2) $\frac{3}{\cancel{10}_5}\times\cancel{14}^7=\frac{3\times7}{5}=\frac{21}{5}=4\frac{1}{5}$

✤ (분수)×(자연수)의 식에서 분모와 자연수를 약분하여 분자와 자연수를 곱한 것입니다.

3 계산해 보세요.

(1) $\frac{7}{9}\times3=2\frac{1}{3}$ (2) $\frac{8}{11}\times2=1\frac{5}{11}$

(3) $1\frac{3}{5}\times6=9\frac{3}{5}$ (4) $1\frac{7}{12}\times4=6\frac{1}{3}$

✤ (1) $\frac{7}{\cancel{9}_3}\times\cancel{3}^1=\frac{7}{3}=2\frac{1}{3}$ (2) $\frac{8}{11}\times2=\frac{16}{11}=1\frac{5}{11}$

(3) $1\frac{3}{5}\times6=\frac{8}{5}\times6=\frac{48}{5}=9\frac{3}{5}$

(4) $1\frac{7}{12}\times4=\frac{19}{\cancel{12}_3}\times\cancel{4}^1=\frac{19}{3}=6\frac{1}{3}$

4 빈칸에 알맞은 수를 써넣으세요.

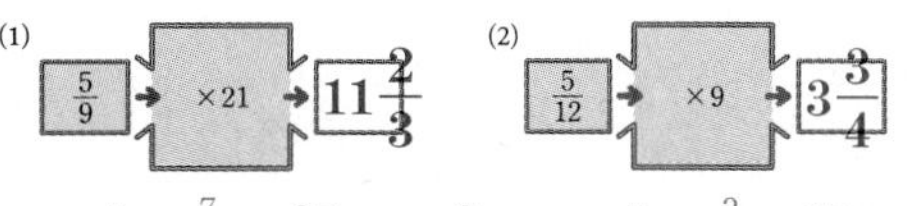

✤ (1) $\frac{5}{\cancel{9}_3}\times\cancel{21}^7=\frac{35}{3}=11\frac{2}{3}$ (2) $\frac{5}{\cancel{12}_4}\times\cancel{9}^3=\frac{15}{4}=3\frac{3}{4}$

5 계산 결과를 찾아 이어 보세요.

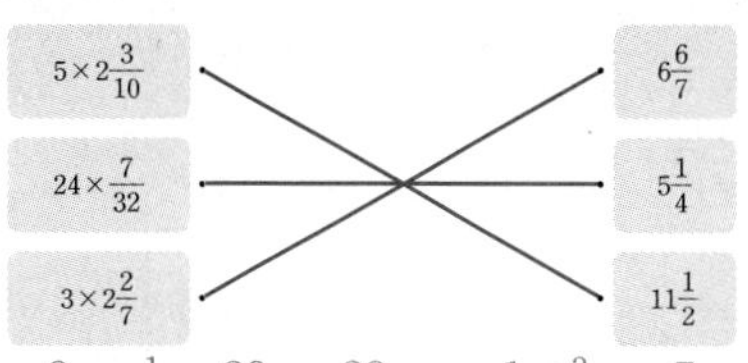

✤ $5\times2\frac{3}{10}=\cancel{5}^1\times\frac{23}{\cancel{10}_2}=\frac{23}{2}=11\frac{1}{2}$, $\cancel{24}^3\times\frac{7}{\cancel{32}_4}=\frac{21}{4}=5\frac{1}{4}$.

6 빈칸에 알맞은 수를 써넣으세요. $3\times2\frac{2}{7}=3\times\frac{16}{7}=\frac{48}{7}=6\frac{6}{7}$

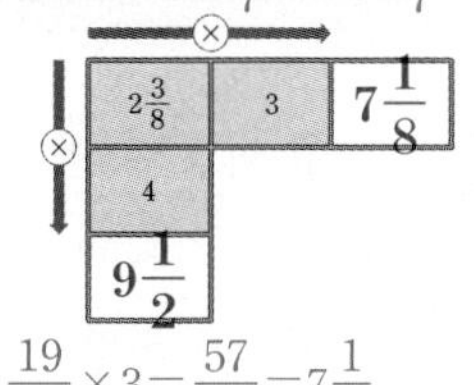

✤ • $2\frac{3}{8}\times3=\frac{19}{8}\times3=\frac{57}{8}=7\frac{1}{8}$

• $2\frac{3}{8}\times4=\frac{19}{\cancel{8}_2}\times\cancel{4}^1=\frac{19}{2}=9\frac{1}{2}$

교과서 개념 확인 문제

정답과 풀이 p.11

7 빈칸에 두 분수의 곱을 써넣으세요.

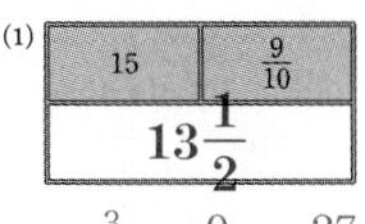

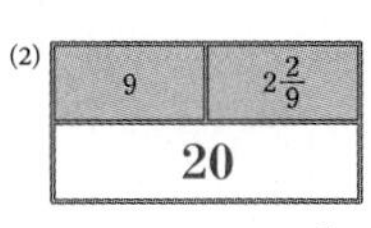

✤ (1) $\cancel{15}^3\times\frac{9}{\cancel{10}_2}=\frac{27}{2}=13\frac{1}{2}$ (2) $9\times2\frac{2}{9}=\cancel{9}^1\times\frac{20}{\cancel{9}_1}=20$

8 다음 계산에서 잘못된 부분을 찾아 바르게 계산해 보세요.

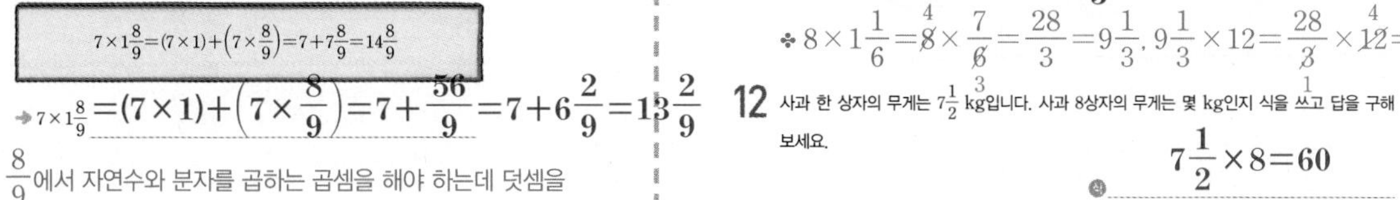

$7\times1\frac{8}{9}=(7\times1)+\left(7\times\frac{8}{9}\right)=7+7\frac{8}{9}=14\frac{8}{9}$

→ $7\times1\frac{8}{9}=(7\times1)+\left(7\times\frac{8}{9}\right)=7+\frac{56}{9}=7+6\frac{2}{9}=13\frac{2}{9}$

✤ $7\times\frac{8}{9}$에서 자연수와 분자를 곱하는 곱셈을 해야 하는데 덧셈을 해서 틀렸습니다.

9 계산 결과가 4보다 큰 식에 ○표, 4보다 작은 식에 △표 하세요.

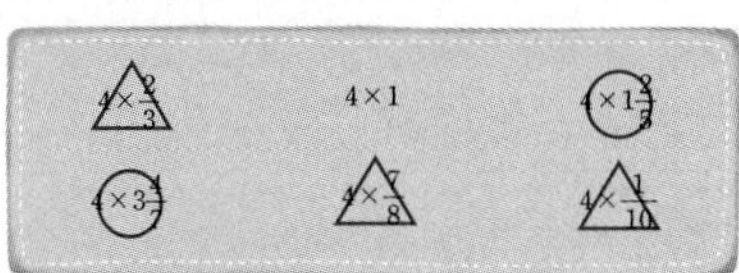

✤ • 4에 진분수를 곱하면 계산 결과는 4보다 작습니다.
• 4에 1을 곱하면 계산 결과는 그대로 4입니다.
• 4에 대분수나 가분수를 곱하면 계산 결과는 4보다 큽니다.

10 계산 결과를 비교하여 ○ 안에 >, =, <를 알맞게 써넣으세요.

$3\frac{1}{16}\times4$ < $9\times1\frac{5}{12}$

✤ $3\frac{1}{16}\times4=\frac{49}{\cancel{16}_4}\times\cancel{4}^1=\frac{49}{4}=12\frac{1}{4}$, $9\times1\frac{5}{12}=\cancel{9}^3\times\frac{17}{\cancel{12}_4}=\frac{51}{4}=12\frac{3}{4}$

→ $12\frac{1}{4}$ < $12\frac{3}{4}$

11 빈 곳에 알맞은 수를 써넣으세요.

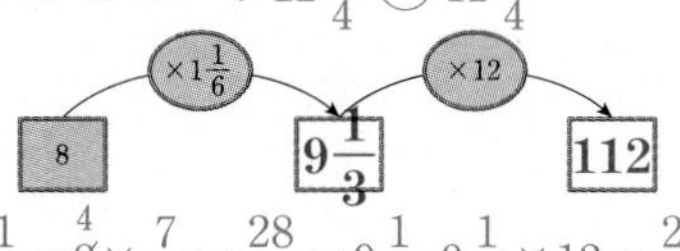

✤ $8\times1\frac{1}{6}=\cancel{8}^4\times\frac{7}{\cancel{6}_3}=\frac{28}{3}=9\frac{1}{3}$, $9\frac{1}{3}\times12=\frac{28}{\cancel{3}_1}\times\cancel{12}^4=112$

12 사과 한 상자의 무게는 $7\frac{1}{2}$ kg입니다. 사과 8상자의 무게는 몇 kg인지 식을 쓰고 답을 구해 보세요.

식 $7\frac{1}{2}\times8=60$

답 60 kg

✤ $7\frac{1}{2}\times8=\frac{15}{\cancel{2}_1}\times\cancel{8}^4=60$ (kg)

13 그림과 같이 가로가 10 m이고, 세로가 $2\frac{4}{15}$ m인 직사각형 모양의 텃밭이 있습니다. 이 텃밭의 넓이는 몇 m^2일까요?

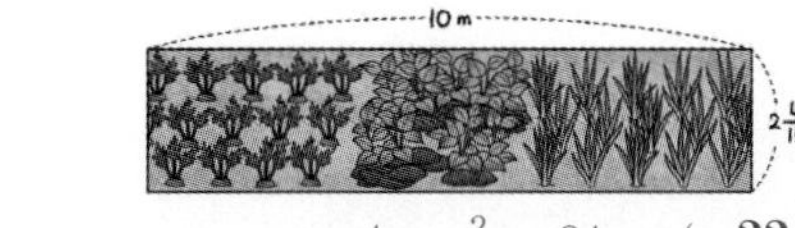

($22\frac{2}{3}$ m^2)

✤ (텃밭의 넓이)$=10\times2\frac{4}{15}=\cancel{10}^2\times\frac{34}{\cancel{15}_3}=\frac{68}{3}=22\frac{2}{3}$ (m^2)

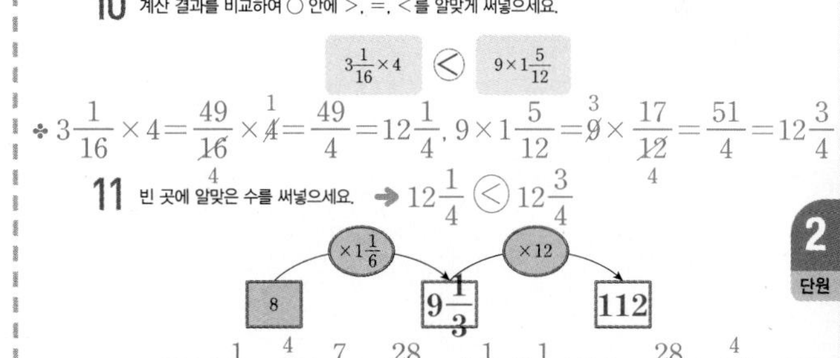
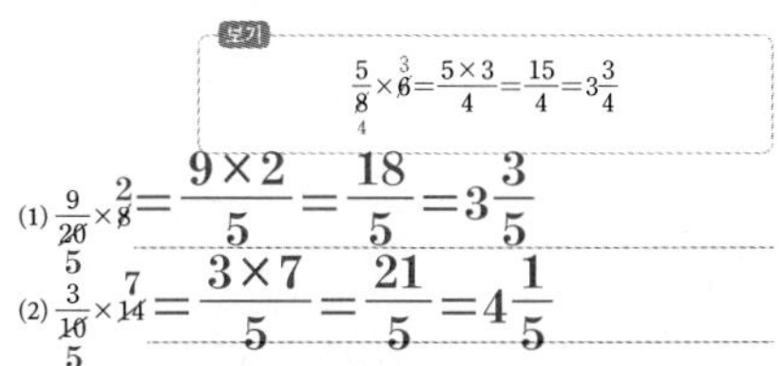

46쪽 ~ 47쪽

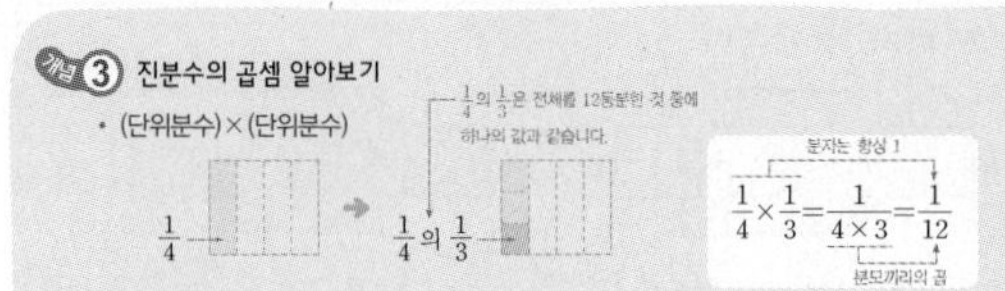

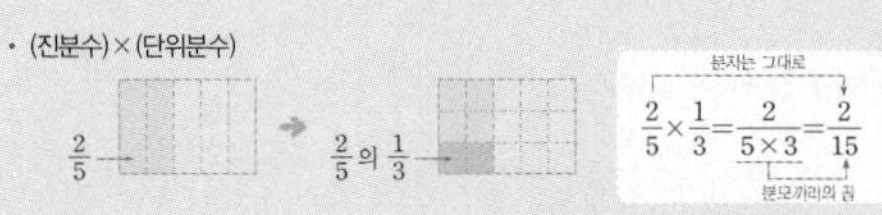

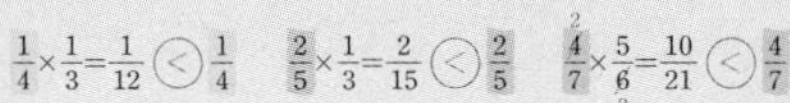

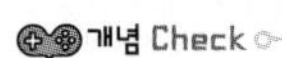

1 그림을 보고 □ 안에 알맞은 수를 써넣으세요.

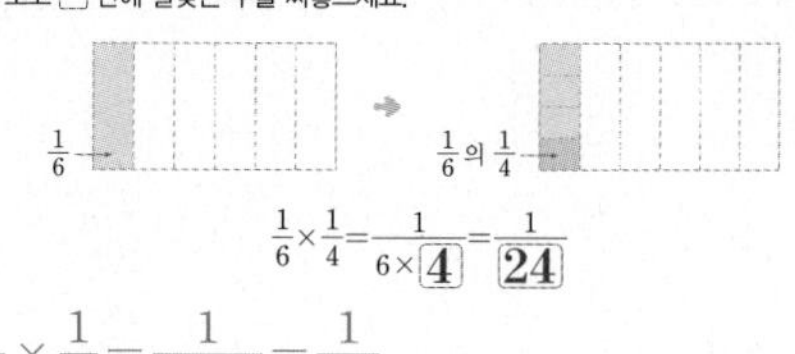

$\frac{1}{6}\times\frac{1}{4}=\frac{1}{6\times 4}=\frac{1}{24}$

2 □ 안에 알맞은 수를 써넣으세요.

(1) $\frac{2}{3}\times\frac{6}{7}=\frac{2\times\cancel{6}^{2}}{\cancel{3}_{1}\times 7}=\frac{4}{7}$

(2) $\frac{3}{8}\times\frac{1}{2}\times\frac{2}{5}=\frac{3\times 1\times\cancel{2}^{1}}{8\times\cancel{2}_{1}\times 5}=\frac{3}{40}$

3 계산해 보세요.

(1) $\frac{3}{4}\times\frac{2}{9}=\frac{1}{6}$

(2) $\frac{4}{5}\times\frac{2}{3}\times\frac{5}{6}=\frac{4}{9}$

(1) $\frac{\cancel{3}^{1}}{\cancel{4}_{2}}\times\frac{\cancel{2}^{1}}{\cancel{9}_{3}}=\frac{1\times 1}{2\times 3}=\frac{1}{6}$

(2) $\frac{\cancel{4}^{2}}{\cancel{5}_{1}}\times\frac{2}{3}\times\frac{\cancel{5}^{1}}{\cancel{6}_{3}}=\frac{2\times 2\times 1}{1\times 3\times 3}=\frac{4}{9}$

4 더 큰 쪽에 ○표 하세요.

(1) $\frac{1}{2}\times\frac{1}{10}$ ( ) $\frac{1}{2}$ (○)

(2) $\frac{3}{7}\times\frac{1}{5}$ ( ) $\frac{3}{7}$ (○)

(1) $\frac{1}{2}\times\frac{1}{10}=\frac{1}{20}<\frac{1}{2}$

(2) $\frac{3}{7}\times\frac{1}{5}=\frac{3}{35}<\frac{3}{7}$

[참고] 어떤 수에 1보다 작은 수를 곱하면 처음 수보다 값이 더 작아집니다.

48쪽 ~ 49쪽

1 그림을 보고 □ 안에 알맞은 수를 써넣으세요.

$3\frac{1}{4}\times 1\frac{1}{2}=\frac{13}{4}\times\frac{3}{2}=\frac{39}{8}=4\frac{7}{8}$

2 □ 안에 알맞은 수를 써넣으세요.

(1) $9\times\frac{3}{4}=\frac{9}{1}\times\frac{3}{4}=\frac{9\times 3}{1\times 4}=\frac{27}{4}=6\frac{3}{4}$

(2) $\frac{5}{6}\times 7=\frac{5}{6}\times\frac{7}{1}=\frac{5\times 7}{6\times 1}=\frac{35}{6}=5\frac{5}{6}$

3 계산해 보세요.

(1) $4\frac{1}{2}\times 1\frac{2}{9}=5\frac{1}{2}$

(2) $3\frac{1}{5}\times 1\frac{7}{8}=6$

(1) $4\frac{1}{2}\times 1\frac{2}{9}=\frac{\cancel{9}^{1}}{2}\times\frac{11}{\cancel{9}_{1}}=\frac{11}{2}=5\frac{1}{2}$

(2) $3\frac{1}{5}\times 1\frac{7}{8}=\frac{\cancel{16}^{2}}{\cancel{5}_{1}}\times\frac{\cancel{15}^{3}}{\cancel{8}_{1}}=6$

4 빈 곳에 알맞은 수를 써넣으세요.

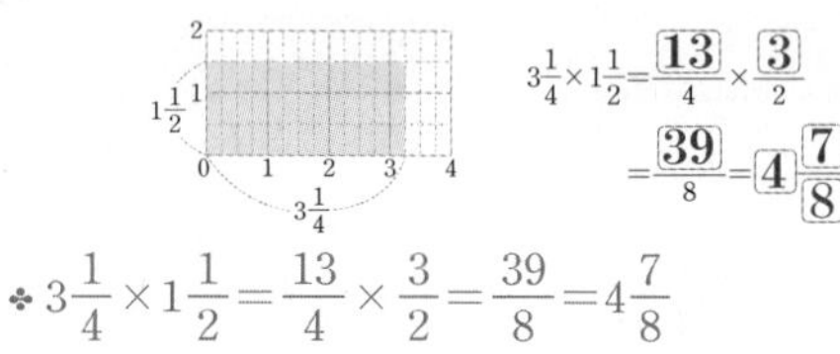

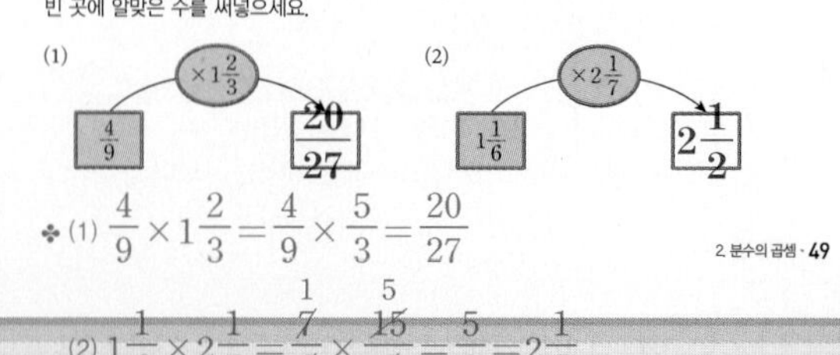

(1) $\frac{4}{9}\times 1\frac{2}{3}=\frac{4}{9}\times\frac{5}{3}=\frac{20}{27}$

(2) $1\frac{1}{6}\times 2\frac{1}{7}=\frac{\cancel{7}^{1}}{\cancel{6}_{2}}\times\frac{\cancel{15}^{5}}{\cancel{7}_{1}}=\frac{5}{2}=2\frac{1}{2}$

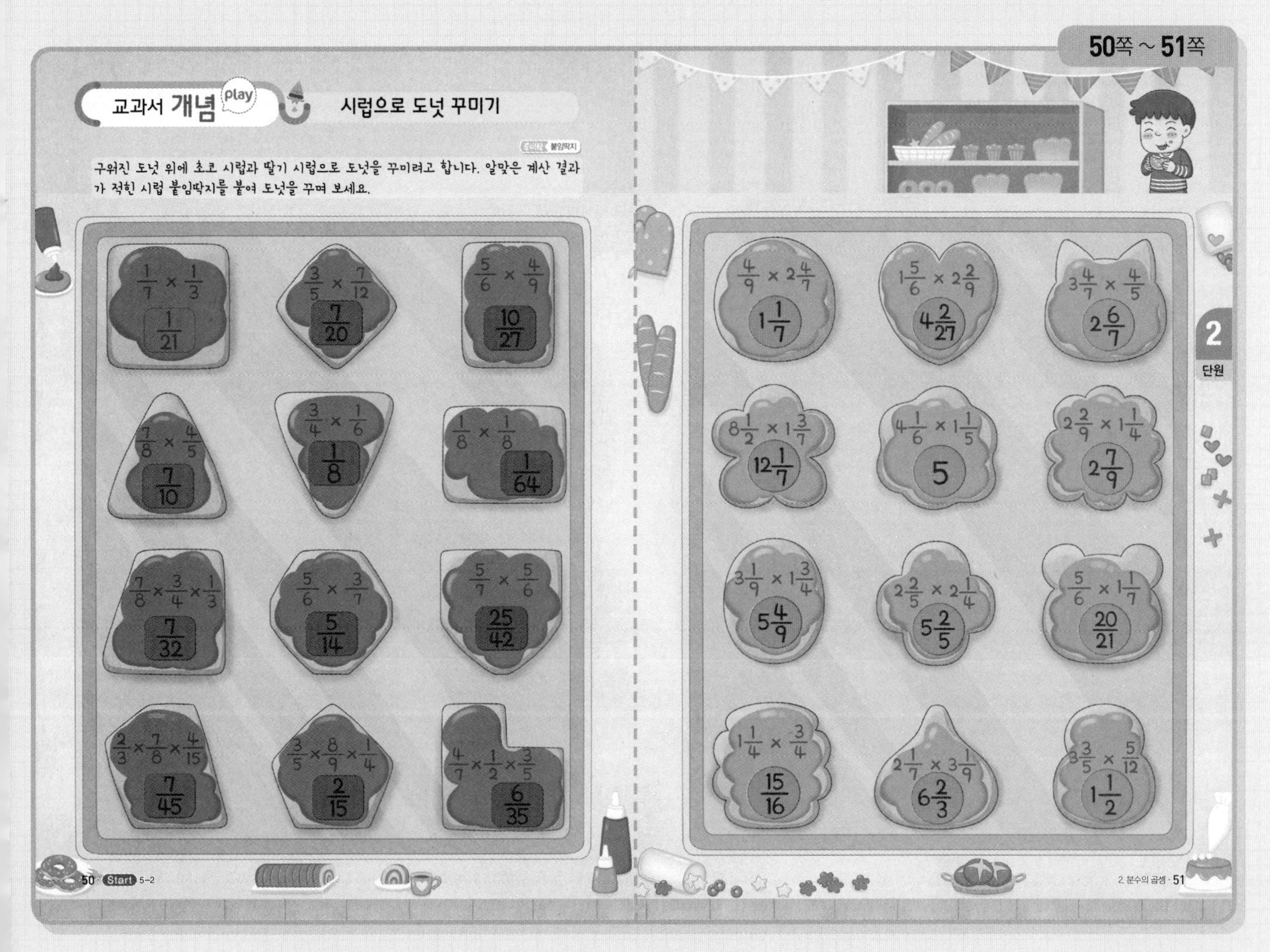

교과서 개념 play — 시럽으로 도넛 꾸미기

구워진 도넛 위에 초코 시럽과 딸기 시럽으로 도넛을 꾸미려고 합니다. 알맞은 계산 결과가 적힌 시럽 붙임딱지를 붙여 도넛을 꾸며 보세요.

$\frac{1}{7}\times\frac{1}{3}$ → $\frac{1}{21}$

$\frac{3}{5}\times\frac{7}{12}$ → $\frac{7}{20}$

$\frac{5}{6}\times\frac{4}{9}$ → $\frac{10}{27}$

$\frac{7}{8}\times\frac{4}{5}$ → $\frac{7}{10}$

$\frac{3}{4}\times\frac{1}{6}$ → $\frac{1}{8}$

$\frac{1}{8}\times\frac{1}{8}$ → $\frac{1}{64}$

$\frac{7}{8}\times\frac{3}{4}\times\frac{1}{3}$ → $\frac{7}{32}$

$\frac{5}{6}\times\frac{3}{7}$ → $\frac{5}{14}$

$\frac{5}{7}\times\frac{5}{6}$ → $\frac{25}{42}$

$\frac{2}{3}\times\frac{7}{8}\times\frac{4}{15}$ → $\frac{7}{45}$

$\frac{3}{5}\times\frac{8}{9}\times\frac{1}{4}$ → $\frac{2}{15}$

$\frac{4}{7}\times\frac{1}{2}\times\frac{3}{5}$ → $\frac{6}{35}$

$\frac{4}{9}\times2\frac{4}{7}$ → $1\frac{1}{7}$

$1\frac{5}{6}\times2\frac{2}{9}$ → $4\frac{2}{27}$

$3\frac{4}{7}\times\frac{4}{5}$ → $2\frac{6}{7}$

$8\frac{1}{2}\times1\frac{3}{7}$ → $12\frac{1}{7}$

$4\frac{1}{6}\times1\frac{1}{5}$ → 5

$2\frac{2}{9}\times1\frac{1}{4}$ → $2\frac{7}{9}$

$3\frac{1}{9}\times1\frac{3}{4}$ → $5\frac{4}{9}$

$2\frac{2}{5}\times2\frac{1}{4}$ → $5\frac{2}{5}$

$\frac{5}{6}\times1\frac{1}{7}$ → $\frac{20}{21}$

$1\frac{1}{4}\times\frac{3}{4}$ → $\frac{15}{16}$

$2\frac{1}{7}\times3\frac{1}{9}$ → $6\frac{2}{3}$

$3\frac{3}{5}\times\frac{5}{12}$ → $1\frac{1}{2}$

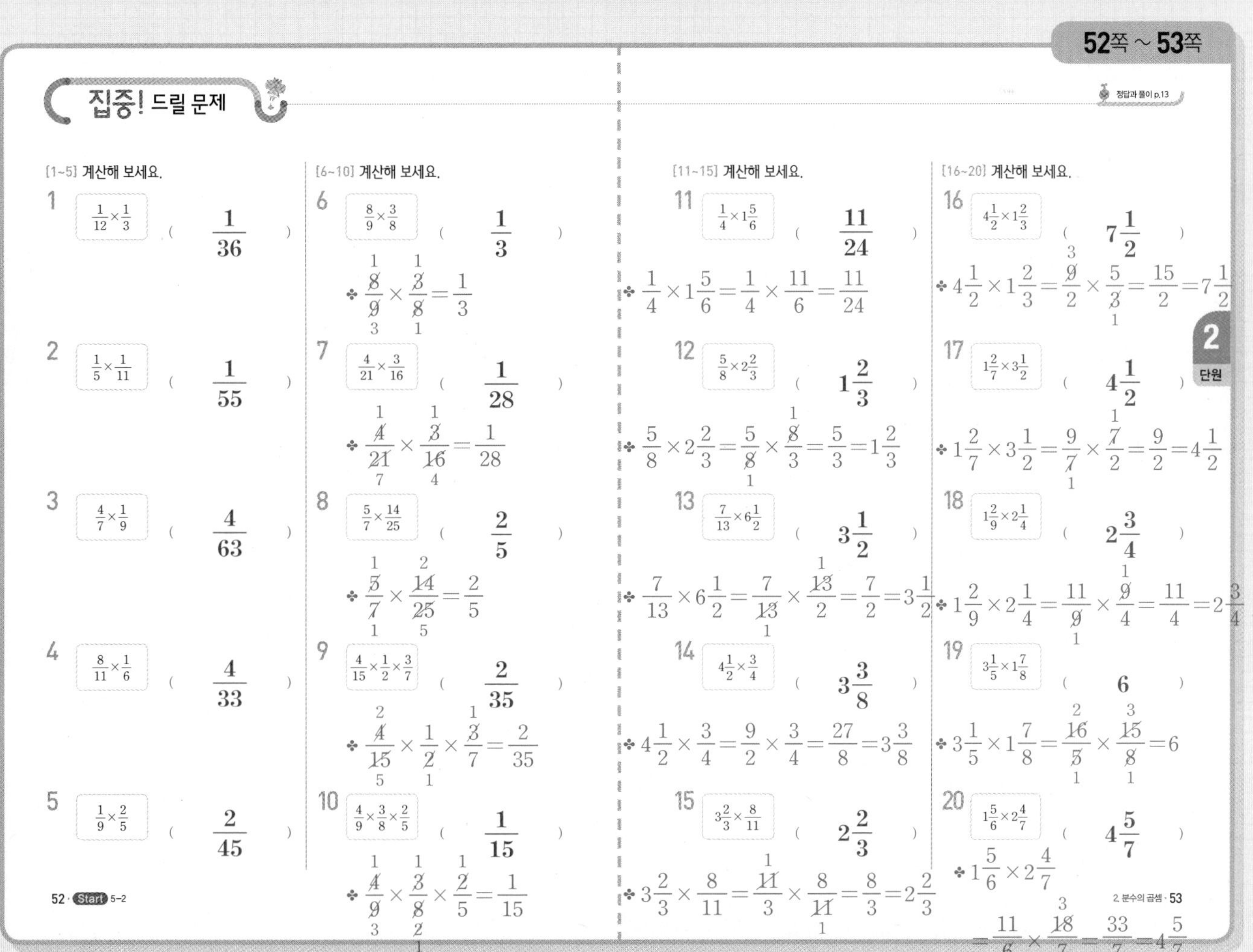

집중! 드릴 문제

정답과 풀이 p.13

[1~5] 계산해 보세요.

1. $\frac{1}{12}\times\frac{1}{3}$ ($\frac{1}{36}$)
2. $\frac{1}{5}\times\frac{1}{11}$ ($\frac{1}{55}$)
3. $\frac{4}{7}\times\frac{1}{9}$ ($\frac{4}{63}$)
4. $\frac{8}{11}\times\frac{1}{6}$ ($\frac{4}{33}$)
5. $\frac{1}{9}\times\frac{2}{5}$ ($\frac{2}{45}$)

[6~10] 계산해 보세요.

6. $\frac{8}{9}\times\frac{3}{8}$ ($\frac{1}{3}$)

✣ $\frac{\overset{1}{\cancel{8}}}{\underset{3}{\cancel{9}}}\times\frac{\overset{1}{\cancel{3}}}{\underset{1}{\cancel{8}}}=\frac{1}{3}$

7. $\frac{4}{21}\times\frac{3}{16}$ ($\frac{1}{28}$)

✣ $\frac{\overset{1}{\cancel{4}}}{\underset{7}{\cancel{21}}}\times\frac{\overset{1}{\cancel{3}}}{\underset{4}{\cancel{16}}}=\frac{1}{28}$

8. $\frac{5}{7}\times\frac{14}{25}$ ($\frac{2}{5}$)

✣ $\frac{\overset{1}{\cancel{5}}}{\underset{1}{\cancel{7}}}\times\frac{\overset{2}{\cancel{14}}}{\underset{5}{\cancel{25}}}=\frac{2}{5}$

9. $\frac{4}{15}\times\frac{1}{2}\times\frac{3}{7}$ ($\frac{2}{35}$)

✣ $\frac{\overset{2}{\cancel{4}}}{\underset{5}{\cancel{15}}}\times\frac{1}{\underset{1}{\cancel{2}}}\times\frac{\overset{1}{\cancel{3}}}{7}=\frac{2}{35}$

10. $\frac{4}{9}\times\frac{3}{8}\times\frac{2}{5}$ ($\frac{1}{15}$)

✣ $\frac{\overset{1}{\cancel{4}}}{\underset{3}{\cancel{9}}}\times\frac{\overset{1}{\cancel{3}}}{\underset{\underset{1}{\cancel{2}}}{\cancel{8}}}\times\frac{\overset{1}{\cancel{2}}}{5}=\frac{1}{15}$

[11~15] 계산해 보세요.

11. $\frac{1}{4}\times1\frac{5}{6}$ ($\frac{11}{24}$)

✣ $\frac{1}{4}\times1\frac{5}{6}=\frac{1}{4}\times\frac{11}{6}=\frac{11}{24}$

12. $\frac{5}{8}\times2\frac{2}{3}$ ($1\frac{2}{3}$)

✣ $\frac{5}{8}\times2\frac{2}{3}=\frac{5}{\underset{1}{\cancel{8}}}\times\frac{\overset{1}{\cancel{8}}}{3}=\frac{5}{3}=1\frac{2}{3}$

13. $\frac{7}{13}\times6\frac{1}{2}$ ($3\frac{1}{2}$)

✣ $\frac{7}{13}\times6\frac{1}{2}=\frac{7}{\underset{1}{\cancel{13}}}\times\frac{\overset{1}{\cancel{13}}}{2}=\frac{7}{2}=3\frac{1}{2}$

14. $4\frac{1}{2}\times\frac{3}{4}$ ($3\frac{3}{8}$)

✣ $4\frac{1}{2}\times\frac{3}{4}=\frac{9}{2}\times\frac{3}{4}=\frac{27}{8}=3\frac{3}{8}$

15. $3\frac{2}{3}\times\frac{8}{11}$ ($2\frac{2}{3}$)

✣ $3\frac{2}{3}\times\frac{8}{11}=\frac{\overset{1}{\cancel{11}}}{3}\times\frac{8}{\underset{1}{\cancel{11}}}=\frac{8}{3}=2\frac{2}{3}$

[16~20] 계산해 보세요.

16. $4\frac{1}{2}\times1\frac{2}{3}$ ($7\frac{1}{2}$)

✣ $4\frac{1}{2}\times1\frac{2}{3}=\frac{\overset{3}{\cancel{9}}}{2}\times\frac{5}{\underset{1}{\cancel{3}}}=\frac{15}{2}=7\frac{1}{2}$

17. $1\frac{2}{7}\times3\frac{1}{2}$ ($4\frac{1}{2}$)

✣ $1\frac{2}{7}\times3\frac{1}{2}=\frac{9}{\underset{1}{\cancel{7}}}\times\frac{\overset{1}{\cancel{7}}}{2}=\frac{9}{2}=4\frac{1}{2}$

18. $1\frac{2}{9}\times2\frac{1}{4}$ ($2\frac{3}{4}$)

✣ $1\frac{2}{9}\times2\frac{1}{4}=\frac{11}{\underset{1}{\cancel{9}}}\times\frac{\overset{1}{\cancel{9}}}{4}=\frac{11}{4}=2\frac{3}{4}$

19. $3\frac{1}{5}\times1\frac{7}{8}$ (6)

✣ $3\frac{1}{5}\times1\frac{7}{8}=\frac{\overset{2}{\cancel{16}}}{\underset{1}{\cancel{5}}}\times\frac{\overset{3}{\cancel{15}}}{\underset{1}{\cancel{8}}}=6$

20. $1\frac{5}{6}\times2\frac{4}{7}$ ($4\frac{5}{7}$)

✣ $1\frac{5}{6}\times2\frac{4}{7}=\frac{11}{\underset{1}{\cancel{6}}}\times\frac{\overset{3}{\cancel{18}}}{7}=\frac{33}{7}=4\frac{5}{7}$

교과서 개념 확인 문제

정답과 풀이 p.14

1 그림을 보고 □ 안에 알맞은 수를 써넣으세요.

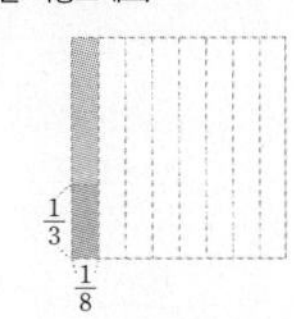

$\frac{1}{8}\times\frac{1}{3}=\frac{1}{\boxed{8}\times\boxed{3}}=\frac{1}{\boxed{24}}$

✤ $\frac{1}{8}$의 $\frac{1}{3}$은 그림과 같이 24개로 나눈 것 중의 하나가 됩니다.

➔ $\frac{1}{8}\times\frac{1}{3}=\frac{1}{8\times3}=\frac{1}{24}$

2 계산해 보세요.

(1) $\frac{1}{7}\times\frac{1}{4}=\frac{1}{28}$　　(2) $\frac{7}{20}\times\frac{2}{3}=\frac{7}{30}$

✤ (1) $\frac{1}{7}\times\frac{1}{4}=\frac{1}{7\times4}=\frac{1}{28}$　(2) $\frac{7}{\cancel{20}_{10}}\times\frac{\cancel{2}^{1}}{3}=\frac{7\times1}{10\times3}=\frac{7}{30}$

3 두 분수의 곱을 구해 보세요.

(1) 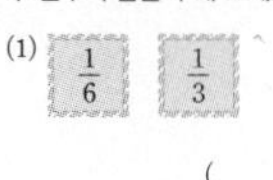 $\frac{1}{6}$ $\frac{1}{3}$ ($\frac{1}{18}$)　(2) $\frac{10}{11}$ $\frac{1}{8}$ ($\frac{5}{44}$)

(3) 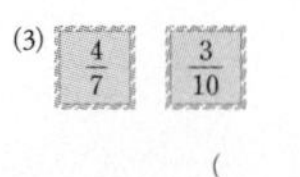 $\frac{4}{7}$ $\frac{3}{10}$ ($\frac{6}{35}$)　(4) $\frac{11}{15}$ $\frac{3}{5}$ ($\frac{11}{25}$)

✤ (1) $\frac{1}{6}\times\frac{1}{3}=\frac{1}{18}$　(2) $\frac{\cancel{10}^{5}}{11}\times\frac{1}{\cancel{8}_{4}}=\frac{5}{44}$

(3) $\frac{\cancel{4}^{2}}{7}\times\frac{3}{\cancel{10}_{5}}=\frac{6}{35}$　(4) $\frac{11}{\cancel{15}_{5}}\times\frac{\cancel{3}^{1}}{5}=\frac{11}{25}$

4 계산 결과를 찾아 이어 보세요.

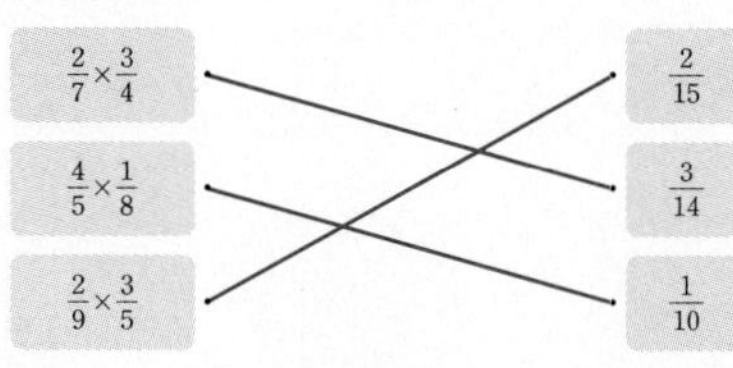

✤ $\frac{\cancel{2}^{1}}{7}\times\frac{3}{\cancel{4}_{2}}=\frac{3}{14}$, $\frac{\cancel{4}^{1}}{5}\times\frac{1}{\cancel{8}_{2}}=\frac{1}{10}$, $\frac{2}{\cancel{9}_{3}}\times\frac{\cancel{3}^{1}}{5}=\frac{2}{15}$

5 계산해 보세요.

(1) $\frac{5}{9}\times\frac{6}{7}\times\frac{1}{3}=\frac{10}{63}$　　(2) $2\frac{1}{8}\times\frac{4}{5}=1\frac{7}{10}$

✤ (1) $\frac{5}{\cancel{9}_{3}}\times\frac{\cancel{6}^{2}}{7}\times\frac{1}{3}=\frac{10}{63}$　(2) $2\frac{1}{8}\times\frac{4}{5}=\frac{17}{\cancel{8}_{2}}\times\frac{\cancel{4}^{1}}{5}=\frac{17}{10}=1\frac{7}{10}$

6 보기 와 같이 계산해 보세요.

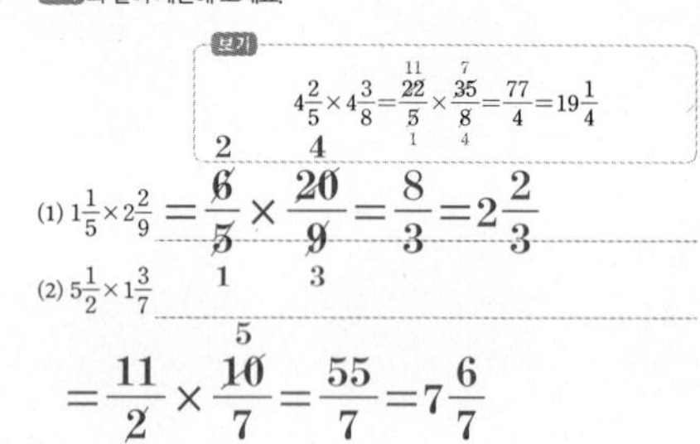

보기
$4\frac{2}{5}\times4\frac{3}{8}=\frac{\cancel{22}^{11}}{\cancel{5}_{1}}\times\frac{\cancel{35}^{7}}{\cancel{8}_{4}}=\frac{77}{4}=19\frac{1}{4}$

(1) $1\frac{1}{5}\times2\frac{2}{9}=\frac{\cancel{6}^{2}}{\cancel{5}_{1}}\times\frac{\cancel{20}^{4}}{\cancel{9}_{3}}=\frac{8}{3}=2\frac{2}{3}$

(2) $5\frac{1}{2}\times1\frac{3}{7}$

$=\frac{11}{\cancel{2}_{1}}\times\frac{\cancel{10}^{5}}{7}=\frac{55}{7}=7\frac{6}{7}$

✤ 대분수를 가분수로 나타낸 다음 약분하여 계산합니다.

2 단원

교과서 개념 확인 문제

정답과 풀이 p.14

7 다음 수 카드 중 두 장을 사용하여 분수의 곱셈식을 만들려고 합니다. 계산 결과가 가장 작은 식을 만들어 보세요.

2　3　4　5　6　7

식 $\frac{1}{\boxed{6}}\times\frac{1}{\boxed{7}}$ (또는 $\frac{1}{\boxed{7}}\times\frac{1}{\boxed{6}}$)

✤ $\frac{1}{\square}\times\frac{1}{\square}$에서 분모에 큰 수가 들어갈수록 계산 결과가 작아집니다.
따라서 두 장의 카드를 사용하여 계산 결과가 가장 작은 식을 만들려면 수 카드 6과 7을 사용해야 합니다.

8 계산 결과를 비교하여 ○ 안에 >, =, <를 알맞게 써넣으세요.

$\frac{4}{9}\times\frac{2}{5}$ ⓐ > $\frac{3}{10}\times\frac{4}{9}$

✤ $\frac{4}{9}\times\frac{2}{5}=\frac{8}{45}$, $\frac{\cancel{3}^{1}}{\cancel{10}_{5}}\times\frac{\cancel{4}^{2}}{\cancel{9}_{3}}=\frac{2}{15}$ ➔ $\frac{8}{45}$ > $\frac{2}{15}\left(=\frac{6}{45}\right)$

9 계산 결과가 큰 것부터 차례로 기호를 써 보세요.

㉠ $\frac{1}{6}\times\frac{1}{7}$　㉡ $\frac{1}{5}\times\frac{1}{4}$　㉢ $\frac{1}{3}\times\frac{1}{8}$　㉣ $\frac{1}{2}\times\frac{1}{13}$

(㉡, ㉢, ㉣, ㉠)

✤ ㉠ $\frac{1}{6}\times\frac{1}{7}=\frac{1}{42}$　㉡ $\frac{1}{5}\times\frac{1}{4}=\frac{1}{20}$
㉢ $\frac{1}{3}\times\frac{1}{8}=\frac{1}{24}$　㉣ $\frac{1}{2}\times\frac{1}{13}=\frac{1}{26}$　따라서 $\frac{1}{20}>\frac{1}{24}>\frac{1}{26}>\frac{1}{42}$이므로 계산 결과가 큰 것부터 차례로 기호를 쓰면 ㉡, ㉢, ㉣, ㉠입니다.

10 □ 안에 들어갈 수 있는 자연수에 모두 ○표 하세요.

$2\frac{1}{6}\times1\frac{11}{13}>\square$

(①, ②, ③, 4, 5, 6)

✤ $2\frac{1}{6}\times1\frac{11}{13}=\frac{\cancel{13}^{1}}{\cancel{6}_{1}}\times\frac{\cancel{24}^{4}}{\cancel{13}_{1}}=4$

따라서 4 > □이므로 □ 안에 들어갈 수 있는 자연수는 1, 2, 3입니다.

11 가장 큰 수와 가장 작은 수의 곱을 구해 보세요.

$2\frac{1}{4}$　5　$3\frac{1}{7}$　$5\frac{2}{3}$　$4\frac{5}{8}$

($12\frac{3}{4}$)

✤ 가장 큰 수: $5\frac{2}{3}$, 가장 작은 수: $2\frac{1}{4}$

➔ $5\frac{2}{3}\times2\frac{1}{4}=\frac{17}{\cancel{3}}\times\frac{\cancel{9}^{3}}{4}=\frac{51}{4}=12\frac{3}{4}$

2 단원

12 직사각형의 넓이는 몇 cm^2인지 식을 쓰고 답을 구해 보세요.

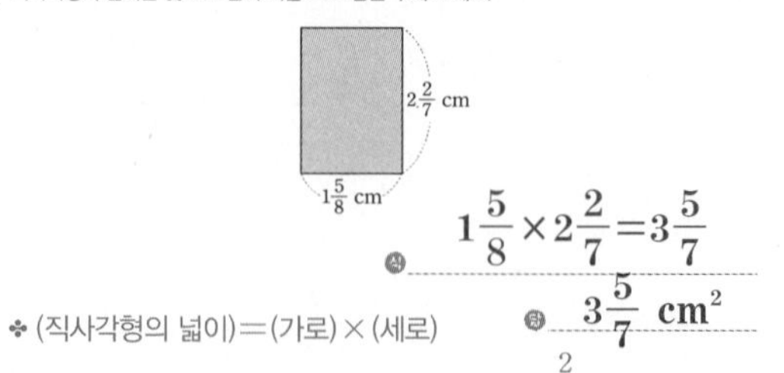

식 $1\frac{5}{8}\times2\frac{2}{7}=3\frac{5}{7}$

답 $3\frac{5}{7}$ cm^2

✤ (직사각형의 넓이)=(가로)×(세로)

$=1\frac{5}{8}\times2\frac{2}{7}=\frac{13}{\cancel{8}_{1}}\times\frac{\cancel{16}^{2}}{7}=\frac{26}{7}=3\frac{5}{7}$ (cm^2)

13 진주네 반 학급 문고 전체의 $\frac{6}{11}$은 동화책이고 그중 $\frac{1}{3}$은 창작 동화입니다. 창작 동화는 진주네 반 전체 학급 문고의 얼마인지 식을 쓰고 답을 구해 보세요.

식 $\frac{6}{11}\times\frac{1}{3}=\frac{2}{11}$

답 $\frac{2}{11}$

✤ $\frac{\cancel{6}^{2}}{11}\times\frac{1}{\cancel{3}_{1}}=\frac{2}{11}$

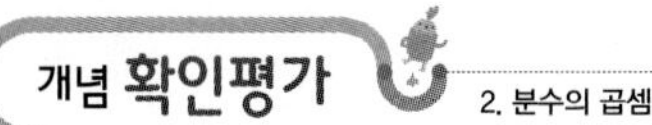

개념 확인평가 2. 분수의 곱셈

맞은 개수

정답과 풀이 p.15

1 그림을 보고 □ 안에 알맞은 수를 써넣으세요.

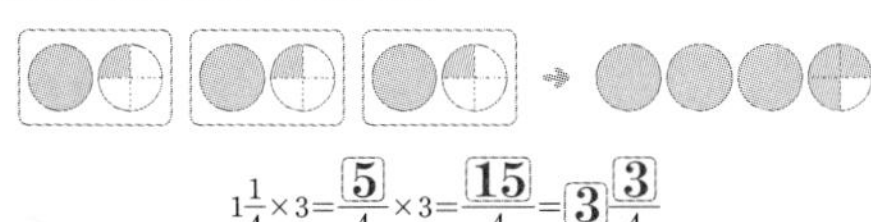

$1\frac{1}{4}\times 3=\frac{5}{4}\times 3=\frac{15}{4}=3\frac{3}{4}$

2 그림에서 색칠한 부분을 식으로 바르게 나타낸 것을 찾아 ○표 하세요.

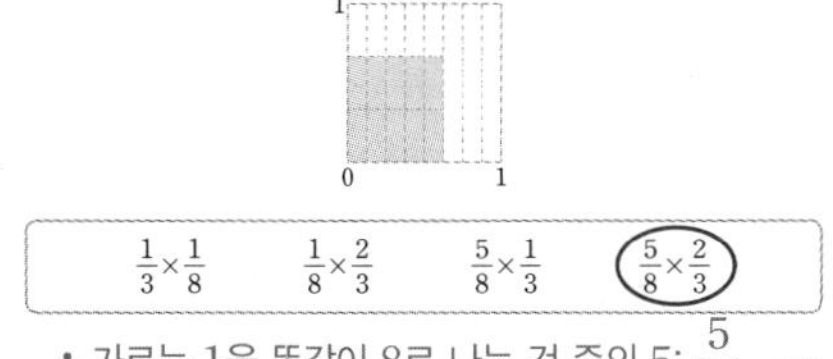

$\frac{1}{3}\times\frac{1}{8}$ $\frac{1}{8}\times\frac{2}{3}$ $\frac{5}{8}\times\frac{1}{3}$ ($\frac{5}{8}\times\frac{2}{3}$)

✤ 가로는 1을 똑같이 8로 나눈 것 중의 5: $\frac{5}{8}$
세로는 1을 똑같이 3으로 나눈 것 중의 2: $\frac{2}{3}$ ➜ $\frac{5}{8}\times\frac{2}{3}$

3 계산해 보세요.

(1) $3\times 1\frac{5}{12}=4\frac{1}{4}$ (2) $\frac{5}{9}\times\frac{3}{4}=\frac{5}{12}$

✤ (1) $3\times 1\frac{5}{12}=\overset{1}{\cancel{3}}\times\frac{17}{\underset{4}{\cancel{12}}}=\frac{17}{4}=4\frac{1}{4}$ (2) $\frac{5}{\underset{3}{\cancel{9}}}\times\frac{\overset{1}{\cancel{3}}}{4}=\frac{5}{12}$

4 두 분수의 곱을 구해 보세요.

(1) $\frac{7}{10}$ $\frac{1}{2}$ ($\frac{7}{20}$) (2) $\frac{2}{3}$ $1\frac{2}{7}$ ($\frac{6}{7}$)

✤ (1) $\frac{7}{10}\times\frac{1}{2}=\frac{7}{20}$ (2) $\frac{2}{3}\times 1\frac{2}{7}=\frac{2}{\underset{1}{\cancel{3}}}\times\frac{\overset{3}{\cancel{9}}}{7}=\frac{6}{7}$

5 빈칸에 알맞은 수를 써넣으세요.

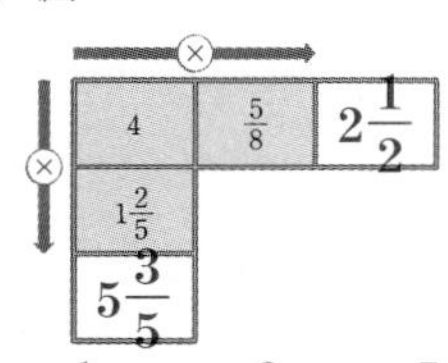

4	$\frac{5}{8}$	$2\frac{1}{2}$
$1\frac{2}{5}$		
$5\frac{3}{5}$		

✤ $\overset{1}{\cancel{4}}\times\frac{5}{\underset{2}{\cancel{8}}}=\frac{5}{2}=2\frac{1}{2}$, $4\times 1\frac{2}{5}=4\times\frac{7}{5}=\frac{28}{5}=5\frac{3}{5}$

6 ㉠과 ㉡의 계산 결과의 합을 구해 보세요.

㉠ $4\times\frac{7}{12}$ ㉡ $\frac{2}{5}\times 20$

✤ ㉠ $\overset{1}{\cancel{4}}\times\frac{7}{\underset{3}{\cancel{12}}}=\frac{7}{3}=2\frac{1}{3}$ ㉡ $\frac{2}{\underset{1}{\cancel{5}}}\times\overset{4}{\cancel{20}}=8$ ($10\frac{1}{3}$)

➜ ㉠+㉡$=2\frac{1}{3}+8=10\frac{1}{3}$

7 계산 결과를 비교하여 ○ 안에 >, =, <를 알맞게 써넣으세요.

$\frac{5}{6}\times\frac{1}{4}$ ⓢ $\frac{5}{8}\times\frac{7}{15}$

$\frac{5}{6}\times\frac{1}{4}$ < $\frac{5}{8}\times\frac{7}{15}$

✤ $\frac{5}{6}\times\frac{1}{4}=\frac{5}{24}$ < $\frac{\overset{1}{\cancel{5}}}{8}\times\frac{7}{\underset{3}{\cancel{15}}}=\frac{7}{24}$

8 계산 결과가 큰 것부터 차례로 기호를 써 보세요.

㉠ $12\times\frac{3}{8}$ ㉡ $4\frac{1}{6}\times\frac{4}{5}$ ㉢ $1\frac{2}{3}\times 2\frac{1}{7}$

(㉠, ㉢, ㉡)

✤ ㉠ $\overset{3}{\cancel{12}}\times\frac{3}{\underset{2}{\cancel{8}}}=\frac{9}{2}=4\frac{1}{2}$ ㉡ $4\frac{1}{6}\times\frac{4}{5}=\frac{\overset{5}{\cancel{25}}}{\underset{3}{\cancel{6}}}\times\frac{\overset{2}{\cancel{4}}}{\underset{1}{\cancel{5}}}=\frac{10}{3}=3\frac{1}{3}$

㉢ $1\frac{2}{3}\times 2\frac{1}{7}=\frac{5}{\underset{1}{\cancel{3}}}\times\frac{\overset{5}{\cancel{15}}}{7}=\frac{25}{7}=3\frac{4}{7}$

➜ $4\frac{1}{2}>3\frac{4}{7}>3\frac{1}{3}$

2 단원

개념 확인평가 2. 분수의 곱셈

정답과 풀이 p.15

9 □ 안에 들어갈 수 있는 자연수를 모두 구해 보세요.

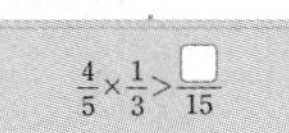

$\frac{4}{5}\times\frac{1}{3}>\frac{□}{15}$

(1, 2, 3)

✤ $\frac{4}{5}\times\frac{1}{3}=\frac{4}{15}$, $\frac{4}{15}>\frac{□}{15}$에서
분자의 크기를 비교하면 4>□이므로 □ 안에 들어갈 수 있는 자연수는 1, 2, 3입니다.

10 현우는 사탕 28개 중에서 $\frac{4}{7}$를 친구들에게 나누어 주고 남은 사탕의 $\frac{1}{3}$을 먹었습니다. 현우가 먹은 사탕은 몇 개일까요?

(4개)

✤ (친구들에게 나누어 준 사탕 수)$=\overset{4}{\cancel{28}}\times\frac{4}{\underset{1}{\cancel{7}}}=16$(개)

(친구들에게 나누어 주고 남은 사탕 수)$=28-16=12$(개)

➜ (현우가 먹은 사탕 수)$=\overset{4}{\cancel{12}}\times\frac{1}{\underset{1}{\cancel{3}}}=4$(개)

11 직사각형 가와 정사각형 나가 있습니다. 가와 나 중 어느 것이 더 넓을까요?

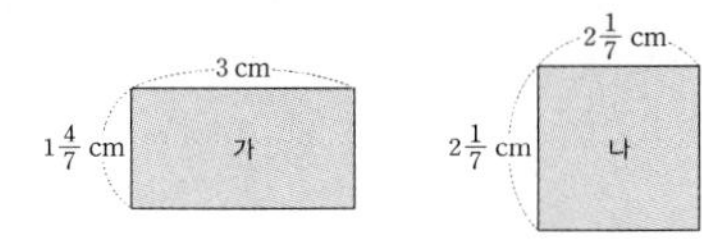

(가)

✤ (가의 넓이)$=3\times 1\frac{4}{7}=3\times\frac{11}{7}=\frac{33}{7}=4\frac{5}{7}$ (cm^2)

(나의 넓이)$=2\frac{1}{7}\times 2\frac{1}{7}=\frac{15}{7}\times\frac{15}{7}=\frac{225}{49}=4\frac{29}{49}$ (cm^2)

➜ $4\frac{5}{7}\left(=4\frac{35}{49}\right)>4\frac{29}{49}$이므로 가가 더 넓습니다.

[Go! 매쓰]
여기까지 2단원 내용입니다.
다음부터는 3단원 내용이 시작합니다.

교과서 개념 잡기

개념 1 도형의 합동 알아보기

모양과 크기가 같아서 포개었을 때 완전히 겹치는 두 도형을 서로 합동이라고 합니다.

→ 도형 가와 서로 합동인 도형은 도형 라입니다.

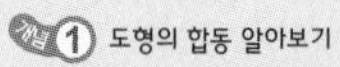

• 서로 합동인 도형 만들기

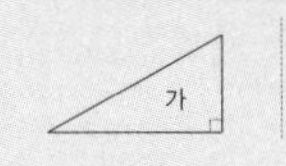
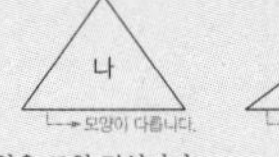
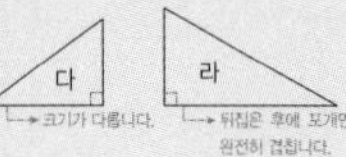

합동인 도형 2개 / 합동인 도형 3개 / 합동인 도형 4개

• 주어진 도형과 서로 합동인 도형 그리기

① 모눈종이의 눈금의 칸 수를 세어 주어진 도형의 꼭짓점과 같은 위치에 점을 찍습니다.

② 점들을 이어 서로 합동인 도형을 그립니다.

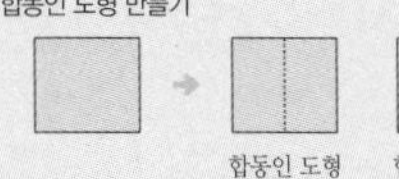
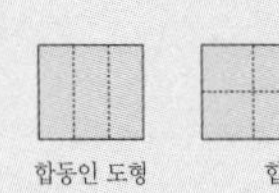
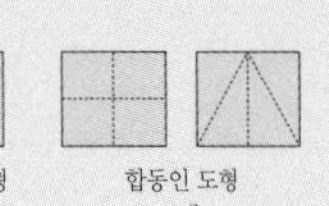

개념 Play

서로 합동인 도형을 찾아 붙임딱지를 붙여 보세요.

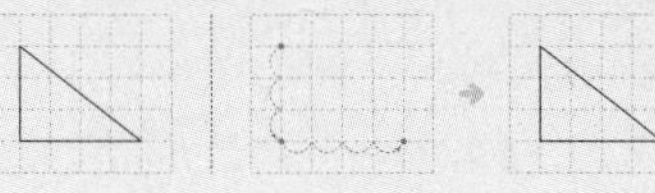

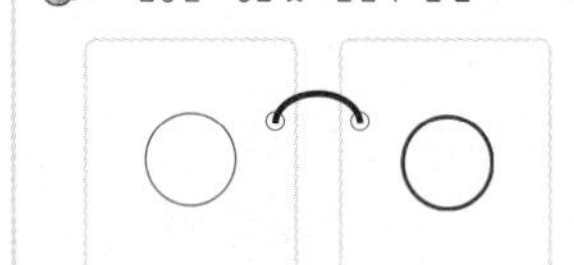
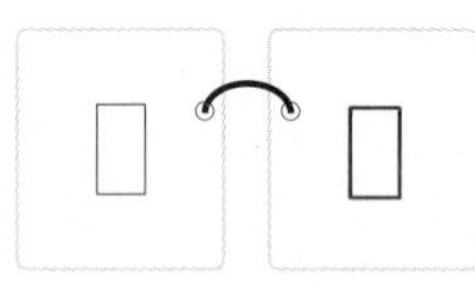

정답과 풀이 p.16

1 왼쪽 도형과 서로 합동인 도형을 찾아 ○표 하세요.

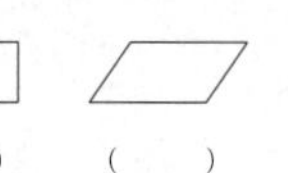
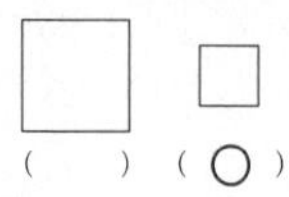

( ) ( ) ( ) (○)

❖ 왼쪽 도형과 포개었을 때 완전히 겹치는 도형을 찾습니다.

2 서로 합동인 두 도형을 찾아 기호를 써 보세요.

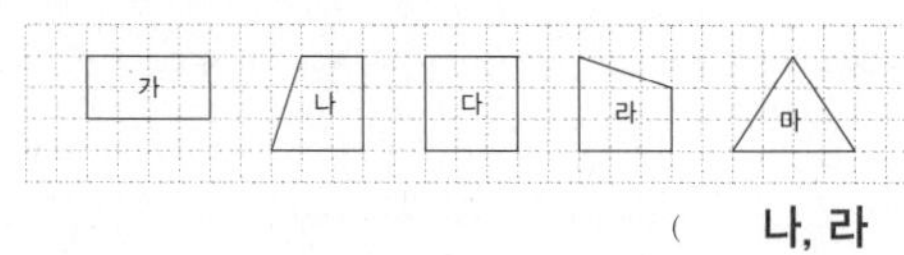

(나, 라)

❖ 포개었을 때 완전히 겹치는 두 도형을 찾으면 나, 라입니다.

3 종이를 점선을 따라 잘랐을 때 만들어진 두 도형이 서로 합동인 것을 찾아 기호를 써 보세요.

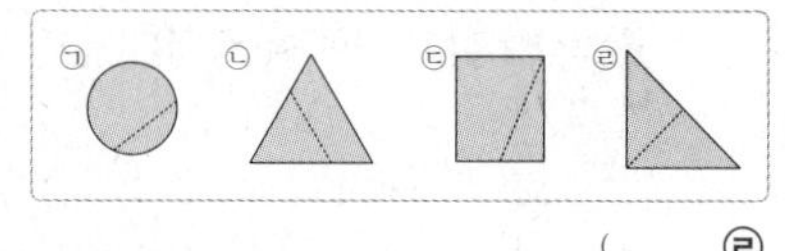

(㉣)

❖ 점선을 따라 잘랐을 때 만들어진 두 도형을 포개었을 때 완전히 겹치는 것을 찾으면 ㉣입니다.

4 주어진 도형과 서로 합동인 도형을 그려 보세요.

(1) 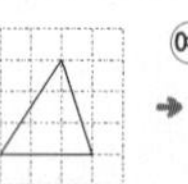 → 예 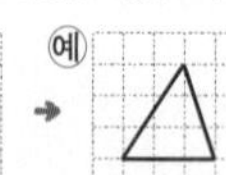

(2) 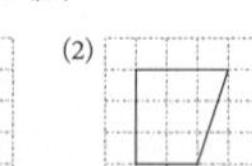 → 예 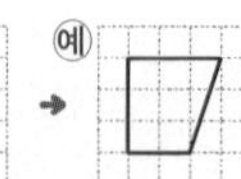

❖ 주어진 도형의 꼭짓점과 같은 위치에 점을 찍은 후 점들을 이어 그립니다.

교과서 개념 잡기

개념 2 합동인 도형의 성질 알아보기

서로 합동인 두 도형을 포개었을 때 완전히 겹치는 점을 대응점, 겹치는 변을 대응변, 겹치는 각을 대응각이라고 합니다.

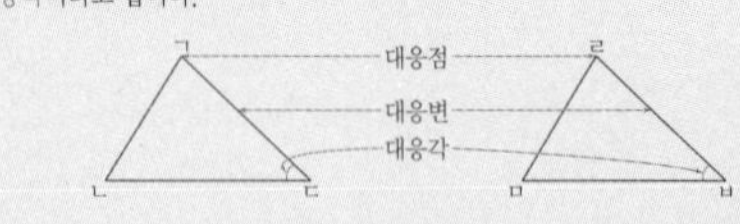

대응점	대응변	대응각
점 ㄱ과 점 ㄹ	변 ㄱㄴ과 변 ㄹㅁ	각 ㄱㄴㄷ과 각 ㄹㅁㅂ
점 ㄴ과 점 ㅁ	변 ㄴㄷ과 변 ㅁㅂ	각 ㄴㄷㄱ과 각 ㅁㅂㄹ
점 ㄷ과 점 ㅂ	변 ㄷㄱ과 변 ㅂㄹ	각 ㄷㄱㄴ과 각 ㅂㄹㅁ

서로 합동인 두 도형의 성질

① 각각의 대응변의 길이가 서로 같습니다.

② 각각의 대응각의 크기가 서로 같습니다.

서로 합동인 사각형 ㄱㄴㄷㄹ과 사각형 ㅁㅂㅅㅇ에서 각각의 대응변의 길이와 대응각의 크기가 서로 같습니다.

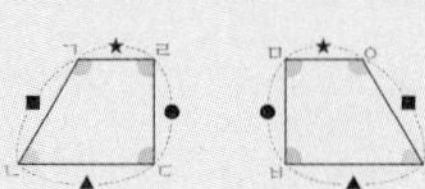

개념 Check

바르게 설명한 친구에게 ○표 하세요.

정답과 풀이 p.16

1 두 도형은 서로 합동입니다. 각각의 대응점을 찾아 써 보세요.

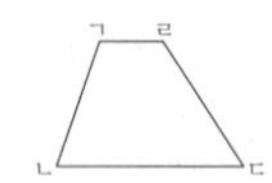
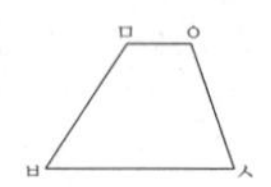

점 ㄱ → (점 ㄹ), 점 ㄴ → (점 ㅁ), 점 ㄷ → (점 ㅂ)

❖ 서로 합동인 두 도형을 포개었을 때 완전히 겹치는 점은 점 ㄱ과 점 ㄹ, 점 ㄴ과 점 ㅁ, 점 ㄷ과 점 ㅂ입니다.

2 두 도형은 서로 합동입니다. 대응각끼리 바르게 짝 지은 것의 기호를 써 보세요.

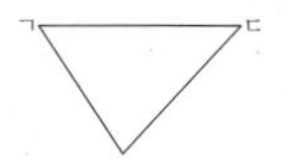
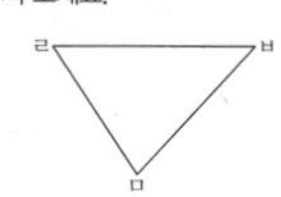

㉠ 각 ㄱㄴㄷ과 각 ㅁㅂㅅ

㉡ 각 ㄱㄹㄷ과 각 ㅇㅁㅂ

(㉡)

❖ ㉠ 각 ㄱㄴㄷ의 대응각은 각 ㅇㅅㅂ입니다.

3 두 도형은 서로 합동입니다. 변 ㅇㅅ은 몇 cm인지 써 보세요.

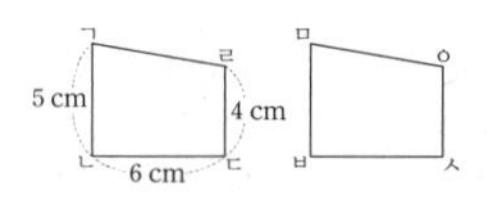

(4 cm)

❖ 변 ㅇㅅ의 대응변은 변 ㄹㄷ입니다.

→ (변 ㅇㅅ)=(변 ㄹㄷ)=4 cm

4 두 도형은 서로 합동입니다. 각 ㅁㄹㅂ은 몇 도인지 써 보세요.

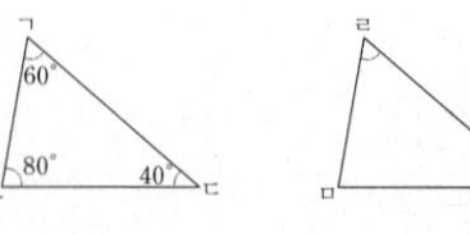

(60°)

❖ 각 ㅁㄹㅂ의 대응각은 각 ㄴㄱㄷ입니다.

→ (각 ㅁㄹㅂ)=(각 ㄴㄱㄷ)=60°

66쪽 ~ 67쪽

교과서 개념 play

마법책 완성하기

마법책을 펼쳤을 때 왼쪽과 오른쪽에 합동인 도형이 나타납니다. 책의 오른쪽에 알맞은 붙임딱지를 붙여 마법책을 완성해 보세요.

✤ 모양과 크기가 같아서 포개었을 때 완전히 겹치는 두 도형을 서로 합동이라고 합니다.

3 단원

66 Start 5-2

3. 합동과 대칭 67

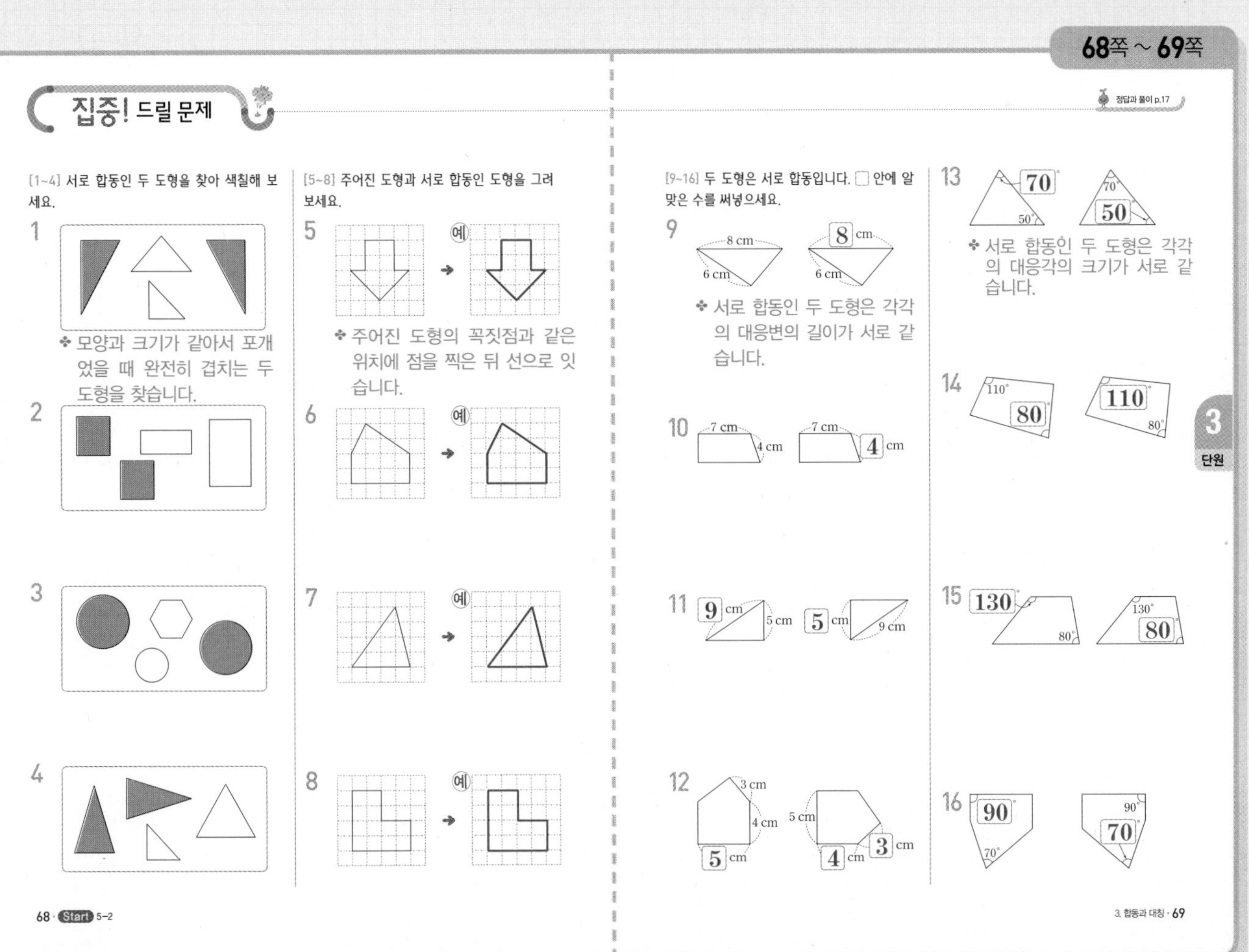
68쪽 ~ 69쪽

집중! 드릴 문제

정답과 풀이 p.17

[1~4] 서로 합동인 두 도형을 찾아 색칠해 보세요.

1

✤ 모양과 크기가 같아서 포개었을 때 완전히 겹치는 두 도형을 찾습니다.

2

3

4

[5~8] 주어진 도형과 서로 합동인 도형을 그려 보세요.

5 예

✤ 주어진 도형의 꼭짓점과 같은 위치에 점을 찍은 뒤 선으로 잇습니다.

6 예

7 예

8 예

[9~16] 두 도형은 서로 합동입니다. □ 안에 알맞은 수를 써넣으세요.

9 8 cm, 6 cm / 8 cm, 6 cm

✤ 서로 합동인 두 도형은 각각의 대응변의 길이가 서로 같습니다.

10 7 cm, 4 cm / 7 cm, 4 cm

11 9 cm, 5 cm / 5 cm, 9 cm

12 3 cm, 4 cm, 5 cm / 5 cm, 4 cm, 3 cm

13 70°, 50° / 70°, 50°

✤ 서로 합동인 두 도형은 각각의 대응각의 크기가 서로 같습니다.

14 110°, 80° / 110°, 80°

15 130°, 80° / 130°, 80°

16 90°, 70° / 90°, 70°

3 단원

68 Start 5-2

3. 합동과 대칭 69

교과서 개념 확인 문제

정답과 풀이 p.18

1 나머지 셋과 서로 합동이 아닌 도형을 찾아 기호를 써 보세요.

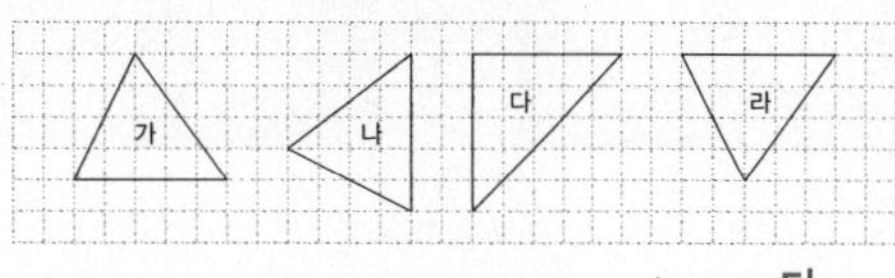

(다)

✤ 모양과 크기가 같아서 포개었을 때 완전히 겹치는 두 도형을 서로 합동이라고 합니다.

2 점선을 따라 잘랐을 때 만들어지는 두 도형이 서로 합동인 것을 찾아 ○표 하세요.

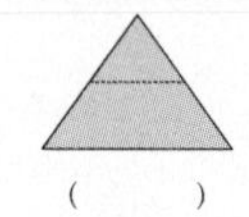 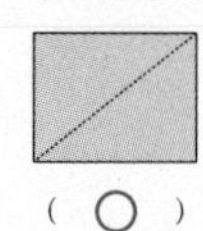 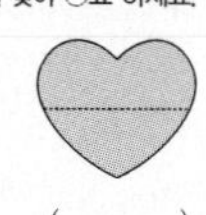

( ) (○) ( )

✤ 점선을 따라 잘랐을 때 만들어지는 두 도형을 포개었을 때 완전히 겹치면 서로 합동입니다.

3 두 도형은 서로 합동입니다. 대응점, 대응변, 대응각은 각각 몇 쌍일까요?

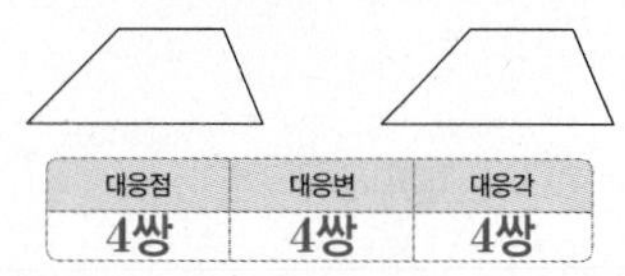

대응점	대응변	대응각
4쌍	4쌍	4쌍

✤ 사각형은 꼭짓점이 4개, 변이 4개, 각이 4개이므로 서로 합동인 두 도형에는 대응점이 4쌍, 대응변이 4쌍, 대응각이 4쌍 있습니다.

4 주어진 도형과 서로 합동인 도형을 그려 보세요.

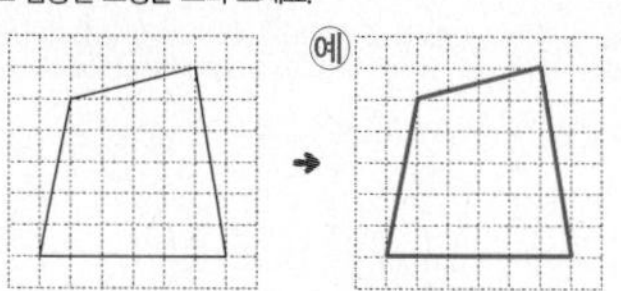

✤ 주어진 도형의 꼭짓점과 같은 위치에 점을 찍고 선으로 잇습니다.

5 직사각형 모양의 종이를 잘라서 서로 합동인 사각형 4개를 만들려고 합니다. 어떻게 잘라야 할지 알맞게 선을 그어 보세요.

예 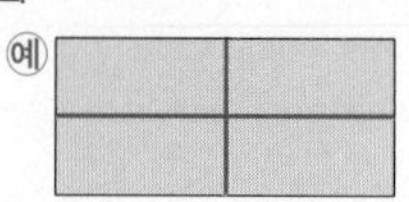

✤ 그은 선을 따라 잘랐을 때 만들어진 네 조각의 모양과 크기가 모두 같아야 합니다.

6 두 도형은 서로 합동입니다. 각의 크기를 구해 보세요.

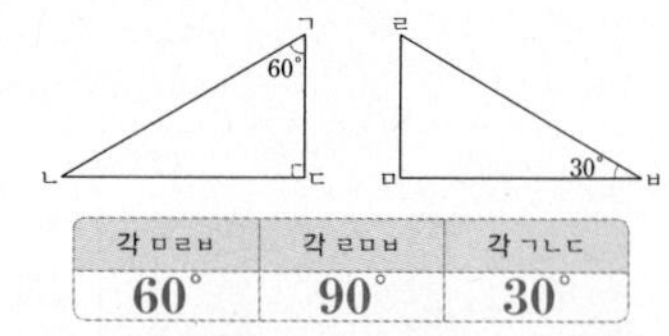

각 ㅁㄹㅂ	각 ㄹㅁㅂ	각 ㄱㄴㄷ
60°	90°	30°

✤ • 각 ㅁㄹㅂ의 대응각은 각 ㄷㄱㄴ이므로 (각 ㅁㄹㅂ)=60°입니다.
• 각 ㄹㅁㅂ의 대응각은 각 ㄱㄷㄴ이므로 (각 ㄹㅁㅂ)=90°입니다.
• 각 ㄱㄴㄷ의 대응각은 각 ㄹㅂㅁ이므로 (각 ㄱㄴㄷ)=30°입니다.

교과서 개념 확인 문제

정답과 풀이 p.18

7 두 도형은 서로 합동입니다. 삼각형 ㄹㅁㅂ의 둘레는 몇 cm인지 구해 보세요.

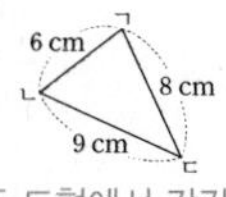

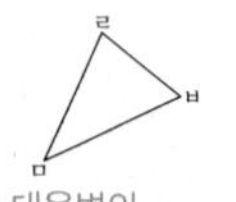

(23 cm)

✤ 서로 합동인 두 도형에서 각각의 대응변의 길이는 서로 같으므로 둘레도 같습니다.
(삼각형 ㄹㅁㅂ의 둘레)$=8+9+6=23$ (cm)

8 우리나라와 다른 나라에서 사용하는 표지판입니다. 모양이 서로 합동인 표지판끼리 이어 보세요. (단, 표지판의 색깔과 표지판 안의 그림은 생각하지 않습니다.)

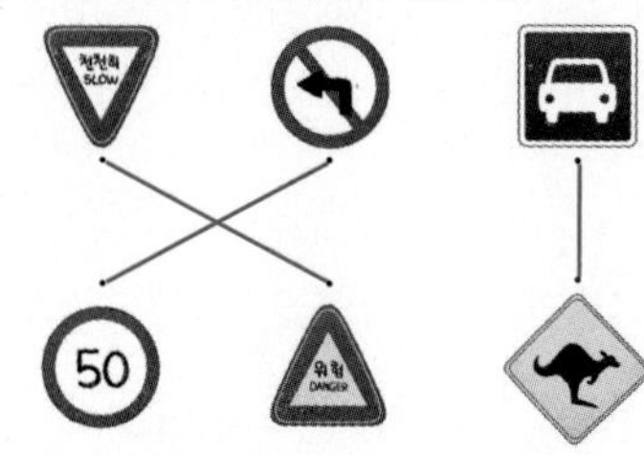

✤ 모양과 크기가 같은 것끼리 선으로 잇습니다.

9 두 도형은 서로 합동입니다. 물음에 답하세요.

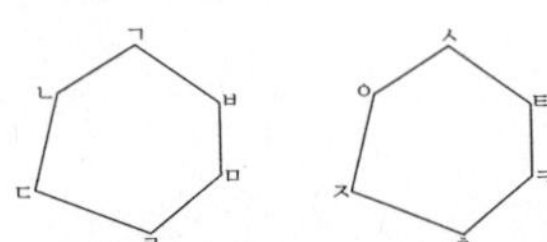

(1) 점 ㄱ의 대응점을 써 보세요. (점 ㅅ)

(2) 변 ㄹㅁ의 대응변을 써 보세요. (변 ㅊㅋ)

(3) 각 ㄱㄴㄷ의 대응각을 써 보세요. (각 ㅅㅇㅈ)

10 두 도형은 서로 합동입니다. 직사각형 ㅁㅂㅅㅇ의 둘레는 몇 cm인지 구해 보세요.

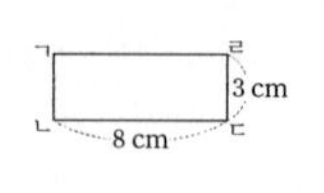

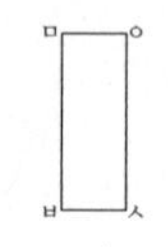

(22 cm)

✤ 변 ㅂㅅ의 대응변은 변 ㄷㄹ이므로 (변 ㅂㅅ)$=3$ cm이고,
변 ㅁㅂ의 대응변은 변 ㄴㄷ이므로 (변 ㅁㅂ)$=8$ cm입니다.
➔ (직사각형 ㅁㅂㅅㅇ의 둘레)$=(3+8)\times2=22$ (cm)

11 두 도형은 서로 합동입니다. □ 안에 알맞은 수를 써넣으세요.

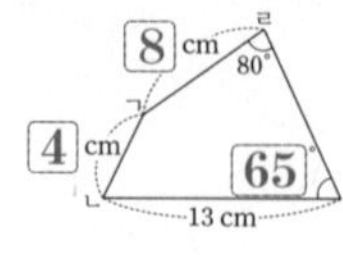

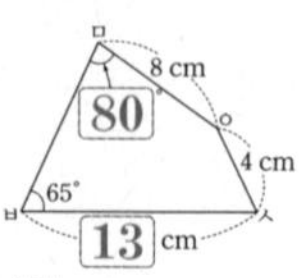

✤ 각각의 대응변과 대응각을 찾아봅니다.
(변 ㄱㄹ)=(변 ㅇㅁ)$=8$ cm, (변 ㄱㄴ)=(변 ㅇㅅ)$=4$ cm,
(변 ㅂㅅ)=(변 ㄷㄴ)$=13$ cm, (각 ㄴㄷㄹ)=(각 ㅅㅂㅁ)$=65°$,
(각 ㅂㅁㅇ)=(각 ㄷㄹㄱ)$=80°$

12 두 도형은 서로 합동입니다. □ 안에 알맞은 수를 써넣으세요.

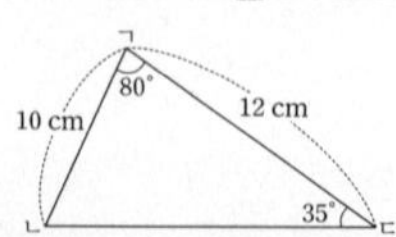

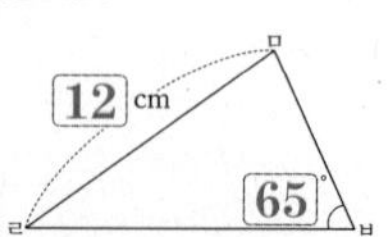

✤ 변 ㅁㄹ의 대응변은 변 ㄱㄷ입니다.
➔ (변 ㅁㄹ)=(변 ㄱㄷ)$=12$ cm
(각 ㄱㄴㄷ)$=180°-80°-35°=65°$
각 ㅁㅂㄹ의 대응각은 각 ㄱㄴㄷ입니다.
➔ (각 ㅁㅂㄹ)=(각 ㄱㄴㄷ)$=65°$

교과서 개념 잡기

정답과 풀이 p.19

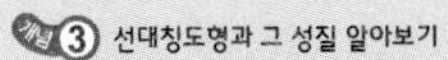

개념 3 선대칭도형과 그 성질 알아보기

한 직선을 따라 접었을 때 완전히 겹치는 도형을 선대칭도형이라고 합니다. 이때 그 직선을 대칭축이라고 합니다.
대칭축을 따라 접었을 때 겹치는 점을 대응점, 겹치는 변을 대응변, 겹치는 각을 대응각이라고 합니다.

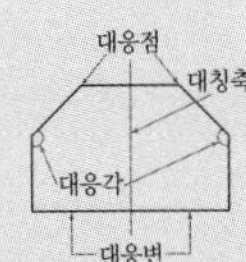

선대칭도형의 성질

① 각각의 대응변의 길이가 서로 같습니다.
② 각각의 대응각의 크기가 서로 같습니다.
③ 대응점끼리 이은 선분은 대칭축과 수직으로 만납니다.
④ 대칭축은 대응점끼리 이은 선분을 똑같이 둘로 나눕니다.

• 선대칭도형 그리기

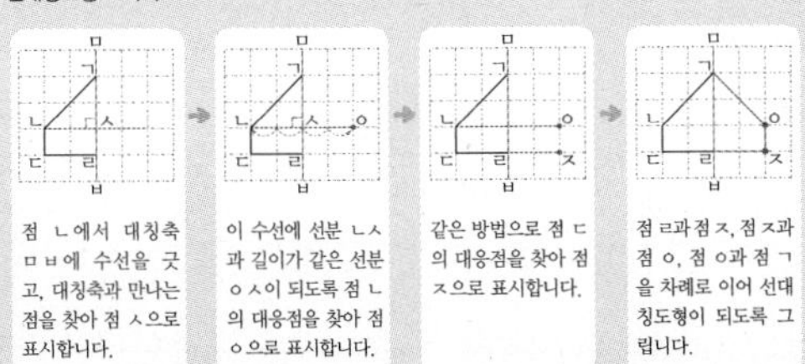

점 ㄴ에서 대칭축 ㅁㅂ에 수선을 긋고, 대칭축과 만나는 점을 찾아 점 ㅅ으로 표시합니다. → 이 수선에 선분 ㄴㅅ과 길이가 같은 선분 ㅇㅅ이 되도록 점 ㄴ의 대응점을 찾아 점 ㅇ으로 표시합니다. → 같은 방법으로 점 ㄷ의 대응점을 찾아 점 ㅈ으로 표시합니다. → 점 ㄹ과 점 ㅈ, 점 ㅈ과 점 ㅇ, 점 ㅇ과 점 ㄱ을 차례로 이어 선대칭도형이 되도록 그립니다.

개념 Check

바르게 말한 친구에게 ○표 하세요.

선대칭도형에서 대응점끼리 이은 선분은 대칭축과 서로 평행해.

선대칭도형에서 대응점끼리 이은 선분은 대칭축과 수직으로 만나.

1 선대칭도형을 모두 찾아 기호를 써 보세요.

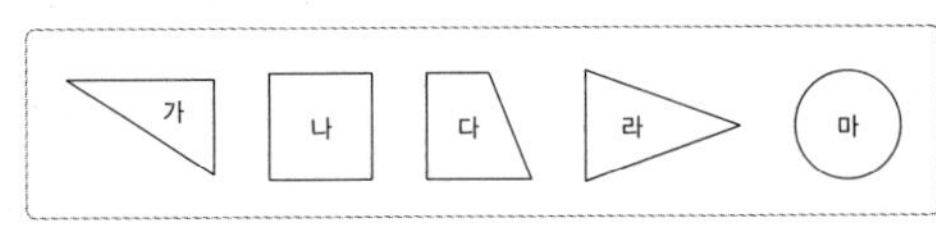

(나, 라, 마)

✤ 한 직선을 따라 접었을 때 완전히 겹치는 도형을 찾으면 나, 라, 마입니다.

2 선대칭도형의 대칭축을 찾아 기호를 써 보세요.

(1)

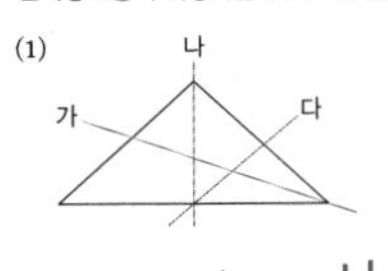

(나)

(2) (나)

✤ 도형이 완전히 겹치도록 접을 수 있는 직선을 찾습니다.

3 직선 ㅁㅂ을 대칭축으로 하는 선대칭도형입니다. □ 안에 알맞은 수를 써넣으세요.

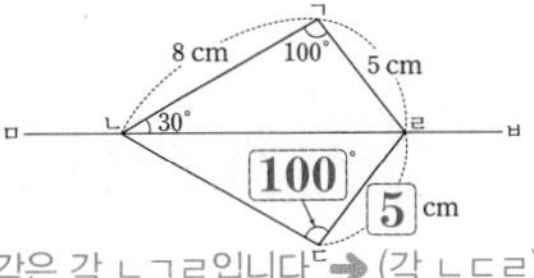

✤ 각 ㄴㄷㄹ의 대응각은 각 ㄴㄱㄹ입니다. ➔ (각 ㄴㄷㄹ)=(각 ㄴㄱㄹ)=100°
변 ㄷㄹ의 대응변은 변 ㄱㄹ입니다. ➔ (변 ㄷㄹ)=(변 ㄱㄹ)=5 cm

4 선대칭도형을 완성해 보세요.

(1)

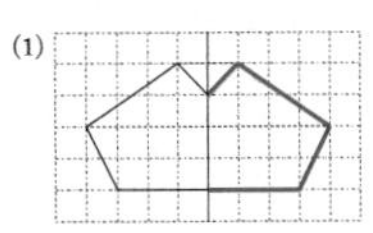

(2)

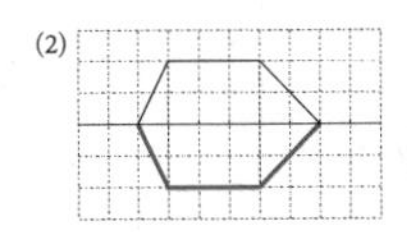

✤ 대응점을 찾아 표시한 후 차례로 이어 선대칭도형이 되도록 그립니다.

교과서 개념 잡기

정답과 풀이 p.19

개념 4 점대칭도형과 그 성질 알아보기

한 도형을 어떤 점을 중심으로 180° 돌렸을 때 처음 도형과 완전히 겹치면 이 도형을 점대칭도형이라고 합니다.
이때 그 점을 대칭의 중심이라고 합니다.
대칭의 중심을 중심으로 180° 돌렸을 때 겹치는 점을 대응점, 겹치는 변을 대응변, 겹치는 각을 대응각이라고 합니다.

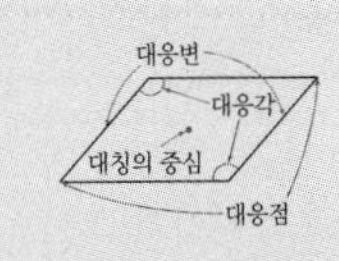

점대칭도형의 성질

① 각각의 대응변의 길이가 서로 같습니다.
② 각각의 대응각의 크기가 서로 같습니다.
③ 대응점끼리 이은 선분은 대칭의 중심에서 만납니다.
④ 대칭의 중심은 대응점끼리 이은 선분을 둘로 똑같이 나눕니다.

• 점대칭도형 그리기

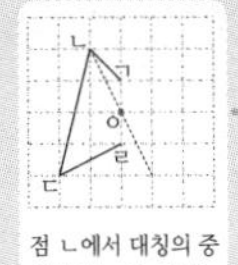

점 ㄴ에서 대칭의 중심인 점 ㅇ을 지나는 직선을 긋습니다.

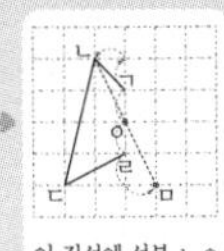

이 직선에 선분 ㄴㅇ과 길이가 같은 선분 ㅁㅇ이 되도록 점 ㄴ의 대응점을 찾아 점 ㅁ으로 표시합니다.

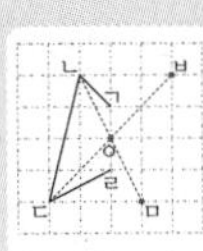

같은 방법으로 점 ㄷ의 대응점을 찾아 점 ㅂ으로 표시합니다. 점 ㄱ의 대응점은 점 ㄹ입니다.

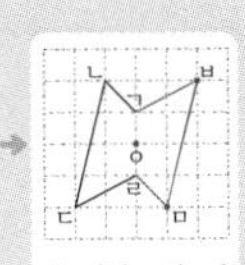

점 ㄹ과 점 ㅁ, 점 ㅁ과 점 ㅂ, 점 ㅂ과 점 ㄱ을 차례로 이어 점대칭도형이 되도록 그립니다.

개념 Check

바르게 설명한 친구에게 ○표 하세요.

한 도형을 어떤 점을 중심으로 360° 돌렸을 때 처음 도형과 완전히 겹치는 도형을 점대칭도형이라고 합니다.

한 도형을 어떤 점을 중심으로 180° 돌렸을 때 처음 도형과 완전히 겹치는 도형을 점대칭도형이라고 합니다.

1 점대칭도형을 모두 찾아 ○표 하세요.

(   )

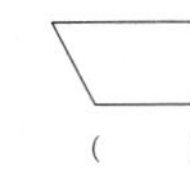

(   )

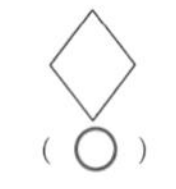

(○)

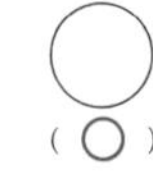

(○)

✤ 한 도형을 어떤 점을 중심으로 180° 돌렸을 때 처음 도형과 완전히 겹치는 도형을 점대칭도형이라고 합니다.

2 점대칭도형에서 대칭의 중심을 찾아 점(•)으로 표시해 보세요.

(1)

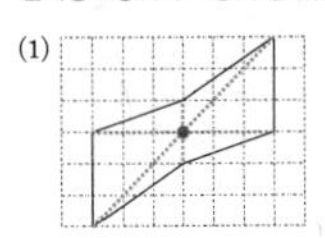

(2)

✤ 대응점끼리 이은 선분들이 만나는 점을 찾습니다.

3 점 ㅇ을 대칭의 중심으로 하는 점대칭도형입니다. □ 안에 알맞은 수를 써넣으세요.

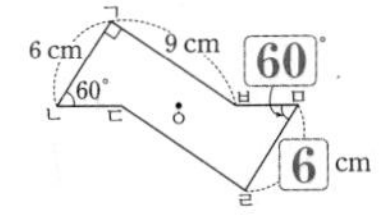

✤ 변 ㄹㅁ의 대응변은 변 ㄱㄴ입니다. ➔ (변 ㄹㅁ)=(변 ㄱㄴ)=6 cm
각 ㄹㅁㅂ의 대응각은 각 ㄱㄴㄷ입니다. ➔ (각 ㄹㅁㅂ)=(각 ㄱㄴㄷ)=60°

4 점대칭도형을 완성해 보세요.

(1)

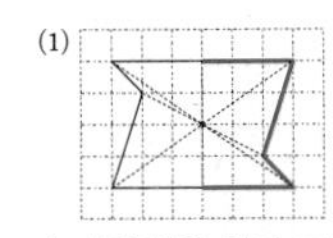

(2)

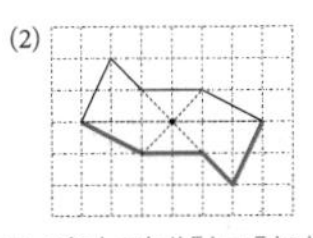

✤ 대응점을 찾아 표시한 후 차례로 이어 점대칭도형이 되도록 그립니다.

78쪽 ~ 79쪽

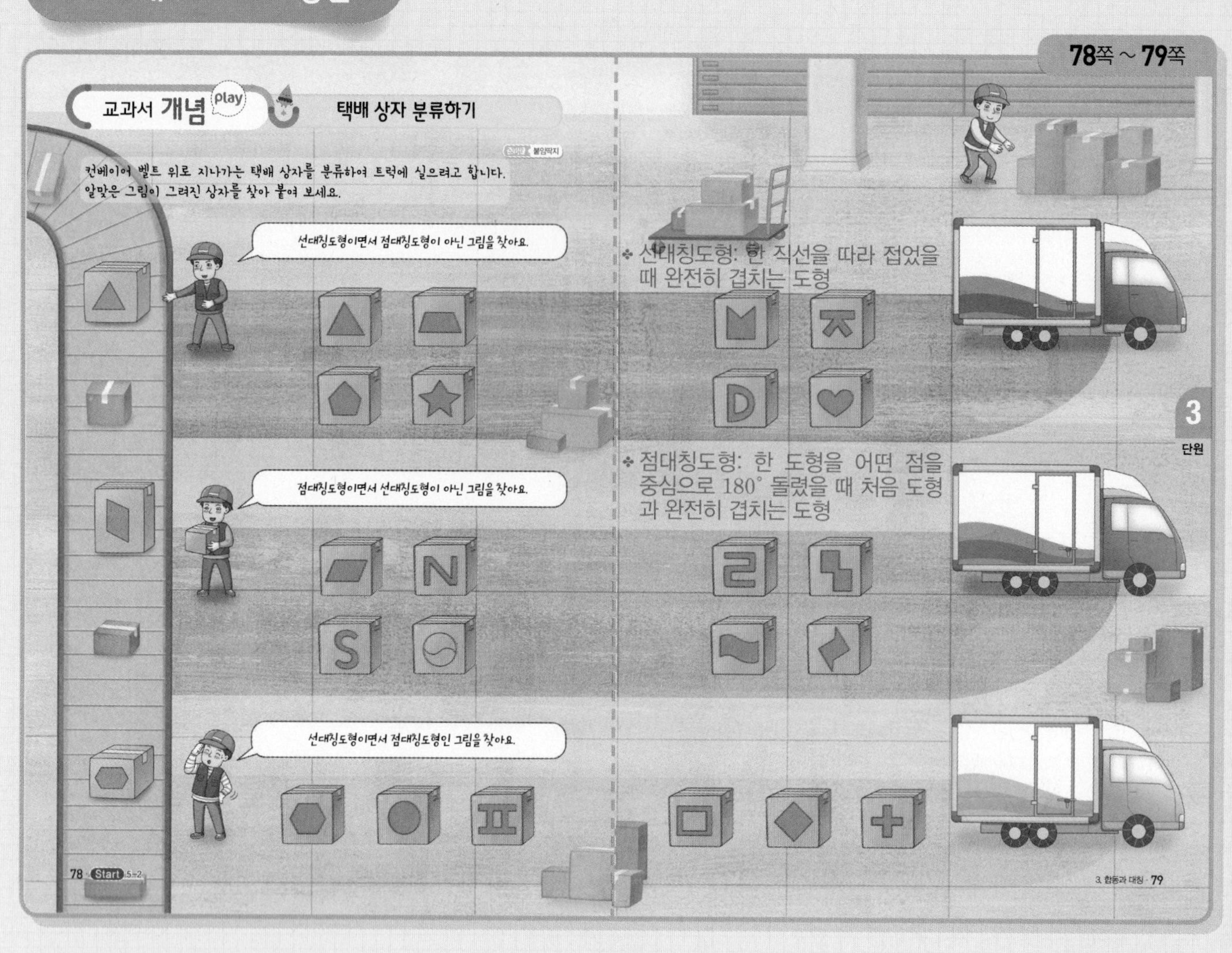

80쪽 ~ 81쪽

집중! 드릴 문제

정답과 풀이 p.20

[1~4] 직선 ㄱㄴ을 대칭축으로 하는 선대칭도형입니다. □ 안에 알맞은 수를 써넣으세요.

1

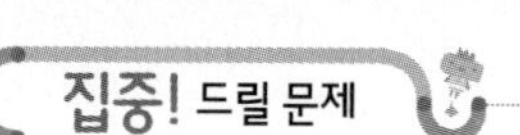

✤ 선대칭도형에서 각각의 대응변의 길이와 대응각의 크기는 서로 같습니다.

2

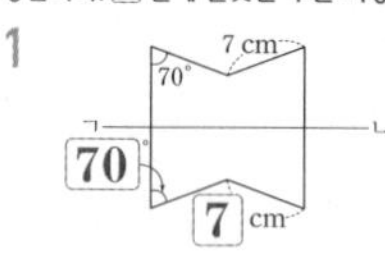

3

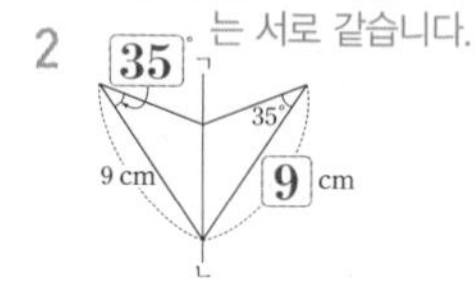

4

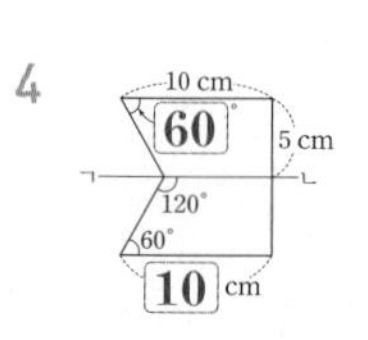

[5~8] 선대칭도형을 완성해 보세요.

5

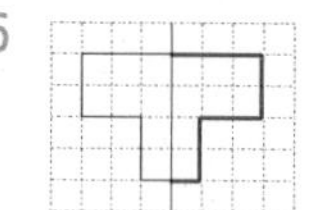

✤ 대응점을 찾아 표시한 후 차례로 이어 선대칭도형이 되도록 그립니다.

6

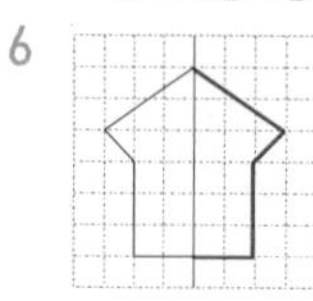

7

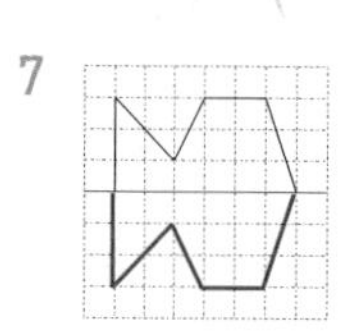

8

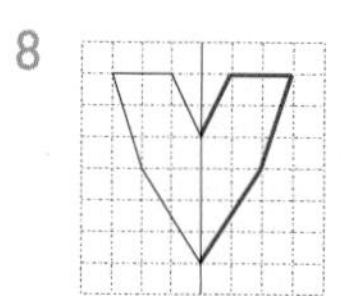

[9~12] 점 ㅇ을 대칭의 중심으로 하는 점대칭도형입니다. □ 안에 알맞은 수를 써넣으세요.

9

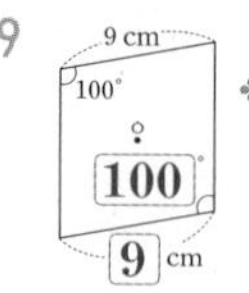

✤ 점대칭도형에서 각각의 대응변의 길이와 대응각의 크기는 서로 같습니다.

10

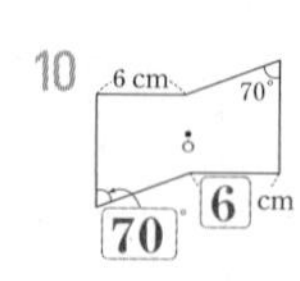

11

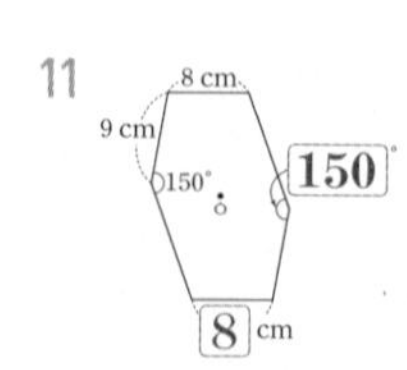

12

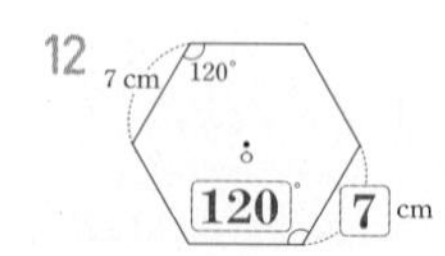

[13~16] 점대칭도형을 완성해 보세요.

13

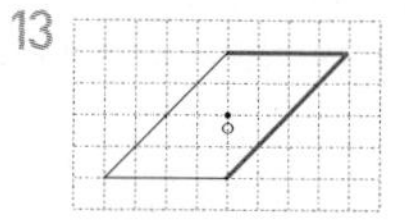

✤ 대응점을 찾아 표시한 후 차례로 이어 점대칭도형이 되도록 그립니다.

14

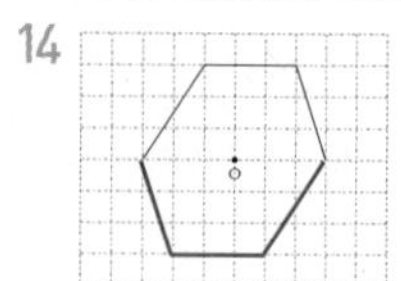

15

16

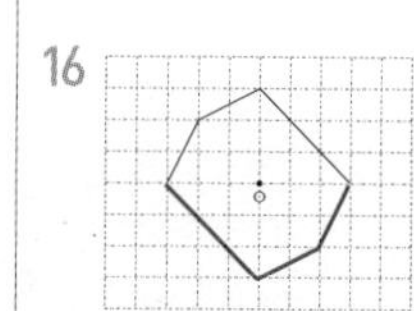

80 · Start 5-2

3. 합동과 대칭 · 81

교과서 개념 확인 문제

정답과 풀이 p.21

[1~2] 도형을 보고 물음에 답하세요.

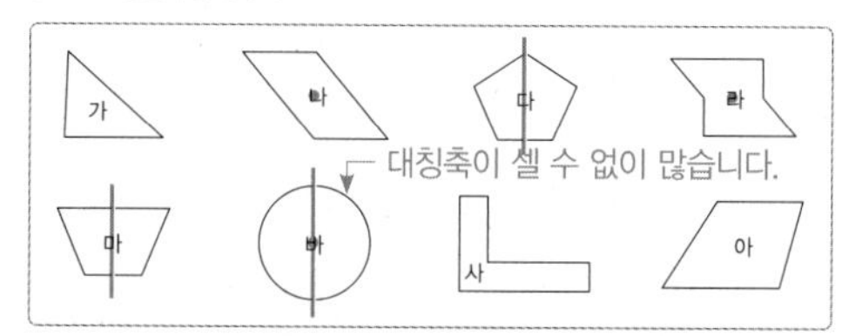

1 선대칭도형을 모두 찾아 기호를 써 보세요. (다, 마, 바)

✤ 한 직선을 따라 접었을 때 완전히 겹치는 도형을 찾습니다.

2 점대칭도형을 모두 찾아 기호를 써 보세요. (나, 라, 바)

✤ 한 도형을 어떤 점을 중심으로 180° 돌렸을 때 처음 도형과 완전히 겹치는 도형을 찾습니다.

3 다음 도형은 선대칭도형입니다. 대칭축을 모두 그려 보세요.

(1) 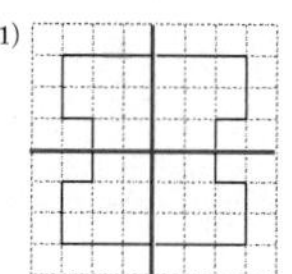 (2) 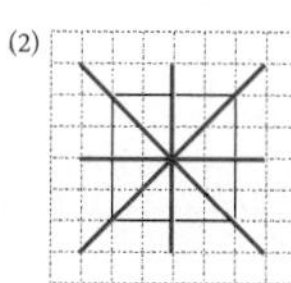

✤ 완전히 겹치도록 접을 수 있는 직선을 모두 그립니다.

4 다음 도형은 점대칭도형입니다. 대칭의 중심은 몇 개일까요?

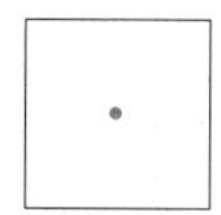

(1개)

✤ 점대칭도형에서 대칭의 중심은 1개입니다.

5 직선 ㅅㅇ을 대칭축으로 하는 선대칭도형입니다. 빈칸에 알맞게 써넣으세요.

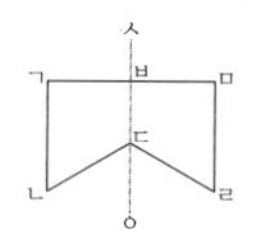

대응점	점 ㄱ	점 ㅁ
대응변	변 ㄱㄴ	변 ㅁㄹ
대응각	각 ㄱㄴㄷ	각 ㅁㄹㄷ

✤ 직선 ㅅㅇ을 따라 접었을 때 겹치는 점, 변, 각을 각각 찾습니다.

6 점 ㅇ을 대칭의 중심으로 하는 점대칭도형입니다. 빈칸에 알맞게 써넣으세요.

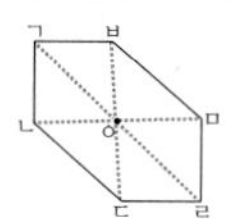

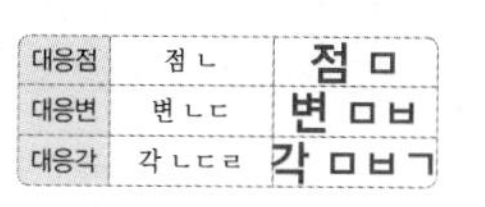

대응점	점 ㄴ	점 ㅁ
대응변	변 ㄴㄷ	변 ㅁㅂ
대응각	각 ㄴㄷㄹ	각 ㅁㅂㄱ

✤ 점 ㅇ을 중심으로 180° 돌렸을 때 겹치는 점, 변, 각을 각각 찾습니다.

7 점 ㅇ을 대칭의 중심으로 하는 점대칭도형을 완성해 보세요.

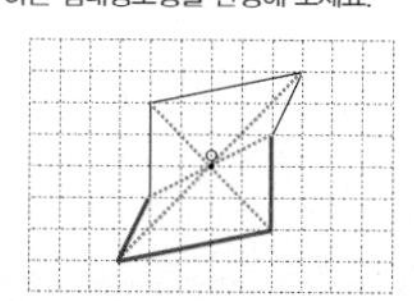

✤ 대응점을 찾아 표시한 후 차례로 이어 점대칭도형을 완성합니다.

8 직선 ㄱㄴ을 대칭축으로 하는 선대칭도형을 완성해 보세요.

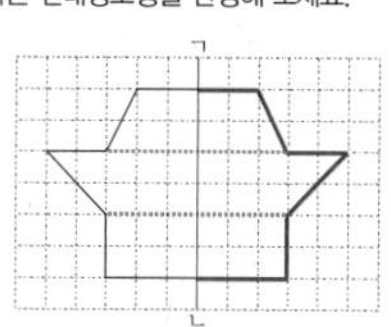

✤ 대응점을 찾아 표시한 후 차례로 이어 선대칭도형을 완성합니다.

교과서 개념 확인 문제

정답과 풀이 p.21

9 주어진 직선을 대칭축으로 하는 선대칭도형이 되도록 글자를 완성해 보세요.

✤ 대칭축을 따라 접었을 때 완전히 겹치도록 글자를 완성합니다.

10 선대칭도형입니다. 대칭축이 많은 도형부터 차례로 기호를 써 보세요.

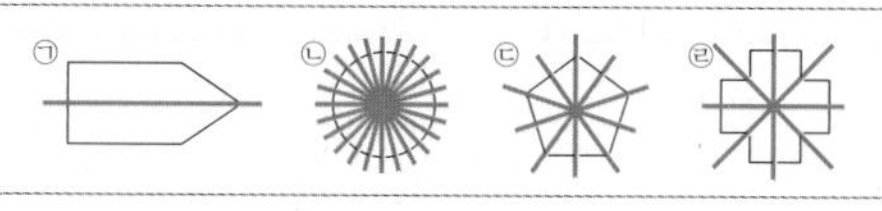

(㉡, ㉢, ㉣, ㉠)

✤ ㉠ 1개 ㉡ 셀 수 없이 많습니다. ㉢ 5개 ㉣ 4개
따라서 대칭축이 많은 것부터 차례로 기호를 쓰면 ㉡, ㉢, ㉣, ㉠입니다.

11 직선 ㄱㄴ을 대칭축으로 하는 선대칭도형입니다. □ 안에 알맞은 수를 써넣으세요.

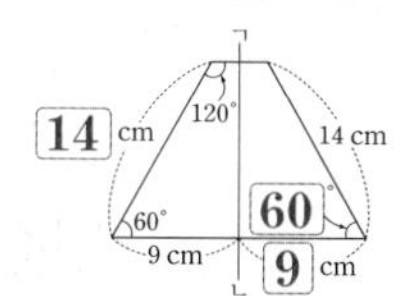

✤ 선대칭도형에서 각각의 대응변의 길이와 대응각의 크기는 서로 같습니다.

12 선대칭도형이면서 점대칭도형인 것을 모두 찾아 기호를 써 보세요.

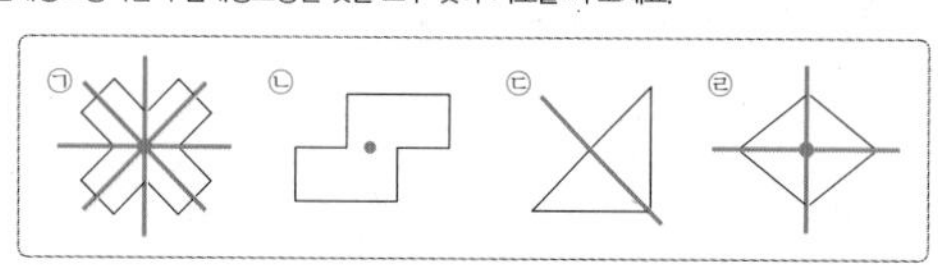

(㉠, ㉣)

✤ 선대칭도형: ㉠, ㉢, ㉣
점대칭도형: ㉠, ㉡, ㉣
따라서 선대칭도형이면서 점대칭도형인 것은 ㉠, ㉣입니다.

13 점 ㅇ을 대칭의 중심으로 하는 점대칭도형을 완성하고 완성된 다각형의 이름을 써 보세요.

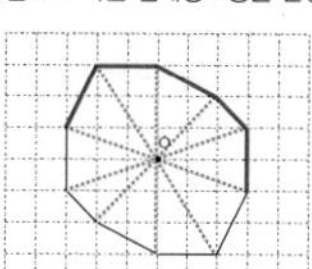

(십각형)

✤ 점대칭도형을 완성하면 변이 10개인 십각형이 됩니다.

14 점 ㅇ을 대칭의 중심으로 하는 점대칭도형입니다. 이 도형의 둘레는 몇 cm일까요?

점대칭도형에서 대응변의 길이는 서로 같아.

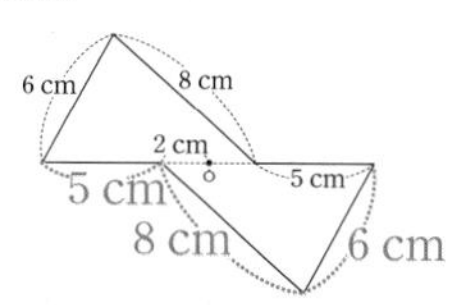

(38 cm)

✤ 점대칭도형에서 각각의 대응변의 길이가 서로 같습니다.
➔ (도형의 둘레) $=6+8+5+6+8+5=38$ (cm)

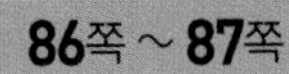

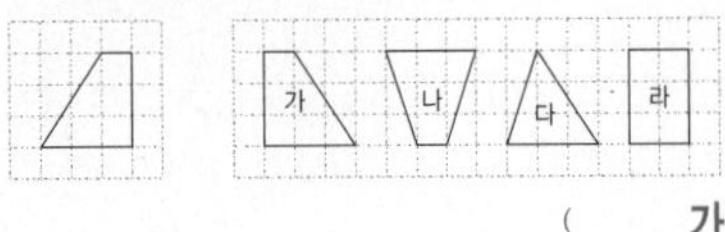

1 왼쪽 도형과 서로 합동인 도형을 찾아 기호를 써 보세요.

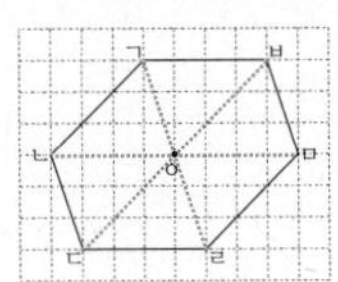

(가)

✤ 왼쪽 도형과 포개었을 때 완전히 겹치는 도형을 찾으면 가입니다.

2 다음 도형은 선대칭도형입니다. 대칭축을 찾아 기호를 써 보세요.

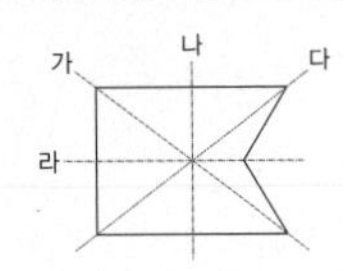

(라)

✤ 도형이 완전히 겹치도록 접을 수 있는 직선을 찾습니다.

3 다음 도형은 점대칭도형입니다. 대칭의 중심을 찾아 점(•)으로 표시해 보세요.

(1) 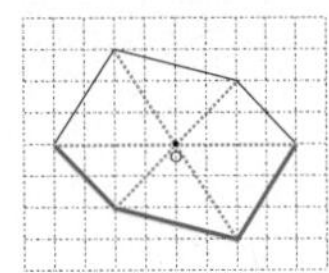

(2) 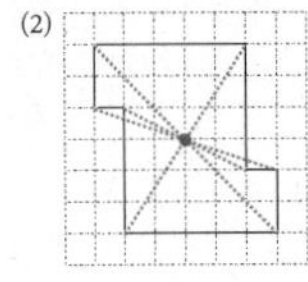

✤ 대응점끼리 이은 선분들이 만나는 점이 대칭의 중심입니다.

4 두 도형은 서로 합동입니다. 대응변, 대응각이 각각 몇 쌍 있는지 써 보세요.

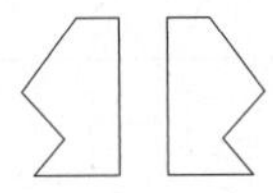

대응변 (6쌍)
대응각 (6쌍)

5 점 ㅇ을 대칭의 중심으로 하는 점대칭도형입니다. 물음에 답하세요.

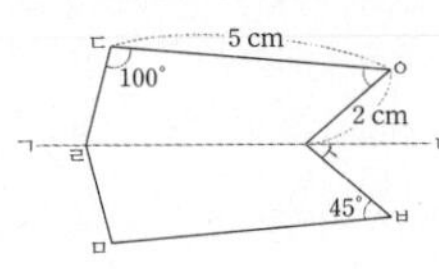

(1) 점 ㄱ의 대응점을 써 보세요. (점 ㄹ)

(2) 변 ㄱㅂ의 대응변을 써 보세요. (변 ㄹㄷ)

(3) 각 ㄱㄴㄷ의 대응각을 써 보세요. (각 ㄹㅁㅂ)

✤ 점대칭도형이므로 점 ㅇ을 중심으로 180° 돌렸을 때 겹치는 점, 변, 각을 찾습니다.

6 직선 ㄱㄴ을 대칭축으로 하는 선대칭도형입니다. 물음에 답하세요.

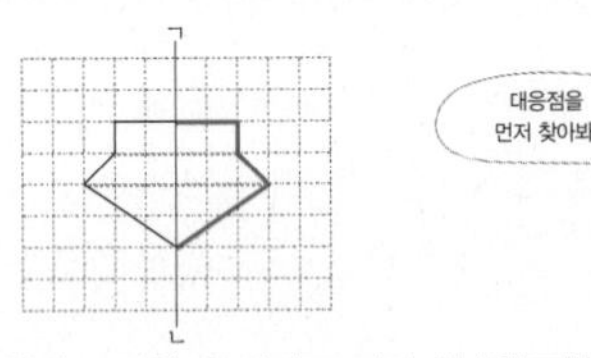

(1) 변 ㅁㅂ은 몇 cm일까요? (5 cm)

(2) 각 ㄷㅇㅅ은 몇 도일까요? (45°)

✤ (1) 변 ㅁㅂ의 대응변은 변 ㄷㅇ입니다. ➜ (변 ㅁㅂ)=(변 ㄷㅇ)=5 cm
(2) 각 ㄷㅇㅅ의 대응각은 각 ㅁㅂㅅ입니다. ➜ (각 ㄷㅇㅅ)=(각 ㅁㅂㅅ)=45°

7 직선 ㄱㄴ을 대칭축으로 하는 선대칭도형을 완성해 보세요.

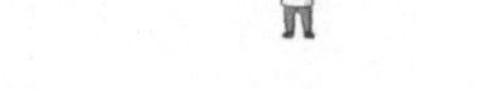

대응점을 먼저 찾아봐.

✤ 대응점을 찾아 표시한 후 차례로 이어 선대칭도형이 되도록 그립니다.

3 단원

88쪽

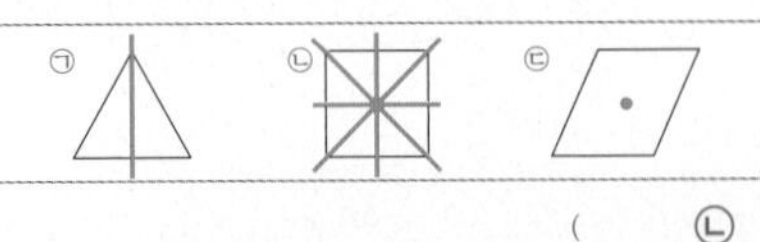

8 점 ㅇ을 대칭의 중심으로 하는 점대칭도형을 완성해 보세요.

✤ 대응점을 찾아 표시한 후 차례로 이어 점대칭도형이 되도록 그립니다.

9 두 도형은 서로 합동입니다. 삼각형 ㄱㄴㄷ의 둘레가 12 cm일 때 변 ㄹㅂ은 몇 cm인지 구해 보세요.

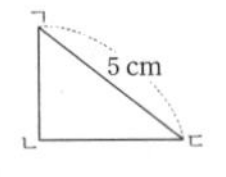

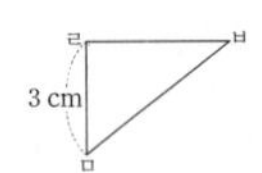

(4 cm)

✤ 두 삼각형은 서로 합동이므로 (변 ㅁㅂ)=(변 ㄱㄷ)=5 cm이고, (삼각형 ㄹㅁㅂ의 둘레)=(삼각형 ㄱㄴㄷ의 둘레)=12 cm입니다.
➜ 삼각형 ㄹㅁㅂ에서 (변 ㄹㅂ)=12−3−5=4 (cm)입니다.

10 선대칭도형도 되고 점대칭도형도 되는 도형을 찾아 기호를 써 보세요.

㉠ ㉡ ㉢

(㉡)

✤ ㉠ 선대칭도형 ㉡ 선대칭도형, 점대칭도형 ㉢ 점대칭도형

[Go! 매쓰]
여기까지 3단원 내용입니다.
다음부터는 4단원 내용이 시작합니다.

교과서 개념 잡기

개념 ① (1보다 작은 소수)×(자연수)

- 0.4×6 계산하기

방법1 덧셈식으로 계산하기

$0.4+0.4+0.4+0.4+0.4+0.4=2.4$ → $0.4\times6=2.4$ (6번 더합니다.)

방법2 0.1의 개수로 계산하기

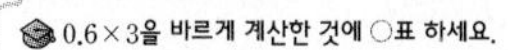

0.1 0.1 0.1 0.1 0.1 0.1 0.1 0.1 0.1 0.1 0.1 0.1
0.1 0.1 0.1 0.1 0.1 0.1 0.1 0.1 0.1 0.1 0.1 0.1

$0.4\times6=0.1\times4\times6=0.1\times24$ → 0.1이 모두 24개이므로 $0.4\times6=2.4$입니다.

방법3 분수의 곱셈으로 계산하기

$0.4\times6=\frac{4}{10}\times6=\frac{4\times6}{10}=\frac{24}{10}=2.4$

개념 ② (1보다 큰 소수)×(자연수)

- 1.5×3 계산하기

방법1 덧셈식으로 계산하기

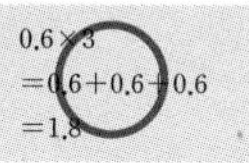

$1.5+1.5+1.5=4.5$ → $1.5\times3=4.5$ (3번 더합니다.)

방법2 0.1의 개수로 계산하기

$1.5\times3=0.1\times15\times3=0.1\times45$ → 0.1이 모두 45개이므로 $1.5\times3=4.5$입니다.

방법3 분수의 곱셈으로 계산하기

$1.5\times3=\frac{15}{10}\times3=\frac{15\times3}{10}=\frac{45}{10}=4.5$

방법4 1.5=1+0.5를 이용하여 계산하기

$1.5\times3=(1+0.5)\times3=1\times3+0.5\times3=3+1.5=4.5$

개념 Check

0.6×3을 바르게 계산한 것에 ○표 하세요.

0.6×3 =0.6+0.6+0.6 =1.8 (○)	0.6×3 =0.6+0.6+0.6+0.6+0.6+0.6 =3.6

정답과 풀이 p.23

1 덧셈식으로 계산하려고 합니다. □ 안에 알맞은 수를 써넣으세요.

(1) $0.2+0.2+0.2+0.2+0.2+0.2=\boxed{1.2}$ → $0.2\times\boxed{6}=\boxed{1.2}$

(2) $1.6+1.6+1.6+1.6=\boxed{6.4}$ → $1.6\times\boxed{4}=\boxed{6.4}$

✤ (1) $0.2+0.2+0.2+0.2+0.2+0.2=0.2\times6=1.2$ (6번)
(2) $1.6+1.6+1.6+1.6=1.6\times4=6.4$ (4번)

2 분수의 곱셈으로 계산하려고 합니다. □ 안에 알맞은 수를 써넣으세요.

(1) $0.7\times3=\frac{\boxed{7}}{10}\times3=\frac{\boxed{7}\times3}{10}=\frac{\boxed{21}}{10}=\boxed{2.1}$ (소수로 나타냅니다.)

(2) $1.28\times4=\frac{\boxed{128}}{100}\times4=\frac{\boxed{128}\times4}{100}=\frac{\boxed{512}}{100}=\boxed{5.12}$

✤ (1) 0.7을 $\frac{7}{10}$로 나타내어 계산합니다.
(2) 1.28을 $\frac{128}{100}$로 나타내어 계산합니다.

3 0.1의 개수로 계산하려고 합니다. □ 안에 알맞은 수를 써넣으세요.

(1) $0.3\times9=0.1\times\boxed{3}\times9=0.1\times27$
0.1이 모두 $\boxed{27}$개이므로 $0.3\times9=\boxed{2.7}$입니다.

(2) $5.1\times5=0.1\times\boxed{51}\times5=0.1\times\boxed{255}$
0.1이 모두 $\boxed{255}$개이므로 $5.1\times5=\boxed{25.5}$입니다.

✤ (1) $0.3=0.1\times3$
(2) $5.1=0.1\times51$

4 계산해 보세요.

(1) $0.9\times5=4.5$　　(2) $1.3\times8=10.4$

(3) $0.17\times4=0.68$　　(4) $4.06\times2=8.12$

교과서 개념 잡기

개념 ③ (자연수)×(1보다 작은 소수)

- 2×0.7 계산하기

방법1 그림으로 계산하기

0　1　2

한 칸의 크기는 2의 0.1, 2의 $\frac{1}{10}$이고, 두 칸의 크기는 2의 0.2, 2의 $\frac{2}{10}$입니다.

일곱 칸의 크기는 2의 0.7, 2의 $\frac{7}{10}$이므로 $\frac{14}{10}$가 되어 1.4입니다.

방법2 분수의 곱셈으로 계산하기

$2\times0.7=2\times\frac{7}{10}=\frac{2\times7}{10}=\frac{14}{10}=1.4$

방법3 자연수의 곱셈으로 계산하기

$2\times7=14$
$\frac{1}{10}$배, $\frac{1}{10}$배
$2\times0.7=1.4$

개념 ④ (자연수)×(1보다 큰 소수)

- 5×1.3 계산하기

방법1 그림으로 계산하기

곱하는 수가 $\frac{1}{10}$배이면
계산 결과가 $\frac{1}{10}$배예요.

0　0.5　5　6.5　10
0　1　1.3　2(배)

5의 1배는 5이고, 5의 0.3배는 1.5이므로 5의 1.3배는 6.5입니다.

방법2 분수의 곱셈으로 계산하기

$5\times1.3=5\times\frac{13}{10}=\frac{5\times13}{10}=\frac{65}{10}=6.5$

방법3 자연수의 곱셈으로 계산하기

$5\times13=65$
$\frac{1}{10}$배, $\frac{1}{10}$배
$5\times1.3=6.5$

개념 Check

6×0.7을 바르게 계산한 것에 ○표 하세요.

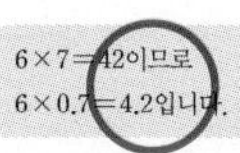

6×7=42이므로 6×0.7=0.42입니다.	6×7=42이므로 6×0.7=4.2입니다. (○)

정답과 풀이 p.23

1 6의 0.8만큼을 구하려고 합니다. □ 안에 알맞은 수를 써넣으세요.

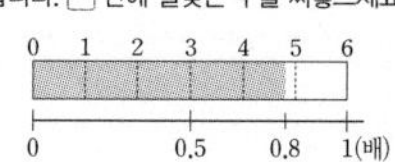

6의 0.8은 6의 $\frac{\boxed{8}}{10}$이므로 6의 $\frac{1}{10}$은 $\frac{6}{10}$ → 6의 $\frac{8}{10}$은 $\frac{\boxed{48}}{10}$이 되어 소수로 나타내면 $\boxed{4.8}$입니다.

✤ 6의 0.8 → 6의 $\frac{8}{10}$ → $\frac{48}{10}$ → 4.8

2 분수의 곱셈으로 계산하려고 합니다. □ 안에 알맞은 수를 써넣으세요.

(1) $12\times0.86=12\times\frac{\boxed{86}}{100}=\frac{12\times\boxed{86}}{100}=\frac{\boxed{1032}}{100}=\boxed{10.32}$

(2) $9\times2.4=9\times\frac{\boxed{24}}{10}=\frac{9\times\boxed{24}}{10}=\frac{\boxed{216}}{10}=\boxed{21.6}$

✤ (1) 0.86을 $\frac{86}{100}$으로 나타내어 계산합니다.
(2) 2.4를 $\frac{24}{10}$로 나타내어 계산합니다.

3 자연수의 곱셈으로 계산하려고 합니다. □ 안에 알맞은 수를 써넣으세요.

(1) $7\times5=35$ ($\frac{1}{10}$배, $\frac{1}{10}$배) $7\times0.5=\boxed{3.5}$

(2) $21\times109=\boxed{2289}$ ($\frac{1}{100}$배, $\frac{1}{100}$배) $21\times1.09=\boxed{22.89}$

✤ (1) 곱하는 수가 $\frac{1}{10}$배가 되면 계산 결과도 $\frac{1}{10}$배가 됩니다.
(2) 곱하는 수가 $\frac{1}{100}$배가 되면 계산 결과도 $\frac{1}{100}$배가 됩니다.

4 계산해 보세요.

(1) $14\times0.3=4.2$　　(2) $9\times1.54=13.86$

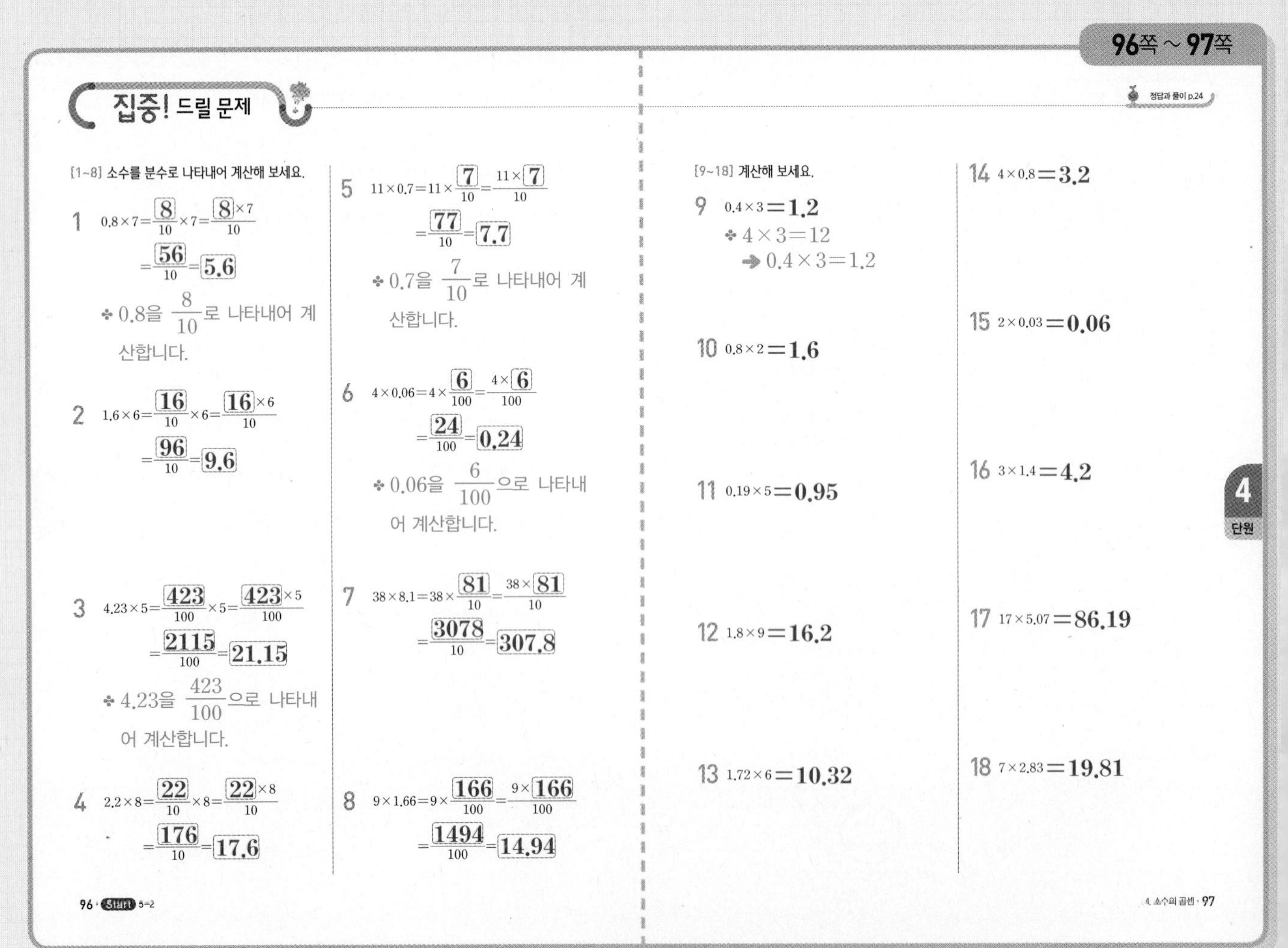

96쪽 ~ 97쪽

집중! 드릴 문제

정답과 풀이 p.24

[1~8] 소수를 분수로 나타내어 계산해 보세요.

1 $0.8\times7=\frac{8}{10}\times7=\frac{8\times7}{10}=\frac{56}{10}=5.6$

✤ 0.8을 $\frac{8}{10}$로 나타내어 계산합니다.

2 $1.6\times6=\frac{16}{10}\times6=\frac{16\times6}{10}=\frac{96}{10}=9.6$

3 $4.23\times5=\frac{423}{100}\times5=\frac{423\times5}{100}=\frac{2115}{100}=21.15$

✤ 4.23을 $\frac{423}{100}$으로 나타내어 계산합니다.

4 $2.2\times8=\frac{22}{10}\times8=\frac{22\times8}{10}=\frac{176}{10}=17.6$

5 $11\times0.7=11\times\frac{7}{10}=\frac{11\times7}{10}=\frac{77}{10}=7.7$

✤ 0.7을 $\frac{7}{10}$로 나타내어 계산합니다.

6 $4\times0.06=4\times\frac{6}{100}=\frac{4\times6}{100}=\frac{24}{100}=0.24$

✤ 0.06을 $\frac{6}{100}$으로 나타내어 계산합니다.

7 $38\times8.1=38\times\frac{81}{10}=\frac{38\times81}{10}=\frac{3078}{10}=307.8$

8 $9\times1.66=9\times\frac{166}{100}=\frac{9\times166}{100}=\frac{1494}{100}=14.94$

[9~18] 계산해 보세요.

9 $0.4\times3=1.2$

✤ $4\times3=12$
→ $0.4\times3=1.2$

10 $0.8\times2=1.6$

11 $0.19\times5=0.95$

12 $1.8\times9=16.2$

13 $1.72\times6=10.32$

14 $4\times0.8=3.2$

15 $2\times0.03=0.06$

16 $3\times1.4=4.2$

17 $17\times5.07=86.19$

18 $7\times2.83=19.81$

4 단원

96 · Start 5-2

4. 소수의 곱셈 · 97

교과서 개념 확인 문제

정답과 풀이 p.25

1 그림을 보고 □ 안에 알맞은 수를 써넣으세요.

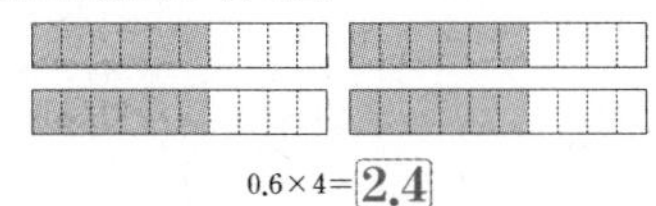

$0.6\times4=$ 2.4

✤ 0.1이 24개이므로 2.4입니다.

2 자연수의 곱셈으로 계산하려고 합니다. □ 안에 알맞은 수를 써넣으세요.

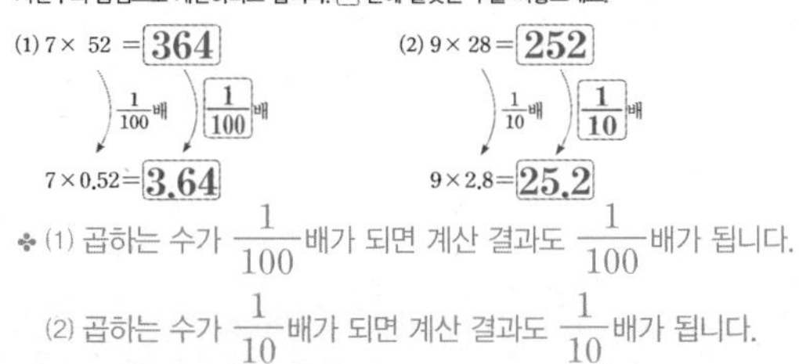

(1) $7\times52=364$, $\frac{1}{100}$배, $\frac{1}{100}$배, $7\times0.52=3.64$

(2) $9\times28=252$, $\frac{1}{10}$배, $\frac{1}{10}$배, $9\times2.8=25.2$

✤ (1) 곱하는 수가 $\frac{1}{100}$배가 되면 계산 결과도 $\frac{1}{100}$배가 됩니다.

(2) 곱하는 수가 $\frac{1}{10}$배가 되면 계산 결과도 $\frac{1}{10}$배가 됩니다.

3 보기와 같은 방법으로 계산해 보세요.

보기
$0.12\times7=\frac{12}{100}\times7=\frac{12\times7}{100}=\frac{84}{100}=0.84$

(1) $0.8\times9=\frac{8}{10}\times9=\frac{8\times9}{10}=\frac{72}{10}=7.2$

(2) $0.24\times11=\frac{24}{100}\times11=\frac{24\times11}{100}=\frac{264}{100}=2.64$

✤ (1) 0.8을 $\frac{8}{10}$로 나타내어 계산합니다.

(2) 0.24를 $\frac{24}{100}$로 나타내어 계산합니다.

4 어림하여 계산 결과가 3보다 작은 것을 찾아 ○표 하세요.

6의 0.4	0.64×5
(○)	( )

✤ • 6의 0.4는 6의 반인 3보다 작습니다.
• 0.64×5는 0.6과 5의 곱인 3보다 큽니다.
➜ 계산 결과가 3보다 작은 것은 6의 0.4입니다.

5 계산해 보세요.

(1) $0.9\times6=5.4$ (2) $0.75\times3=2.25$

(3) $13\times0.7=9.1$ (4) $3.4\times8=27.2$

6 빈 곳에 알맞은 수를 써넣으세요.

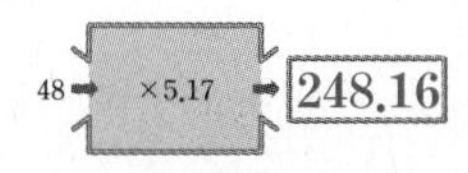

✤ $48\times5.17=248.16$

7 빈 곳에 알맞은 수를 써넣으세요.

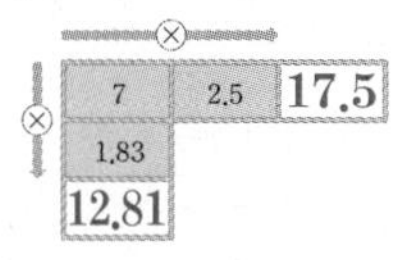

✤ $7\times2.5=17.5$, $7\times1.83=12.81$

교과서 개념 확인 문제

정답과 풀이 p.25

8 계산 결과를 찾아 선으로 이어 보세요.

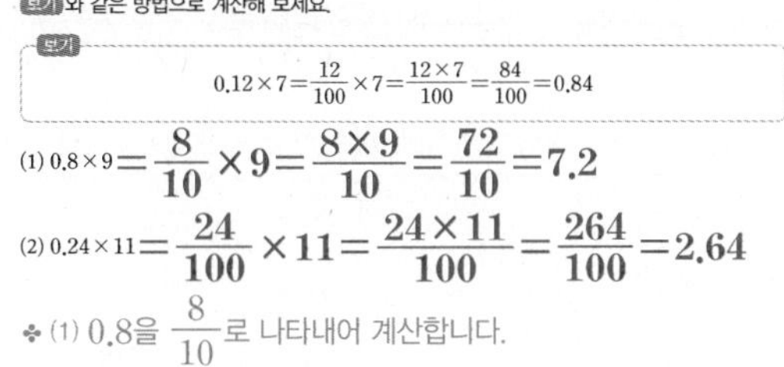

✤ $9\times1.56=14.04$, $40\times0.8=32$, $11\times0.7=7.7$

9 계산 결과의 크기를 비교하여 ○ 안에 >, =, <를 알맞게 써넣으세요.

0.9×3 (>) 0.34×6

✤ $0.9\times3=2.7$, $0.34\times6=2.04$ ➜ $2.7>2.04$

10 계산 결과가 더 큰 것의 기호를 써 보세요.

㉠ 2.7×6 ㉡ 1.93×8

(㉠)

✤ ㉠ $2.7\times6=16.2$ ㉡ $1.93\times8=15.44$
➜ $16.2>15.44$이므로 계산 결과가 더 큰 것은 ㉠입니다.

11 길이가 0.84 m인 색 테이프가 9개 있습니다. 이 색 테이프를 겹치지 않게 길게 이어 붙였을 때 이어 붙인 색 테이프의 길이는 몇 m일까요?

(7.56 m)

✤ (색 테이프 9개의 길이)=(색 테이프 1개의 길이)×9
$=0.84\times9=7.56$ (m)

12 직사각형의 넓이는 몇 cm^2인지 구해 보세요.

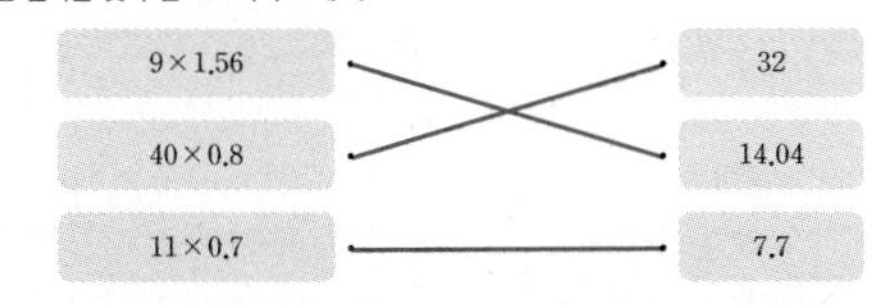

(18.7 cm^2)

✤ (직사각형의 넓이)=(가로)×(세로)
$=5\times3.74=18.7$ (cm^2)

13 동혁이의 몸무게는 46 kg입니다. 동생의 몸무게는 동혁이의 몸무게의 0.6입니다. 동생의 몸무게는 몇 kg일까요?

(27.6 kg)

✤ (동생의 몸무게)=(동혁이의 몸무게)×0.6
$=46\times0.6=27.6$ (kg)

14 계산 결과가 가장 큰 것을 찾아 기호를 써 보세요.

㉠ 3.7×6 ㉡ 4.9×3 ㉢ 5.45×4

(㉠)

✤ ㉠ $3.7\times6=22.2$ ㉡ $4.9\times3=14.7$ ㉢ $5.45\times4=21.8$
➜ $22.2>21.8>14.7$

15 1.5 L짜리 음료수가 7병 있습니다. 음료수는 모두 몇 L인지 식을 쓰고 답을 구해 보세요.

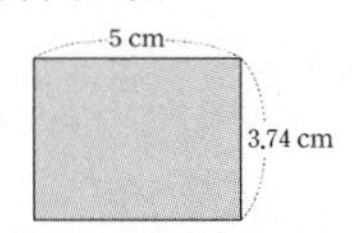

식 $1.5\times7=10.5$

답 10.5 L

✤ (음료수 7병의 양)=(음료수 1병의 양)×7
$=1.5\times7=10.5$ (L)

102쪽 ~ 103쪽

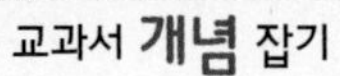

교과서 **개념** 잡기

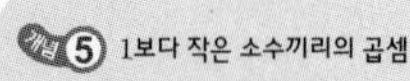

개념 5 1보다 작은 소수끼리의 곱셈

- 0.6×0.4 계산하기

방법1 그림으로 계산하기

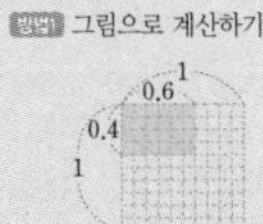

모눈종이의 가로를 0.6만큼, 세로를 0.4만큼 색칠하면 24칸이 색칠되는데 한 칸의 넓이가 0.01이므로 0.24입니다.

방법2 분수의 곱셈으로 계산하기

$0.6\times0.4=\frac{6}{10}\times\frac{4}{10}=\frac{24}{100}=0.24$

방법3 자연수의 곱셈으로 계산하기

$6\times4=24$ → $\frac{1}{10}$배, $\frac{1}{10}$배, $\frac{1}{100}$배 → $0.6\times0.4=0.24$

방법4 소수의 크기를 생각하여 계산하기 → 자연수의 곱셈 결과에 소수의 크기를 생각하여 소수점을 찍습니다.

$6\times4=24$인데 0.6에 0.4를 곱하면 0.6보다 작은 값이 나와야 하므로 계산 결과는 0.24입니다.

개념 6 1보다 큰 소수끼리의 곱셈

- 1.7×1.2 계산하기

방법1 분수의 곱셈으로 계산하기

$1.7\times1.2=\frac{17}{10}\times\frac{12}{10}=\frac{204}{100}=2.04$

방법2 자연수의 곱셈으로 계산하기

$17\times12=204$ → $\frac{1}{10}$배, $\frac{1}{10}$배, $\frac{1}{100}$배 → $1.7\times1.2=2.04$

방법3 소수의 크기를 생각하여 계산하기

$17\times12=204$인데 1.7에 1.2를 곱하면 1.7보다 큰 값이 나와야 하므로 계산 결과는 2.04입니다.

개념 Check

0.8×0.7을 계산하는 과정입니다. 알맞은 것에 ○표 하세요.

$8\times7=56$인데 0.8에 0.7을 곱하면 0.8보다 (큰 , (작은)) 값이 나와야 하므로 $0.8\times0.7=$((0.56) , 5.6 , 56)입니다.

정답과 풀이 p.26

1 0.7×0.3을 계산하려고 합니다. 모눈종이의 가로를 0.7만큼, 세로를 0.3만큼 색칠한 후 □ 안에 알맞은 수를 써넣으세요.

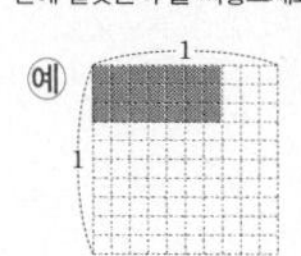

예) 색칠한 모눈은 **21**칸이고 한 칸의 넓이가 0.01이므로 색칠한 모눈의 넓이는 **0.21**입니다.

→ $0.7\times0.3=$**0.21**

✤ 0.01이 ■▲개인 수는 0.■▲입니다.

2 분수의 곱셈으로 계산하려고 합니다. □ 안에 알맞은 수를 써넣으세요.

(1) $0.2\times0.9=\frac{\mathbf{2}}{10}\times\frac{\mathbf{9}}{10}=\frac{\mathbf{18}}{\mathbf{100}}=\mathbf{0.18}$ (소수로 나타냅니다.)

(2) $1.6\times1.44=\frac{\mathbf{16}}{10}\times\frac{\mathbf{144}}{100}=\frac{\mathbf{2304}}{1000}=\mathbf{2.304}$

✤ (2) 1.6을 $\frac{16}{10}$, 1.44를 $\frac{144}{100}$로 나타내어 계산합니다.

3 자연수의 곱셈으로 계산하려고 합니다. □ 안에 알맞은 수를 써넣으세요.

(1) $18\times8=144$ → $\frac{1}{100}$배, $\frac{1}{10}$배, $\frac{1}{1000}$배 → $0.18\times0.8=$**0.144**

(2) $35\times71=2485$ → $\frac{1}{10}$배, $\frac{1}{10}$배, $\frac{1}{100}$배 → $3.5\times7.1=$**24.85**

✤ (1) 곱해지는 수가 $\frac{1}{100}$배, 곱하는 수가 $\frac{1}{10}$배가 되면 계산 결과는 $\frac{1}{100}\times\frac{1}{10}=\frac{1}{1000}$(배)가 됩니다.

4 계산해 보세요.

(1) $14\times27=$**378** → $1.4\times2.7=$**3.78**

(2) $913\times38=$**34694** → $9.13\times3.8=$**34.694**

4 단원

104쪽 ~ 105쪽

교과서 **개념** 잡기

개념 7 곱의 소수점 위치

- 자연수와 소수의 곱셈에서 곱의 소수점 위치

곱하는 수의 0이 하나씩 늘어날 때마다 곱의 소수점을 오른쪽으로 한 칸씩 옮깁니다.

$4.26\times1=4.26$
4.26×10 (0이 1개) → 4.26 (오른쪽으로 1칸) → 42.6
4.26×100 (0이 2개) → 4.26 (오른쪽으로 2칸) → 426
4.26×1000 (0이 3개) → 4.26 (오른쪽으로 3칸) → 4260

곱하는 소수의 소수점 아래 자리 수가 하나씩 늘어날 때마다 곱의 소수점을 왼쪽으로 한 칸씩 옮깁니다.

$4260\times1=4260$
4260×0.1 (소수 한 자리) → 4260 (왼쪽으로 1칸) → 426
4260×0.01 (소수 두 자리) → 4260 (왼쪽으로 2칸) → 42.6
4260×0.001 (소수 세 자리) → 4260 (왼쪽으로 3칸) → 4.26

- 소수끼리의 곱셈에서 곱의 소수점 위치

자연수끼리 계산한 결과에 곱하는 두 수의 소수점 아래 자리 수를 더한 값만큼 소수점을 왼쪽으로 옮깁니다.

$0.8\times0.4=0.32$ (소수 ①자리 수, 소수 ①자리 수, 소수 ②자리 수)

$0.8\times0.04=0.032$ (소수 ①자리 수, 소수 ②자리 수, 소수 ③자리 수)

개념 Check

바르게 계산한 친구에게 ○표 하세요.

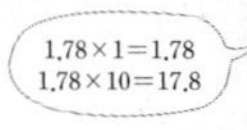

정답과 풀이 p.26

1 소수점의 위치를 생각하여 계산해 보세요.

(1) $0.28\times1=0.28$
$0.28\times10=$**2.8**
$0.28\times100=$**28**
$0.28\times1000=$**280**

(2) $5.15\times1=5.15$
$5.15\times10=$**51.5**
$5.15\times100=$**515**
$5.15\times1000=$**5150**

✤ (1) $0.28\times10=2.8$, $0.28\times100=28$, $0.28\times1000=280$
(2) $5.15\times10=51.5$, $5.15\times100=515$, $5.15\times1000=5150$

2 보기를 이용하여 계산해 보세요.

(1) 보기 $1.4\times33=46.2$
$1.4\times330=$**462**
$0.14\times33=$**4.62**

(2) 보기 $29\times6.7=194.3$
$2900\times6.7=$**19430**
$29\times0.067=$**1.943**

✤ (1) 1.4×330은 1.4×33보다 33에 0이 1개 더 있으므로 46.2에서 소수점을 오른쪽으로 1칸 옮기면 462입니다.
0.14×33은 1.4×33보다 1.4에 소수점 아래 자리 수가 1자리 더 늘어났으므로 46.2에서 소수점을 왼쪽으로 1칸 옮기면 4.62입니다.

3 계산해 보세요.

(1) $194\times0.1=$**19.4**
(2) $0.86\times100=$**86**

✤ (1) $194\times0.1=19.4$ (2) $0.86\times100=86$

4 보기를 이용하여 계산해 보세요.

(1) 보기 $36\times11=396$
$3.6\times1.1=$**3.96**
$0.36\times1.1=$**0.396**

(2) 보기 $74\times52=3848$
$7.4\times5.2=$**38.48**
$0.74\times0.52=$**0.3848**

✤ (1) 3.6×1.1의 소수점 아래 자리 수의 합은 2이므로 396에서 소수점을 왼쪽으로 2칸 옮기면 3.96이 됩니다.
0.36×1.1의 소수점 아래 자리 수의 합은 3이므로 396에서 소수점을 왼쪽으로 3칸 옮기면 0.396이 됩니다.

4 단원

106쪽 ~ 107쪽

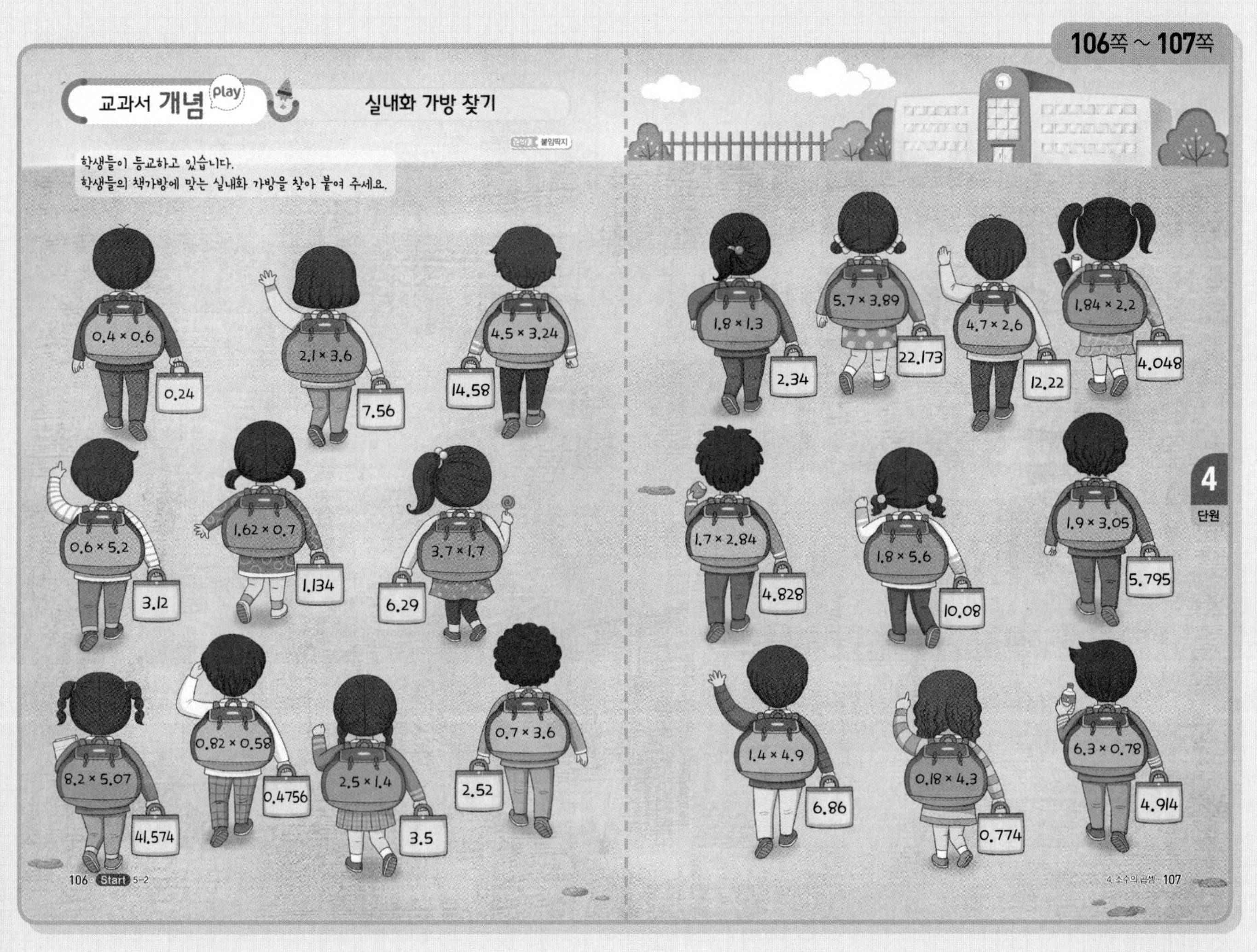

4 단원

108쪽 ~ 109쪽

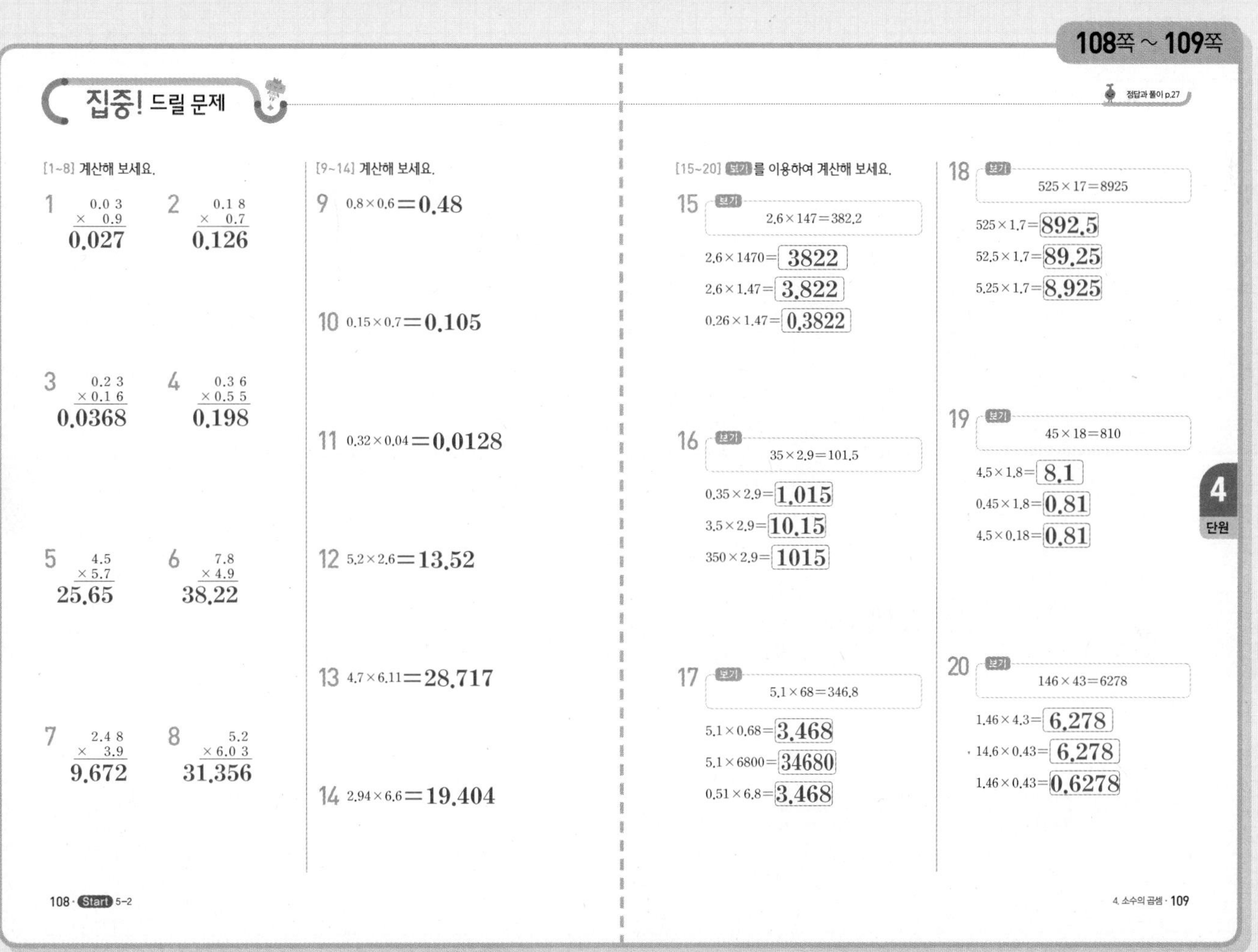

집중! 드릴 문제

정답과 풀이 p.27

[1~8] 계산해 보세요.

1 $\begin{array}{r} 0.03 \\ \times\ 0.9 \\ \hline \end{array}$ **0.027**

2 $\begin{array}{r} 0.18 \\ \times\ 0.7 \\ \hline \end{array}$ **0.126**

3 $\begin{array}{r} 0.23 \\ \times\ 0.16 \\ \hline \end{array}$ **0.0368**

4 $\begin{array}{r} 0.36 \\ \times\ 0.55 \\ \hline \end{array}$ **0.198**

5 $\begin{array}{r} 4.5 \\ \times\ 5.7 \\ \hline \end{array}$ **25.65**

6 $\begin{array}{r} 7.8 \\ \times\ 4.9 \\ \hline \end{array}$ **38.22**

7 $\begin{array}{r} 2.48 \\ \times\ 3.9 \\ \hline \end{array}$ **9.672**

8 $\begin{array}{r} 5.2 \\ \times\ 6.03 \\ \hline \end{array}$ **31.356**

[9~14] 계산해 보세요.

9 $0.8 \times 0.6 =$ **0.48**

10 $0.15 \times 0.7 =$ **0.105**

11 $0.32 \times 0.04 =$ **0.0128**

12 $5.2 \times 2.6 =$ **13.52**

13 $4.7 \times 6.11 =$ **28.717**

14 $2.94 \times 6.6 =$ **19.404**

[15~20] 보기 를 이용하여 계산해 보세요.

15 보기 $2.6 \times 147 = 382.2$

$2.6 \times 1470 =$ **3822**

$2.6 \times 1.47 =$ **3.822**

$0.26 \times 1.47 =$ **0.3822**

16 보기 $35 \times 2.9 = 101.5$

$0.35 \times 2.9 =$ **1.015**

$3.5 \times 2.9 =$ **10.15**

$350 \times 2.9 =$ **1015**

17 보기 $5.1 \times 68 = 346.8$

$5.1 \times 0.68 =$ **3.468**

$5.1 \times 6800 =$ **34680**

$0.51 \times 6.8 =$ **3.468**

18 보기 $525 \times 17 = 8925$

$525 \times 1.7 =$ **892.5**

$52.5 \times 1.7 =$ **89.25**

$5.25 \times 1.7 =$ **8.925**

19 보기 $45 \times 18 = 810$

$4.5 \times 1.8 =$ **8.1**

$0.45 \times 1.8 =$ **0.81**

$4.5 \times 0.18 =$ **0.81**

20 보기 $146 \times 43 = 6278$

$1.46 \times 4.3 =$ **6.278**

$14.6 \times 0.43 =$ **6.278**

$1.46 \times 0.43 =$ **0.6278**

4 단원

교과서 개념 확인 문제

정답과 풀이 p.28

1 계산해 보세요.

(1) $0.3\times0.6=$ **0.18**　(2) $0.7\times0.7=$ **0.49**

✣ (1) $3\times6=18$ ➔ $0.3\times0.6=0.18$
(2) $7\times7=49$ ➔ $0.7\times0.7=0.49$

2 □ 안에 알맞은 수를 써넣으세요.

(1) $3.74\times1=$ **3.74**
$3.74\times10=$ **37.4**
$3.74\times100=$ **374**
$3.74\times1000=$ **3740**

(2) $826\times1=$ **826**
$826\times0.1=$ **82.6**
$826\times0.01=$ **8.26**
$826\times0.001=$ **0.826**

✣ (1) 곱하는 수의 0이 하나씩 늘어날 때마다 곱의 소수점을 오른쪽으로 한 칸씩 옮깁니다.
(2) 곱하는 소수의 소수점 아래 자리 수가 하나씩 늘어날 때마다 곱의 소수점을 왼쪽으로 한 칸씩 옮깁니다.

3 분수의 곱셈으로 고쳐서 계산해 보세요.

(1) 3.7×1.9 예 $=\frac{37}{10}\times\frac{19}{10}=\frac{37\times19}{100}=\frac{703}{100}=7.03$

(2) 1.05×4.3 예 $=\frac{105}{100}\times\frac{43}{10}=\frac{105\times43}{1000}=\frac{4515}{1000}=4.515$

✣ (2) 1.05를 $\frac{105}{100}$, 4.3을 $\frac{43}{10}$으로 나타내어 계산합니다.

4 $514\times68=34952$입니다. 5.14×6.8의 값을 어림하여 결괏값에 소수점을 찍어 보세요.

$5.14\times6.8=34.952$

✣ 5.14×6.8을 5.1의 6배로 어림하면 30.6보다 큰 값이므로 결괏값은 34.952입니다.

5 계산해 보세요.

(1) $7.6\times4.2=$ **31.92**　(2) $1.5\times0.83=$ **1.245**
(3) $1.8\times0.42=$ **0.756**　(4) $20.5\times2.1=$ **43.05**

6 □ 안에 알맞은 수를 써넣으세요.

$0.88\times$ **1000** $=880$

✣ 0.88에서 소수점을 오른쪽으로 세 칸 옮겨서 880이 되었으므로 □=1000입니다.

7 계산 결과가 다른 것을 찾아 기호를 써 보세요.

㉠ 942의 0.01배
㉡ 9.42×10
㉢ 0.942의 100배

(㉠)

✣ ㉠ 942의 0.01배 ➔ $942\times0.01=9.42$
㉡ $9.42\times10=94.2$
㉢ 0.942의 100배 ➔ $0.942\times100=94.2$
➔ 계산 결과가 다른 하나는 ㉠입니다.

8 빈 곳에 알맞은 수를 써넣으세요.

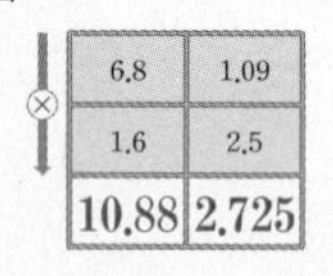

6.8	1.09
1.6	2.5
10.88	**2.725**

✣ $6.8\times1.6=10.88$, $1.09\times2.5=2.725$

교과서 개념 확인 문제

정답과 풀이 p.28

9 보기를 이용하여 □ 안에 알맞은 수를 써넣으세요.

보기 $217\times32=6944$

(1) $2.17\times$ **3.2** $=6.944$　(2) **0.217** $\times320=69.44$

✣ (1) 2.17은 217의 0.01배인데 6.944는 6944의 0.001배이므로 □ 안에 알맞은 수는 32의 0.1배인 3.2입니다.
(2) 320은 32의 10배인데 69.44는 6944의 0.01배이므로 □ 안에 알맞은 수는 217의 0.001배인 0.217입니다.

10 빈칸에 두 수의 곱을 써넣으세요.

(1)

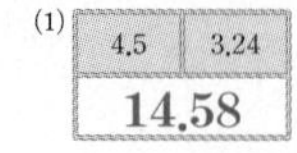

4.5	3.24
14.58	

(2)

0.26	0.48
0.1248	

✣ (1) $4.5\times3.24=14.58$
(2) $0.26\times0.48=0.1248$

11 가장 큰 수와 가장 작은 수의 곱을 구해 보세요.

0.3　0.9　0.8　0.5

(**0.27**)

✣ $0.9>0.8>0.5>0.3$이므로 가장 큰 수는 0.9, 가장 작은 수는 0.3입니다.
➔ $0.9\times0.3=0.27$

12 계산 결과가 더 큰 것의 기호를 써 보세요.

㉠ 1.35×3.5　㉡ 2.09×2.4

(㉡)

✣ ㉠ $1.35\times3.5=4.725$ ㉡ $2.09\times2.4=5.016$
➔ $4.725<5.016$

13 관계있는 것끼리 선으로 이어 보세요.

✣ $1.27\times0.25=0.3175$, $3.3\times0.5=1.65$

14 평행사변형의 넓이는 몇 cm^2인지 구해 보세요.

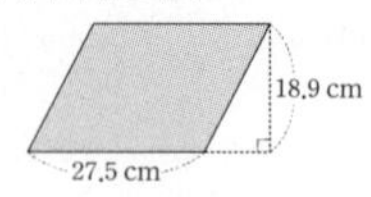

(**519.75 cm^2**)

✣ (평행사변형의 넓이)=(밑변의 길이)×(높이)
$=27.5\times18.9=519.75\ (cm^2)$

15 꽃밭의 가로와 세로를 각각 1.3배씩 늘려 새로운 꽃밭을 만들려고 합니다. 물음에 답하세요.

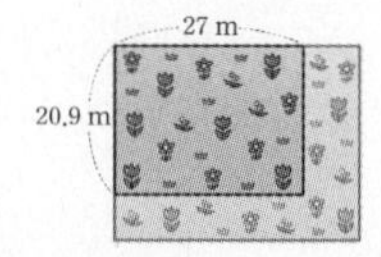

(1) 새로운 꽃밭의 가로는 몇 m일까요? (**35.1 m**)
(2) 새로운 꽃밭의 세로는 몇 m일까요? (**27.17 m**)
(3) 새로운 꽃밭의 넓이는 몇 m^2일까요? (**953.667 m^2**)

✣ (1) $27\times1.3=35.1\ (m)$
(2) $20.9\times1.3=27.17\ (m)$
(3) $35.1\times27.17=953.667\ (m^2)$

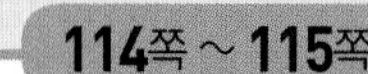

4. 소수의 곱셈

맞은 개수

정답과 풀이 p.29

1 0.7×4를 알맞게 색칠하고, 값을 구해 보세요.

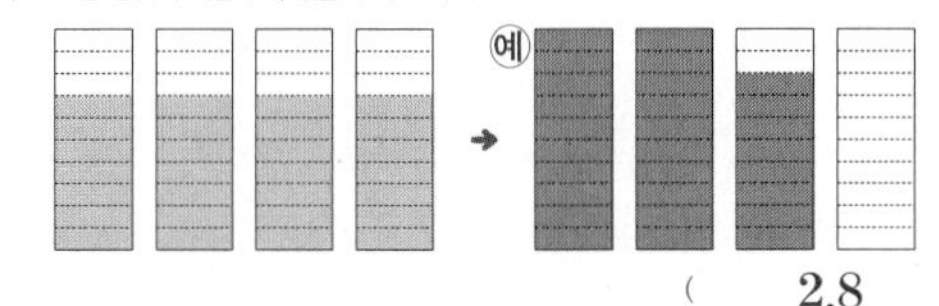

(2.8)

✤ $0.7\times4=0.7+0.7+0.7+0.7=2.8$

2 어림하여 계산 결과가 8보다 작은 것을 찾아 기호를 써 보세요.

㉠ 1.9×9　㉡ 3.4×2　㉢ 4.5×2

(㉡)

✤ ㉠ 1.9×9는 1과 9의 곱인 9보다 크고, ㉡ 3.4×2는 4와 2의 곱인 8보다 작고, ㉢ 4.5×2는 4와 2의 곱인 8보다 큽니다.

3 계산해 보세요.

(1) $0.5\times3=1.5$　(2) $0.41\times9=3.69$

4 보기와 같이 계산해 보세요.

보기 $9\times0.8=9\times\frac{8}{10}=\frac{72}{10}=7.2$

$13\times0.5=13\times\frac{5}{10}=\frac{65}{10}=6.5$

✤ 0.5를 $\frac{5}{10}$로 나타내어 계산합니다.

5 28×4=112임을 이용하여 □ 안에 알맞은 수를 써넣으세요.

(1) $28\times0.4=$ 11.2　(2) $28\times0.04=$ 1.12

✤ 곱하는 소수의 소수점 아래 자리 수가 하나씩 늘어날 때마다 곱의 소수점을 왼쪽으로 한 칸씩 옮깁니다.

(1) $28\times0.4=11.2$　(2) $28\times0.04=1.12$

6 관계있는 것끼리 선으로 이어 보세요.

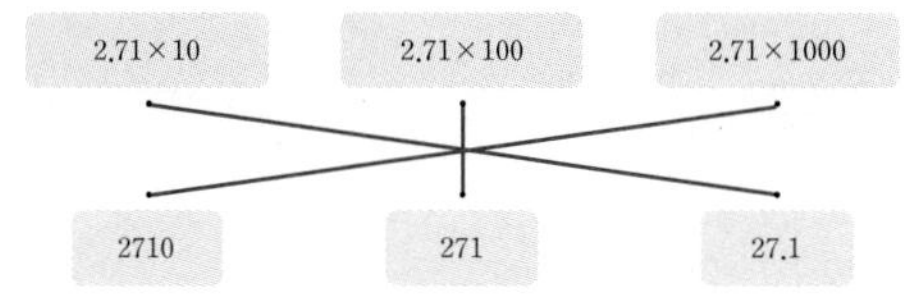

✤ 곱하는 수의 0이 하나씩 늘어날 때마다 곱의 소수점을 오른쪽으로 한 칸씩 옮깁니다.

$2.71\times10=27.1$, $2.71\times100=271$, $2.71\times1000=2710$

4 단원

7 빈 곳에 알맞은 수를 써넣으세요.

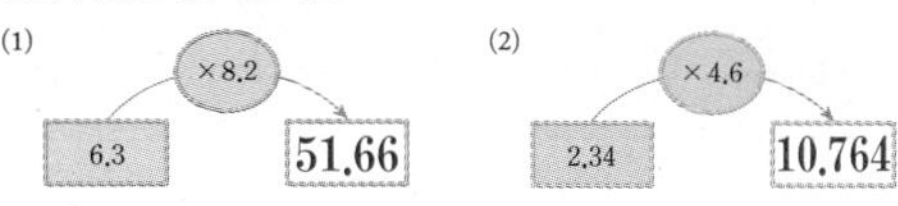

✤ (1) $6.3\times8.2=51.66$ (2) $2.34\times4.6=10.764$

8 계산 결과의 크기를 비교하여 ○ 안에 >, =, <를 알맞게 써넣으세요.

7×2.11 < 6×2.83

✤ $7\times2.11=14.77$, $6\times2.83=16.98$
→ $14.77<16.98$

116쪽

개념 확인평가　4. 소수의 곱셈

정답과 풀이 p.29

9 계산 결과가 다른 하나를 찾아 기호를 써 보세요.

㉠ 4.14×10　㉡ 414×0.1
㉢ 414×0.01　㉣ 0.414×100

(㉢)

✤ ㉠ $4.14\times10=41.4$　㉡ $414\times0.1=41.4$
㉢ $414\times0.01=4.14$　㉣ $0.414\times100=41.4$

10 잘못 계산한 곳을 찾아 바르게 고쳐 보세요.

$8\times5.05=8\times\frac{505}{10}=\frac{8\times505}{10}=\frac{4040}{10}=404$

바르게 고치기 $8\times5.05=8\times\frac{505}{100}=\frac{8\times505}{100}=\frac{4040}{100}=40.4$

11 □ 안에 들어갈 수 있는 가장 작은 자연수를 구해 보세요.

$6.7\times0.4<$ □

(3)

✤ $6.7\times0.4=2.68$ → $2.68<$ □에서 □ 안에 들어갈 수 있는 자연수는 3, 4, 5……이므로 가장 작은 자연수는 3입니다.

12 곶감 한 상자의 무게는 1.5 kg입니다. 곶감 11상자의 무게는 몇 kg일까요?

(16.5 kg)

✤ (곶감 11상자의 무게)=(곶감 한 상자의 무게)×11
$=1.5\times11=16.5$ (kg)

[Go! 매쓰]
여기까지 4단원 내용입니다.
다음부터는 5단원 내용이 시작합니다.

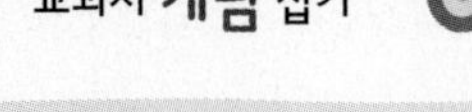

교과서 개념 잡기

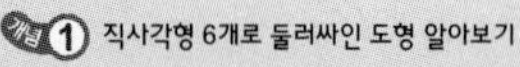

개념 1 직사각형 6개로 둘러싸인 도형 알아보기

- 직사각형 6개로 둘러싸인 도형을 직육면체라고 합니다.

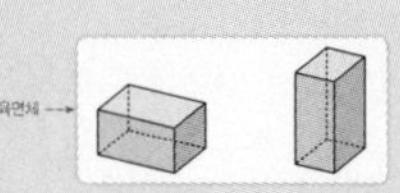

직육면체

- 직육면체의 구성 요소

직육면체에서 선분으로 둘러싸인 부분을 면이라 하고, 면과 면이 만나는 선분을 모서리라고 합니다. 또, 모서리와 모서리가 만나는 점을 꼭짓점이라고 합니다.

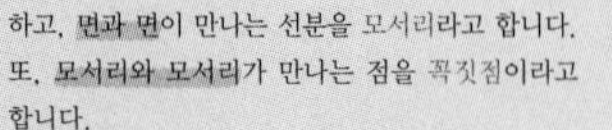

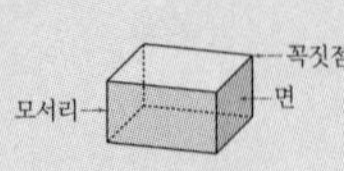

꼭짓점
모서리
면

- 직육면체의 특징

면의 모양	면의 수(개)	모서리의 수(개)	꼭짓점의 수(개)
직사각형	6	12	8

개념 2 정사각형 6개로 둘러싸인 도형 알아보기

- 정사각형 6개로 둘러싸인 도형을 정육면체라고 합니다.

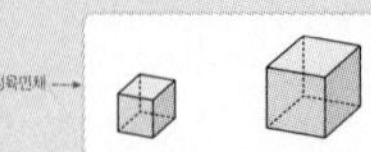

정육면체

- 정육면체의 특징

면의 모양	면의 수(개)	모서리의 수(개)	꼭짓점의 수(개)
정사각형	6	12	8

- 직육면체와 정육면체의 차이점

	직육면체	정육면체
면의 크기	2개씩 3쌍의 크기가 같습니다.	모든 면의 크기가 같습니다.
모서리의 길이	4개씩 3쌍의 길이가 같습니다.	모든 모서리의 길이가 같습니다.

- 직육면체와 정육면체의 관계

정육면체의 면의 모양은 정사각형입니다.
정사각형은 직사각형이라고 할 수 있으므로
정육면체는 직육면체라고 할 수 있습니다.

직육면체는 정육면체라고 할 수 없어요.

정답과 풀이 p.30

1 □ 안에 직육면체의 각 부분의 이름을 알맞게 써넣으세요.

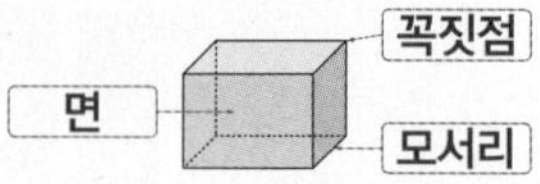

꼭짓점
면
모서리

✤ 직육면체에서 선분으로 둘러싸인 부분을 면, 면과 면이 만나는 선분을 모서리, 모서리와 모서리가 만나는 점을 꼭짓점이라고 합니다.

2 직육면체를 모두 찾아 ○표 하세요.

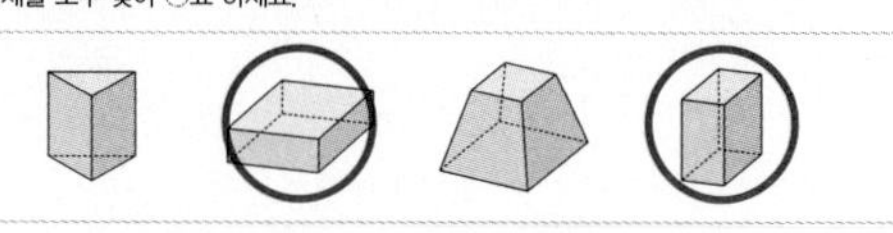

✤ 직사각형 6개로 둘러싸인 도형을 모두 찾습니다.

3 정육면체를 보고 □ 안에 알맞은 수를 써넣으세요.

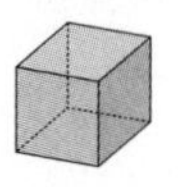

(1) 정육면체의 면은 6개입니다.
(2) 정육면체의 모서리는 12개입니다.
(3) 정육면체의 꼭짓점은 8개입니다.

✤ 정육면체의 면은 6개, 모서리는 12개, 꼭짓점은 8개입니다.

4 직육면체와 정육면체에 대한 설명으로 맞으면 ○표, 틀리면 ×표 하세요.

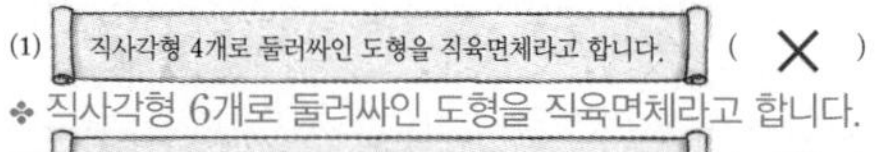

(1) 직사각형 4개로 둘러싸인 도형을 직육면체라고 합니다. (×)

✤ 직사각형 6개로 둘러싸인 도형을 직육면체라고 합니다.

(2) 정육면체는 면의 크기가 모두 같습니다. (○)

교과서 개념 잡기

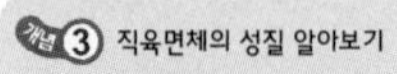

개념 3 직육면체의 성질 알아보기

- 서로 마주 보고 있는 면의 관계

마주 보고 있는 면은 서로 평행하고 만나지 않습니다.

그림과 같이 직육면체에서 색칠한 두 면처럼 계속 늘여도 만나지 않는 두 면을 서로 평행하다고 합니다. 이 두 면을 직육면체의 밑면이라고 합니다.
직육면체에는 평행한 면이 3쌍 있고 이 평행한 면은 각각 밑면이 될 수 있습니다.

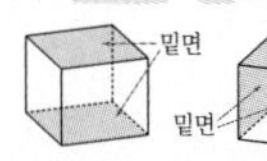
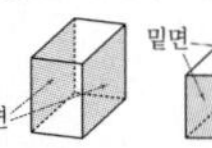
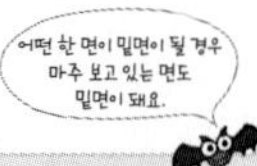

밑면
밑면
밑면
어떤 한 면이 밑면이 될 경우 마주 보고 있는 면도 밑면이 돼요.

- 서로 만나는 두 면 사이의 관계

한 면과 만나는 면은 4개이고 한 면과 만나는 면들은 서로 수직으로 만납니다.

삼각자 3개를 그림과 같이 놓았을 때 면 ㄱㄴㄷㄹ과 면 ㄷㅅㅇㄹ은 수직입니다.
직육면체에서 밑면과 수직인 면을 직육면체의 옆면이라고 합니다.

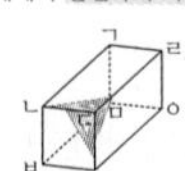

ㄱ
ㄹ
ㄴ
ㄷ
ㅇ
ㅂ
ㅅ

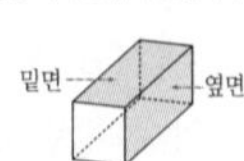

밑면
옆면

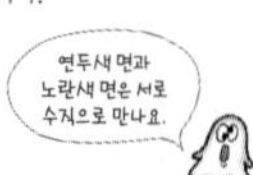

연두색 면과 노란색 면은 서로 수직으로 만나요.

개념 4 직육면체의 겨냥도 알아보기

- 직육면체의 모양을 잘 알 수 있도록 나타낸 그림을 직육면체의 겨냥도라고 합니다.

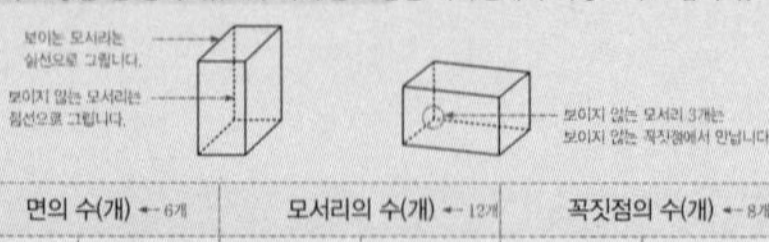

보이는 모서리는 실선으로 그립니다.
보이지 않는 모서리는 점선으로 그립니다.
보이지 않는 모서리 3개는 보이지 않는 꼭짓점에서 만납니다.

면의 수(개) ← 6개		모서리의 수(개) ← 12개		꼭짓점의 수(개) ← 8개	
보이는 면	보이지 않는 면	보이는 모서리	보이지 않는 모서리	보이는 꼭짓점	보이지 않는 꼭짓점
3	3	9	3	7	1

정답과 풀이 p.30

1 오른쪽 직육면체에서 색칠한 면과 평행한 면을 찾아 빗금으로 나타내고 □ 안에 알맞은 수를 써넣으세요.

(1) 직육면체에서 한 면에 평행한 면은 1개입니다.
(2) 직육면체에서 서로 평행한 면은 모두 3쌍입니다.

✤ (1) 직육면체에서 한 면에 평행한 면은 1개입니다.
(2) 직육면체에서 서로 평행한 면은 모두 3쌍입니다.

2 직육면체에서 색칠한 면과 수직인 면의 기호를 써 보세요.

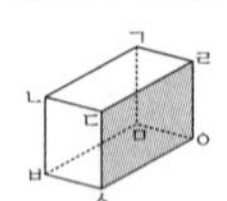

ㄱ
ㄹ
ㄴ
ㄷ
ㅁ
ㅇ
ㅂ
ㅅ

㉠ 면 ㄱㄴㅂㅁ
㉡ 면 ㄴㅂㅅㄷ

(㉡)

✤ 색칠한 면과 수직인 면은 면 ㄱㄴㄷㄹ, 면 ㄴㅂㅅㄷ, 면 ㅁㅂㅅㅇ, 면 ㄱㅁㅇㄹ입니다.

3 직육면체의 겨냥도를 보고 □ 안에 알맞은 수를 써넣으세요.

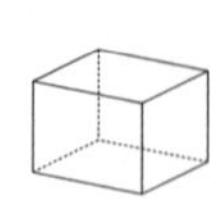

(1) 보이는 면은 3개입니다.
(2) 보이는 모서리는 9개입니다.
(3) 보이지 않는 꼭짓점은 1개입니다.

✤ (1) 보이는 면은 3개, 보이지 않는 면은 3개입니다.
(2) 보이는 모서리는 9개, 보이지 않는 모서리는 3개입니다.
(3) 보이는 꼭짓점은 7개, 보이지 않는 꼭짓점은 1개입니다.

4 직육면체에서 보이지 않는 모서리는 점선으로 그려 넣어 직육면체의 겨냥도를 완성해 보세요.

(1)

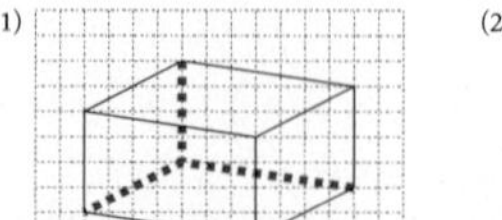

(2)

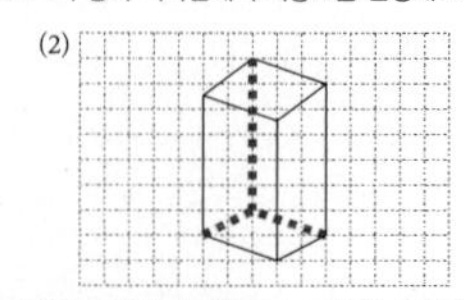

✤ 마주 보는 모서리끼리 평행하도록 보이지 않는 모서리 3개를 점선으로 그립니다.

122쪽 ~ 123쪽

교과서 개념 play 무대와 공작새 날개 완성하기

붙임딱지

각 무대 안에 있는 정육면체와 직육면체의 겨냥도를 완성하고, 각 겨냥도의 설명으로 알맞은 붙임딱지를 붙여 날개를 완성해 보세요.

5 단원

122 Start 5-2 / 5. 직육면체 123

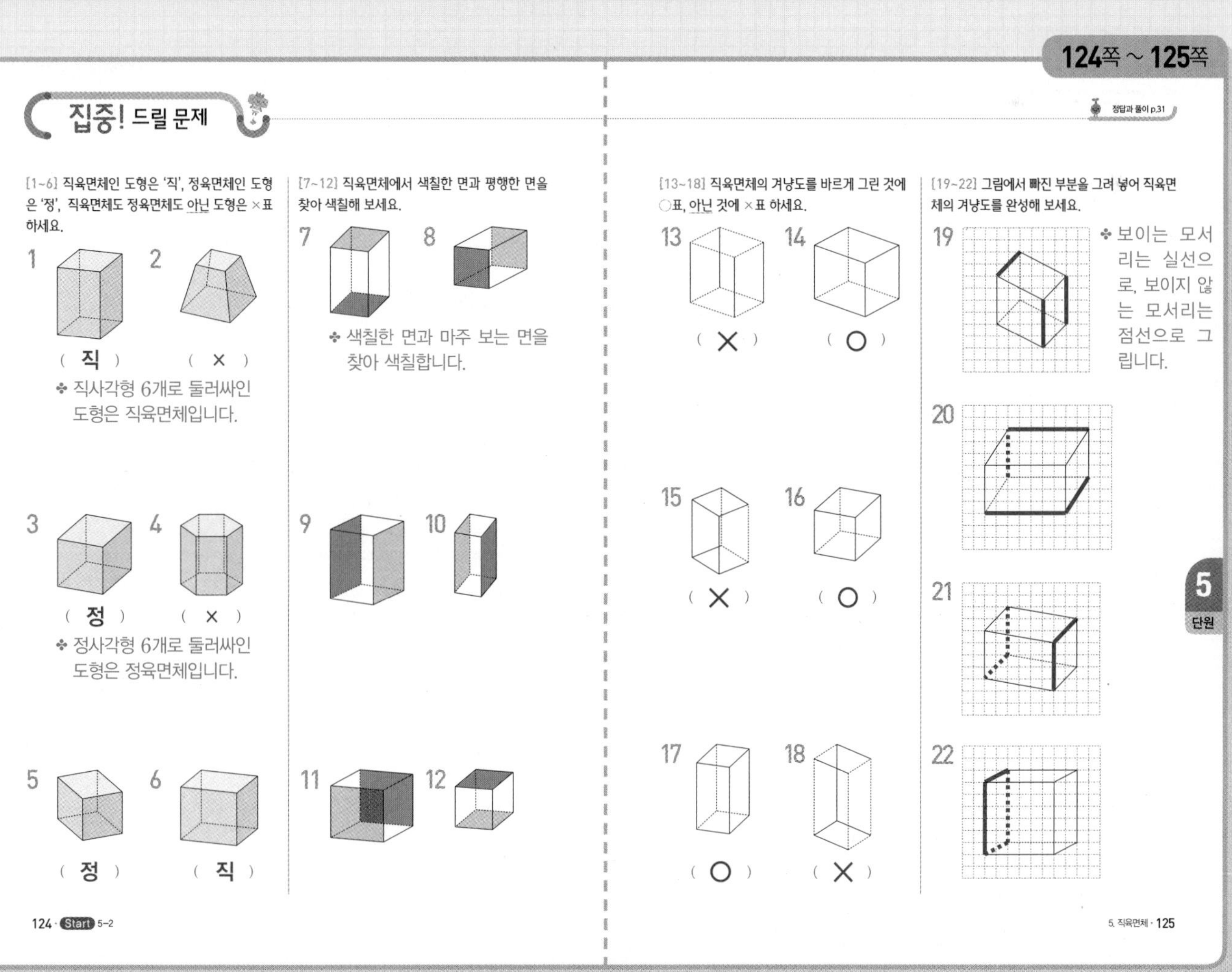
124쪽 ~ 125쪽

집중! 드릴 문제

정답과 풀이 p.31

[1~6] 직육면체인 도형은 '직', 정육면체인 도형은 '정', 직육면체도 정육면체도 아닌 도형은 ×표 하세요.

1 (직) 2 (×)

✤ 직사각형 6개로 둘러싸인 도형은 직육면체입니다.

3 (정) 4 (×)

✤ 정사각형 6개로 둘러싸인 도형은 정육면체입니다.

5 (정) 6 (직)

[7~12] 직육면체에서 색칠한 면과 평행한 면을 찾아 색칠해 보세요.

7 8

✤ 색칠한 면과 마주 보는 면을 찾아 색칠합니다.

9 10

11 12

[13~18] 직육면체의 겨냥도를 바르게 그린 것에 ○표, 아닌 것에 ×표 하세요.

13 (×) 14 (○)

15 (×) 16 (○)

17 (○) 18 (×)

[19~22] 그림에서 빠진 부분을 그려 넣어 직육면체의 겨냥도를 완성해 보세요.

19

✤ 보이는 모서리는 실선으로, 보이지 않는 모서리는 점선으로 그립니다.

20

21

22

5 단원

124 Start 5-2 / 5. 직육면체 125

교과서 개념 확인 문제

정답과 풀이 p.32

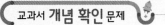

1 직육면체의 각 부분의 이름에 대한 설명입니다. □ 안에 알맞은 말을 써넣으세요.

직육면체에서 선분으로 둘러싸인 부분을 **면**, 면과 면이 만나는 선분을 **모서리**, 모서리와 모서리가 만나는 점을 **꼭짓점**(이)라고 합니다.

✤ 면: 선분으로 둘러싸인 부분, 모서리: 면과 면이 만나는 선분, 꼭짓점: 모서리와 모서리가 만나는 점

2 그림을 보고 물음에 답하세요.

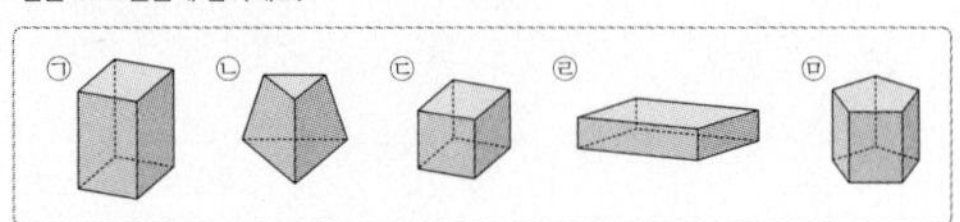

(1) 직육면체가 아닌 것을 모두 찾아 기호를 써 보세요. (㉡, ㉤)

✤ 직사각형이 아닌 다른 면이 있으면 직육면체가 아니므로 직육면체가 아닌 것은 ㉡, ㉤입니다.

(2) 정육면체를 찾아 기호를 써 보세요. (㉢)

✤ 정사각형 6개로 둘러싸인 도형은 ㉢입니다.

3 정육면체와 직육면체의 면의 모양으로 알맞은 것을 찾아 이어 보세요.

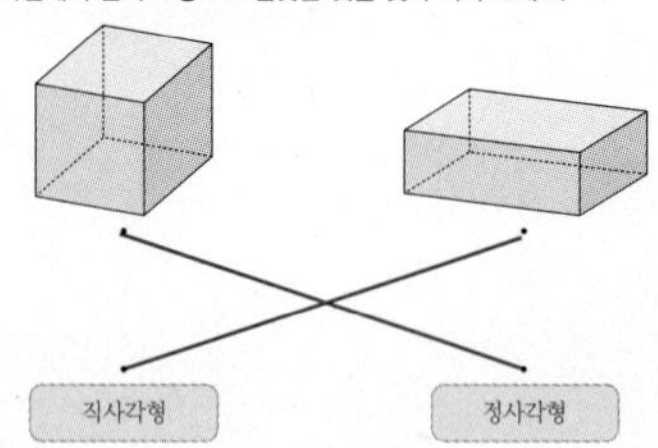

✤ • 정육면체는 정사각형 6개로 둘러싸인 도형이므로 면의 모양은 정사각형입니다.
• 직육면체는 직사각형 6개로 둘러싸인 도형이므로 면의 모양은 직사각형입니다.

4 직육면체에서 색칠한 면과 평행한 면을 찾아 색칠해 보세요.

(1)

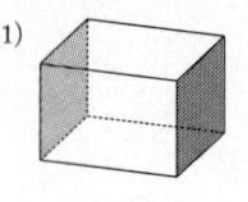

(2)

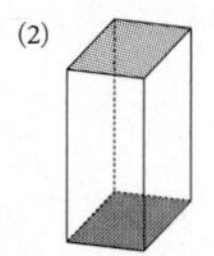

✤ 색칠한 면과 마주 보는 면을 찾아 색칠합니다.

5 직육면체에서 색칠한 두 면이 만나서 이루는 각의 크기는 몇 도일까요?

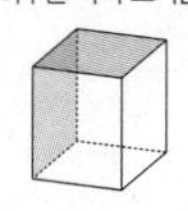

(90°)

✤ 직육면체의 면들은 수직으로 만나므로 두 면이 만나서 이루는 각의 크기는 90°입니다.

6 정육면체를 보고 □ 안에 알맞은 수를 써넣으세요.

(1)

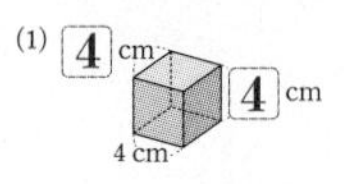

(2)

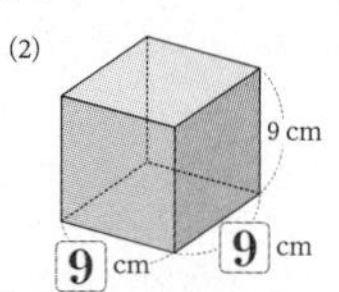

✤ (1) 정육면체의 모든 모서리의 길이는 4 cm입니다.
(2) 정육면체의 모든 모서리의 길이는 9 cm입니다.
[참고] 정육면체는 모서리의 길이가 모두 같습니다.

5 단원

교과서 개념 확인 문제

정답과 풀이 p.32

7 빈칸에 알맞은 수를 써넣으세요.

도형	면의 수(개)	모서리의 수(개)	꼭짓점의 수(개)
정육면체	6	12	8
직육면체	6	12	8

✤ 정육면체와 직육면체의 면, 모서리, 꼭짓점의 수는 각각 같습니다.

8 설명이 맞으면 ○표, 틀리면 ×표 하세요.

(1) 정육면체는 직육면체라고 할 수 있습니다. (○)

(2) 직육면체는 정육면체라고 할 수 있습니다. (×)

✤ (1) 정육면체는 정사각형 6개로 둘러싸인 도형이고, 정사각형은 직사각형이라고 할 수 있으므로 직육면체라고 할 수 있습니다.
(2) 직육면체는 직사각형 6개로 둘러싸인 도형이고, 직사각형은 정사각형이라고 할 수 없으므로 정육면체라고 할 수 없습니다.

9 직육면체를 보고 물음에 답하세요.

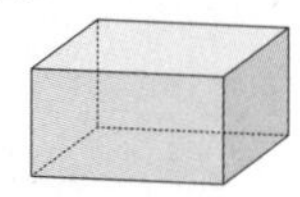

(1) 서로 평행한 면은 모두 몇 쌍일까요? (3쌍)

✤ 직육면체에서 서로 평행한 면은 모두 3쌍입니다.

(2) 한 면과 수직인 면은 모두 몇 개일까요? (4개)

✤ 한 면과 수직인 면은 그 면과 평행한 면을 제외한 나머지 면으로 모두 4개입니다.

10 직육면체에서 꼭짓점 ㄱ과 만나는 면을 모두 써 보세요.

(면 ㄱㄴㄷㄹ, 면 ㄱㄴㅂㅁ, 면 ㄱㅁㅇㄹ)

✤ 직육면체의 한 꼭짓점에서 만나는 면은 모두 3개입니다.

11 직육면체와 정육면체의 공통점을 모두 찾아 기호를 써 보세요.

㉠ 면의 모양 ㉡ 면의 수 → 6개
㉢ 모서리의 길이 ㉣ 꼭짓점의 수 → 8개

(㉡, ㉣)

✤ ㉠ 직육면체의 면의 모양은 직사각형이고, 정육면체의 면의 모양은 정사각형입니다.
㉢ 직육면체의 평행한 모서리의 길이는 같지만 모든 모서리의 길이는 같지 않고 정육면체의 모서리의 길이는 모두 같습니다.

12 직육면체에서 보이는 면의 수, 보이지 않는 모서리의 수를 각각 구해 보세요.

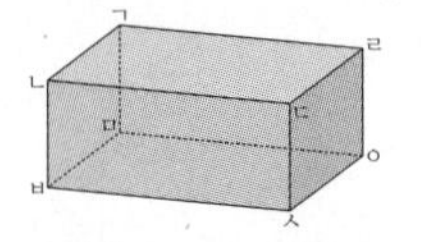

보이는 면의 수 (3개)
보이지 않는 모서리의 수 (3개)

✤ 직육면체에서 보이는 면은 3개, 보이지 않는 모서리는 3개입니다.

13 그림에서 빠진 부분을 그려 넣어 직육면체의 겨냥도를 완성해 보세요.

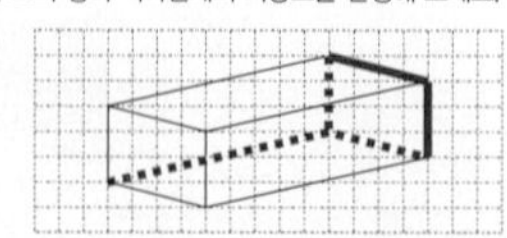

✤ 보이는 모서리는 실선으로, 보이지 않는 모서리는 점선으로 그립니다.

5 단원

130쪽 ~ 131쪽

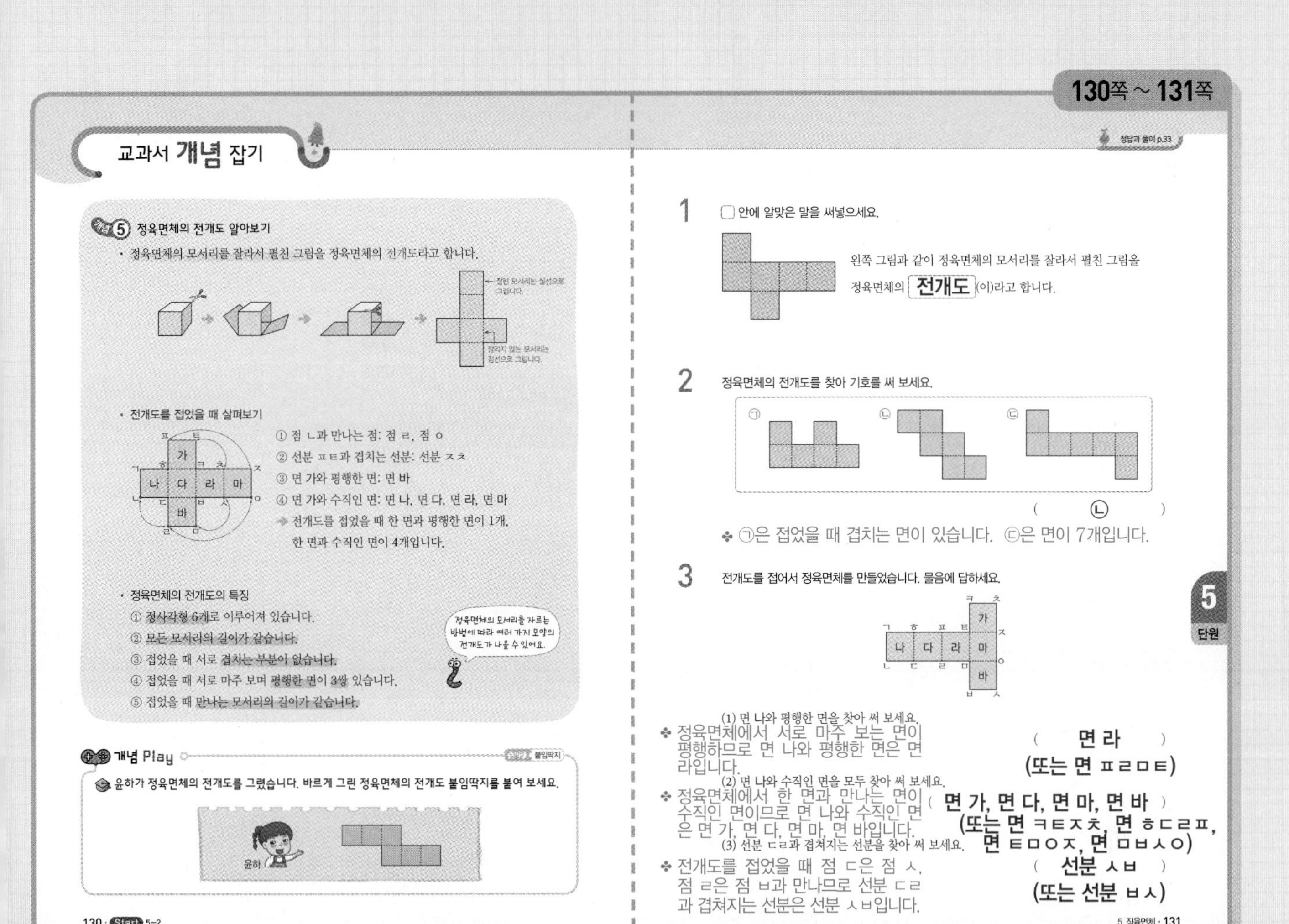

교과서 개념 잡기

개념 5 정육면체의 전개도 알아보기

• 정육면체의 모서리를 잘라서 펼친 그림을 정육면체의 전개도라고 합니다.

잘린 모서리는 실선으로 그립니다.
잘리지 않는 모서리는 점선으로 그립니다.

• 전개도를 접었을 때 살펴보기

① 점 ㄴ과 만나는 점: 점 ㄹ, 점 ㅇ
② 선분 ㅍㅌ과 겹치는 선분: 선분 ㅈㅊ
③ 면 가와 평행한 면: 면 바
④ 면 가와 수직인 면: 면 나, 면 다, 면 라, 면 마
➡ 전개도를 접었을 때 한 면과 평행한 면이 1개, 한 면과 수직인 면이 4개입니다.

• 정육면체의 전개도의 특징
① 정사각형 6개로 이루어져 있습니다.
② 모든 모서리의 길이가 같습니다.
③ 접었을 때 서로 겹치는 부분이 없습니다.
④ 접었을 때 서로 마주 보며 평행한 면이 3쌍 있습니다.
⑤ 접었을 때 만나는 모서리의 길이가 같습니다.

정육면체의 모서리를 자르는 방법에 따라 여러 가지 모양의 전개도가 나올 수 있어요.

개념 Play 붙임딱지
윤하가 정육면체의 전개도를 그렸습니다. 바르게 그린 정육면체의 전개도 붙임딱지를 붙여 보세요.

윤하

130 · Start 5-2

정답과 풀이 p.33

1 □ 안에 알맞은 말을 써넣으세요.
왼쪽 그림과 같이 정육면체의 모서리를 잘라서 펼친 그림을 정육면체의 [전개도](이)라고 합니다.

2 정육면체의 전개도를 찾아 기호를 써 보세요.
(㉡)
✤ ㉠은 접었을 때 겹치는 면이 있습니다. ㉢은 면이 7개입니다.

3 전개도를 접어서 정육면체를 만들었습니다. 물음에 답하세요.

(1) 면 나와 평행한 면을 찾아 써 보세요.
(면 라)
(또는 면 ㅍㄹㅁㅌ)
✤ 정육면체에서 서로 마주 보는 면이 평행하므로 면 나와 평행한 면은 면 라입니다.

(2) 면 나와 수직인 면을 모두 찾아 써 보세요.
(면 가, 면 다, 면 마, 면 바)
(또는 면 ㅋㅌㅈㅊ, 면 ㅎㄷㄹㅍ, 면 ㅌㅁㅇㅈ, 면 ㅁㅂㅅㅇ)
✤ 정육면체에서 한 면과 만나는 면이 수직인 면이므로 면 나와 수직인 면은 면 가, 면 다, 면 마, 면 바입니다.

(3) 선분 ㄷㄹ과 겹쳐지는 선분을 찾아 써 보세요.
(선분 ㅅㅂ)
(또는 선분 ㅂㅅ)
✤ 전개도를 접었을 때 점 ㄷ은 점 ㅅ, 점 ㄹ은 점 ㅂ과 만나므로 선분 ㄷㄹ과 겹쳐지는 선분은 선분 ㅅㅂ입니다.

5 단원

5. 직육면체 · 131

132쪽 ~ 133쪽

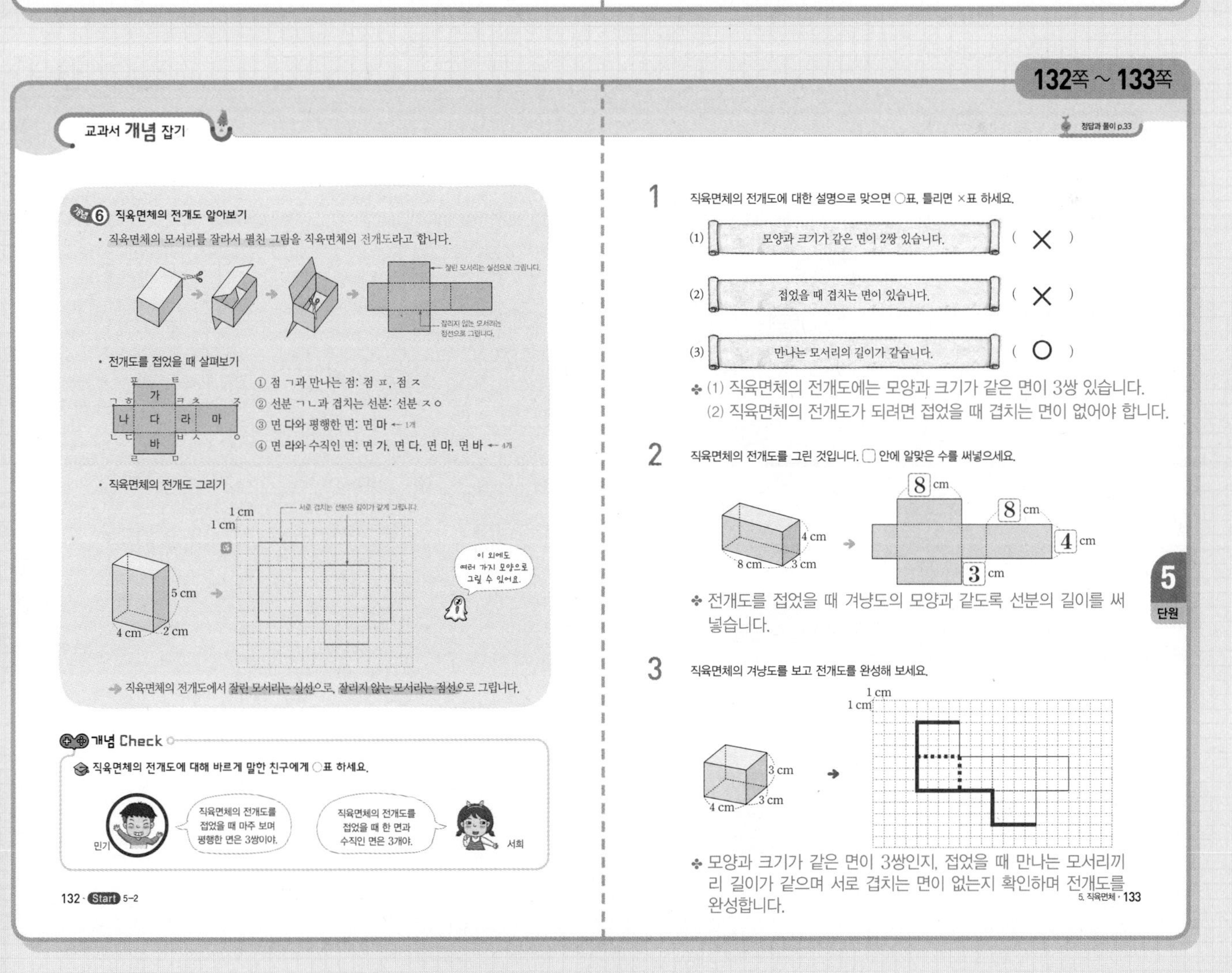

교과서 개념 잡기

개념 6 직육면체의 전개도 알아보기

• 직육면체의 모서리를 잘라서 펼친 그림을 직육면체의 전개도라고 합니다.

잘린 모서리는 실선으로 그립니다.
잘리지 않는 모서리는 점선으로 그립니다.

• 전개도를 접었을 때 살펴보기

① 점 ㄱ과 만나는 점: 점 ㅍ, 점 ㅈ
② 선분 ㄱㄴ과 겹치는 선분: 선분 ㅈㅇ
③ 면 다와 평행한 면: 면 마 ← 1개
④ 면 라와 수직인 면: 면 가, 면 다, 면 마, 면 바 ← 4개

• 직육면체의 전개도 그리기

서로 겹치는 선분은 길이가 같게 그립니다.

이 외에도 여러 가지 모양으로 그릴 수 있어요.

➡ 직육면체의 전개도에서 잘린 모서리는 실선으로, 잘리지 않는 모서리는 점선으로 그립니다.

개념 Check
직육면체의 전개도에 대해 바르게 말한 친구에게 ○표 하세요.

민기: 직육면체의 전개도를 접었을 때 마주 보며 평행한 면은 3쌍이야.
서희: 직육면체의 전개도를 접었을 때 한 면과 수직인 면은 3개야.

132 · Start 5-2

정답과 풀이 p.33

1 직육면체의 전개도에 대한 설명으로 맞으면 ○표, 틀리면 ×표 하세요.
(1) 모양과 크기가 같은 면이 2쌍 있습니다. (×)
(2) 접었을 때 겹치는 면이 있습니다. (×)
(3) 만나는 모서리의 길이가 같습니다. (○)
✤ (1) 직육면체의 전개도에는 모양과 크기가 같은 면이 3쌍 있습니다.
(2) 직육면체의 전개도가 되려면 접었을 때 겹치는 면이 없어야 합니다.

2 직육면체의 전개도를 그린 것입니다. □ 안에 알맞은 수를 써넣으세요.
[8] cm, [8] cm, [4] cm, [3] cm
✤ 전개도를 접었을 때 겨냥도의 모양과 같도록 선분의 길이를 써넣습니다.

3 직육면체의 겨냥도를 보고 전개도를 완성해 보세요.
✤ 모양과 크기가 같은 면이 3쌍인지, 접었을 때 만나는 모서리끼리 길이가 같으며 서로 겹치는 면이 없는지 확인하며 전개도를 완성합니다.

5 단원

5. 직육면체 · 133

134쪽 ~ 135쪽

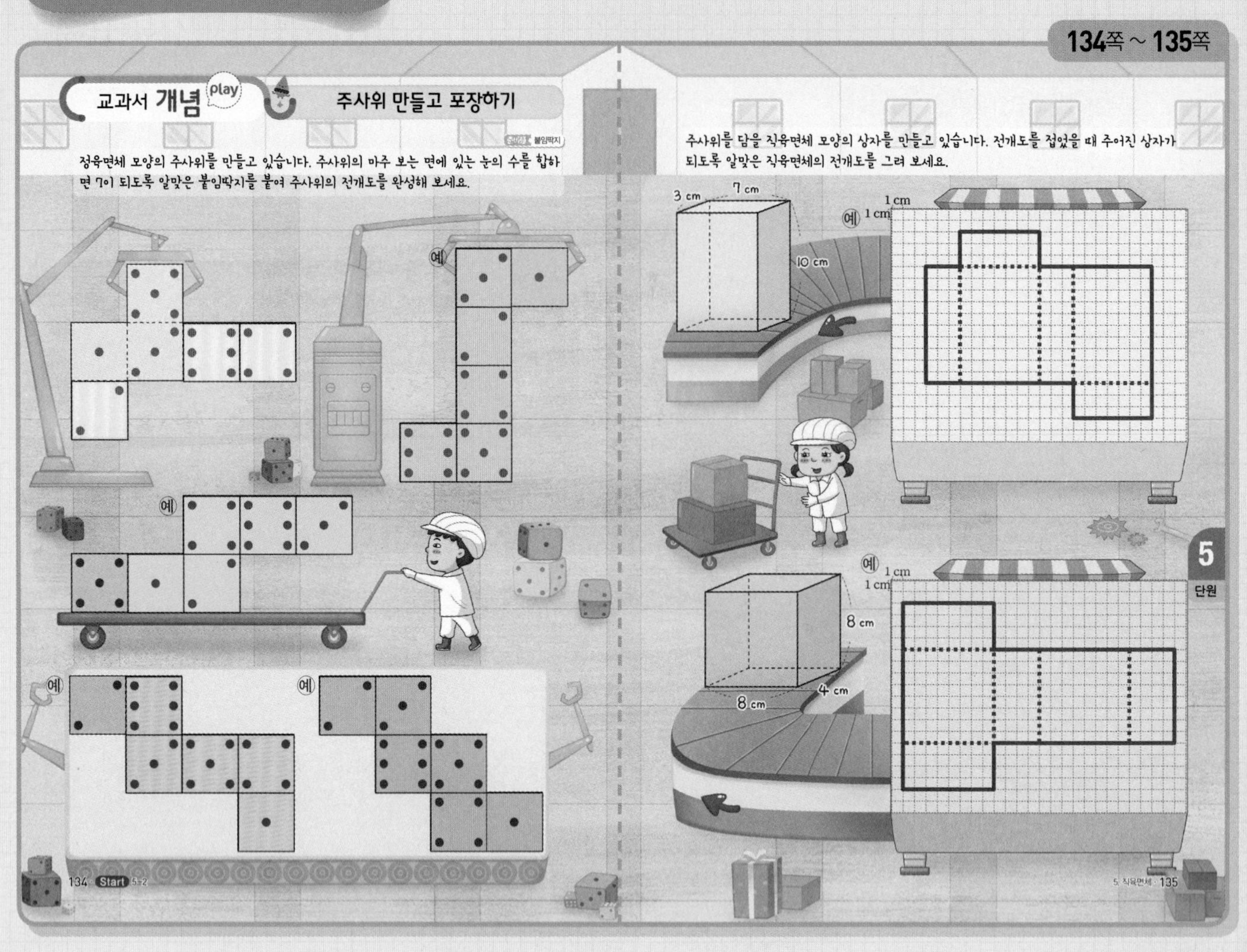

교과서 개념 play
주사위 만들고 포장하기
붙임딱지
정육면체 모양의 주사위를 만들고 있습니다. 주사위의 마주 보는 면에 있는 눈의 수를 합하면 7이 되도록 알맞은 붙임딱지를 붙여 주사위의 전개도를 완성해 보세요.
예
주사위를 담을 직육면체 모양의 상자를 만들고 있습니다. 전개도를 접었을 때 주어진 상자가 되도록 알맞은 직육면체의 전개도를 그려 보세요.
3 cm
7 cm
10 cm
1 cm
8 cm
4 cm
8 cm
134 Start 5-2
5. 직육면체 135
5 단원

136쪽 ~ 137쪽

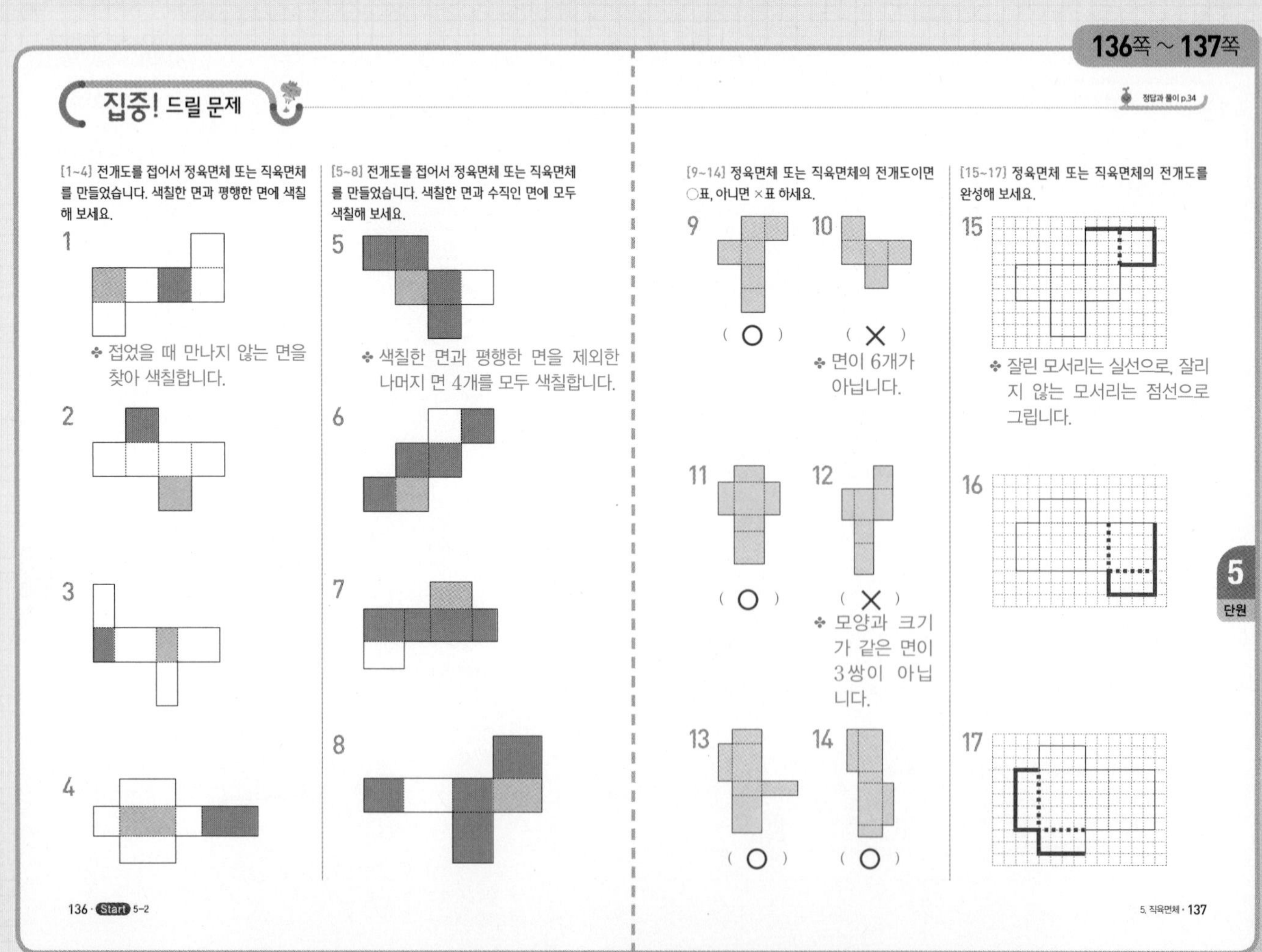

집중! 드릴 문제
정답과 풀이 p.34
[1~4] 전개도를 접어서 정육면체 또는 직육면체를 만들었습니다. 색칠한 면과 평행한 면에 색칠해 보세요.
1
✤ 접었을 때 만나지 않는 면을 찾아 색칠합니다.
2
3
4
[5~8] 전개도를 접어서 정육면체 또는 직육면체를 만들었습니다. 색칠한 면과 수직인 면에 모두 색칠해 보세요.
5
✤ 색칠한 면과 평행한 면을 제외한 나머지 면 4개를 모두 색칠합니다.
6
7
8
[9~14] 정육면체 또는 직육면체의 전개도이면 ○표, 아니면 ×표 하세요.
9 (○)
10 (×)
✤ 면이 6개가 아닙니다.
11 (○)
12 (×)
✤ 모양과 크기가 같은 면이 3쌍이 아닙니다.
13 (○)
14 (○)
[15~17] 정육면체 또는 직육면체의 전개도를 완성해 보세요.
15
✤ 잘린 모서리는 실선으로, 잘리지 않는 모서리는 점선으로 그립니다.
16
17
136 Start 5-2
5. 직육면체 137
5 단원

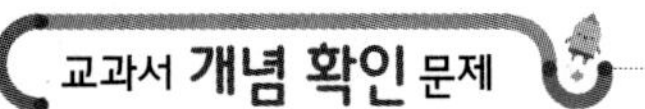

교과서 개념 확인 문제

1 전개도를 접어서 정육면체를 만들었을 때 색칠한 면과 평행한 면에 색칠해 보세요.

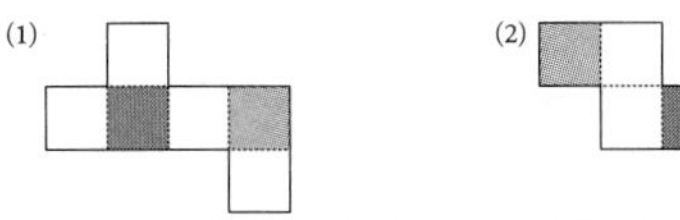

✤ 전개도를 접었을 때 색칠한 면과 마주 보는 면이 평행한 면입니다.

2 전개도를 접어서 정육면체를 만들었습니다. 물음에 답하세요.

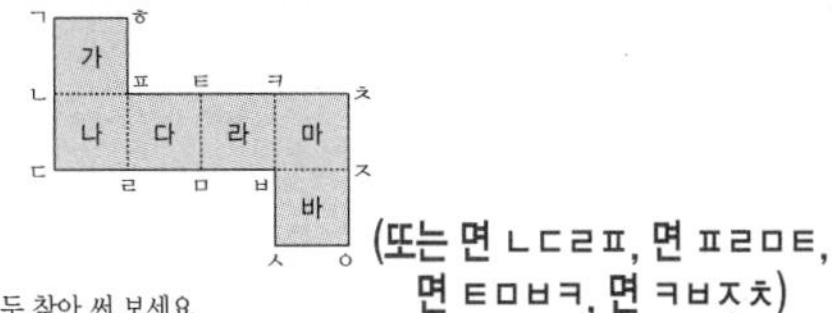

(1) 면 가와 수직인 면을 모두 찾아 써 보세요.

(**면 나, 면 다, 면 라, 면 마**) (또는 면 ㄴㄷㄹㅍ, 면 ㅍㄹㅁㅌ, 면 ㅌㅁㅂㅋ, 면 ㅋㅂㅈㅊ)

(2) 선분 ㄹㅁ과 겹쳐지는 선분을 찾아 써 보세요.

(**선분 ㅇㅅ**) (**또는 선분 ㅅㅇ**)

✤ 전개도를 접었을 때 선분 ㄹㅁ과 선분 ㅇㅅ이 만나 한 모서리가 됩니다.

3 정육면체의 전개도를 바르게 그린 것에 ○표 하세요.

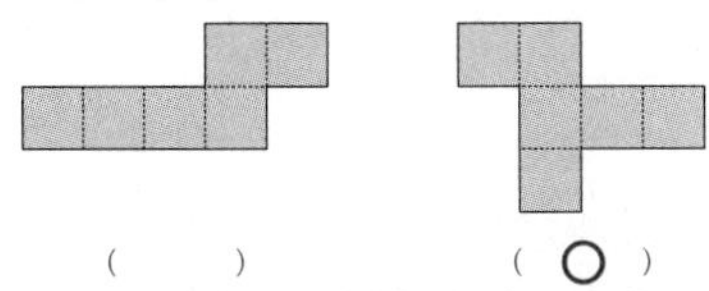

(　　) (○)

✤ 왼쪽은 전개도를 접었을 때 서로 겹치는 면이 있으므로 정육면체의 전개도가 될 수 없습니다.

정답과 풀이 p.35

[4~7] 전개도를 접어서 직육면체를 만들었습니다. 물음에 답하세요.

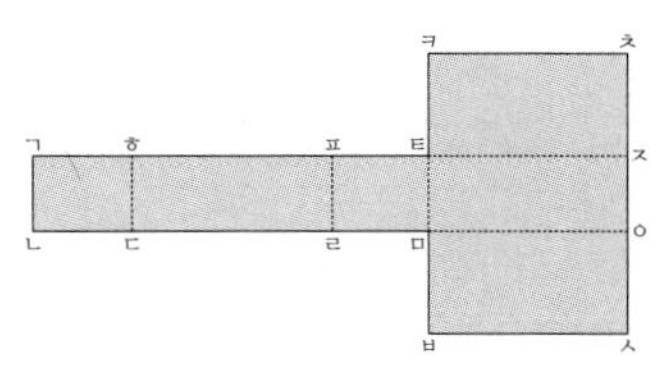

4 면 ㅎㄷㄹㅍ과 마주 보는 면을 찾아 써 보세요. (→ 평행한 면)

(**면 ㅌㅁㅇㅈ**)

✤ 전개도를 접었을 때 면 ㅎㄷㄹㅍ과 평행한 면은 면 ㅌㅁㅇㅈ입니다.

5 점 ㅂ과 만나는 점을 찾아 써 보세요.

(**점 ㄹ**)

✤ 전개도를 접었을 때 점 ㅂ과 만나는 점은 점 ㄹ입니다.

6 면 ㄱㄴㄷㅎ과 만나는 면을 모두 찾아 써 보세요. (→ 수직인 면)

(**면 ㅎㄷㄹㅍ, 면 ㅋㅌㅈㅊ, 면 ㅌㅁㅇㅈ, 면 ㅁㅂㅅㅇ**)

✤ 전개도를 접었을 때 면 ㄱㄴㄷㅎ과 수직인 면은 면 ㄱㄴㄷㅎ과 평행한 면 ㅍㄹㅁㅌ을 제외한 나머지 면 4개입니다.

7 선분 ㄱㅎ과 겹쳐지는 선분을 찾아 써 보세요.

(**선분 ㅈㅊ(또는 선분 ㅊㅈ)**)

✤ 전개도를 접었을 때 선분 ㄱㅎ과 선분 ㅈㅊ이 만나 한 모서리가 됩니다.

교과서 개념 확인 문제

8 직육면체의 전개도가 아닌 것을 찾아 기호를 써 보세요.

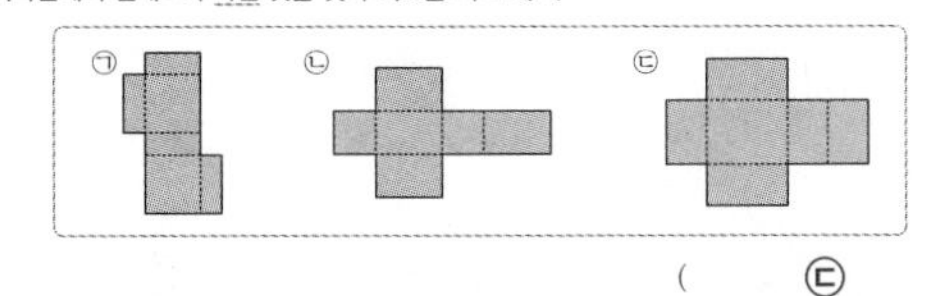

(**㉢**)

✤ ㉢은 모양과 크기가 같은 면이 3쌍이어야 하는데 2쌍입니다.

9 직육면체의 전개도입니다. □ 안에 알맞은 수를 써넣으세요.

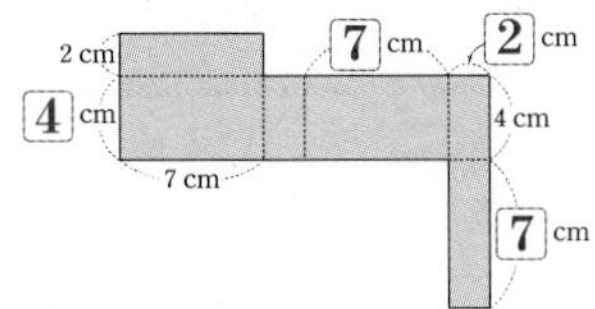

✤ 전개도를 접었을 때 겹치는 선분은 길이가 같습니다.

10 직육면체의 모서리를 잘라서 직육면체의 전개도를 만들었습니다. □ 안에 알맞은 기호를 써넣으세요.

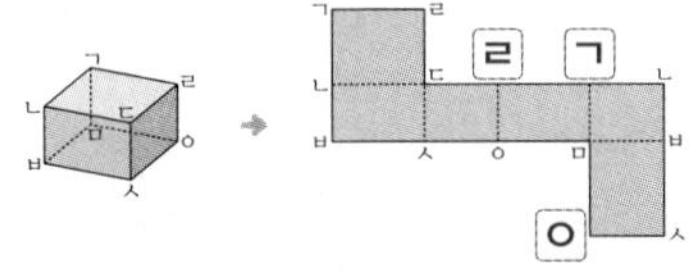

✤ 전개도를 접었을 때 만나는 점끼리 같은 기호를 써넣습니다.

정답과 풀이 p.35

✤ 전개도를 접었을 때 서로 마주 보는 면이 3쌍이고 모양과 크기가 같아야 하며 만나는 모서리끼리 길이가 같도록 점선을 그려 넣습니다.

11 직육면체를 보고 전개도를 완성해 보세요.

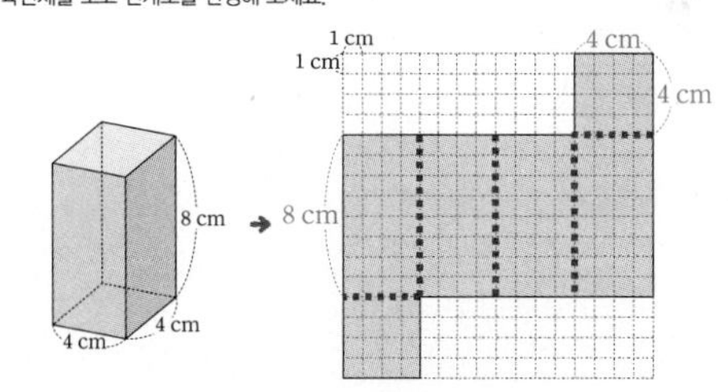

12 직육면체의 전개도를 잘못 그린 것입니다. 잘못 그린 이유를 써 보세요.

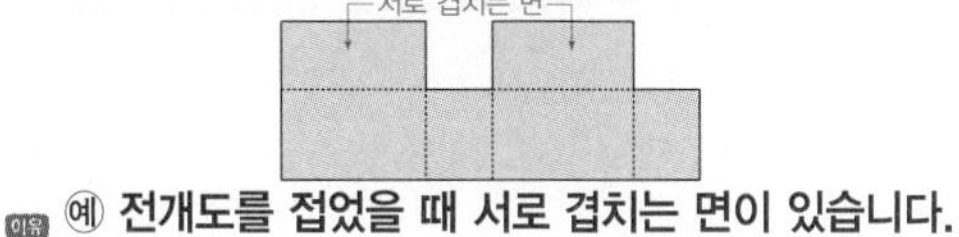

이유 **예 전개도를 접었을 때 서로 겹치는 면이 있습니다.**

13 직육면체의 겨냥도를 보고 전개도를 완성해 보세요.

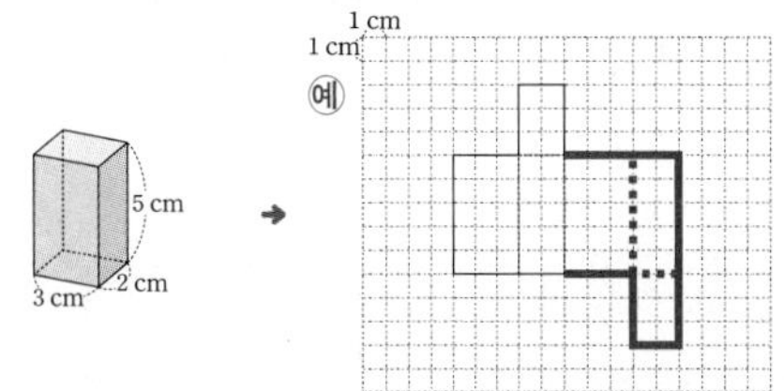

✤ 모양과 크기가 같은 면이 3쌍인지, 접었을 때 만나는 모서리끼리 길이가 같으며 서로 겹치는 면이 없는지 확인하며 전개도를 완성합니다.

142쪽 ~ 143쪽

5. 직육면체

맞은 개수

정답과 풀이 p.36

1 그림을 보고 물음에 답하세요.

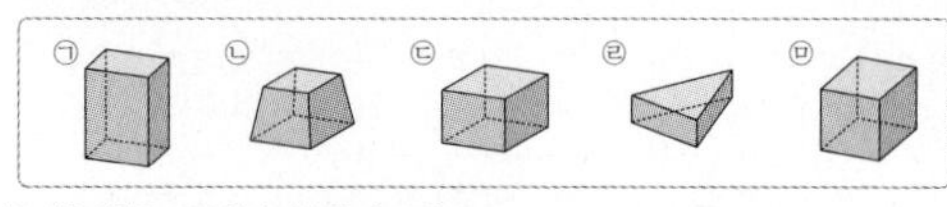

(1) 직육면체를 모두 찾아 기호를 써 보세요.

(㉠, ㉢, ㉤)

✤ 직육면체는 직사각형 6개로 둘러싸인 도형이므로 ㉠, ㉢, ㉤입니다.

(2) 정육면체를 찾아 기호를 써 보세요.

(㉤)

✤ 정육면체는 정사각형 6개로 둘러싸인 도형이므로 ㉤입니다.

2 직육면체를 보고 서로 평행한 면이 잘못 짝 지어진 것을 찾아 기호를 써 보세요.

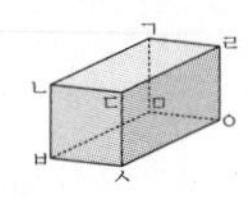

㉠ 면 ㄱㄴㄷㄹ과 면 ㅁㅂㅅㅇ
㉡ 면 ㄴㅂㅅㄷ과 면 ㄱㄴㄷㄹ
㉢ 면 ㄱㅁㅇㄹ과 면 ㄴㅂㅅㄷ
㉣ 면 ㄷㅅㅇㄹ과 면 ㄴㅂㅁㄱ

(㉡)

✤ ㉡ 면 ㄴㅂㅅㄷ과 면 ㄱㄴㄷㄹ은 수직으로 만납니다.

3 직육면체를 보고 빈칸에 알맞은 수를 써넣으세요.

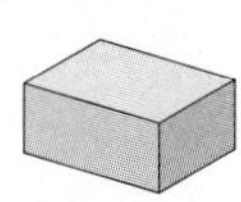

보이는 면의 수(개)	3
보이는 모서리의 수(개)	9
보이는 꼭짓점의 수(개)	7

✤ 보이는 면은 3개, 보이는 모서리는 9개, 보이는 꼭짓점은 7개입니다.

4 정육면체에서 보이지 않는 면과 보이지 않는 꼭짓점의 수의 합은 몇 개일까요?

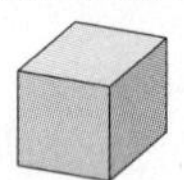

(4개)

✤ • 정육면체는 면이 6개이고 이 중 보이는 면이 3개, 보이지 않는 면이 3개입니다.
• 정육면체는 꼭짓점이 8개이고 이 중 보이는 꼭짓점이 7개, 보이지 않는 꼭짓점이 1개입니다. ➔ $3+1=4$(개)

5 직육면체의 겨냥도를 잘못 그린 것입니다. 잘못 그린 이유를 바르게 설명한 친구의 이름을 써 보세요.

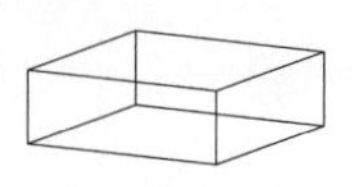

지훈: 보이지 않는 모서리를 실선으로 그리지 않았어.
민아: 보이지 않는 모서리를 점선으로 그리지 않았어.

(민아)

✤ 직육면체에 보이지 않는 모서리는 점선으로 그려야 합니다.

6 전개도를 접어서 정육면체를 만들었을 때 면 마와 수직인 면을 모두 찾아 써 보세요.

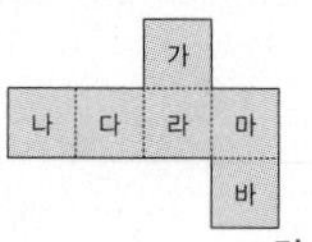

(면 가, 면 나, 면 라, 면 바)

✤ 정육면체에서 만나는 면은 서로 수직입니다. 따라서 면 마와 수직인 면은 면 가, 면 나, 면 라, 면 바입니다.

7 그림에서 빠진 부분을 그려 넣어 직육면체의 겨냥도를 완성해 보세요.

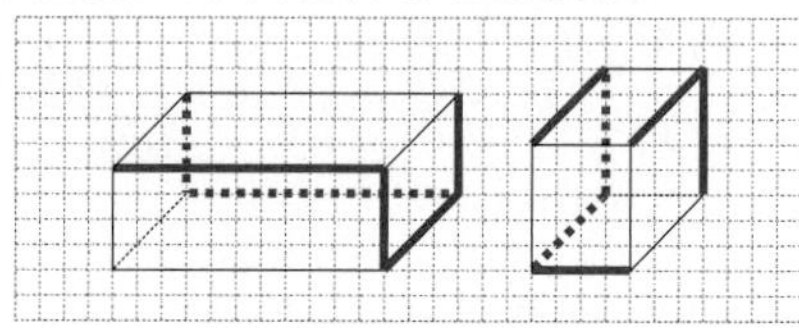

✤ 보이는 모서리는 실선으로, 보이지 않는 모서리는 점선으로, 마주 보는 모서리끼리는 평행하게 그립니다.

8 한 모서리의 길이가 3 cm인 정육면체 모양의 블록이 있습니다. 이 블록의 모서리 길이의 합은 몇 cm인지 구해 보세요.

(36 cm)

✤ 정육면체의 모서리 길이는 모두 같으므로 블록의 모서리 길이는 모두 3 cm입니다. 따라서 모서리의 수는 12개이므로 블록의 모서리 길이의 합은 $3\times12=36$ (cm)입니다.

5 단원

144쪽

개념 확인평가 5. 직육면체 정답과 풀이 p.36

9 직육면체에서 면 ㄱㅁㅇㄹ과 평행한 면의 모서리의 길이의 합은 몇 cm인지 구해 보세요.

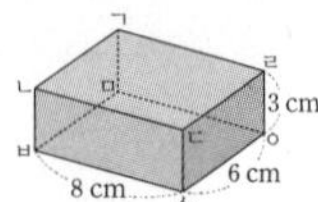

(22 cm)

✤ 면 ㄱㅁㅇㄹ과 평행한 면은 면 ㄴㅂㅅㄷ이므로 모서리의 길이는 8 cm, 3 cm, 8 cm, 3 cm입니다.
➔ $8+3+8+3=22$ (cm)

10 직육면체에서 보이는 모서리의 길이의 합은 몇 cm인지 구해 보세요.

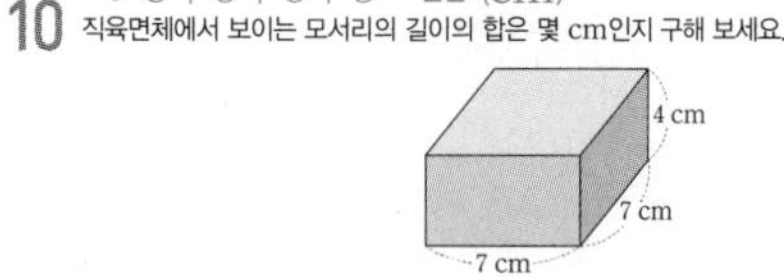

(54 cm)

✤ 보이는 모서리의 길이는 7 cm가 6개, 4 cm가 3개입니다.
➔ $7\times6+4\times3=42+12=54$ (cm)

11 직육면체의 겨냥도를 보고 전개도를 그려 보세요.

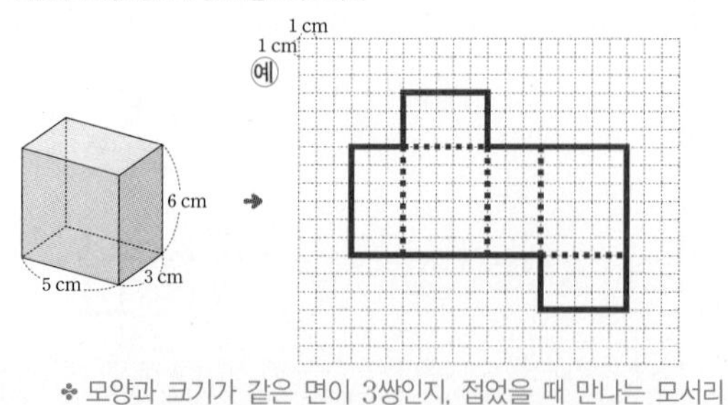

✤ 모양과 크기가 같은 면이 3쌍인지, 접었을 때 만나는 모서리끼리 길이가 같으며 서로 겹치는 면이 없는지 확인하며 전개도를 완성합니다.

[Go! 매쓰]
여기까지 5단원 내용입니다.
다음부터는 6단원 내용이 시작합니다.

146쪽 ~ 147쪽

교과서 개념 잡기

개념 1 평균 알아보기

- 지호네 모둠의 제기차기 기록 8, 9, 7을 모두 더해 자료의 수 3으로 나눈 수 8은 지호네 모둠의 제기차기 기록을 대표하는 값으로 정할 수 있습니다. 이 값을 평균이라고 합니다.

지호네 모둠의 제기차기 기록

이름	지호	윤서	준영
제기차기 기록(개)	8	9	7

선우네 모둠의 제기차기 기록

이름	선우	지환	유미	재석
제기차기 기록(개)	6	5	4	9

(지호네 모둠의 제기차기 기록의 합)
$=8+9+7=24$(개)
(지호네 모둠의 제기차기 기록의 평균)
$=24\div3=8$(개)

(선우네 모둠의 제기차기 기록의 합)
$=6+5+4+9=24$(개)
(선우네 모둠의 제기차기 기록의 평균)
$=24\div4=6$(개)

→ 평균을 비교하면 8개>6개이므로 지호네 모둠이 더 잘했다고 할 수 있습니다.

(평균)=(자료의 값을 모두 더한 수)÷(자료의 수)

개념 2 평균 구하기 (1)

연수네 모둠이 넣은 화살 수

이름	연수	지민	하은	준태
넣은 화살 수(개)	4	3	6	7

방법1 자료의 값이 고르게 되도록 모형을 옮겨 평균 구하기

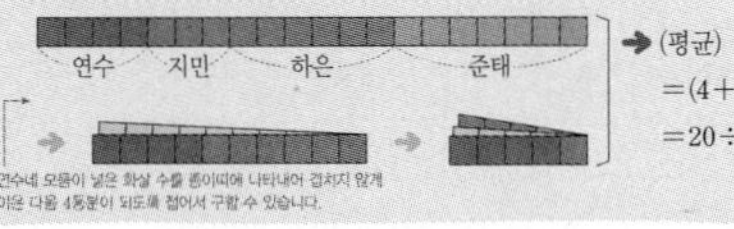

방법2 자료의 값을 모두 더하고 자료의 수로 나누어 평균 구하기

→ (평균)
$=(4+3+6+7)\div4$
$=20\div4=5$(개)

연수네 모둠이 넣은 화살 수를 종이띠에 나타내어 겹치지 않게 이은 다음 4등분이 되도록 접어서 구할 수 있습니다.

정답과 풀이 p.37

1 종수네 학교 5학년 학급별 학생 수를 나타낸 표입니다. 물음에 답하세요.

학급별 학생 수

학급(반)	1	2	3	4	5
학생 수(명)	24	27	25	24	25

(1) 대표적으로 한 학급에 몇 명의 학생이 있다고 말할 수 있을까요?

(예 25명)

✤ (1) 평균을 25명으로 예상한 후 (25, 25), (24, 27, 24)로 수를 옮기고 짝 지어 자료의 값을 고르게 하면 대표적으로 한 학급에 25명의 학생이 있다고 말할 수 있습니다.

(2) 한 학급당 학생 수를 정하는 올바른 방법에 ○표 하세요.

방법	○표
각 학급의 학생 수 24, 27, 25, 24, 25 중 가장 큰 수인 27로 정합니다.	
각 학급의 학생 수 24, 27, 25, 24, 25 중 가장 작은 수인 24로 정합니다.	
각 학급의 학생 수 24, 27, 25, 24, 25를 고르게 하면 25, 25, 25, 25, 25이므로 25로 정합니다.	○

(3) 한 학급에는 평균 몇 명의 학생이 있을까요?

(25명)

✤ (3) 각 학급의 학생 수 24, 27, 25, 24, 25를 모두 더하면 $24+27+25+24+25=125$이고, 125를 학급 수 5로 나누면 $125\div5=25$이므로 한 학급에는 평균 25명의 학생이 있습니다.

2 서진이네 모둠 친구들이 가지고 있는 모형입니다. □ 안에 알맞은 수를 써넣으세요.

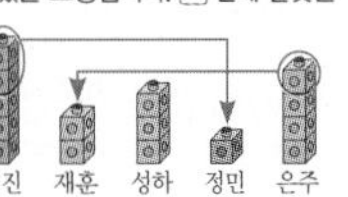

모형을 옮겨 연결된 모형의 수를 고르게 하면 모형은 각각 3개씩 연결되므로 평균은 3개입니다.

✤ 5개가 연결된 서진이의 모형에서 2개를 1개짜리 정민이의 모형으로 옮기고, 4개가 연결된 은주의 모형에서 1개를 2개짜리 재훈이의 모형으로 옮기면 각각 3개씩 연결되므로 평균은 3개입니다.

6 단원

148쪽 ~ 149쪽

교과서 개념 잡기

개념 3 평균 구하기 (2)

현수의 기말고사 점수

과목	국어	수학	사회	과학
점수(점)	80	90	80	70

방법1 각 자료의 값을 고르게 하여 평균 구하기
평균을 80점으로 예상한 후 (80, 80), (90, 70)으로 수를 옮기고 짝 지어 자료의 값을 고르게 하여 구한 기말고사 점수의 평균은 80점입니다.

방법2 자료의 값을 모두 더해 자료의 수로 나누어 평균 구하기
(현수의 기말고사 점수의 평균)=(과목 점수를 모두 더한 수)÷(과목 수)
$=(80+90+80+70)\div4=320\div4=80$(점)

개념 4 평균 이용하기

- 평균 비교하기

모둠 친구 수와 모은 붙임딱지 수로 평균 비교하기

	모둠 1	모둠 2	모둠 3	모둠 4
모둠 친구 수(명)	4	5	4	6
모은 붙임딱지 수(장)	24	25	28	30
모은 붙임딱지 수의 평균(장)	6 ← 24÷4	5 ← 25÷5	7 ← 28÷4	5 ← 30÷6

(모둠별 모은 붙임딱지 수의 합)÷(모둠 친구 수)

→ 1인당 모은 붙임딱지 수가 가장 많은 모둠은 평균이 가장 높은 모둠 3입니다.

- 평균을 이용하여 문제 해결하기

지호네 모둠의 턱걸이 기록의 평균이 9개일 때 수정이의 턱걸이 기록 구하기

지호네 모둠의 턱걸이 기록

이름	지호	준영	예서	수정
턱걸이 기록(개)	7	11	8	

(턱걸이 기록의 합)$=9\times4=36$(개), (수정이의 턱걸이 기록)$=36-(7+11+8)=10$(개)

평균을 알 때 모르는 자료의 값을 구하는 방법

(자료의 값을 모두 더한 수)=(평균)×(자료의 수)
→ (모르는 자료의 값)=(자료의 값을 모두 더한 수)−(아는 자료의 값을 모두 더한 수)

정답과 풀이 p.37

1 성민이네 모둠이 읽은 책 수를 나타낸 표입니다. □ 안에 알맞은 수를 써넣어 성민이네 모둠이 읽은 책 수의 평균을 구해 보세요.

성민이네 모둠이 읽은 책 수

이름	성민	진아	현수	경현	주영
읽은 책 수(권)	5	4	3	6	7

(1) 평균을 5권으로 예상하여 평균을 구해 보세요.

5, (4, 6), (3, 7)로 수를 옮기고 짝 지어 자료의 값을 고르게 하여 구한 평균은 5권입니다.

(2) 자료의 값을 모두 더해 자료의 수로 나누어 평균을 구해 보세요.

$(5+4+3+6+7)\div5=25\div5=5$(권)

✤ (평균)=(자료의 값을 모두 더한 수)÷(자료의 수)
$=(5+4+3+6+7)\div5=25\div5=5$(권)

2 동혁이네 모둠과 영진이네 모둠의 윗몸 말아 올리기 기록을 나타낸 표입니다. 물음에 답하세요.

동혁이네 모둠의 윗몸 말아 올리기

이름	동혁	혜숭	예원	민수
기록(회)	21	16	18	17

영진이네 모둠의 윗몸 말아 올리기

이름	영진	보미	진수
기록(회)	18	22	20

(1) 동혁이네 모둠의 윗몸 말아 올리기 기록의 평균을 구하려고 합니다. □ 안에 알맞은 수를 써넣으세요.

$(21+16+18+17)\div4=72\div4=18$(회)

(2) 영진이네 모둠의 윗몸 말아 올리기 기록의 평균을 구하려고 합니다. □ 안에 알맞은 수를 써넣으세요.

$(18+22+20)\div3=60\div3=20$(회)

(3) 어느 모둠이 더 잘했다고 볼 수 있을까요?

(영진이네 모둠)

✤ 기록의 평균을 비교하면 18회<20회이므로 영진이네 모둠이 더 잘했다고 볼 수 있습니다.

6 단원

150쪽 ~ 151쪽

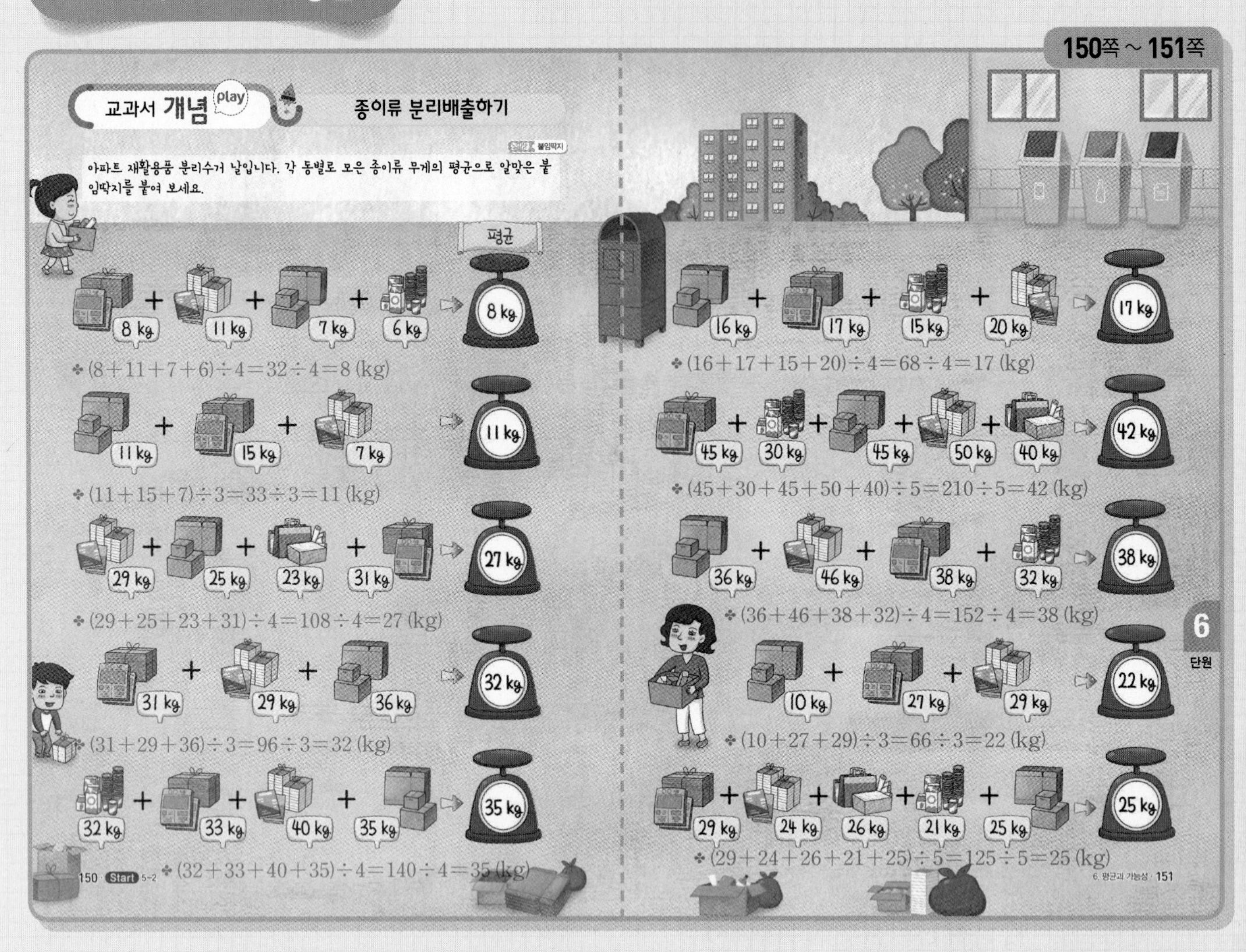

152쪽 ~ 153쪽

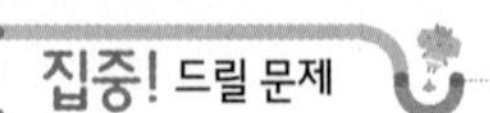

집중! 드릴 문제

정답과 풀이 p.38

[1~4] 표를 보고 평균을 구해 보세요.

1 농구팀의 경기별 얻은 점수

경기	첫 번째	두 번째	세 번째
얻은 점수(점)	80	100	90

(**90점**)

✤ (80+100+90)÷3
=270÷3=90(점)

2 마신 우유의 양

이름	현기	승하	지민
우유의 양(mL)	150	380	220

(**250 mL**)

✤ (150+380+220)÷3
=750÷3=250 (mL)

3 회별 제기차기 기록

회	1회	2회	3회	4회
기록(개)	7	5	4	8

(**6개**)

✤ (7+5+4+8)÷4
=24÷4=6(개)

4 대출한 도서의 수

이름	성연	보람	준기	명훈
도서의 수(권)	11	8	4	9

(**8권**)

✤ (11+8+4+9)÷4
=32÷4=8(권)

[5~8] 표를 보고 평균을 구해 보세요.

5 요일별 최고 기온

요일	월	화	수	목	금
기온(℃)	11	16	13	17	18

(**15 ℃**)

✤ (11+16+13+17+18)÷5
=75÷5=15 (℃)

6 요일별 독서 시간

요일	월	화	수	목	금
독서 시간(분)	30	25	36	42	32

(**33분**)

✤ (30+25+36+42+32)÷5
=165÷5=33(분)

7 과목별 점수

과목	국어	영어	수학	사회	과학
점수(점)	75	95	80	90	70

(**82점**)

✤ (75+95+80+90+70)÷5
=410÷5=82(점)

8 요일별 방문자 수

요일	월	화	수	목	금
방문자 수(명)	145	117	150	135	153

(**140명**)

✤ (145+117+150+135+153)÷5
=700÷5=140(명)

[9~11] 모둠별 평균을 구하고 평균이 가장 높은 모둠을 써 보세요.

9

	모둠 1	모둠 2	모둠 3
학생 수(명)	3	5	4
기록(개)	18	25	28
평균(개)	**6**	**5**	**7**

(**모둠 3**)

✤ 18÷3=6(개),
25÷5=5(개),
28÷4=7(개)

10

	모둠 1	모둠 2	모둠 3
학생 수(명)	8	6	9
모은 딱지 수(장)	88	72	90
평균(장)	**11**	**12**	**10**

(**모둠 2**)

✤ 88÷8=11(장),
72÷6=12(장),
90÷9=10(장)

11

	모둠 1	모둠 2	모둠 3
학생 수(명)	4	6	5
공부 시간(분)	224	330	270
평균(분)	**56**	**55**	**54**

(**모둠 1**)

✤ 224÷4=56(분),
330÷6=55(분),
270÷5=54(분)

[12~15] 표를 보고 빈칸에 알맞은 수를 써넣으세요.

12 민서네 모둠의 키

이름	민서	주현	경준	평균
키(cm)	137	141	**142**	140

✤ 140×3=420 (cm)
➔ 420−(137+141)
=142 (cm)

13 마을별 사과 생산량

마을	가	나	다	평균
생산량(kg)	268	**340**	352	320

✤ 320×3=960 (kg)
➔ 960−(268+352)
=340 (kg)

14 학급별 학생 수

학급(반)	1	2	3	4	평균
학생 수(명)	28	**33**	24	31	29

✤ 29×4=116(명)
➔ 116−(28+24+31)
=33(명)

15 영채네 모둠의 줄넘기 기록

이름	영채	수민	진우	형식	평균
기록(번)	67	48	54	**75**	61

✤ 61×4=244(번)
➔ 244−(67+48+54)
=75(번)

6 단원

교과서 개념 확인 문제

정답과 풀이 p.39

1 시윤이네 양계장에서 5일 동안 닭들이 낳은 달걀 수를 나타낸 표입니다. 물음에 답하세요.

5일 동안 닭들이 낳은 달걀 수

요일	월	화	수	목	금
달걀 수(개)	37	41	39	40	43

(1) 하루에 낳은 달걀 수를 정하는 올바른 방법을 말한 사람의 이름을 써 보세요.

시윤: 요일별 낳은 달걀 수 37, 41, 39, 40, 43 중 가장 큰 수인 43이나 가장 작은 수인 37로 정하면 돼.
혜진: 요일별 낳은 달걀 수 37, 41, 39, 40, 43을 고르게 하면 40, 40, 40, 40, 40이 되므로 40으로 정하면 돼.

(혜진)

(2) 5일 동안 닭들이 낳은 달걀 수는 모두 몇 개일까요?

(200개)

❖ (5일 동안 낳은 달걀 수) $=37+41+39+40+43=200$(개)

(3) 하루에 낳은 달걀 수는 평균 몇 개일까요?

(40개)

❖ (하루에 낳은 달걀 수) $=200\div5=40$(개)

2 길이가 각각 15 cm, 24 cm, 21 cm인 색 테이프 길이의 평균을 구하려고 합니다. 물음에 답하세요.

15 cm 24 cm 21 cm

(1) 색 테이프를 겹치지 않게 한 줄로 이은 전체 길이는 몇 cm일까요?

(60 cm)

❖ (이어 붙인 색 테이프의 전체 길이) $=15+24+21=60$ (cm)

(2) 색 테이프 길이의 평균은 몇 cm일까요?

(20 cm)

❖ (색 테이프 길이의 평균) $=60\div3=20$ (cm)

[3~6] 윤지네 모둠과 성우네 모둠의 단체 줄넘기 기록을 나타낸 표입니다. 물음에 답하세요.

윤지네 모둠의 단체 줄넘기 기록

회	1회	2회	3회	4회
기록(번)	13	20	16	19

성우네 모둠의 단체 줄넘기 기록

회	1회	2회	3회
기록(번)	21	14	25

3 윤지네 모둠의 줄넘기 기록의 합계와 평균을 각각 구해 보세요.

합계 (68번)
평균 (17번)

❖ (윤지네 모둠의 줄넘기 기록을 모두 더한 수) $=13+20+16+19=68$(번)
(윤지네 모둠의 줄넘기 기록의 평균) $=68\div4=17$(번)

4 성우네 모둠의 줄넘기 기록의 합계와 평균을 각각 구해 보세요.

합계 (60번)
평균 (20번)

❖ (성우네 모둠의 줄넘기 기록을 모두 더한 수) $=21+14+25=60$(번)
(성우네 모둠의 줄넘기 기록의 평균) $=60\div3=20$(번)

5 줄넘기 기록의 평균을 비교해 보고 알맞은 말에 ○표 하세요.

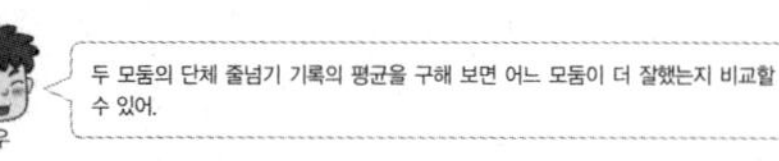

줄넘기 기록의 평균이 (윤지 , (성우))네 모둠이 더 많으므로 (윤지 , (성우))네 모둠이 더 줄넘기를 잘했습니다.

❖ 평균을 비교하면 17번 < 20번이므로 성우네 모둠이 더 잘했습니다.

6 두 모둠의 단체 줄넘기 기록에 대해 잘못 말한 친구는 누구일까요?

현서: 윤지네 모둠은 총 68번, 성우네 모둠은 총 60번의 줄넘기를 했지만 두 모둠의 줄넘기 횟수가 다르므로 기록의 총 개수만으로는 어느 모둠이 더 잘했는지 판단하기 어려워.

강호: 두 모둠의 단체 줄넘기 최고 기록을 비교하면 윤지네 모둠이 20번, 성우네 모둠이 25번이니까 성우네 모둠이 더 잘했어.

준우: 두 모둠의 단체 줄넘기 기록의 평균을 구해 보면 어느 모둠이 더 잘했는지 비교할 수 있어.

(강호)

❖ 최고 기록만으로는 어느 모둠이 더 잘했는지 판단하기 어렵습니다.

교과서 개념 확인 문제

정답과 풀이 p.39

[7~9] 지난주 월요일부터 금요일까지 최고 기온을 나타낸 표입니다. 물음에 답하세요.

요일별 최고 기온

요일	월	화	수	목	금
기온(℃)	7	6	4	5	8

7 지난주 요일별 최고 기온을 막대그래프로 나타내어 보세요.

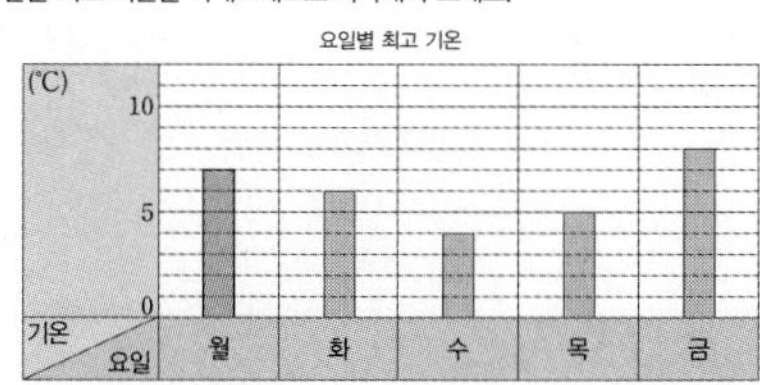

❖ 월요일은 7칸, 화요일은 6칸, 수요일은 4칸, 목요일은 5칸, 금요일은 8칸으로 막대를 그려 나타냅니다.

8 위 7의 막대그래프의 막대의 높이를 고르게 하여 나타내어 보세요.

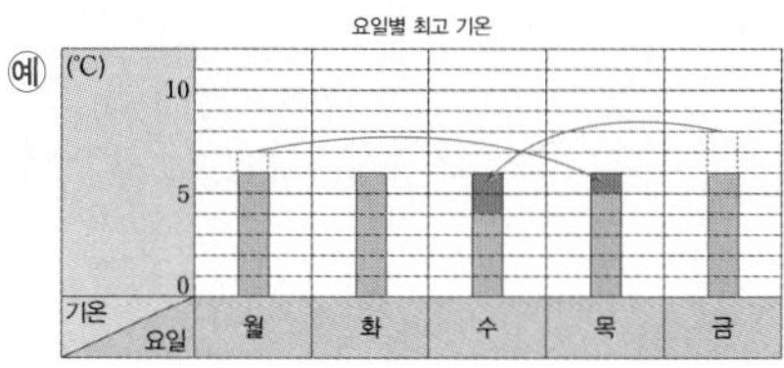

❖ 월요일의 1칸을 목요일로, 금요일의 2칸을 수요일로 옮겨 나타냅니다.

9 지난주 요일별 최고 기온의 평균은 몇 ℃일까요?

(6 ℃)

❖ 지난주 요일별 최고 기온을 막대그래프로 나타내고 막대의 높이를 고르게 하면 6 ℃이므로 평균은 6 ℃입니다.

10 종민이네 모둠의 몸무게를 나타낸 표입니다. 종민이네 모둠의 몸무게의 평균이 40 kg일 때 물음에 답하세요.

종민이네 모둠의 몸무게

이름	종민	서윤	준호	지성
몸무게(kg)	38	44	39	

(1) 종민이네 모둠은 모두 몇 명일까요?

(4명)

(2) 종민이네 모둠의 몸무게는 모두 몇 kg일까요?

(160 kg)

❖ (종민이네 모둠의 몸무게) $=40\times4=160$ (kg)

(3) 지성이의 몸무게는 몇 kg일까요?

(39 kg)

❖ (지성이의 몸무게) $=160-(38+44+39)=39$ (kg)

11 현우네 모둠과 민수네 모둠의 턱걸이 기록을 나타낸 표입니다. 두 모둠의 턱걸이 기록의 평균이 같을 때 물음에 답하세요.

현우네 모둠의 턱걸이 기록

이름	현우	선민	경서	슬기
기록(개)	12	6	7	11

민수네 모둠의 턱걸이 기록

이름	민수	기범	영재	정호	한영
기록(개)	9	11		7	10

(1) 현우네 모둠의 턱걸이 기록의 평균은 몇 개일까요?

(9개)

❖ (현우네 모둠의 턱걸이 기록의 평균) $=(12+6+7+11)\div4=36\div4=9$(개)

(2) 민수네 모둠의 턱걸이 기록은 모두 몇 개일까요?

(45개)

❖ 현우네 모둠과 민수네 모둠의 턱걸이 기록의 평균이 같으므로 민수네 모둠의 턱걸이 기록의 평균도 9개입니다.
(민수네 모둠의 턱걸이 기록의 합) $=$ (평균) $\times$ (학생 수) $=9\times5=45$(개)

(3) 영재의 턱걸이 기록은 몇 개일까요?

(8개)

❖ (영재의 턱걸이 기록) $=45-(9+11+7+10)=8$(개)

교과서 개념 잡기

개념 5 일이 일어날 가능성을 말로 표현하기

• 가능성은 어떠한 상황에서 특정한 일이 일어나길 기대할 수 있는 정도를 말합니다.
가능성의 정도는 불가능하다, ~아닐 것 같다, 반반이다, ~일 것 같다, 확실하다 등으로 표현할 수 있습니다.

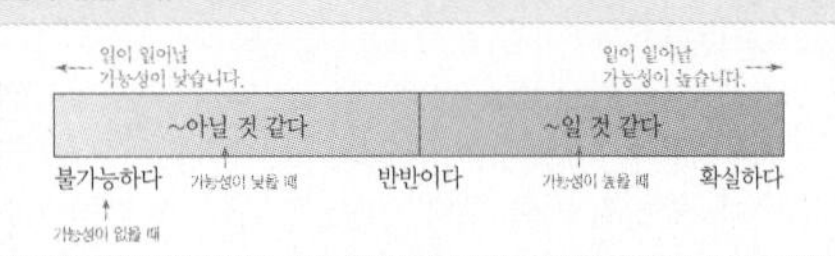

일 \ 가능성	불가능하다	~아닐 것 같다	반반이다	~일 것 같다	확실하다
검은색 구슬만 2개 들어 있는 주머니에서 꺼낸 구슬은 노란색일 것입니다.	○				
11월에 우리 반에 전학생이 올 것입니다.		○			
500원짜리 동전을 던지면 그림 면이 나올 것입니다.			○		
우리나라는 7월에 3월보다 비가 자주 올 것입니다.				○	
1월 다음에는 2월이 올 것입니다.					○

개념 6 일이 일어날 가능성을 비교하기

• 회전판을 돌렸을 때 화살이 파란색에 멈출 가능성 알아보기

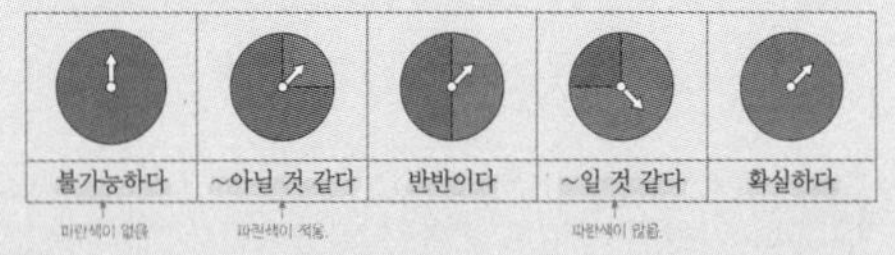

참고 일이 일어날 가능성이 높은 순서 알아보기
확실하다 > ~일 것 같다 > 반반이다 > ~아닐 것 같다 > 불가능하다

정답과 풀이 p.40

1 □ 안에 일이 일어날 가능성을 알맞게 써넣으세요.

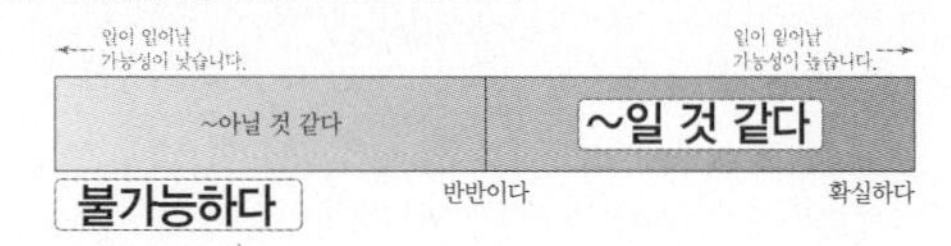

✤ 가능성의 정도는 불가능하다, ~아닐 것 같다, 반반이다, ~일 것 같다, 확실하다 등으로 표현할 수 있습니다.

2 일이 일어날 가능성을 찾아 알맞게 이어 보세요.

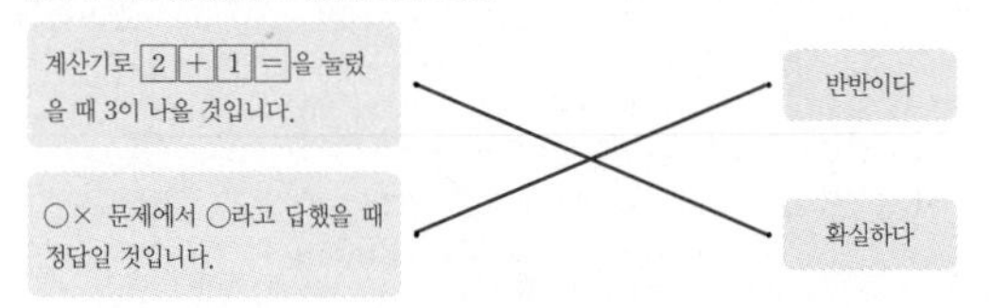

✤ 계산기로 2 + 1 = 을 누르면 3이 나오므로 3이 나올 가능성은 '확실하다'입니다.
✤ ○× 문제에서 ○라고 답했을 때 정답일 가능성은 '반반이다'입니다.

3 일이 일어날 가능성을 생각해 보고, 알맞게 표현한 곳에 ○표 해 보세요.

일 \ 가능성	불가능하다	~아닐 것 같다	반반이다	~일 것 같다	확실하다
오늘이 토요일이면 내일은 일요일일 것입니다.					○
주사위를 한 번 굴리면 주사위 눈의 수가 2 이상으로 나올 것입니다.				○	
내년 3월의 날수는 32일일 것입니다.	○				
동전을 두 번 던지면 모두 숫자 면이 나올 것입니다.		○			
태어날 내 동생은 여자일 것입니다.			○		

✤ 주사위에는 1부터 6까지의 눈이 있고, 2 이상인 수가 나올 가능성이 1이 나올 가능성보다 더 높아 보입니다. ➜ ~일 것 같다
동전을 두 번 던지면 모두 숫자 면이 나올 가능성은 낮아 보입니다. ➜ ~아닐 것 같다

6 단원

교과서 개념 잡기

개념 7 일이 일어날 가능성을 수로 표현하기

• 일이 일어날 가능성을 0, $\frac{1}{2}$, 1과 같이 수로 표현할 수 있습니다.

불가능하다 0 — 반반이다 $\frac{1}{2}$ — 확실하다 1

- 일이 일어날 가능성이 '불가능하다'인 경우를 수로 표현하면 0입니다.
- 일이 일어날 가능성이 '반반이다'인 경우를 수로 표현하면 $\frac{1}{2}$입니다.
- 일이 일어날 가능성이 '확실하다'인 경우를 수로 표현하면 1입니다.

• 회전판을 돌렸을 때 화살이 초록색 또는 주황색에 멈출 가능성을 말과 수로 표현하기

일	화살이 초록색에 멈출 가능성	화살이 주황색에 멈출 가능성
가능성을 말로 표현하기	확실하다	불가능하다
가능성을 수로 표현하기	1	0

• 동전을 던졌을 때 숫자 면 또는 그림 면이 나올 가능성을 말과 수로 표현하기

숫자 면 그림 면

일	숫자 면이 나올 가능성	그림 면이 나올 가능성
가능성을 말로 표현하기	반반이다	반반이다
가능성을 수로 표현하기	$\frac{1}{2}$	$\frac{1}{2}$

개념 Check

일이 일어날 가능성을 수로 표현하였습니다. 바르게 설명한 친구에게 ○표 하세요.

내 나이가 12살이므로 내년에는 13살이 될 가능성은 1입니다.

내가 내일 하늘을 날 가능성은 1입니다.

정답과 풀이 p.40

1 일이 일어날 가능성을 수로 표현하려고 합니다. □ 안에 알맞은 수를 써넣으세요.

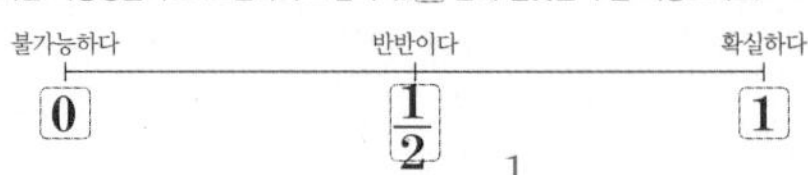

✤ '불가능하다'는 0으로, '반반이다'는 $\frac{1}{2}$로, 확실하다는 1로 표현할 수 있습니다.

2 초록색 구슬이 2개 들어 있는 상자에서 구슬 1개를 꺼냈습니다. 알맞은 말에 ○표 하고 □ 안에 알맞은 수를 써넣으세요.

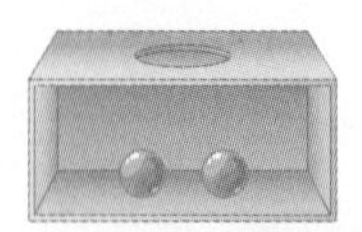

(1) 꺼낸 구슬이 초록색일 가능성은 (불가능하다 , (확실하다))이므로 수로 표현하면 1입니다.

✤ 초록색 구슬만 들어 있는 상자에서 구슬 1개를 꺼낼 때, 초록색일 가능성은 '확실하다'이므로 수로 표현하면 1입니다.

(2) 꺼낸 구슬이 주황색일 가능성은 ((불가능하다) , 확실하다)이므로 수로 표현하면 0입니다.

✤ 초록색 구슬만 들어 있는 상자에서 구슬 1개를 꺼낼 때, 주황색일 가능성은 '불가능하다'이므로 수로 표현하면 0입니다.

3 회전판을 돌렸을 때 화살이 멈출 가능성을 수로 표현하려고 합니다. □ 안에 알맞은 수를 써넣으세요.

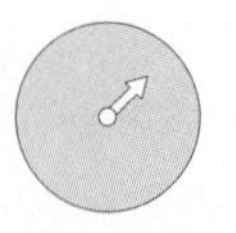

(1) 화살이 노란색에 멈출 가능성을 수로 표현하면 1입니다.

✤ 전체가 노란색인 회전판이므로 노란색에 멈출 가능성은 '확실하다'이므로 수로 표현하면 1입니다.

(2) 화살이 빨간색에 멈출 가능성을 수로 표현하면 0입니다.

✤ 전체가 노란색인 회전판이므로 빨간색에 멈출 가능성은 '불가능하다'이므로 수로 표현하면 0입니다.

6 단원

162쪽 ~ 163쪽

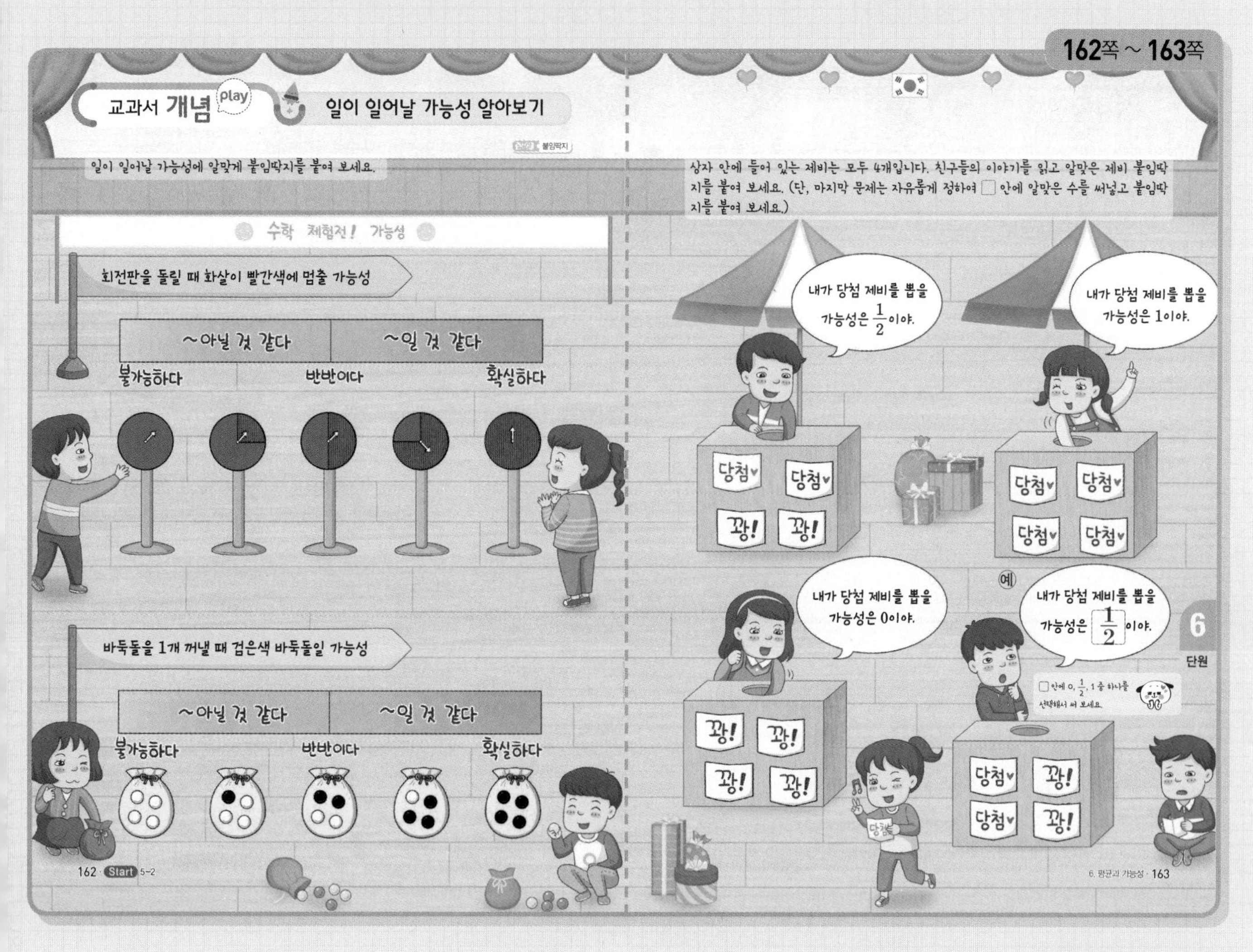

교과서 개념 play 일이 일어날 가능성 알아보기

붙임딱지

일이 일어날 가능성에 알맞게 붙임딱지를 붙여 보세요.

162 Start 5-2

상자 안에 들어 있는 제비는 모두 4개입니다. 친구들의 이야기를 읽고 알맞은 제비 붙임딱지를 붙여 보세요. (단, 마지막 문제는 자유롭게 정하여 □ 안에 알맞은 수를 써넣고 붙임딱지를 붙여 보세요.)

6. 평균과 가능성 · 163

164쪽 ~ 165쪽

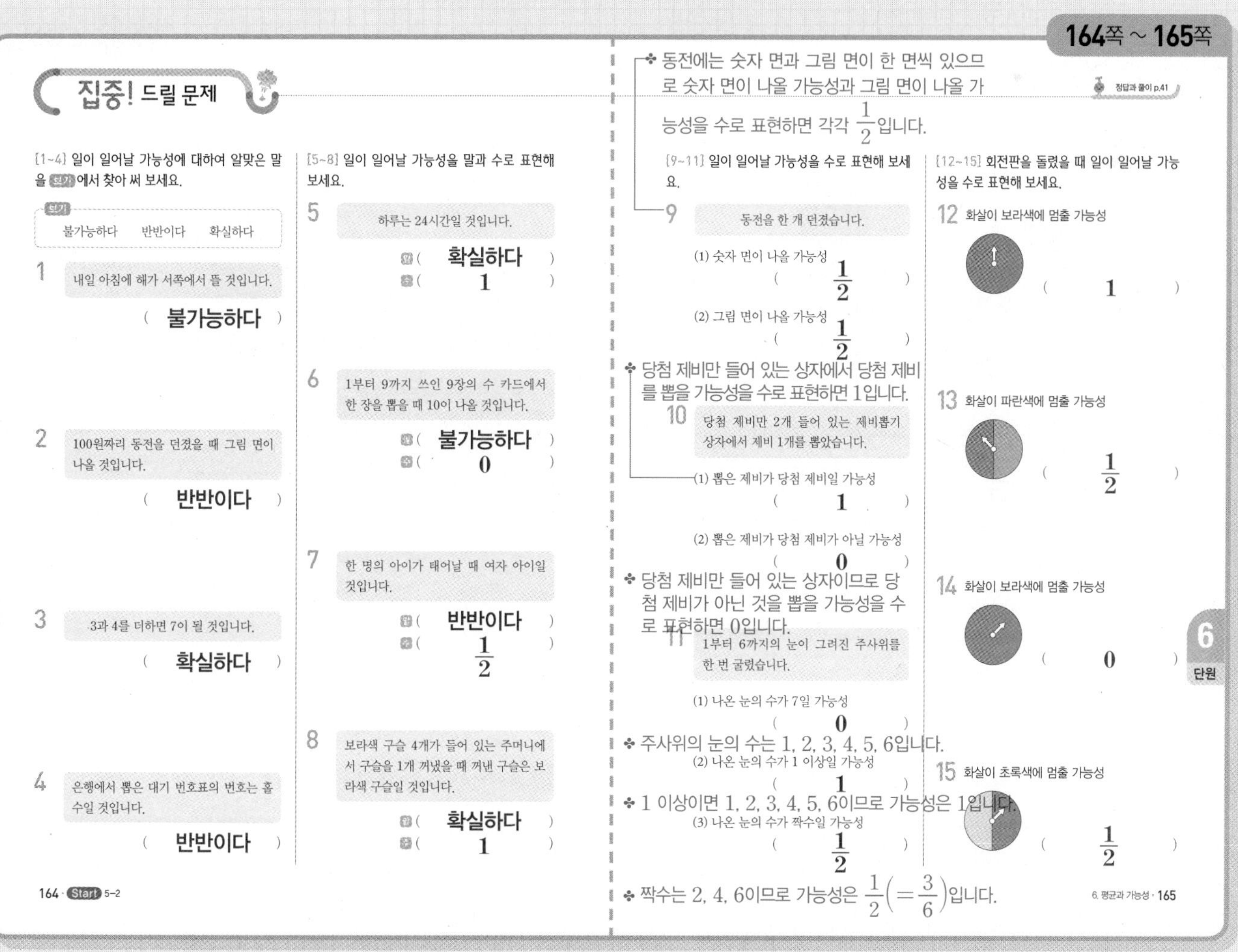

집중! 드릴 문제

정답과 풀이 p.41

[1~4] 일이 일어날 가능성에 대하여 알맞은 말을 보기에서 찾아 써 보세요.

보기: 불가능하다 반반이다 확실하다

1 내일 아침에 해가 서쪽에서 뜰 것입니다.
(불가능하다)

2 100원짜리 동전을 던졌을 때 그림 면이 나올 것입니다.
(반반이다)

3 3과 4를 더하면 7이 될 것입니다.
(확실하다)

4 은행에서 뽑은 대기 번호표의 번호는 홀수일 것입니다.
(반반이다)

[5~8] 일이 일어날 가능성을 말과 수로 표현해 보세요.

5 하루는 24시간일 것입니다.
말 (확실하다)
수 (1)

6 1부터 9까지 쓰인 9장의 수 카드에서 한 장을 뽑을 때 10이 나올 것입니다.
말 (불가능하다)
수 (0)

7 한 명의 아이가 태어날 때 여자 아이일 것입니다.
말 (반반이다)
수 ($\frac{1}{2}$)

8 보라색 구슬 4개가 들어 있는 주머니에서 구슬을 1개 꺼냈을 때 꺼낸 구슬은 보라색 구슬일 것입니다.
말 (확실하다)
수 (1)

164 Start 5-2

[9~11] 일이 일어날 가능성을 수로 표현해 보세요.

✣ 동전에는 숫자 면과 그림 면이 한 면씩 있으므로 숫자 면이 나올 가능성과 그림 면이 나올 가능성을 수로 표현하면 각각 $\frac{1}{2}$입니다.

9 동전을 한 개 던졌습니다.
(1) 숫자 면이 나올 가능성
($\frac{1}{2}$)
(2) 그림 면이 나올 가능성
($\frac{1}{2}$)

✣ 당첨 제비만 들어 있는 상자에서 당첨 제비를 뽑을 가능성을 수로 표현하면 1입니다.

10 당첨 제비만 2개 들어 있는 제비뽑기 상자에서 제비 1개를 뽑았습니다.
(1) 뽑은 제비가 당첨 제비일 가능성
(1)
(2) 뽑은 제비가 당첨 제비가 아닐 가능성
(0)

✣ 당첨 제비만 들어 있는 상자이므로 당첨 제비가 아닌 것을 뽑을 가능성을 수로 표현하면 0입니다.

11 1부터 6까지의 눈이 그려진 주사위를 한 번 굴렸습니다.
(1) 나온 눈의 수가 7일 가능성
(0)

✣ 주사위의 눈의 수는 1, 2, 3, 4, 5, 6입니다.

(2) 나온 눈의 수가 1 이상일 가능성
(1)

✣ 1 이상이면 1, 2, 3, 4, 5, 6이므로 가능성은 1입니다.

(3) 나온 눈의 수가 짝수일 가능성
($\frac{1}{2}$)

✣ 짝수는 2, 4, 6이므로 가능성은 $\frac{1}{2}\left(=\frac{3}{6}\right)$입니다.

[12~15] 회전판을 돌렸을 때 일이 일어날 가능성을 수로 표현해 보세요.

12 화살이 보라색에 멈출 가능성
(1)

13 화살이 파란색에 멈출 가능성
($\frac{1}{2}$)

14 화살이 보라색에 멈출 가능성
(0)

15 화살이 초록색에 멈출 가능성
($\frac{1}{2}$)

6 단원

6. 평균과 가능성 · 165

교과서 개념 확인 문제

정답과 풀이 p.42

1 사건이 일어날 가능성을 생각해 보고, 알맞게 표현한 곳에 ○표 하세요.

일 \ 가능성	불가능하다	반반이다	확실하다
내년에는 여름 다음에 가을이 올 것입니다.			○
계산기로 [3][+][2][=]을 눌렀을 때 6이 나올 것입니다.	○		
주사위를 한 번 굴리면 주사위 눈의 수가 3보다 큰 수가 나올 것입니다.		○	

❖ 여름 다음에는 가을이 오므로 내년에 여름 다음에 가을이 올 가능성은 '확실하다'입니다.

• 주사위의 눈의 수는 1부터 6까지이고 3보다 큰 수는 4, 5, 6이므로 주사위를 한 번 굴리면 3보다 큰 수가 나올 가능성은 '반반이다'입니다.

2 일이 일어날 가능성이 확실한 것을 찾아 기호를 써 보세요.

㉠ 한 명의 아이가 태어날 때 남자 아이일 가능성 ← 반반이다
㉡ 내일 해가 동쪽에서 뜰 가능성
㉢ 주사위를 굴렸을 때 나온 눈의 수가 8일 가능성 ← 불가능하다

(㉡)

❖ ㉡ 해는 항상 동쪽에서 뜨므로 내일 해가 동쪽에서 뜰 가능성은 '확실하다'입니다.

3 일이 일어날 가능성을 바르게 이야기한 친구는 누구일까요?

1번부터 10번까지의 번호표가 들어 있는 상자 안에서 한 장을 꺼내면 11번 번호표일 것입니다.

(준하)

❖ 상자 안에서 11번을 꺼낼 수 없으므로 가능성은 '불가능하다'입니다. 따라서 바르게 이야기한 친구는 준하입니다.

4 일이 일어날 가능성을 수직선에 ↓로 나타내어 보세요.

(1) 주사위를 한 번 굴릴 때 주사위 눈의 수가 0이 나올 가능성

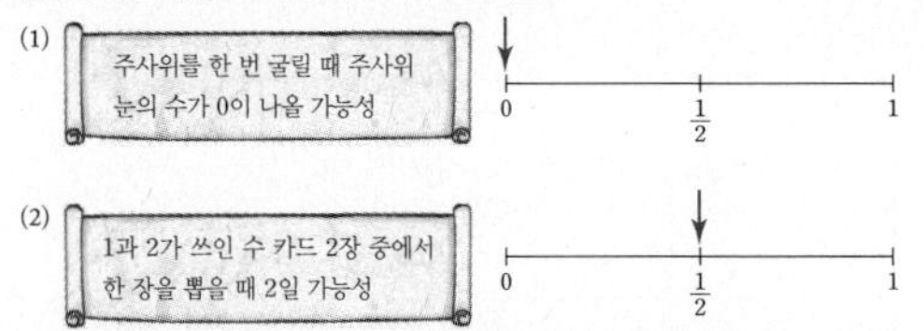

(2) 1과 2가 쓰인 수 카드 2장 중에서 한 장을 뽑을 때 2일 가능성

❖ (1) 주사위의 눈의 수는 1부터 6까지이므로 주사위를 한 번 굴릴 때 주사위 눈의 수가 0이 나올 가능성은 '불가능하다'이므로 수로 표현하면 0입니다.

(2) 1과 2가 쓰인 수 카드 2장 중에서 한 장을 뽑으면 1 또는 2가 나오므로 가능성은 '반반이다'이며, 수로 표현하면 $\frac{1}{2}$입니다.

5 빨간색 구슬만 4개 들어 있는 주머니에서 구슬 1개를 꺼낼 때 파란색일 가능성은 0부터 1까지의 수 중에서 어떤 수로 나타낼 수 있을까요?

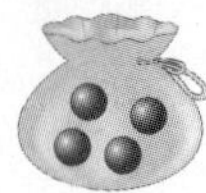

(0)

❖ 빨간색 구슬만 들어 있는 주머니에서 구슬 1개를 꺼내면 항상 빨간색입니다. 따라서 꺼낸 구슬이 파란색일 가능성은 '불가능하다'이므로 수로 표현하면 0입니다.

6 100원짜리 동전에는 다음과 같이 숫자 면과 그림 면이 있습니다. 동전 한 개를 던졌을 때 숫자 면이 나올 가능성을 수로 표현해 보세요.

($\frac{1}{2}$)

❖ 동전에는 숫자 면과 그림 면이 한 면씩 있으므로 숫자 면이 나올 가능성과 그림 면이 나올 가능성은 각각 '반반이다'이며, 수로 표현하면 $\frac{1}{2}$입니다.

교과서 개념 확인 문제

정답과 풀이 p.42

7 회전판을 돌렸을 때 화살이 파란색에 멈출 가능성을 수로 표현해 보세요.

(1) (0) (2) ($\frac{1}{2}$)

❖ (1) 화살이 파란색에 멈출 가능성은 '불가능하다'이므로 수로 표현하면 0입니다.
(2) 화살이 파란색에 멈출 가능성은 '반반이다'이므로 수로 표현하면 $\frac{1}{2}$입니다.

8 다음 카드 중에서 한 장을 뽑을 때 ♥ 카드를 뽑을 가능성을 수로 표현해 보세요.

(0)

❖ ♥ 카드가 없으므로 뽑을 가능성은 '불가능하다'이며, 수로 표현하면 0입니다.

9 1부터 6까지의 눈이 그려진 주사위를 한 번 굴릴 때, 주사위의 눈이 2의 배수로 나올 가능성을 수로 표현해 보세요.

($\frac{1}{2}$)

❖ 주사위의 눈의 수가 2의 배수로 나올 경우는 2, 4, 6으로 3가지이므로 가능성은 '반반이다'이며, 수로 표현하면 $\frac{1}{2}\left(=\frac{3}{6}\right)$입니다.

[10~13] 그림과 같이 주황색 공 2개와 파란색 공 2개가 들어 있는 상자에서 공 한 개를 꺼냈습니다. 물음에 답하세요.

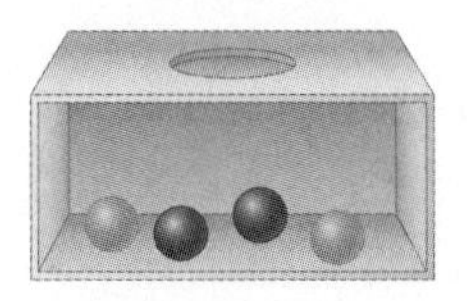

10 꺼낸 공이 검은색일 가능성을 수로 표현해 보세요.

(0)

❖ 검은색 공은 없으므로 꺼낸 공이 검은색일 가능성은 '불가능하다'이며, 수로 표현하면 0입니다.

11 꺼낸 공이 주황색일 가능성을 수로 표현해 보세요.

($\frac{1}{2}$)

❖ 전체 공은 4개이고 그중 주황색 공은 2개이므로 꺼낸 공이 주황색일 가능성은 '반반이다'이며, 수로 표현하면 $\frac{1}{2}\left(=\frac{2}{4}\right)$입니다.

12 꺼낸 공이 파란색일 가능성을 수로 표현해 보세요.

($\frac{1}{2}$)

❖ 전체 공은 4개이고 그중 파란색 공은 2개이므로 꺼낸 공이 파란색일 가능성은 '반반이다'이며, 수로 표현하면 $\frac{1}{2}\left(=\frac{2}{4}\right)$입니다.

13 꺼낸 공이 초록색일 가능성을 수로 표현해 보세요.

(0)

❖ 초록색 공은 없으므로 꺼낸 공이 초록색일 가능성은 '불가능하다'이며, 수로 표현하면 0입니다.

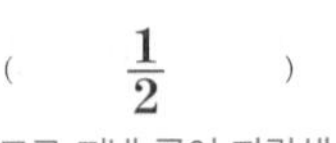

개념 확인평가 6. 평균과 가능성

맞은 개수

1 정현이네 모둠 학생들의 몸무게를 조사하여 나타낸 표입니다. 정현이네 모둠 학생들의 몸무게의 평균을 구해 보세요.

정현이네 모둠 학생들의 몸무게

이름	정현	윤지	선호	수민	혜수
몸무게(kg)	40	44	38	45	43

(**42 kg**)

❖ (정현이네 모둠 학생들의 몸무게의 평균)
$=(40+44+38+45+43)\div 5$
$=210\div 5=42$ (kg)

2 일이 일어날 가능성을 생각해 보고, 알맞게 표현한 곳에 ○표 하세요.

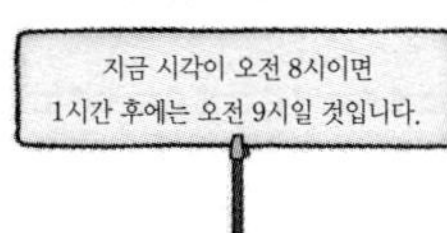

불가능하다	~아닐 것 같다	반반이다	~일 것 같다	확실하다
				○

❖ 오전 8시에서 1시간 후는 오전 9시이므로 가능성은 '확실하다'입니다.

3 일이 일어날 가능성을 찾아 알맞게 이어 보세요.

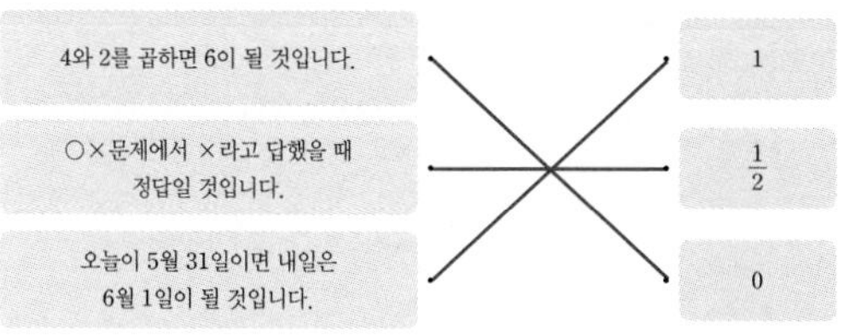

❖ • 4와 2를 곱하면 8이 되므로 6이 될 가능성은 '불가능하다'이며, 수로 표현하면 0입니다.
• ○×문제에서 ×라고 답했을 때 정답일 가능성은 '반반이다'이므로 수로 표현하면 $\frac{1}{2}$입니다.
• 오늘이 5월 31일이면 내일은 6월 1일이 되므로 가능성은 '확실하다'이며, 수로 표현하면 1입니다.

정답과 풀이 p.43

4 지우의 월별 국어 점수를 나타낸 표입니다. 물음에 답하세요.

지우의 월별 국어 점수

월	3	4	5	6
국어 점수(점)	76	84	92	88

(1) 지우의 월별 국어 점수의 평균을 구해 보세요.

(**85점**)

❖ (지우의 월별 국어 점수의 평균)
$=(76+84+92+88)\div 4=340\div 4=85$(점)

(2) 지우의 3월부터 7월까지의 국어 점수의 평균이 3월부터 6월까지의 국어 점수의 평균보다 높으려면 7월에는 몇 점을 받아야 하는지 예상해 보세요.

예 7월에는 85점보다 높은 점수를 받아야 합니다.

5 일이 일어날 가능성을 수로 표현해 보세요.

1부터 4까지 쓰여진 수 카드 4장 중에서 한 장을 뽑으면 짝수일 것입니다.

($\frac{1}{2}$)

❖ 1부터 4까지 쓰여진 수 카드 4장 중에서 한 장을 뽑으면 짝수 2, 4를 뽑을 가능성은 '반반이다'이므로 수로 표현하면 $\frac{1}{2}\left(=\frac{2}{4}\right)$입니다.

6 리라의 과학과 수학 성적을 나타낸 표입니다. 1회에서 4회까지의 점수의 평균은 어느 과목이 몇 점 더 높은지 차례로 써 보세요.

리라의 성적

회	1회	2회	3회	4회
과학 점수(점)	94	88	84	90
수학 점수(점)	85	80	79	92

(**과학**), (**5점**)

❖ (과학 점수의 평균)$=(94+88+84+90)\div 4=356\div 4=89$(점)
(수학 점수의 평균)$=(85+80+79+92)\div 4=336\div 4=84$(점)
➔ $89-84=5$(점)이므로 과학 점수의 평균이 5점 더 높습니다.

6 단원

개념 확인평가 6. 평균과 가능성

정답과 풀이 p.43

7 주머니 속에 오렌지 맛 사탕이 1개, 자두 맛 사탕이 1개 들어 있습니다. 이 중에서 1개를 꺼냈을 때 물음에 답하세요.

(1) 꺼낸 사탕이 오렌지 맛일 가능성을 말로 표현해 보세요.

(**반반이다**)

❖ (1) 주머니 속에 오렌지 맛 사탕이 1개, 자두 맛 사탕이 1개 들어 있으므로 꺼낸 사탕이 오렌지 맛일 가능성은 '반반이다'입니다.

(2) 꺼낸 사탕이 자두 맛일 가능성을 수로 표현해 보세요.

($\frac{1}{2}$)

❖ (2) 주머니 속에 오렌지 맛 사탕이 1개, 자두 맛 사탕이 1개 들어 있으므로 꺼낸 사탕이 자두 맛일 가능성은 '반반이다'이며, 수로 표현하면 $\frac{1}{2}$입니다.

8 승헤네 마을의 과수원별 포도 생산량을 나타낸 표입니다. 포도 생산량의 평균이 15톤일 때 나 과수원의 포도 생산량은 몇 톤인지 구해 보세요.

과수원별 포도 생산량

과수원	가	나	다	라
생산량(톤)	17		8	13

(**22톤**)

❖ (전체 포도 생산량)$=15\times 4=60$(톤)
➔ (나 과수원의 포도 생산량)$=60-(17+8+13)=22$(톤)

9 상자에 다음과 같은 구슬이 들어 있습니다. 이 중에서 구슬 1개를 꺼냈을 때 물음에 답하세요.

⑤ ⑥ ⑦ ⑧

(1) 꺼낸 구슬에 적힌 수가 짝수일 가능성을 말과 수로 표현해 보세요.

말 (**반반이다**)
수 ($\frac{1}{2}$)

❖ ⑤, ⑥, ⑦, ⑧의 구슬 중에서 1개를 꺼낼 때 나올 수 있는 구슬에 적힌 수는 5, 6, 7, 8로 4가지이고, 이 중에서 짝수인 경우는 6, 8로 2가지입니다. 따라서 꺼낸 구슬에 적힌 수가 짝수일 가능성은 '반반이다'이므로 수로 표현하면 $\frac{1}{2}\left(=\frac{2}{4}\right)$입니다.

(2) 꺼낸 구슬에 적힌 수가 짝수일 가능성과 화살이 파란색에 멈출 가능성이 같도록 회전판을 색칠해 보세요.

예  파란색 또는 

❖ 회전판에서 2칸을 파란색으로 색칠하면, 꺼낸 구슬에 적힌 수가 짝수일 가능성과 화살이 파란색에 멈출 가능성이 같습니다.

[Go! 매쓰]
수고하셨습니다.
앞으로 Run 교재와 Jump 교재로
교과+사고력을 잡아 보세요.